CW00822639

Política y tragedia

EDUARDO RINESI

Política y tragedia

HAMLET, ENTRE HOBBES Y MAQUIAVELO

Puñaladas
ENSAYOS DE PUNTA
COLIHUE

A864 RIN
Rinesi, Eduardo
Política y tragedia : Hamlet, entre Maquiavelo y Hobbes. - 1ª. ed. - Buenos Aires : Colihue, 2003.

288 p. ; 23x16 cm.- (Puñaladas)

ISBN 950-581-200-0

I. Título - 1. Ensayo Argentino

Director de colección: Horacio González
Diseño de colección: Estudio Lima+Roca

Av. Díaz Vélez 5125 (C1405DCG) Buenos Aires - Argentina

I.S.B.N. 950-581-200-0

Hecho el depósito que marca la ley 11.723
IMPRESO EN LA ARGENTINA - PRINTED IN ARGENTINA

Para Felipe y Malena,
mis amados hijos

Agradecimientos

"Se escribe, tal vez, por amistad."
DIEGO TATIÁN

Este trabajo, iniciado en San Pablo entre 1998 y 2000, y terminado en Buenos Aires entre 2000 y 2002, es el producto de un interés –el de pensar cómo es que debemos pensar ese obstinado pero esquivo objeto de nuestras preocupaciones al que solemos dar el nombre de "política"– que comparto con muchos amigos y colegas. Varios de ellos han estado involucrados, de un modo u otro, en la pequeña aventura que emprendí cuando comencé a escribirlo, y a ellos querría expresarles aquí mi gratitud. En primer lugar deseo mencionar a mis queridos maestros de la Universidad de Buenos Aires, Horacio González y Oscar Landi, cuyas cátedras en la Facultad de Ciencias Sociales me han resultado siempre espacios de confraternidad, discusión y aprendizaje, cuyas inquietudes teóricas no me cuesta esfuerzo reconocer, después de tantos años de charlas y de trabajo en común, en la base de las mías, y cuya amistad es un estímulo permanente para mí.

Cuando, a impulsos de mi trabajo con ellos y de mis propias obsesiones, empezaba a examinar con algún cuidado la obra de Thomas Hobbes, mi amiga Aída Quintar me puso en contacto –corría, creo, 1996– con los libros del profesor Renato Janine Ribeiro, quien desde nuestro primer encuentro, ocurrido en San Pablo al año siguiente, apoyó con entusiasmo esta investigación. Como orientador de mi doctorado en Filosofía en la Universidad de San Pablo (USP), su ayuda y su consejo han sido de fundamental importancia para el desarrollo de este trabajo, y querría dejar aquí constancia de mi gratitud por ello. Quiero asimismo agradecer a la profesora Marilena Chauí y al profesor Gabriel Cohn, cuyos comentarios, enseñanzas, sugerencias bibliográficas y aliento fueron también de gran valor, y al profesor Miguel Chaia, en quien descubrí con alegría, el día de la defensa de mi tesis, a un fervoroso estudioso de los mismos temas que a mí me inquietan.

En San Pablo y en Buenos Aires, muchas personas colaboraron conmigo de diversos modos. Querría agradecer especialmente a Eduardo Grüner, Esteban Vernik,

Mariana Gainza, Ezequiel Ipar y Gisela Catanzaro, de la UBA, a Afrânio Mendes Catani, Valeria de Marco, Jorge Schwartz, Guillermo Loyola y Encarnación Moya, y muy particularmente a Eunice Ostrensky y a Juan Carpenter, de la USP, a Edith López del Carril y Arnoldo Siperman, del Colegio Nacional de Buenos Aires, a Lisa Block de Behar, de la Universidad de la República (Montevideo) y a Rosângela Rodrigues de Andrade, de la UNR (Rosario). También a Andrés Jiménez Colodrero, Martín Cecere, Gabriela Domecq, Pablo Gallo y Miranda Cassino, compañeros de trabajo, lecturas y discusiones. A Facundo Martínez, Darío Capelli y Jack Nahmías, cómplices de una serie de fervores más o menos inexplicables, y a Horacio Correa, Martín Barbieri (responsable de una magnífica puesta de Hamlet *que vi en Buenos Aires en 2000) y Lila Monti.*

No querría dejar de mencionar también a algunas otras personas, con quienes tengo deudas de los más diversos tipos. A Alcira Argumedo, querida amiga, escritora vigorosa e interlocutora siempre dispuesta y entusiasta. A Emilio de Ípola, a Germán García, a cuyo interés por Hamlet *debo –aunque él no lo sepa– parte del mío. A mi amigo Alejandro Montalbán. A Carla Wainsztock, María Pia López y Lisandro Kahan, colegas y amigos. A Mario Larroca y Sonia Neubsburger (y también a Silvia Medrano y a Celeste Castiglione). A Christian Ferrer, Emilio Bernini y Guillermo Korn, cofrades –entre otros que ya han sido nombrados– de la revista* El Ojo Mocho. *A Nelly Shakespear, a Samuel León, a Roberto Domecq, a Mónica Arroyo (y en ella a tantos otros amigos de San Pablo: a Rubén, a Laura, a Ronald, a Francisco, a Graciela, a Flávio, a Iván, a Vima...). Y a Jung Ha Kang, mi compañera en estos periplos y en la vida.*

Corresponde indicar también que, a medida que el texto que va a leerse iba cobrando su forma definitiva, algunas versiones preliminares de este o aquel manojo de sus páginas fueron viendo la luz, bajo el estímulo que siempre suponen los plazos más perentorios de las publicaciones periódicas, en la forma de artículos o ensayos. Algunos de ellos aparecieron en Brasil, en la revista Lua Nova, *del Centro de Estudos de Cultura Contemporânea (CEDEC), de San Pablo, y en los* Cadernos de Ética e Filosofia Política *del Departamento de Filosofía de la USP. Otros aparecieron, menos inverosímilmente, en nuestro país: en el* Anuario 2000 *del Departamento Social de la Facultad de Psicología de la UNR y en las revistas* El Ojo Mocho, Ainda, La escena contemporánea *y* Zigurat, *de Buenos Aires.*

Dos palabras, casi finales, sobre el sub-título de este escrito, "Hamlet, entre Maquiavelo y Hobbes", cuya estructura quiere homenajear el modo de titular (con esas tríadas como enrarecidas por la heterogeneidad, como asaltadas desde dentro por la intencionada disonancia entre sus términos) de otro maestro querido y ad-

mirado: David Viñas. Más allá de los improbables resultados del ejercicio que aquí presento, reconozco en su punto de partida –en el intento de leer "literariamente" la (filosofía) política, y "(filosófico-) políticamente" la literatura– la profunda impresión que los ensayos críticos de Viñas no cesan de provocarme. No querría, por último, dejar de mencionar, junto a tantos nombres amigos, otro especialmene entrañable: el de Carlos Correas, con quien alcancé a discutir algunas de las ideas que aquí son desarrolladas, y cuya muerte no ha privado a este país devastado en el que termino ahora estas líneas de una voz "importante", "reconocida" ni "sonora", sino, mucho peor, de una voz justa.

* * *

Este trabajo de tesis contó con la ayuda económica de la Fundação de Amparo à Pesquisa do Estado de São Paulo (FAPESP), durante los dos años que pasé en San Pablo (1998-2000), y del Fondo Nacional de las Artes (FNA), de Argentina, durante el período de redacción final (2001-2002), en Buenos Aires.

* * *

Post-scriptum. Corrijo las últimas pruebas de imprenta de este libro a mediados de abril de este 2003 de ignominia y catástrofe. Y lo hago en un momento especialmente triste: hace pocos días, el domingo 6, murió mi maestro Oscar Landi. Ya he dicho, al comienzo de estos "Agradecimientos", cuánto le deben estas páginas. No sé bien cómo decir, ahora, cuánto se ha empobrecido, junto al conjunto de la vida intelectual argentina, mi propia vida.

[illegible] *de Viñas* [illegible] *con quien alcancé a discutir* [illegible] *cuya muerte no ha privado a esta* [illegible] *de una voz "importante"* [illegible]

Este trabajo de investigación contó con la ayuda económica de la [illegible] Estado de São Paulo (FAPESP), durante [illegible] en São Paulo (1998-2000), y del Fondo Nacional de las Artes (FNA), de Argentina, durante el período de redacción final (2001-2003), en Buenos Aires.

Post scriptum. Durante las últimas pruebas de imprenta [illegible] de abril de este 2003 de guerra injusta y [illegible] hace pocos días el domingo [illegible] maestro [illegible] cuanto le [illegible] junto al conjunto de la vida intelectual argentina, mi [illegible]

1. Política, conflicto y pensamiento trágico

¿Cómo pensar la política? ¿Con qué instrumentos, con qué categorías, con qué racionalidad? Aquí querría proponer y examinar una cierta conjetura: la de que el mundo de la tragedia (de la forma artística que reconocemos con ese nombre, del "pensamiento trágico" asociado –aunque no necesariamente limitado– a la reflexión sobre esa forma) contiene un conjunto de claves de comprensión de las cosas que pueden resultar de mucha ayuda para un pensamiento que se proponga *pensar la política*. ¿Por qué? Pues porque la tragedia es un modo de tratar con *el conflicto*, con la dimensión de contradicción y de antagonismo que presentan siempre las vidas de los hombres y las relaciones entre ellos, y esa cuestión del conflicto es también uno de los grandes problemas, uno de los núcleos fundamentales de la política. Aunque ponerlo así lo hace sonar todavía un poco ingenuo, o por lo menos un poco débil: deberíamos decir, mejor, que el conflicto es un elemento "*constitutivo* de la política" (Lefort, *¿Permanece...?*, p. 37, subr. mío), y que lo es en el sentido más radical de que *constituye su misma materia*. Es lo que sugería, por ejemplo, Max Weber, cuando caracterizaba al mundo de la política como el espacio de esa "guerra entre los dioses" con la que tan vigorosamente aludía a la lucha entre valores enfrentados, y lo que, recogiendo los ecos de una vasta tradición, puede afirmar hoy un autor como el filósofo italiano Roberto Espósito, cuando sostiene que "el conflicto, en toda su vasta gama de expresiones, no es otra cosa que la *realidad* de la política, su *factum*, su facticidad" (Espósito, p. 21). El conflicto, entonces, aparece en estas caracterizaciones como la materia, el corazón y el núcleo irreductible de la política (o de "lo" político: ya diremos algo sobre esta distinción), y ésa es la razón que nos anima a sugerir nuestra hipótesis sobre la capacidad de la *tragedia* y del *pensamiento trágico* para pensar los fenómenos políticos.

Porque, como decíamos, esta centralidad del conflicto es también la que define al mundo de la tragedia. En efecto: como observa Arnoldo Siperman, la tragedia –el *teatro* trágico, de Sófocles a Shakespeare: de *Antígona* a *Hamlet*– constituye una forma de presentación del conflicto que, partiendo de reconocer tanto su inevitabilidad como su carácter refractario a cualquier forma de "negociación" (el conflicto trágico, efectivamente, no es "tramitable", ya que no se refiere a diferencias sostenidas sobre la aceptación de un piso común de valores compartidos, sino a litigios que se expresan en imperativos mutuamente incompatibles), opta por exhibirlo, por "ponerlo en escena", en toda su desnuda crudeza, en toda su insoportable irresolubilidad (cf. Siperman, pp. 9-45). La postulación de esa inevitabilidad e irresolubilidad del conflicto es lo que da su fuerza a las grandes obras trágicas que han marcado singularmente la subjetividad y el pensamiento occidentales. Lo que da su fuerza a *Antígona*, por ejemplo, cuyo nervio radica –como se ha dicho tantas veces– en la circunstancia de que el enfrentamiento que sostiene Antígona con Creonte *no puede resolverse*, y ello simplemente *porque no existe ningún terreno común en el que las pretensiones morales de una y otro puedan encontrarse*. Y lo que da su fuerza también a la pieza de la que aquí vamos a ocuparnos: a *Hamlet*, que es la historia de alguien sometido a dos mandatos morales *que tampoco pueden encontrar ningún principio de resolución, superación o síntesis*, porque son radicalmente irreconciliables. En efecto: Aunque nos ocuparemos de esto con mayor cuidado, podemos decir desde ahora que si Hamlet "es alguien que, como dicen las tías, no sabe lo que quiere" (Lacan, p. 93) es porque no sabe a qué sistema de valores, a qué código moral, de los dos que se disputan su alma, quiere ser fiel. Porque *tiene que elegir* (y en este "tener que elegir", veremos, radica el núcleo de la experiencia trágica) entre dos pautas de acción opuestas, ambas perfectamente "morales", *pero correspondientes a morales distintas y mutuamente incompatibles*. La proverbial irresolución de nuestro príncipe se revela así como algo más que un rasgo personal, más o menos patológico, de su "carácter": es la expresión, en el corazón de su subjetividad atormentada, del principio de la contradicción radical alrededor del cual se organiza la experiencia de lo trágico.

Pero esa experiencia de lo trágico, decíamos, se manifiesta no sólo en un conjunto de piezas teatrales como éstas que acabamos de mencionar, sino también en un tipo específico de *pensamiento*, al que correspondería llamar, por lo tanto, "pensamiento trágico", y que podría definirse como un pensamiento que (como el del propio Weber, pero también como los de Sigmund Freud o Walter Benjamin) "acepta reflexionar sobre el mundo reconociendo en él ámbitos de conflicto irreductible" (Siperman, p. 36). Un pensamiento que conserva –como escribe Eduardo Grüner refiriéndose a la "dialéctica negativa" de Theodor W. Adorno, sin duda una de las formas más sugerentes que este "pensamiento trágico" adopta en la filosofía del siglo XX– "el movimiento perpetuo de un conflicto agónico sin superación posible, sin *Aufhebung*" (Grüner, "La experiencia...", p. 65). Ahora bien: ya que, de acuerdo a lo que veníamos de decir, la existencia de esos ámbitos de conflicto *es exactamente lo que define la naturaleza de lo político,* se desprende que el pensamiento trágico es especialmente apropiado para dar cuenta de los movimientos producidos en ese ámbito. El pensamiento trágico, en efecto, en la medida en que es un pensamiento capaz de convivir con el conflicto y de tratar de pensar en él y a partir de él (y no *a pesar* de él, ni mucho menos *contra* él), en la medida en que, para decirlo apenas de otro modo, "tiende a ver a los seres humanos dominados por la contradicción, por cortes y desdoblamientos, por las exigencias encontradas de requerimientos incompatibles" (Siperman, p. 20), es un tipo de pensamiento especialmente apto para el estudio de los fenómenos políticos. Ésa es, si tuviera que presentarla del modo más general posible, la tesis principal que me gustaría defender en este escrito.

2. Filosofía política y tragedia

> "...poner en cuestión la axiomática impensada de la filosofía política clásica y de la politicología moderna. El núcleo de esa axiomática: la tesis de un orden o una armonía como horizonte efectivo o virtual de la *polis;* el irresponsable optimismo de pensar que los conflictos de la *polis* son resolubles."
>
> Francisco Peñalver

De todos modos, es necesario apuntar desde el comienzo un problema serio, que es la muy antigua antipatía que la tradición filosófica occidental, desde sus grandes textos fundadores, ha manifestado hacia el mundo de la tragedia y de lo trágico. De Platón en adelante, en efecto, las líneas mayores de esa tradición se han empeñado, no sólo en descalificar de modo muy tajante a la tragedia, sino incluso en fundar la posibilidad misma de un pensamiento filosófico *por oposición* al tipo de pensamiento propio de ese mundo. Si fuéramos a hacer caso al autor de *La República,* deberíamos pues, *o bien* renunciar a hacer asomar nuestra mirada al conjunto de imágenes –imágenes abismales, *desmesuradas:* peligrosas– propias del universo de la *hybris* trágica, *o bien* renunciar a la aspiración a ver galardonado nuestro pensamiento con el título de *filosofía.* Al joven Nietzsche de *El nacimiento de la tragedia* esta última renuncia, por cierto, no le parecía en absoluto gravosa. En ese deslumbrante libro de 1870, Nietzsche subrayaba la radical contraposición entre el "esquematismo lógico" de la *dialéctica* (cuyo máximo emblema encontraba en la adusta figura del viejo Sócrates) y la forma superior y verdadera del conocimiento que en su opinión proponía entre los griegos el arte trágico. Pero esta contraposición, que Nietzsche localiza en un momento muy particular de la historia de la construcción de los grandes modos de pensar en Occidente, y cuyo desenlace es la aniquilación de la tragedia (forma superior del arte "entre los griegos de la época mejor, más fuerte, más valiente" [Nietzsche, p. 26]) bajo el peso del racionalismo científico y filosófico, *no se reduce*, sin embargo, a ese particular momento histórico: "Si la tragedia antigua fue sacada de sus rieles por el instinto dialéctico orientado al saber y al optimismo de la ciencia" –sostiene Nietzsche–, "habría que inferir de este hecho una lucha eterna entre *la consideración teórica* y *la consideración trágica del mundo*" (p. 140).

Una "lucha eterna", entonces, entre la consideración teórica y la consideración trágica de las cosas. Entre la filosofía y la tragedia. ¿Estaremos obligados a tomar partido en esa antigua querella? Me gustaría anticipar desde ahora –y justificar en el curso de esta misma "Introducción"– una respuesta negativa a esta pregunta, aunque por supuesto no debemos apresurarnos a despreciar el problema que el entusiasmo anti-dialéctico, anti-filosófico, anti-teórico de Nietzsche nos plantea. Y que resulta especialmente pertinente cuando se trata –como aquí se trata– no ya de contraponer una "consideración teórica" y una "consideración trágica" del mundo *en general*, sino una consideración teórica y una consideración trágica del mundo *político* en particular. Porque, en efecto, es en relación con el mundo *político*, repitamos, que queremos preguntarnos por las posibilidades relativas de la filosofía y del pensamiento trágico, y es esa preocupación la que nos llevó hace un momento a destacar la especial pertinencia de este último para enfrentar lo que, dijimos, constituye uno de los elementos constitutivos de la política: el conflicto. En cuanto a la *filosofía* política (a la filosofía política, insistamos, racionalista, "socrática", "dialéctica": es a ella a la que *acá* nos referimos), su relación con esta cuestión fundamental del conflicto es muy distinta. En realidad, opuesta. Porque si el pensamiento trágico es un tipo de pensamiento que parte de aceptar el carácter irreductible del conflicto en la vida de los hombres y en las relaciones entre ellos, la filosofía política que hereda el rechazo socrático y platónico al universo de lo trágico, en cambio, sólo puede levantar su imperio a partir de la *negación* de esa irreductibilidad. Es nuevamente Siperman quien, retomando una advertencia del propio Nietzsche, nos pone en la pista que querríamos recorrer al recordarnos que la *filosofía*, entendida –igual que la *tragedia* y que la propia *política*, esas otras dos creaciones del genio griego– como una "estrategia para la vida, para afrontar el conflicto entendido como una realidad constitutiva del acontecer humano", encuentra su punto de partida en la idea –anti-trágica– "según la cual los relatos que se refieren a la colisión de obligaciones morales opuestas repugnan a la razón" (Siperman, pp. 28s).

La filosofía se levanta pues *contra la tragedia* porque se levanta contra el conflicto. O –para decirlo con mayor precisión– porque "cuando encuentra el conflicto, lo hace a partir y dentro del presupuesto del orden" (Espósito, p. 21). En otras palabras: la filosofía no *piensa* el conflicto, sino que lo *representa*, es decir: lo ordena. "No existe *filosofía* del conflicto que no reduzca a éste al propio orden categorial y por tanto que, en definitiva, no lo niegue precisamente mientras lo representa y a través de tal representación." (*id.*) Así pues, el conflicto, realidad factual *de la política*, "no entra en los esquemas representativos *de la filosofía* política, no es pronunciable en su lenguaje conceptual" (*id.*). Si todo esto fuera cierto, la filosofía política sólo podría pensar el conflicto en el mismo movimiento en el que piensa las formas de *encuadrarlo, superarlo, disolverlo*, y, por esas vías, sacarlo de la escena. Ahora: Si por un lado la trama categorial de la filosofía política –a diferencia de la del pensamiento trágico– está incapacitada para hacerse cargo de la centralidad e irreductibilidad del conflicto, y por otro lado éste constituye la propia materialidad de la política, la conclusión que se desprende es que, contra lo que podría pensarse, la filosofía política no es un tipo de conocimiento apto ("es un criterio inhabilitado", dice, tajante, Espósito [p. 20]) para pensar, precisamente, *la política*. Conclusión tal vez sorprendente y que ya nos ocuparemos de relativizar, pero de la que por el momento conviene decir que no es tampoco exactamente novedosa. En una forma quizás algo más débil, la encontramos anunciada por Sheldon Wolin en el primer capítulo de su ya clásico *Política y perspectiva:* "El objeto de la filosofía política ha consistido en gran medida", dice Wolin, "en la tentativa de hacer compatible la política con las exigencias del orden. La historia de la filosofía política ha sido un diálogo sobre este tema" (Wolin, p. 20). La formulación es menos terminante, decía, que la de Espósito, porque Wolin plantea como *un diálogo* (diálogo entre, para usar su terminología, la "filosofía política" y la "práctica política") lo que Espósito presenta como una oposición radical. Pero el énfasis en el compromiso de la filosofía política con el orden es el mismo: "Ningún teórico político abogó jamás por una sociedad desordenada", asegura Wolin (*ibid.*, p. 18), quien encuentra en Platón el punto de partida de la obsesión filosófica por la producción de una "ciencia del orden" (p. 45) capaz de conjurar "la propensión intrínseca al desorden" (p. 54) de la vida política, y en Hobbes –que compartía con el autor de *La República* "la aversión a la actividad política y la apatía respecto de la participación política" (p. 299)– el gran teórico moderno de la paz.

En un tono más fuerte y más provocador, la misma tesis puede encontrarse formulada en el programático *El desacuerdo*, de Jacques Rancière, donde leemos que "lo que se denomina 'filosofía política' bien podría ser el conjunto de las operaciones del pensamiento mediante las cuales la filosofía trata de *terminar* con la política" (Rancière, p. 11), de sofocar, de conjurar, de *suprimir* –dice Rancière– el "escándalo" de la política. ¿En qué consiste ese escándalo? Pues en la actualización del litigio fundamental, de la distorsión básica, del desequilibrio secreto que divide y perturba a todo orden, y en la revelación de que, contra lo que pretende la "mentira" filosófico-política "que inventa una naturaleza social para dar una *arkhé* a la comunidad" (*ibid.*, p. 31), *ningún orden social se funda en la naturaleza:* Hay política –escribe Rancière– porque (o cuando) el orden presuntamente natural de lo social "es interrumpido por una libertad que viene a actualizar la igualdad última" (*id.*) sobre la que ese orden descansa, "vale decir, en última instancia, la ausencia de *arkhé*, la pura contingencia de todo orden social" (p. 30). Así –se ve claramente– entre filosofía política (o "política de los filósofos", como dice Rancière) y política (o "práctica política", como decía Wolin) no hay ya, aquí, ningún diálogo posible, sino enfrentamiento y combate abierto: Hay política cuando la contingencia igualitaria interrumpe la presunta "naturalidad" del orden social, presunta "naturalidad" *que la propia filosofía política tiene la tarea de forjar.* La política se levanta pues *contra* la filosofía política. Y ésta, por su parte, tiene el proyecto de reemplazar "el orden aritmético, el orden del más y del menos que rige el intercambio de los bienes perecederos y los males humanos" por el orden geométrico "que rige el verdadero bien, el bien común que es virtualmente la ventaja de cada uno sin ser la desventaja de nadie" (p. 29): *la filosofía política se levanta pues, siempre y en todas partes –y porque ésta es exactamente su función–, contra la política, contra la "tragedia" de la política.* Como nos decía Espósito: la filosofía política rechaza de su seno a la política, porque rechaza el principio mismo de la contradicción, sobre el cual –y sólo sobre el cual– la política puede tener lugar. Ahora bien: esta proposición, sin duda algo altisonante y pomposa, nos deja frente a dos problemas serios. El primero se refiere al equívoco significado de la palabra "política"; el otro, a qué entendemos o a qué debamos entender por "*filosofía* política", y a si estamos siendo justos, con las cosas que hemos estado diciendo hasta acá, con el vasto y heterogéneo conjunto de pensamientos que es posible reconocer bajo esa denominación. Será necesario decir dos palabras sobre una y otra de estas dos cuestiones.

3. Juegos de espejos, juegos de palabras

"Qué adorables propósitos los de los juristas que nos dicen: 'El Estado es esto, la Nación, aquello'. Ahí van ellos, con la cinta métrica en la mano: 'Cintura, tanto... Hombros, tanto...' Acabada la ropa, grito de triunfo: '¡Qué bien cae!' Ahora: ¿qué es, sin embargo, lo que cae?"

LUCIEN FEBVRE

"Si una idea fundamental tiene una ambigüedad esencial, una formulación precisa de esa idea debe tratar de *capturar* esa ambigüedad antes que de borrarla o eliminarla."

AMARTYA SEN

Primero, entonces, la política. Unas páginas más arriba apuntamos la idea de Lefort según la cual ésta encuentra en el *conflicto* un elemento constitutivo fundamental, y derivamos de ahí el corolario de que un pensamiento que se proponga *pensar la política* debe ser un pensamiento capaz –como lo es el pensamiento trágico– de dar cuenta de ese elemento fundamental. Ahora: es también obvio que si la política contiene esa dimensión de conflicto como una dimensión esencial e inerradicable (en efecto: no hay ni podría haber política sin una cisura primera que divida a la comunidad e introduzca en ella el principio de la diferencia), esa dimensión de conflicto no puede tampoco *agotar* el espacio de la política ni su definición: no hay ni podría haber política en una sociedad donde *sólo* hubiera división y antagonismo. De ahí que Lefort apunte inmediatamente un *segundo* elemento constitutivo de la política: el *poder*, que ofrece a ese mismo cuerpo social escindido o dividido una no menos necesaria articulación, e instituye de ese modo, por encima del conflicto y a pesar de él, un espacio común entre los hombres. Así, la política aparece definida en el espacio delineado por estos *dos* grandes "principios generadores" de cualquier sociedad: el *conflicto* y el *poder*. O, si se prefiere: la división y la articulación, la apertura y el cierre, el desorden y el orden. Por supuesto, nada de esto nos obliga a cambiar nada de lo que hemos dicho respecto a las potencialidades de la tragedia y del pensamiento trágico para pensar la política: es evidente que la idea de conflicto propia del mundo de lo trágico sólo tiene sentido, también, por referencia a la idea de un Orden sobre el telón de fondo del cual el desarreglo de las cosas en el que consiste la materia de lo trágico adquiere significación. Lo que sí nos permite esta puntualización es introducir la noción de una *tensión* entre esos dos extremos, bordes o límites del campo donde la política encuentra su lugar. En cierto sentido, la discusión de esa tensión será uno de los temas de este trabajo.

Pero hay una segunda cuestión que debemos comentar. Si repasamos nuestra rápida síntesis del modo en que Rancière contrapone las ideas de "filosofía política" y de "política", advertiremos que esta última noción aparece definida, en las formulaciones del filósofo francés, como algo muy distinto (en cierto sentido, como algo radicalmente *opuesto*) a lo que generalmente, en nuestros usos cotidianos de la lengua, ponemos bajo los auspicios de ese nombre: la gestión de los asuntos públicos, la administración de la "cosa pública", la tarea o el conjunto de tareas de las que se ocupan "los políticos"–, para lo que Rancière propone reservar el nombre menos épico de "policía". Así, el autor de *La lección de Althusser* suma su voz (cierto que de un modo extremadamente sutil y lleno de consecuencias) al coro de pensadores que en los últimos años se han abocado a la tarea de intentar "corregir", digamos así, la perturbadora ambivalencia que carga consigo la palabra "política", siempre sospechosa de querer decir "más cosas" que las convenientes, o de estar indebidamente contaminada por un uso vulgar, corriente o de "sentido común" que la volvería inepta para designar, sin muchas precisiones adicionales, el "verdadero" objeto al que sería necesario hacerla corresponder. Rancière –bastante cercano en esto a, por ejemplo, Alain Badiou– adopta en relación con esta cuestión un criterio que lo enfrenta a la tendencia, digamos, "objetivista" (característica en cambio de, verbigracia, la politicología sistémica), a definir la política como un cierto "campo" o "subsistema" del sistema social. El criterio adoptado por Rancière consiste entonces en: a) separar muy nítidamente el campo de las instituciones y de los intercambios mediados por ellas (de los "poderes constituidos", si quisiéramos apelar a esa terminología, propuesta y difundida últimamente por Antonio Negri) y el campo de las prácticas de contestación o impugnación de esos órdenes institucionales (de los "poderes constituyentes" de la multitud, de la "parte de los sin parte", de los que reclaman ser "tenidos en cuenta" en la cuenta siempre fallada del poder), y b) reservar el nombre de "política" *solamente* a las acciones realizadas por los sujetos en este segundo campo.

De acuerdo. La distinción entre las prácticas de administración del orden y las acciones que buscan impugnarlo es sin duda pertinente y necesaria. Lo que deberíamos preguntarnos es si, calificando como "políticas" *solamente* a estas últimas (y rebautizando como "policiales", o como se quiera, a las otras), el tipo de pensamientos que estamos comentando no corre el riesgo de replicar, de modo invertido, la disociación propuesta por los cuerpos de ideas que buscan combatir (y que a los efectos de lo que aquí interesa podemos convenir en llamar, tal vez, "institucionalistas"), los que, por su parte, *también* imaginan que hay *un único significado verdadero* para la palabra "política" (el que permite identificar la política *institucional*), y relegan en consecuencia al campo de lo "no-político", de lo "extra-político" o de lo "pre-político" a las prácticas de contestación de ese orden que no estén dispuestas a jugar las reglas que el mismo propone. De ahí que otros autores hayan apelado, para aludir a esta misma distinción sin incurrir en los riesgos de este "juego de espejos", a la contraposición entre el concepto de "la" política y el de "lo" político, contraposición que constituye ella misma, como observa Lefort, un indicio de la ambigüedad que aquí nos interesa destacar. Aunque tampoco ellos, debemos agregar, están de acuerdo sobre el mejor modo de nombrar a cada una de estas dos esferas de acción. Así, si en las primeras páginas de *Poder político y clases sociales en el Estado capitalita*, de Nicos Poulantzas, podemos leer que es necesario distinguir "entre la *superestructura jurídico-política del Estado*, lo que puede llamarse *lo político*, y las prácticas políticas de clase –lucha política de clase–, lo que puede llamarse *la política*" (Poulantzas, p. 33), otras veces ambas expresiones se usan en un sentido exactamente opuesto. Así, por ejemplo, el propio Lefort define a *la* política como un campo de acción (un "sistema específico", dice) entre otros, y a *lo* político como "una dimensión originaria de lo social" (Lefort, *op. cit.*, pp. 19s). Así, también, Eduardo Grüner, en un artículo al que ya hemos aludido (y que de hecho constituye un excelente "estado de la cuestión" sobre estos debates "en la zona izquierda del espectro"), define a la experiencia de *lo* político como "la experiencia de una violencia originaria" (Grüner, *op. cit.*, p. 66), anterior a cualquier forma de contrato y, por supuesto, exterior al juego de las instituciones, mientras que *la* política, en cambio, es definida como el conjunto de prácticas en las que consiste, precisamente, ese juego institucional.

Por mi parte, he sugerido hace un momento la conveniencia de preservar la ambivalencia, la polisemia, de la palabra "política". Más aún: de explorar la posibilidad de postular que *la riqueza de esa palabra, "política", reside exactamente en su ambigüedad*. Que ésta no es un defecto que deberíamos lamentar ni un déficit que deberíamos tratar de corregir apropiándonos de (o simplemente inventando) nuevas palabras o modulaciones para identificar a cada una de sus distintas acepciones, *sino la expresión del movimiento real de aquello que esa palabra sirve para designar*. De otro modo: Que el "juego de palabras" que ese término implica es un juego de palabras "objetivo". Tomo esta última expresión, "juego de palabras objetivo", de un bello texto de Étienne Balibar donde puede leerse que el "juego de palabras" contenido en la categoría filosófica de "sujeto" (que es *subjectum*, o sea, soporte o sustrato de una identidad, de unas determinadas propiedades, etc., *pero también*, y al mismo tiempo, *subjectus*, es decir, alguien sometido o sujetado) es "un juego de palabras *objetivo*, inscrito en la historia misma de la lengua y de las instituciones" (Balibar, "Sujeción...", p. 188), y que es exactamente en esta doble valencia donde radica el valor de esa palabra, *que sólo gracias a ella puede ser verdaderamente descriptiva de la tensión real sobre la que se sostiene la cosa que designa.* Y lo mismo podría decirse, sin duda, de los "juegos de palabras" involucrados en muchos *otros* vocablos, tales como, por ejemplo, "composición", "construcción", "constitución" o "institución", que designan *al mismo tiempo* la acción –subjetiva– de componer, construir, constituir o instituir y el resultado –objetivo– de esas acciones. Es claro que cuando se habla, por ejemplo, de "la constitución de un sujeto popular", o de "la institución de nuevas reglas de juego" se piensa en acciones y en procesos diferentes que los que nos traen a la mente expresiones como "la constitución nacional" o "las instituciones de la República". Pero nada ganaríamos (y sí, en cambio, perderíamos mucho) si decretáramos que sólo "corresponde" utilizar las palabras "constitución" o "institución" en uno de esos sentidos, y no en el otro. Porque es precisamente la indeterminación y la variabilidad del significado de esas palabras lo que las hace tan aptas para dar cuenta del carácter dinámico que tiene siempre la vida de las sociedades, vida que no se presenta nunca bajo la forma de una oposición dicotómica entre un "polo" de instituciones establecidas y "poderes constituidos" y otro "polo" de prácticas instituyentes y de "poderes constituyentes", sino que se manifiesta siempre bajo la forma de un proceso permanente, un movimiento incesante y una tensión ineliminable entre esos dos extremos.

Pues bien: la idea que aquí estoy intentando proponer es que con la palabra "política" sucede algo semejante. Que, igual que las palabras que acabamos de considerar, la palabra "política" es ambivalente *no* porque esté necesitando una "definición" más precisa, *sino porque aquello que nombra involucra una tensión inerradicable.* En efecto: contra quienes reducen la política (como lo hacen las teorías "institucionalistas" que dominan el ambiente de la politicología académica) al mero funcionamiento de la maquinaria institucional, *pero también* contra quienes buscan la política *solamente* en las prácticas de oposición a esos dispositivos, sostendré acá que el conflicto y la tensión entre la idea de la política entendida como práctica institucional de administración de las sociedades y la idea de la política entendida como antagonismo y lucha *es constitutiva de la política misma.* Que el espacio de la política se define exactamente en esa tensión, en ese punto de cruce entre las instituciones formales y las prácticas sociales (entre –si quisiéramos ponerlo en los términos de una contraposición clásica sobre la que volveremos– las "instituciones políticas" y las "acciones políticas"), entre los poderes constituidos de los Estados y el "poder constituyente" de la multitud, entre las "instituciones" y los "acontecimientos", entre la autoridad y la novedad. O, si quisiéramos volver ahora sobre los dos "principios generadores" de los que nos hablaba Lefort unas páginas atrás: entre el poder y el conflicto. Que no constituyen sino las dos partes de una unidad inseparable, y que no pueden pensarse, en consecuencia, sino en su mutua relación. La política es siempre, en efecto, la actividad o el conjunto de actividades desarrolladas en ese espacio de tensión que se abre entre las grietas de cualquier orden *precisamente porque ningún orden agota en sí mismo todos sus sentidos ni satisface las expectativas que los distintos actores tienen sobre él.*

4. El orden y la revolución, "metáforas de la política"

Una excelente argumentación a favor de esta hipótesis de que la palabra "política", como venimos sosteniendo, no tiene "un" significado correcto y verdadero, y de que un pensamiento adecuado a la complejidad del objeto que ella nombra sería aquel que se permitiera pensar (en) la brecha que se abre entre los distintos significados que ella tolera, puede encontrarse en el último, excelente libro de Emilio de Ípola, sugestivamente titulado *Metáforas de la política*, aparecido en Buenos Aires cuando este escrito empezaba a tomar su forma definitiva, y al que me complace poder hacer comparecer aquí en mi ayuda. De Ípola afirma, en su libro, que la política puede ser concebida *tanto* como un "subsistema" con funciones determinadas (y como *parte*, en consecuencia, de un "sistema social" más vasto, que lo excede y "sobre el cual sólo puede incidir en el interior de límites acotados" [De Ípola, p. 10]), *cuanto* como "un todo capaz de exceder cualquier límite" (*id.*), de mostrarle a ese orden social la contingencia radical sobre la que se sostiene y eventualmente, incluso, de subvertirlo. La primera de esas dos acepciones de la palabra "política" nos enfrenta a la idea de *orden*; la segunda, a la idea de *revolución*. Ésas son las dos "metáforas de la política" a las que alude el título del libro de De Ípola, las dos grandes figuras con las que la política suele ser pensada: una metáfora "débil", sistémica, y una metáfora "fuerte", rupturista. Y aquí, la tesis de De Ípola, perfectamente consistente con lo que veníamos nosotros proponiendo: Que las ideas sobre la política sostenidas sobre la aceptación *excluyente* de una *u* otra de estas dos grandes metáforas coinciden en el error de perder en el camino la esquiva naturaleza de lo que buscan definir. En efecto: No consigue *pensar la política*, escribe De Ípola, *ni* el que la considera exclusivamente como un subsistema del sistema social *ni* el que la concibe apenas como el momento de crisis del pacto que sostiene todo el edificio de la sociedad, sino sólo el que "osa emprender la ardua travesía del laberinto que ambas metáforas dibujan en el dominio huidizo e irrepresentable de lo social" (*ibid.*, p. 12). Porque sólo así (insisto, a riesgo de ser redundante) puede darse cuenta del hecho de que lo ambivalente no es *la palabra* "política", sino, si se me permite decirlo de este modo, *la política misma.*

Hemos indicado un poco más arriba que la contraposición entre las dos ideas sobre la política que aquí estamos discutiendo puede leerse como una variación sobre el viejo tema de la oposición entre las teorías que enfatizan la importancia de la *acción* política y las que acentúan la centralidad de las *instituciones* políticas. Esa oposición es fundamental en nuestro recorrido, y por cierto volveremos sobre ella: ya tendremos tiempo de ubicar, en efecto, a la cabeza de una y otra de esas dos tradiciones teóricas, a los dos autores de los que habremos de ocuparnos con más cuidado: a Maquiavelo, autor de la primera teoría moderna de la *acción* política, y a Hobbes, padre fundador de la reflexión moderna sobre las *instituciones* políticas. Sostendremos también que todo el desarrollo del pensamiento político moderno puede ser pensado como un prolongado diálogo (diálogo no exento de tensiones y conflictos, pero también de puntos de encuentro y de articulación) entre estas dos tradiciones. Lo que por ahora querría apenas indicar es que el argumento desarrollado por De Ípola en el libro que estamos comentando se sostiene sobre este mismo telón de fondo, y sobre un diagnóstico que no nos cuesta trabajo compartir y que de hecho ya hemos anunciado, a saber: el del decidido triunfo, en las líneas dominantes del pensamiento social y político contemporáneo, de las posiciones más "institucionalistas" en desmedro de los pensamientos acerca de la *acción* política, y en la consecuente necesidad de recuperar la constelación de preguntas que había dado impulso, otrora, a la reflexión sobre ésta última, y de volver a plantearse el conjunto de problemas (teóricos, epistemológicos, metodológicos, ontológicos) que ella plantea. Imposible considerar aquí este vasto conjunto de cuestiones. Baste mencionar los dos grandes diálogos que De Ípola sostiene en este libro y que son fundamentales, me parece, en su argumento: su diálogo con Niklas Luhmann y su diálogo con Marx.

Se entiende por qué la obra de Luhmann es reiteradamente sometida a crítica en las páginas del libro que comento: poniendo su tratamiento de los fenómenos sociales bajo el amparo de una teoría general de los sistemas, de una hipótesis sobre el carácter autopoiético y autorreferencial de los distintos sistemas (o "sub-sistemas") sociales y de una clasificación que le permite distinguir tres tipos distintos de esos sistemas o sub-sistemas autopoiéticos y autorreferenciales atendiendo a sus diferentes grados de complejidad, *Luhmann expulsa a la acción del campo de los problemas de los que habría que ocuparse.* Pero no sólo eso: Al enfatizar la autonomía y particularidad de cada uno de los distintos sistemas sociales cuyo interjuego constituye la vida de una sociedad, esa teoría se prohíbe pensar la eventualidad de que uno de esos sistemas (el que aquí interesa: el político) pueda en determinado momento exhibir una "aspiración a la totalidad": una pretensión de *serlo todo* (y no apenas una parte de un todo mayor) y de poder, en consecuencia, desde esta ambiciosa exigencia, *subvertirlo todo*. Es decir: se prohibe pensar a la política en el sentido "fuerte" en el que permite pensarla la metáfora "rupturista" de la revolución: debe *forcluir* la idea de la política como revolución. El problema del pensamiento sistémico de Luhmann, entonces, es que, forcluyendo una de las dos metáforas que se disputan la conceptualización de la política y pensando *solamente* en el interior de la otra (de la metáfora "débil": la del orden), abandona la necesaria *tensión* entre esas dos figuras, que sólo resultan productivas, como hemos dicho, cuando cada una tiene a la otra como telón de fondo (como "complemento gestáltico", dice De Ípola) y como silenciosa referencia. Abandonando *toda* referencia a ese "fondo gestáltico" que ofrece a cualquier idea de la política como orden el fantasma de la idea de la política como revolución, el pensamiento de Luhmann no consigue poner bajo el nombre de "política" más que una insípida práctica de administración, gestión o "cálculo de expertos".

Con Marx, por supuesto, estamos desde el comienzo en otro lado, porque estamos, desde el comienzo, en el terreno de una teoría de la acción. Lo que De Ípola hace, acá, es mostrarnos que esa teoría de la acción de Marx *sí contiene* esa ambivalencia fundamental que a él le interesa rescatar, y sin la cual cualquier pensamiento sobre la política resulta, como el de Luhmann, por lo menos rengo. ¿Qué forma asume en Marx esa ambivalencia? La de una distinción, dice De Ípola, entre dos ideas –y hasta entre dos *categorías* diferentes– para pensar la acción política: Marx, en efecto, hablaba de "acción" cuando pensaba la política en un sentido "débil", y de "praxis" cuando pensaba la política en un sentido "fuerte". Y las dos "metáforas de la política" que ocupan a De Ípola reaparecen aquí muy nítidamente. Porque si la *mera* acción política supone una idea de orden y se realiza en el interior de una esfera de la acción que no pretende superponerse con la totalidad de lo social, la noción de *praxis* es usada por Marx para referirse a acciones políticas fuertes y *revolucionarias*, que trastocan el orden y *crean sujetos colectivos*. Este último punto es fundamental: si la *mera* acción política, si la acción política en sentido "débil", *presupone* un sujeto que la lleva a cabo, la *praxis* revolucionaria *es partera de nuevas identidades* (por ejemplo: la Comuna). Lo que lleva a De Ípola a plantear una cuestión que es, en Marx, menos un tema saldado que una permanente tensión: su ambivalencia en los modos de pensar *a los propios sujetos de la acción política*, que son los "obreros" cuando Marx piensa en el interior de la metáfora del orden y el "proletariado" cuando lo hace dentro de la metáfora de la revolución. En el primer caso estaríamos ante una categoría "sociológica" (como observa Slavoj Zizek), "policial" (como diría Rancière) o "débil" (como dice De Ípola); en el segundo, ante una categoría "política" fuerte. Como tendremos ocasión de verificar, en efecto, la política, en su sentido más radical, implica siempre un trastrocamiento en el orden de las identidades.

5. "Misión: imposible". Tragedia y "gran" filosofía

Pero nuestra sugerencia de que la (anti-trágica) filosofía política y la (trágica) política se repelen y se niegan mutuamente no sólo planteaba problemas, dijimos, respecto a lo que debíamos entender por "política", sino también respecto a lo que deba entenderse por "*filosofía* política". Y es hora, en efecto, de preguntarnos si no estamos siendo injustos con algunos grandes sistemas filosófico-políticos de los que definitivamente no parece adecuado afirmar que no hayan conseguido lidiar con fortuna con el problema del conflicto y de la antinomia, e incluso que no contengan un decisivo elemento de *tragedia*. ¿Cómo es eso posible –se dirá– si hemos dicho que la filosofía política –y sobre todo, justamente, "los grandes sistemas" filosófico-políticos– es casi por definición una enorme máquina de neutralización de lo que la historia tiene de conflicto, conflicto que ella no puede pensar y que por lo tanto debe expulsar fuera de sus márgenes? Pues por la simple razón de que las cosas no son nunca tan sencillas, y de que el conflicto, que efectivamente es eso *contra lo cual* las filosofías políticas, en tanto pensamientos del orden, no pueden dejar de pensar, es también eso que vuelve todo el tiempo, "por los márgenes y por la discontinuidad de la trama filosófica" (Espósito, p. 21), por sus fueros. Eso que todo el tiempo vuelve, como por entre las grietas de esas mismas máquinas de expulsarlo (un poco como los espectros vuelven también, por las noches, a inquietar el mundo de los vivos: volveremos sobre esta cuestión, tan característicamente shakespeareana, "hamletiana"), para desestabilizarlas y mostrar su fragilidad. Hay así una especie de "batalla", dice Espósito, que se libra *en el corazón mismo de la filosofía política:* una "batalla interna", en efecto, que la vocación anti-trágica de la filosofía política sostiene con la evidencia de que aquello que ella busca conjurar y sacar afuera de la escena *no cesa, a pesar de ello, de volver.* Y esa "batalla interna", dice Espósito, "es *el* problema de la *gran* filosofía política; de esa filosofía política que precisamente tiene la fuerza de autocriticarse y 'reflexionar' sobre su propia contradicción constitutiva: de un lado, la exigencia, precisamente filosófica, de llevar los muchos al Uno, el conflicto al Orden, la realidad a la Idea; por otro, la continua experimentación de su impracticabilidad factual, la impresión de que algo decisivo queda fuera del campo de acción." (*id.*)

Esa "batalla interna", entonces, esa "contradicción constitutiva", es el problema de la *gran* (el subrayado es de Espósito) filosofía política. Querría detenerme en esta idea. La *gran* filosofía política sería aquella, entonces, que no sólo pugna por "educar" a la realidad política, por "librar a la comunidad de la actividad política" (Wolin, p. 52), es decir: por librarla del conflicto, de la contradicción y de la tragedia, *sino que también sabe que esa misión es imposible.* Que la actividad política nunca es enteramente colonizable por la filosofía política. Que la facticidad del conflicto termina siempre por romper "el caparazón que envuelve la representación filosófica y la trasciende irresistiblemente" (Espósito, p. 22). O, si se quisiera poner de otra manera: es la que sabe que esa misión es imposible, sí, *pero aún así comprende que su destino es empeñarse en ella.* "Es exactamente esta dialéctica *trágica*" –dice y subraya Espósito– "lo que capta la *República* de Platón" y lo que, salvando a esa obra de ser la expresión de una "simple" filosofía política, candorosa y optimista, la convierte en el emblema de la *gran* filosofía política.[1] Más: en "el lugar originario en el cual la filosofía política exhibe una insuperable aporía destinada a minar sus propios presupuestos en el momento mismo en que los plantea" (*id.*). Así, desde ese mismo momento "originario", la *gran* filosofía política occidental revela en su seno un componente de tragedia del que no se puede deshacer, y que es precisamente el que la engrandece. Me gustaría sugerir desde ahora –anticipando una de las hipótesis que deberemos examinar en el curso de este libro– que *lo mismo ocurre con la "gran" filosofía política, veinte siglos posterior, de Thomas Hobbes.*

De Platón a Hobbes, entonces. Muchas veces se ha señalado (el propio Wolin lo ha hecho muy convincentemente) la posibilidad de tender una línea de puntos uniendo las preocupaciones por el orden, el temor al conflicto y el desprecio por lo que aquí estamos tratando de pensar como la "tragedia" de la política (de la vida política, de la "actividad política", *de los lenguajes y las retóricas de la política*: la famosa "expulsión" platónica de los poetas anticipa y prepara el no menos relevante desprecio hobbesiano por oradores y predicadores) de los autores de la *República* y del *Leviatán.* Cierto, y también vamos a insistir sobre ello. Pero podemos ir apuntando desde ahora que junto a esa línea de puntos, o tal vez por debajo de ella, debería trazarse otra, más secreta y profunda, que uniera sus comunes percepciones sobre lo inerradicable de ese mismo conflicto que uno y otro intentan combatir[2] y su común lucidez respecto a que esa discordia, "filosóficamente indecible salvo como *stasis*, guerra civil, anarquía", es "exactamente lo que 'destruye' la representación filosófico-política y constituye su sorda ruina" (Espósito, p. 23). ¿No es ése, en efecto, el significado más profundo de la famosa fábula hobbesiana –de la que oportunamente vamos a ocuparnos con cuidado– de la "guerra de todos contra todos"? Como señala Rancière con toda razón, lo más importante que esa poderosa figura concebida por Hobbes enuncia es "el secreto último de todo orden social, la lisa y llana igualdad de cualquiera con cualquiera", la preocupante certeza de que "no hay ningún principio natural de dominación de un hombre sobre otro" (Rancière, p. 104), y, correlativamente (en la medida en que ese estado de naturaleza/guerra del que hablaba Hobbes *no desaparece totalmente*, como veremos, con el establecimiento del contrato, sino que permanece siempre como una amenaza, como un horizonte ineliminable), la pavorosa convicción de que la política, la actividad política, la *tragedia* de la vida política, no puede ser apartada del mundo de los hombres.

Así, la "gran" filosofía política de Hobbes contiene, sin duda, una decisiva dimensión trágica. No en el sentido en que la contiene el pensamiento político, un siglo y medio anterior, de Nicolás Maquiavelo, de quien como veremos puede afirmarse que es un autor "trágico" en el sentido mucho más elemental y evidente de que es un autor que pensó, en efecto, de un modo muy radical y con enorme lucidez, por lo menos algunas dimensiones de lo que aquí hemos llamado "la tragedia de la política". Para ir anticipando lo que sigue: *dos* dimensiones de esa tragedia. Por un lado, lo que llamaremos "la tragedia de los valores", que consiste en el hecho de que el actor político siempre debe actuar en el contexto de un *conflicto de valores*, o, mejor, de un conflicto entre *universos de valores* distintos e incompatibles. Por otro lado, lo que designaremos como "la tragedia de la acción", que se refiere a la circunstancia de que las capacidades de ese actor político se encuentran siempre en un conflicto, de resultado incierto, con lo que la historia tiene de contingente y de imprevisible. El conflicto, que como ya vimos es la materia de la tragedia y del pensamiento trágico, es el "tema", digamos así, del pensamiento político de Maquiavelo, y sería difícil exagerar la importancia de la obra de este autor en la tradición de pensamientos "modernos" sostenidos sobre la comprensión del carácter trágico de la política. En el caso de Hobbes, en cambio, su inclusión en el universo de los autores "trágicos" es más tortuosa, más paradojal, y acaso por eso mismo más profunda: Si Hobbes es un autor trágico es porque –para ponerlo por ahora de este modo intencionalmente esquemático– *habría querido* poder eliminar a la tragedia y al conflicto del mundo de la política, *pero descubrió que esa eliminación es imposible*. Ese descubrimiento, esa comprensión –que sin duda permite ubicarlo a la cabeza de la tradición de lo que Espósito llamaba "la *gran* filosofía política"– es una de las cuestiones que nos interesará examinar en este trabajo.

6. De Sófocles a Shakespeare: pedagogía cívica y descalabro del mundo

En su *Sistema de las Artes*, Hegel considera a la poesía dramática (dentro de la cual distingue la tragedia –que es lo que aquí nos interesa– y la comedia) "el grado más elevado de la poesía y del arte" (Hegel, p. 236), y la forma de totalidad expresiva más completa y más apta para servir a la expresión del espíritu. Y efectivamente sería imposible imaginar un género literario o una forma estética cualquiera que haya influido en la configuración de nuestra subjetividad occidental con más fuerza que el teatro dramático en general y trágico en particular. Somos hijos de Antígona, de Edipo y de Hamlet mucho más que lo que lo somos de Emma Bovary, de Leopold Bloom o del señor K. Siendo así las cosas, una primera cuestión sobre la que vale la pena llamar la atención es la circunstancia, sin duda significativa, de que este género poético y teatral que es la tragedia, que de modo tan decisivo ha marcado y definido nuestro modo de pensar el mundo y de pensarnos, ha gozado apenas, en el curso de la historia de Occidente, de *dos* grandes momentos de fuerte desarrollo, de dos grandes "constelaciones de intensa luminosidad y vida más bien breve", como dice George Steiner, en las que, como súbitamente y "pasando a través de largos siglos", parecen reunirse energías, "elementos de lenguaje, circunstancias materiales y talento individual para producir un conjunto de obras teatrales importantes" (Steiner, *La muerte*..., p. 91). Esos dos momentos son, evidentemente, el de la tragedia griega antigua, desarrollada en la Atenas del siglo de Pericles, y el de la tragedia isabelina y jacobea, desplegada en la Inglaterra de 1580 a 1640[3]. Momentos ambos de fuerte expansión de las artes y de las letras, es comprensible que uno y otro hayan estimulado esa amalgama de circunstancias favorables al despliegue del teatro trágico. Pero aquí no nos interesará tanto subrayar este parentesco evidente entre dos "épocas" caracterizadas por altos desarrollos artísticos *y también teóricos*, sino llamar la atención sobre *la diferencia* entre los modos en que en un caso y otro la tragedia se vinculó con el mundo de la política y de la reflexión filosófica *sobre* la política.

Comencemos por una observación de Eduardo Grüner, quien nos recuerda que "entre los griegos el *Logos* (lenguaje y pensamiento, capacidad de razonar y de comunicar) es una propiedad central de la *polis*", propiedad central –y común– que define a la ciudadanía como "un horizonte de sentido compartido por los iguales" (Grüner, *Un género...*, p. 102) y regido por una suerte de "transparencia comunicativa" en virtud de la cual "las palabras corresponden a las cosas" y cada uno "tiene su lugar (o su no-lugar) y sabe cuál (no) es" (*ibid.*, p. 103). Y aquí, lo que nos interesa: "No saberlo –o pretender transgredir ese saber– produce el exceso, la *hybris,* que desencadena la Tragedia." (*id.*) *No saberlo o pretender transgredir ese saber:* el primero parece ser el caso de Edipo, que *no sabe* la identidad del hombre al que mata ni de la mujer a la que desposa (aunque Foucault, como recuerda Grüner, ha sugerido que "Edipo no se pierde por su ignorancia, sino al revés, por la demasía de su 'voluntad de saber': responde el enigma de la esfinge, se obceca en encontrar al asesino de su padre" [*id.*]); el segundo es el caso de Antígona y de Creonte, ambos excesivos, ambos imprudentes, ambos divinamente injustos y desmesurados. Imposible ingresar aquí en los magníficos debates que estas piezas han inspirado al pensamiento occidental.[4] Lo que nos interesa subrayar –mucho más moderadamente– son dos cosas. En primer lugar, que la tragedia es siempre el resultado "de un desajuste, de un desfasaje, entre Lenguaje y Sujeto", entre *Logos* y Sujeto. En segundo lugar, que entre los griegos la tragedia, que trata siempre sobre los resultados catastróficos de ese desajuste, de esa inadecuación, planteaba una excepción, "en todo caso de valor pedagógico" –dice Grüner, y la observación es importante: "La misión propia del poeta trágico es la de ser el educador de los hombres libres. La tragedia es en principio un género didáctico" (Bonnard, p. 6)[5]–, a lo que constituía la regla de la vida de la *polis*: "en la cotidianeidad de la *polis* impera la 'normalidad', la sujeción al *nomos*, a la Ley" (Grüner, *Un género...*, p. 103). La tragedia constituía pues para los griegos la aleccionadora puesta en escena de una situación excepcional de desajuste de las cosas, que los espectadores podían apreciar por contraste con la situación de "normalidad" que regía sus vidas en la ciudad.[6]

Pues bien: Es exactamente la tranquilizadora garantía de esa "normalidad" –de ese *nomos* obligatorio, de ese *logos* universal– la que *ya no puede darse por descontada* en los años del Renacimiento europeo. *Ni del italiano* (veremos que el pensamiento de Nicolás Maquiavelo puede ser pensado exactamente como una reflexión sobre esa ausencia –mejor: sobre esa *pulverización*– de todas las garantías) *ni del inglés*, expresión privilegiada del cual es un tipo de tragedia que, a diferencia de la antigua, no se propone ya, entonces, pintar una situación de excepción respecto a la "normalidad" de una vida política que, por cierto, era cualquier cosa menos "normal" (y que sería aún menos "normal" en las décadas siguientes: en ese sentido es interesante –y volveremos sobre ella– la indicación de Patrick Cruttwell según la cual "la imaginación de los isabelinos *anticipó* la realidad de la guerra civil que sufrieron sus nietos" [Cruttwell, p. 188, subr. mío]), sino expresar artísticamente una situación de descalabro de los órdenes simbólicos, de desajuste de los sistemas morales y de desquicio de las seguridades filosóficas, políticas y religiosas que era la que se vivía también *fuera* del teatro. No otra cosa indicaba Walter Benjamin cuando observaba que el verdadero objeto de lo que él llamaba "el drama barroco" del Renacimiento era "la vida histórica tal como se la concebía en aquella época", y que el contenido de esos dramas "podía ser extraído directamente del proceso histórico mismo: no hacía falta más que encontrar las palabras adecuadas" (de lo que resultan ejemplos paradigmáticos, evidentemente, las llamadas "tragedias históricas" de Shakespeare: *Ricardo III*, *Enrique IV* y las demás, *pero también –como intentaré argumentar en este trabajo– todas las otras*, incluso aquellas que, como *Hamlet*, no se proponen narrar ningún hecho histórico efectivamente acaecido), agregando que era exactamente eso lo que distinguía esos "dramas barrocos" de la tragedia clásica, cuyo objeto "no es la historia, sino el mito" (Benjamin, *El origen...*, pp. 47s). En otras palabras: que el tiempo en el que transcurren las tragedias griegas es un tiempo fuera del tiempo, mientras que, por contraste, las sangrientas luchas que caracterizaban al teatro inglés del 1600 –lleno de esas "gloriosas crueldades" de las que habla Francis Barker: cadáveres al por mayor, manos cortadas, cabezas o corazones sangrantes en la punta de una daga–, la anarquía política y moral que constituye el tema de tantas piezas del período, el colapso de las autoridades y los valores tradicionales –no pocas veces asociado a la nostalgia por las costumbres de los "viejos buenos tiempos"–, las subjetividades tormentosamente divididas de los personajes, son la "continuación por otros medios" de ese mundo "fuera de quicio" al que alude Hamlet con su celebérrimo *The time is out of joint* [I.5.189], que no es otro que el mundo social y político inglés de esos años en los que se preparaba el terreno de las grandes guerras civiles y religiosas que se desatarían en la década de 1640, expresión a su vez, podría decirse, de una descomposición mucho más general del mundo social europeo de la época de lo que se llama a veces "la transición a la modernidad". En otras palabras: a partir del Renacimiento, esa fisura entre tragedia y vida social que advertíamos en el siglo de oro griego desaparece, *y la propia vida social y política se vuelve trágica.* Como si la escena trágica "se hubiese derramado sobre toda la sociedad" (Siperman, p. 37), y las tragedias representadas en los teatros (que por otro lado eran muchos: había mayor cantidad de teatros en la Inglaterra del siglo XVII –nos informa Steiner– que los que habría en la del XIX) hubieran comenzado a recoger su mérito y su popularidad *no* de su capacidad para enseñar a su público qué peligros le esperaban si se dejaban vencer por las fuerzas de la desmesura y el exceso, sino de su aptitud para informar o comentar los sucesos de su propio tiempo. Los espectadores ingleses del siglo XVII iban al teatro movidos por los mismos impulsos que nos llevan a nosotros a leer periódicos o libros de historia, asegura Steiner, lo cual –dicho sea de paso– no hace más que confirmarnos la idea que el propio Hamlet se hacía sobre el asunto cuando aseguraba, en cierto muchas veces citado pasaje, que los actores eran *el compendio y la crónica de este tiempo* ("*of the time*") [II.2.481-2], y esto "por la simple razón" –como se dice– de que el propio "*time*" (de que el mundo, la época, el tiempo o los tiempos: habrá que volver también sobre esta cuestión, sobre el problema de las –a veces imposibles– traducciones), se había vuelto, él mismo ("... *is out of joint*"), trágico.

7. De Maquiavelo a Hobbes: la tragedia del mundo político

"El mundo no presenta síntesis entre contrarios, sino negaciones trágicas."
HORACIO GONZÁLEZ

Pues bien: es contra esta tragedia, contra este recientemente descubierto carácter trágico de la vida política –carácter trágico de la vida política de varias de cuyas manifestaciones la obra de Maquiavelo, como empezábamos a anunciar y como veremos, nos ofrece un primer y notable diagnóstico–, es contra este desquicio del mundo (del mundo social, del mundo político, del mundo de los valores morales) que se levantará, medio siglo después de Shakespeare, el enorme edificio de la obra de Thomas Hobbes. Cuyo propósito, entonces, si se nos permitiera ponerlo por ahora de este modo tan general, sería el de volver a poner a la vida social y política bajo el amparo de una instancia universal, organizadora, obligatoria. Como aquel *Logos* que servía de soporte a la organización de la vida y de los debates en la antigua *polis*, y que las transformaciones del mundo cultural europeo habían vuelto imposible suponer ya como algo dado o natural.[7] Lo que obligaba ahora, en consecuencia, a *construirlo*. A crear o recrear, frente a la anarquía de significados que Hobbes descubriría como la marca característica del mundo de los hombres, un universo político, necesariamente *artificial* (y esta idea acerca de la artificialidad de cualquier orden es una de las grandes novedades, una de las aristas en su momento más polémicas y uno de los aportes perdurables de la obra de Hobbes al pensamiento político posterior), de significaciones unívocas. *Un lenguaje político común*, cuyo carácter normativo, obligatorio e irrecusable estuviera garantizado por "un Gran Definidor, un dispensador soberano de significados comunes, una 'razón pública'" (Wolin, p. 278). Sin embargo –ya lo anunciamos, pero deberemos verlo todavía con mayor cuidado– *Hobbes sabía bien que la dimensión de conflicto y de tragedia* (que la dimensión –digamos mejor– de *conflicto trágico:* de conflicto radical, irresoluble) *era ineliminable del mundo político*, y en eso radica *su* propia tragedia. Entre la primera teoría moderna de la *acción* política –la del autor de *El Príncipe*– y la primera teoría moderna de las *instituciones* políticas –la del autor del *Leviatán*–, la cuestión de la tragedia se tiende así como un horizonte ineludible de la reflexión política.

Aquí vamos a examinar esta dimensión trágica de los grandes cuerpos de pensamiento político de los años inaugurales de la modernidad analizando una obra teatral –seguramente la más representativa del período, tal vez una de las mayores creaciones poéticas de todos los tiempos–: *Hamlet*, de Shakespeare, escrita "a mitad de camino", por así decir, entre las obras teóricas de Maquiavelo y de Hobbes. Y en la que se dejan leer, como trataremos de mostrar, tanto las marcas de la revolución teórica maquiaveliana (o de la vasta revolución cultural de la que esa revolución teórica es una manifestación, un síntoma y un capítulo) como la anticipación de la solución hobbesiana al crucial problema del orden. Pero nuestra preocupación por este problema no es meramente arqueológica: lo que nos interesará también, a partir de esta reconstrucción del diálogo entre la tragedia shakespeareana y los grandes momentos (y volveremos también sobre esta palabrita: "momento") de fundación del pensamiento político moderno, es preguntarnos por el destino de lo que aquí hemos llamado el "pensamiento trágico" en los siglos *posteriores* a éstos de los que acá deberemos ocuparnos de modo prioritario, y por sus potencialidades para enfrentar el conjunto de problemas que definen el espacio de los desvelos de la filosofía política moderna. Preocupación tanto más legítima si se considera que las líneas mayores de esa filosofía política moderna se han levantado precisamente sobre esos dos grandes pilares que son las obras de Maquiavelo y de Hobbes, y que es en el diálogo –no exento de tensiones y de conflictos– entre las dos tradiciones a ellas asociadas (la de las teorías de la acción, la de las teorías de las instituciones) que se ha ido definiendo lo que hoy llamaríamos la "agenda" de sus problemas. La agenda de los problemas que –de Rousseau a Marx, de Kant a Weber, de Hegel a Gramsci y más acá– esa filosofía política moderna no dejaría de recorrer, y que son todavía los nuestros.

Notas

[1] "Dialéctica trágica": la expresión (por cierto, casi un oxímoron) es, ella misma, altamente reveladora, y contiene en su seno el núcleo de esta tensión (de esta contradicción: sabemos que, en principio, *o bien* hay dialéctica *o bien* hay tragedia) que Espósito señala y que a nosotros nos interesa pensar. El propio Nietzsche, cuya condena de la dialéctica no podría ser más enfática, advierte esta tensión en el corazón de la obra de Platón, a la que considera menos una prolongación del impulso anti-poético y anti-trágico del "demónico Sócrates" que el campo de una batalla que se libra entre las "disposiciones invencibles" de la poesía trágica y "las máximas socráticas". Sabemos que la fuerza de éstas últimas primó en Platón sobre el encanto de las primeras. Lo que Nietzsche agrega es que esa primacía no le impidió a Platón mantener, en la *forma* misma de presentar sus enseñanzas, algo del derrotado espíritu de la tragedia: "El 'diálogo platónico' fue, por así decirlo, la barca en que se salvó la vieja poesía náufraga" en medio del vendaval de la dialéctica. (Nietzsche, pp. 120s). Hans-Georg Gadamer ha indicado algo muy parecido: "La forma poético-dialógica de Platón se esfuerza mucho en evitar definiciones fijas, mostrándose, por el contrario, al servicio de la continuidad de pensamiento. (...) La manera en que discurre el pensamiento platónico guarda algo del misterio del lenguaje y de la comunicación humana a través del lenguaje que practicamos a diario. (...) La dialéctica tiene que convertirse una y otra vez en diálogo, y el pensamiento tiene que mostrar su validez a través del acto conjunto de la conversación" (Gadamer, p. 112). Y George Steiner, en la misma línea, ha destacado que Platón es un "dramaturgo de la significación" en cuyos diálogos "lo dramático está representado por las tácticas de argumentación antes que por la sustancia" (Steiner, *Antígonas*, p. 29). Así –resumiendo– la tensión entre, por un lado, la vocación apodíctica, axiomática, formal, de la dialéctica y, por el otro, la tragedia contenida en la forma dialógica, conversacional, en que esa vocación se expresa, es la forma que asume esa "batalla interna" a la "gran filosofía" platónica.

[2] De Platón a Hobbes, entonces, asistiríamos al desarrollo de una filosofía política preocupada centralmente por el problema fundamental del *orden*, antagónica en consecuencia a la idea de *conflicto*, y cuya "grandeza" consistiría en su comprensión de que, *a pesar de todo*, el conflicto es en el fondo inerradicable del mundo de los hombres. Una perspectiva diferente es en cambio la que puede encontrarse en la tradición que se abre con la obra de Aristóteles y se extiende en dirección a los trabajos de varios de los autores que consideraremos a lo largo de estas páginas. ¿En qué consiste este perspectiva diferente? No, por cierto, en que la idea sobre la política de Aristóteles esté menos asociada que la de Platón a la idea de orden, *sino en que su idea sobre el orden es muy distinta* a la del autor de *La República*. Porque la idea de *orden* que tiene Aristóteles no sólo no es incompatible con las ideas de diversidad, multiplicidad y conflicto, sino que incluso las supone. En efecto: si para Platón el objetivo de la *filosofía* política era forjar,

a través del conocimiento teórico de la verdad, la *unidad* sin fisuras de la *polis*, para Aristóteles, en cambio, el objetivo de la *práctica* política (esto es: de la deliberación y la polémica) es precisamente construir un orden adecuado al carácter de la *polis* a través de la articulación, necesariamente conflictiva, de las diversas partes que la integran. No es extraño entonces que Aristóteles no sólo no haya rechazado, como Platón, el universo de la tragedia y de lo trágico, sino que haya considerado a la tragedia el arte político por excelencia.

[3] Se trata, en efecto, no sólo de los dos momentos más altos del desarrollo de la tragedia en la historia, sino también de los dos momentos en los que la tragedia, el *género* de la tragedia, aparece como la expresión artística más alta y más representativa de una cultura. Dicho esto (que explica por qué la contraposición entre estas dos experiencias –la del teatro griego clásico y la del isabelino– condensa todo lo que aquí queremos decir sobre las diferencias entre la tragedia antigua y la moderna), correspondería indicar al menos la importancia de algunos otros momentos, de algunas otras experiencias –que el propio Steiner señala– posteriores: las de los teatros español y francés del siglo XVII, la del teatro alemán de 1790 a 1840 y la de los teatros escandinavo y ruso de fines del siglo XIX.

[4] George Steiner ha hecho bastante más que reseñar el conjunto de las interpretaciones de *Antígona* –de la de Hegel a las de Hölderlin o Kierkegaard, de la de Anouilh a las de Maurras o Henry-Lévy–, y su impacto en el pensamiento político y estético del Occidente moderno, en su notable *Antígonas*, donde observa también que "después de 1905 y a causa de la presión de las doctrinas freudianas" (p. 19) el centro interpretativo y crítico de ese pensamiento sobre la tragedia griega se desplazó de esa obra al *Edipo Rey*.

[5] Una idea semejante es la que sostienen los capítulos dedicados a Esquilo y sobre todo a Sófocles en la monumental obra de Werner Jaeger, *Paideia*, que estudian la "fuerza educadora" de la tragedia ática considerándola no sólo "desde un punto de vista puramente estético", sino "desde el punto de vista de la historia de la formación humana" (p. 230). "Un escultor de hombres como Sófocles pertenece a la historia de la educación humana (...) En su arte se manifiesta por primera vez la conciencia despierta de la educación humana. (...) Presupone la existencia de una sociedad humana, para la cual la 'educación', la formación humana en su pureza y por sí misma, se ha convertido en el ideal más alto." (p. 252. Por cierto, que éste es el caso de la sociedad griega antigua, y que éste es el aporte fundamental de esa sociedad a la historia humana, son las tesis centrales del libro de Jaeger.) Y todavía: "El arte mediante el cual Sófocles crea sus caracteres se halla conscientemente inspirado por el ideal de la conducta humana que fue la peculiar creación de la cultura y de la sociedad del tiempo de Pericles" (p. 253).

[6] ¿Por qué, entonces, Platón la despreciaba tanto? –podríamos preguntarnos. ¿Por qué la consideraba tan "peligrosa"? La respuesta debe buscarse, sin duda, en la capacidad que la tragedia tenía de "transportar" a su espectador, de "hechizarlo" y sacarlo "fuera de sí mismo", permitiéndole "sentir placer ante la representación de conductas que el *nomos* (le) obliga a reprimir" (Lebrun, *O avesso...*, p. 150), sugiriéndole "que él podría estar en el lugar de ese héroe conmovido o desesperado" (*id.*) y transportándolo de esa manera "a una variedad de vidas posibles" (*id.*). En el éxtasis de la tragedia –decía Nietzsche en "El drama musical griego"–, "ingresamos en otro ser, de tal modo que nos portamos como seres transformados mágicamente. De aquí procede, en última instancia, el profundo estupor ante el espectáculo del drama: vacila el suelo, la creencia en la indisolubilidad y fijeza del individuo." (Nietzsche, p. 202). Así, la tragedia es una *paideia*,

sí, *pero una paideia que juega con fuego:* "Desde que entro en ese juego, corro el riesgo de comprender que, al fin de cuentas, es posible vivir sin peligro fuera de la 'verdad'... Y, con eso, es todo el edificio pedagógico de la 'moralización' el que amenaza derrumbarse" (Lebrun, *op. cit.*, p. 150). Demasiado para Platón, quien sin duda prefería pedagogías menos inquietantes, menos limítrofes.

[7] Quiero decir: Que los hombres europeos del Renacimiento no podían ya suponer como algo dado o natural ese principio de inteligibilidad del mundo, de comprensión recíproca *y de Orden* con el que sí podían contar los habitantes de esa "bella totalidad" –como la llamaba Hegel– que era la *polis* griega (cf. Grüner, *Un género...*, p. 105), *pero también, a su modo, los del imperio romano de los días de Cicerón* –donde, "sobre la base de una firme unidad política y económica" se había consolidado "una concepción común, una visión común de la vida" (Mayer, p. 42) que iría fundiendo la herencia helénica y helenística con elementos cristianos– *y los de las sociedades europeas de la Edad Media* –en las que se articulaban, "en una forma de cultura occidental unificada, la antigüedad griega, el universalismo romano y el cristianismo" (*ibid.*, p. 65). No es el propósito de este trabajo (y ni siquiera el de esta pequeña nota) historiar el modo en que ese principio logró sobrevivir al modo griego clásico de organización de la vida pública y prolongarse, como supuesto de las grandes líneas de reflexión política de los siguientes quince siglos, hasta los años que aquí nos ocupan. Baste decir que una historia de ese tipo debería considerar, por lo menos, dos cosas. Por un lado, la importancia que para la perduración de una visión compartida del mundo tuvieron, primero, el triunfo del cristianismo sobre las distintas sectas y cultos que se disputaban con él las almas de los hombres europeos, segundo, la ambición universalista del estado romano, y, tercero, los firmes lazos que el Estado y la Iglesia –desde la época de los imperios romano y bizantino hasta la de los reinos franco y alemán– tejieron entre sí. Por otro lado –desde el punto de vista de la historia de las ideas filosóficas y políticas–, el conjunto de pensamientos a través de los cuales va asumiendo diferentes formas la vieja noción de un *logos* –de una racionalidad, un Orden, un sentido– que impregna el universo de las relaciones entre los hombres, lo que nos llevaría a enhebrar los nombres de, por lo menos, Polibio, Plotino, Cicerón, San Agustín y Santo Tomás. Es exactamente esta idea (la idea de que hay un Orden –mejor: *un* Orden– presidiendo y organizando las vidas individuales y colectivas) la que estallaría en los años del Renacimiento, como veremos cuando analicemos el pensamiento de Maquiavelo.

Capítulo 1

(MAQUIAVELO: LA POLÍTICA COMO TRAGEDIA)

"Aquéllos fueron tiempos de grandes logros en la filosofía, el arte, la medicina y la música. La cultura floreció con gran pompa y ceremonial, pero los hombres tuvieron que pagar un precio por cerrar sus corazones a Dios. Las viejas leyes se rompieron antes de crearse otras nuevas que las suplieran. (...) Así era la vida en el Renacimiento. Así era el mundo del cardenal Rodrigo Borgia y de su familia."

MARIO PUZZO, *Los Borgia*

1. La tragedia de los valores

No hay duda de que el tratamiento del problema de la relación entre el universo de las acciones políticas y el de los valores morales constituye uno de los aspectos más originales, polémicos y revulsivos de la obra de Nicolás Maquiavelo, cuya enseñanza sobre este punto encuentra su "núcleo duro", digamos así, entre los capítulos XV y XVIII de su obra más famosa. Es allí, en efecto, en esos capítulos oscuros, tortuosos y paradojales de *El Príncipe*, donde es posible leer algunas de las frases más célebres y provocadoras de nuestro autor, como aquellas en las que son elogiadas la crueldad de César Borgia y el desprecio de su padre, el papa Alejandro VI, por la palabra empeñada. Es que, sostiene Maquiavelo, es un error suponer que un príncipe deba practicar siempre y sin claudicaciones "todas las virtudes que dan crédito de buenos a los hombres" (*El Príncipe* [en adelante, *P*], Cap. XVIII, p. 103). Muchas veces, por el contrario, el príncipe se ve forzado a actuar *contra* el conjunto de valores que los hombres respetan en su vida corriente: contra la caridad, la fe, la justicia o la clemencia. La moral ordinaria (la moral cristiana) no es, para Maquiavelo, una moral adecuada para regir los comportamientos del actor político encargado de conducir los destinos de un Estado, o por lo menos –para ponerlo por ahora de un modo bastante más prudente– para regirlos siempre y en cualquier caso. Así, el príncipe debe estar dispuesto, señala Maquiavelo, a mantener una actitud dual: a "parecer piadoso, fiel, humano, religioso, íntegro, y aun serlo, pero con ánimo resuelto a ser lo contrario en caso necesario" (*id.*).

Estas conocidas recomendaciones maquiavelianas provocaron a lo largo de los siglos dos grandes tipos de reacciones, ambas ampliamente difundidas, y ambas, como trataremos de indicar, por lo menos muy simplificadoras. *Por un lado*, un efecto de indignación y escándalo, que no ha dejado de perseguir al nombre del autor de *El Príncipe* desde hace casi cinco siglos, cargándolo con la "mala fama" que lo acompaña hasta nuestros días[1]. Esa indignación y ese escándalo no dejan por cierto de resultar por lo menos comprensibles: en medio de un mundo presidido por los valores –todavía largamente dominantes– de la moral cristiana, Maquiavelo osaba insinuar que, en nombre del bien de la república, algunos de los preceptos de esa moral merecían y aun debían, a veces, ser violados. Y llegaba incluso a ensalzar, por oposición a esos valores y preceptos, la utilidad que tenía para un príncipe dispuesto a ponerse a la altura de su rol el estar preparado para actuar, llegado el caso, inspirado en lo que nadie –en su época ni en ninguna otra– dejaría de considerar horribles vicios: la avaricia ("No hemos visto en nuestros tiempos hacer grandes cosas más que a los tenidos por avaros" [*P*, XVI, p. 94]), la crueldad ("No debe el príncipe cuidarse mucho de la reputación de cruel cuando le sea preciso imponer la obediencia y la fidelidad a sus súbditos" [*P*, XVII, p. 97]), el fraude ("príncipes a quienes se ha visto hacer grandes cosas, tuvieron poco en cuenta la fe jurada" [*P*, XVIII, p. 102]). Este tipo de recomendaciones, observa Quentin Skinner, "pronto valió a Maquiavelo, entre los moralistas cristianos, la reputación de ser un hombre de satánica perversidad" (Skinner, *The foundations...*, I., p. 136), idea que, en lo fundamental, compartieron acerca de él desde sus detractores jesuitas y sus caricaturistas isabelinos hasta, digamos –para indicar un puñado de autores cuyas obras se aglutinan en las décadas centrales del siglo XX–, Bertrand Russell (que consideraba a *El Príncipe* "un manual para *gangsters*"), Jacques Maritain, Herbert Butterfield o Leo Strauss. Observemos, sin embargo, que esta idea de un Maquiavelo diabólico y básicamente inmoral no resulta, a pesar de su generalizada aceptación, fácil de suscribir. Muchas veces se ha señalado, en ese sentido –y podemos hacerlo nosotros una vez más–, la importancia de la ya citada indicación de Maquiavelo de que el príncipe debe aparentar ser virtuoso *y serlo efectivamente mientras pueda*, sólo que estando preparado para dejar de serlo cuando las circunstancias se lo exijan. Maquiavelo, en efecto, como destaca Skinner, espera que los príncipes en condiciones de estar a la altura de su rol "sean capaces, cuando la situación lo requiera, de comportarse de manera completamente perversa" (*ibid.*, p. 138), *pero en modo alguno identifica a la virtud política con la ausencia de virtudes morales y con la disposición a hacer gratuitamente el mal.* No sólo Maquiavelo no afirma nunca preferir que se gobierne a través de los vicios a que se lo haga a través de la virtud, sino que, como indica nuevamente Skinner apuntando a una cuestión fundamental sobre la que volveremos, "rara vez dice algo que implique que las virtudes convencionales no deban ser consideradas admirables en sí mismas" (p. 137).

Por otro lado, la crítica maquiaveliana a la idea según la cual la moral cristiana debía presidir la vida política de un Estado fue muchas veces interpretada como un intento de defender –o, mejor dicho, de *instaurar*, ya que Maquiavelo habría sido, en esta perspectiva, el primero en auspiciar este criterio– la "autonomía de la política" frente a los universos de la moral y la religión. Esta reivindicación de la autonomía de la política sería fundamental, por su parte –afirman quienes sostienen esta interpretación–, para la institución de una nueva forma de saber, "científico", "racional", "moderno", sobre la política, de una "nueva ciencia", objetiva y moralmente neutra, de la que el secretario florentino habría sido el primer abanderado. Opuesta a la crítica moralizante que veníamos de considerar en punto a su valoración de la obra maquiaveliana (que aquí es celebrada *exactamente donde* allí era condenada), esta exaltación cientificista de esa obra coincide sin embargo con ella en destacar que, en resumen, la originalidad de Maquiavelo consistiría en haber "separado a la política de la moral", pretensión desarrollada durante los años 40 del siglo pasado por autores como Ernst Cassirer, Augustin Renaudet, L. Olschki y Carl Schmitt, y que hoy se ha vuelto un lugar común casi unánimemente aceptado. En el capítulo que le consagra en su *Política y perspectiva*, ya citado por nosotros más arriba, Sheldon Wolin subraya, por ejemplo, el esfuerzo de Maquiavelo por "excluir de la teoría política todo lo que no parecía ser estrictamente político" (Wolin, p. 214) y subraya la "apasionada entrega a la profesión de teórico político" (*ibid.*, p. 223) que habría caracterizado a nuestro autor. Cierto. Tanto como lo es que el propio Maquiavelo tendía a concebir esa "profesión" como una actividad esencialmente *técnica*, como la neutral aplicación de un conjunto de principios cuyo conocimiento aseguraba deber a su propia experiencia, a su observación de los hombres y a la frecuentación de los antiguos. Y que, en ejercicio de esa actividad, a Maquiavelo, en efecto, "a veces le gusta simular cierto semi-consciente tono frío y amoral" (Skinner, *op. cit.*, p. 137), lo que lo lleva a menudo a hablar "de manera puramente técnica sobre cuestiones de obvio significado moral" (*id.*). Pero eso de ninguna manera quiere decir que Maquiavelo relativice el "significado moral" de los problemas sobre los que habla. Por el contrario: Como vamos a tratar de mostrar, es posible sostener que *una fuerte entonación moral organiza y determina su forma de tratar esos problemas.* Veamos si podemos aclarar esta cuestión, para lo que recurriremos a la ayuda de dos textos magníficos.

El primero de ellos tiene ya más de medio siglo, y es un breve y notable trabajo de Maurice Merleau-Ponty dedicado a revelar el aspecto "humanista" de la enseñanza del secretario florentino. Tras citar las conocidas máximas maquiavelianas "que envían la honestidad a la vida privada y hacen del interés de poder la única regla en política" (Merleau-Ponty, "Note sur...", p. 294), Merleau-Ponty comienza por señalar algo que ya sabemos, pero que no está de más repetir como impugnación de la crítica moralizante que señalamos como la primera de las dos grandes líneas de interpretación convencional del pensamiento maquiaveliano: que "esto no quiere decir que sea necesario o incluso preferible engañar" (*ibid.*, p. 296). En efecto: El príncipe, como ya dijimos, debe parecer *y ser efetivamente*, siempre que esto le sea posible, "piadoso, fiel, humano, religioso e íntegro", sólo que, al mismo tiempo, está obligado a permanecer preparado para, "en caso necesario", volverse lo contrario. Ahora: es esta "segunda parte" de la indicación de Maquiavelo, naturalmente, la que siempre ha molestado a la enorme mayoría de sus lectores, y es en consecuencia en relación con ella que nos interesa ver qué tiene para decir Merleau-Ponty. Pues bien: Merleau-Ponty no sólo no se escandaliza frente a la indicación maquiaveliana de que el Príncipe debe estar preparado para, llegado el caso, "no ser bueno", no sólo no considera a esta indicación el momento en que las consideraciones "políticas" se imponen en el razonamiento de Maquiavelo sobre los dictados "morales", sino que apunta que este "precepto de política" que manda conservarse dueño de sí frente al universo de los valores morales *"bien podría ser también la regla de una verdadera moral"* (p. 297). Es decir: que no sólo el mandato maquiaveliano de flexibilidad frente a los dogmas morales no constituye un argumento de la política *frente* a la moral, *sino que constituye un argumento moral.* Porque, en efecto, no se trata simplemente de que, a veces, convenga "no ser bueno", sino de que, cuando ése es el caso, "no ser bueno" *es el único modo de ser verdaderamente bueno.* Porque –se pregunta Merleau-Ponty–, "¿qué sería una bondad incapaz de rigor? ¿Qué es una bondad que se quiere bondad?" (*id.*) Se advierte el alcance de la observación de Merleau-Ponty, que nos obliga a revisar la lectura convencional de este célebre pasaje de Maquiavelo. Cuya pregunta, así, no sería tanto la pregunta por las circunstancias en que se vuelve necesario, para el príncipe, actuar "inmoralmente", sino la pregunta por las condiciones de una moral *efectiva.* Consideremos el ejemplo que toma Merleau-Ponty del capítulo XVII de *El Príncipe*: "Tenía César Bórgia fama de cruel, pero su crueldad dio a la Romaña unidad, paz y buen gobierno; de modo que, pensándolo bien, resulta César Borgia *mucho más clemente* que el pueblo florentino, cuando, por no aparecer cruel, dejó destruir a Pistoya. Debe, pues, el príncipe no cuidarse mucho de la reputación de cruel cuando le sea preciso imponer la obediencia y la fidelidad a sus súbditos, pues ordenando algunos poquísimos castigos ejemplares resultará más humano que los que, demasiado clementes, dejan propagar el desorden, causante de numerosas muertes." (*P*, XVII, p. 97). Así, ser "malo", duro, cruel, es, para el príncipe que aquí nos pinta Maquiavelo, el mejor camino para, en las circunstancias que impone la lucha política, ser "al final", "pensándolo bien", "contando todo", *más bueno* que lo que puede serlo "el político moralizante" (Merleau-Ponty, *op. cit.*, p. 298), siempre atado a su código de valores inflexible y por lo mismo ineficaz. "El político duro" –resume Merleau-Ponty– "ama a los hombres y a la libertad más verdaderamente el que humanista declarado" (*id.*).

El argumento de Merleau-Ponty es fundamental: responde a las críticas a la presunta "inmoralidad" de Maquiavelo "devolviendo la pelota", doblando la apuesta, mostrando que lo que hay en Maquiavelo es en realidad una moralidad de orden superior, *verdaderamente* interesada por los hombres *reales y concretos* que habitan la historia. Y que esa moralidad puede estar verdaderamente interesada por esos hombres reales y concretos *precisamente porque* no está obsesivamente preocupada por los principios. El descubrimiento de Maquiavelo, en efecto, sería que "la política se refiere a los hombres más que a los principios" (p. 301), y que, por consiguiente, "no importa solamente saber qué principios se eligen, sino también quién, qué fuerzas, qué hombres los aplican" (p. 302). Que *no basta* (y que "es incluso peligroso limitarse a eso" [p. 303]) "tener valores": todo el mundo los "tiene" y "todo el mundo lucha en nombre de los mismos valores" (*id.*), que no sólo pueden servir a causas distintas o hasta opuestas sino que incluso, en ciertas circunstancias, pueden convertirse en instrumentos de las opresiones más innobles: ¿cuántas veces hemos visto matar en nombre de la Vida, cercenar la libertad en nombre de la Libertad o violar la ley en nombre de la Ley? El problema, entonces, no son los valores, sino los hombres: las relaciones concretas que entablan los hombres en el suelo pantanoso de la historia. Si llamamos *humanismo* –concluye entonces Merleau-Ponty– a "una filosofía que enfrenta como un problema la relación del hombre con el hombre y la constitución entre ellos de una situación y de una historia que les sean comunes", entonces "debe decirse que Maquiavelo formuló algunas condiciones de todo humanismo serio" (p. 308). Vemos cómo Merleau-Ponty ha invertido la acusación de "inmoralidad" frecuentemente levantada contra Maquiavelo: Lo que habría en la obra del patriota florentino, por el contrario (como en la obra, muy posterior, de Marx, quien también "se propuso, para construir una humanidad, encontrar un apoyo distinto al siempre equívoco apoyo de los principios"[2] [p. 306]), sería un pensamiento profunda, "verdaderamente" moral, y en cambio "el repudio a Maquiavelo, tan común hoy en día", se convertiría en la culpable "decisión de ignorar las tareas de un humanismo verdadero" (p. 308). El anti-humanismo aparente de Maquiavelo no sería más que un vestido para su humanismo verdadero; su inmoralidad declarada y estridente no sería más que la cobertura de su moralidad profunda. El príncipe debe ser malo sólo para ser, por esa vía tortuosa y paradojal, "verdaderamente" bueno: ya oiremos a Hamlet decir *exactamente esto*.

Ahora bien: Lo que querría sugerir es que esta ironía, típicamente renacentista, constituye sin duda *una parte* del espíritu de estas enseñanzas maquiavelianas que aquí estamos comentando, *pero que no las agota*. Que Maquiavelo oscila todo el tiempo –como oscureciendo intencionalmente "la naturaleza exacta de la posición que desea defender [...] por su amor a la paradoja (Skinner, *op. cit.*, p. 131)– entre esta moral paradójica y finalmente algo banal de "ser malo para ser bueno" (de, por ejemplo, matar a tres o cuatro personas inocentes para no tener, después, que matar a cien o a mil) y una comprensión de las cosas más profunda y, como veremos, todavía más inquietante. Porque reparemos en esto: si lo que Maquiavelo dijera en estas páginas que estamos examinando fuera simplemente que a veces es necesario matar a algún inocente para no tener después que matar a muchos más, que a veces es necesario ser un poco malo para no tener después que ser peor todavía, la tan difundida como errónea interpretación de su pensamiento como una elaboración del principio según el cual "el fin justifica los medios" no estaría, a fin de cuentas, tan errada: sería con el *fin* (noble) de no hacer el daño a muchos o en grandes proporciones que sería necesario instrumentar el *medio* (innoble, pero justificado en relación con la nobleza de aquel fin) de hacer "ejemplificadoramente" el daño a algunos pocos. Ahora: lo que esta interpretación supone, como es fácil ver, es que la moralidad o la inmoralidad de las acciones producidas en los distintos puntos de esta "cadena de medios a fines" *son comparables*, son mensurables con *un mismo patrón moral*. Es "peor" matar a cien que a cuatro, y por lo tanto es "verdaderamente moral" (según la "ética de los fines", la "ética de la responsabilidad", para utilizar esa terminología, acuñada mucho más tarde por Max Weber, pero de la cual Maquiavelo aparecería, en esta interpretación, como un adelantado paladín)[3] hacer esto último si eso nos evita hacer lo otro. *Pero ocurre que las cosas no son tan sencillas.* Merleau-Ponty vislumbra, me parece, la complejidad de la cuestión, cuando indica que "Maquiavelo no pide que se gobierne por los vicios, la mentira, el terror, el engaño, sino que intenta definir una *virtud* política" (Merleau-Ponty, *op. cit.*, p. 297). Sólo que, preocupado por refutar la interpretación de Maquiavelo como un autor diabólico o un maestro del mal, Merleau-Ponty subraya en esa frase suya –tal como la transcribimos– la palabra "virtud", en lugar de subrayar –como haremos nosotros ahora– la palabra "política". Si optamos en cambio por enfatizar el hecho de que la "virtud" que Maquiavelo se propone definir es una virtud *política* y no una virtud *sans phrase*, si optamos por hacer hincapié en la *especificidad* que tiene esta virtud *política* que Maquiavelo se propone definir[4], entonces arribaremos, me parece, al núcleo más duro y más perturbador de su lección.

Que no es, entonces, *ni* que la política está o debería estar divorciada de la moral, que la política es o debería ser "autónoma" respecto a la moral, y que por lo tanto el príncipe no debería guiarse, en sus comportamientos políticos, por preceptos morales, *ni tampoco* que a veces la complejidad del mundo político obliga al príncipe a actuar a través de medios convencionalmente considerados malos en su búsqueda de fines convencionalmente considerados buenos, *sino que la moral política es distinta de, incomparable a, e incompatible con, la moral convencional.* En efecto: Para retomar el ejemplo que hemos utilizado ya más arriba, el caso que suele presentársele a los príncipes de los que nos habla Maquiavelo no es, en general, el de verse obligados a matar a tres o cuatro personas inocentes (algo, insistamos, convencionalmente considerado "inmoral") para no tener, después, que matar a cien o a mil (es decir: para actuar, después, de un modo convencionalmente considerado "moral"), sino el de tener que matar a tres o cuatro personas a fin de, verbigracia, "mantener su estado", o alcanzar "la gloria", o forjar una república robusta y duradera. Es decir: a fin de hacer algo que simplemente *no puede ser decodificado en los términos de la moral convencional*, algo sobre cuya moralidad la moral convencional no tiene nada que decir, porque es algo que no pertenece a su terreno –que es el terreno donde se define la salvación o la perdición de las almas–, sino al terreno gobernado por una moral específica: por una moral *política*. Es en nombre de esa moral política –forjada en un yunque pagano, republicano: romano–, y *no* del desprecio por todo sistema de valores, que Maquiavelo impugna la moral cristiana como norma para las acciones políticas del Príncipe. Esta idea encierra lo esencial del argumento desplegado en el segundo de los dos textos que habíamos anunciado. Se trata de un extraordinario trabajo de Isaiah Berlin, publicado por primera vez un par de años después del ensayo de Merleau-Ponty que acabamos de comentar, acerca de "La originalidad de Maquiavelo", que nosotros vamos a consultar ahora en busca de una primera vía de entrada al problema que dejamos planteado más arriba, y que es el que nos preocupa: el problema de cuánto hay de trágico (y de qué es lo que hay de trágico) en el pensamiento del patriota florentino.

El trabajo de Berlin –un notable intento por responder a la pregunta por la causa de la continua fascinación y al mismo tiempo del horror que la obra de Maquiavelo viene suscitando en los lectores a lo largo de los siglos– avanza en una dirección semejante a la del argumento que veníamos recorriendo. Considerando el hecho, bien conocido y ya apuntado por nosotros, de que Maquiavelo decía que los hombres debían ser mantenidos bajo el poder de los Príncipes –o de quien quiera que fuera– a través de medios "que ciertamente infringen la moralidad corriente" (Berlin, "La originalidad...", p. 104), Berlin apunta que muchos han afirmado "que Maquiavelo separó a la política de la moral" (*ibid.*, p. 105). Ya vimos esto, y vimos también que esa afirmación ha sido sostenida, a lo largo del tiempo y por muchos autores muy diferentes entre sí, con dos objetivos: O bien para condenar la "inmoralidad" del pensamiento político del autor de *El Príncipe*, o bien para celebrar la autonomización de ese pensamiento político que esa separación habría promovido. Ahora: el motivo por el cual Berlin se manifiesta en desacuerdo con ambas interpretaciones es que aquella afirmación de partida es, según él (y según nosotros ya vimos también), falsa: lo que Maquiavelo distingue –sostiene Berlin– "no son los valores específicamente morales de los valores específicamente políticos" (*id.*), porque lo que Maquiavelo hace, en realidad, es instituir "algo que corta aún más profundamente: una diferenciación entre dos ideales de vida incompatibles, y por lo tanto entre dos moralidades" (*id.*). Una de ellas es la moralidad sostenida sobre los valores que permiten construir una comunidad humana satisfactoria; la otra es la moralidad sostenida sobre los valores que permiten salvar la propia alma.[5] El problema, apunta Berlin, es que "Maquiavelo está convencido de que lo que se considera comúnmente como las virtudes cristianas centrales, cualquiera que sea su valor intrínseco, son obstáculos insuperables para construir la clase de sociedad que él desea ver" (p. 106): una sociedad fuerte, vigorosa y feliz, cuyo modelo –se sabe– le era provisto por la *polis* griega y sobre todo por la república romana. Dicho esto, Berlin avanza para corregir un error frecuente (el primero de los dos errores interpretativos que nosotros mismos subrayábamos: el error de suponer que Maquiavelo es un enemigo de la moral): Maquiavelo –dice– "no huye de las nociones comunes, del vocabulario tradicional, moralmente aceptado, de la humanidad. No dice, ni implica (...) que la humildad, la bondad, la ingenuidad, la fe en Dios, la santidad, el amor cristiano, la veracidad constante, la compasión, sean malas, o atributos sin importancia; o que la crueldad, la mala fe, la política de fuerza, el sacrificio de hombres inocentes a las necesidades sociales, y así siguiendo, sean buenos" (p. 107); lo que él dice es simplemente que la práctica de virtudes tales como la humildad y la búsqueda de la salvación hace imposible la construcción de "una sociedad terrena satisfactoria, estable, vigorosa y fuerte" (*id.*).

De ahí que sea necesario elegir. Puedo elegir llevar una vida cristiana (y condenarme a la impotencia política) o construir una sociedad gloriosa (y perder mi alma). Lo fascinante, horripilante y difícil de aceptar de la enseñanza maquiaveliana es –siempre según Berlin– que "esos dos objetivos, ambos, claro, aptos para ser creídos por el ser humano (y, podemos agregar, para ser elevados a alturas sublimes), no son comparables entre sí." (*id.*) Se ve entonces, adicionalmente, cuál es el error (el segundo de los dos errores que nosotros habíamos indicado) de pretender que lo que Maquiavelo hace es separar la política de la moral, o conquistar para la política una pretendida "autonomía" con respecto a la moral. No: Maquiavelo –es verdad– *rechaza una moral.* Pero se trata de *una cierta* moral –la moral cristiana– y no de la moral *en cuanto tal.* Y tampoco la rechaza en nombre de alguna cosa no-moral como sería la política, sino en nombre de *otro universo moral.* Una vez más: la lucha no es entre política y moral, *sino entre dos morales diferentes e inconciliables*[6]. Los valores morales de Maquiavelo "no son cristianos, *pero son valores morales*" (p. 117, subr. mío), tanto como lo eran los de –digamos– Aristóteles o Cicerón. Y son, además, *y como los de Aristóteles o Cicerón*, valores *sociales* y *políticos*, y no individuales, lo que es importante subrayar para insistir sobre el hecho de que es un error pretender que Maquiavelo sea el fundador de la "autonomía" de la política respecto a la moral: no sólo Maquiavelo, como ya dijimos, no separa ni vuelve autónomas a la política y a la moral, sino que la moral tal como él la concibe *es inseparable* de la política, porque –de nuevo: como la de Aristóteles y la de Cicerón– *presupone* la comunidad, la *polis*, que determina los deberes de los individuos y subordina a éstos a su perfección.

Entonces: ni separación, ni autonomía, ni mucho menos enfrentamiento entre política y moral. Para Maquiavelo "hay por lo menos dos mundos: cada uno de ellos tiene mucho, en verdad todo, a ser dicho a su favor; pero son dos, y no sólo uno. Es necesario que se aprenda a elegir entre ellos y, una vez hecha la elección, que no se mire más para atrás" (p. 121). He ahí lo insoportable, dice Berlin, de Maquiavelo –y he ahí también lo que ese texto de Berlin viene a agregar a lo que nosotros ya veníamos diciendo–: que nos dice, con toda honestidad y claridad, *que es necesario elegir.* Y, al elegir uno de esos dos universos morales, abandonar el otro. De donde se sigue una conclusión fundamental para Berlin: la imposibilidad de dar una solución objetiva, ni siquiera *de jure*, ni siquera en tesis, a la cuestión de cómo deben los hombres vivir sus vidas. Maquiavelo destruye el "molde monístico" que, unificando las líneas principales del pensamiento europeo desde Platón, supone que existe *algún principio único que prescribe cuál es el comportamiento correcto que los hombres deben seguir* y que, consecuentemente, postula la posibilidad de por lo menos *pensar* una sociedad perfecta. Si Maquiavelo tuviera razón, dice Berlin, "entonces es imposible construir siquiera la idea de una tal sociedad perfecta, ya que existen por lo menos dos conjuntos de virtues (las que él combate y las que él suscribe: las cristianas y las paganas) "que son incompatibles, no sólo en la práctica, sino en principio" (p. 131). Los sistemas entre los cuales los hombres tienen que elegir son inconmensurables, y la elección debe ser hecha "sin la ayuda de una vara de medida infalible que certificara una forma de vida como superior a todas las demás y pudiera ser usada para demostrar esto a satisfacción de todos los hombres racionales" (pp. 132s). Es verdad que esa necesidad de optar sin garantías no parece haber angustiado especialmente al propio Maquiavelo: él simplemente "escogió su lado, y poco se interesó por los valores que su opción ignoraba o despreciaba." (p. 133) Pero si el propio Maquiavelo no se vio demasiado perturbado por la inquietante verdad que él mismo trajo a luz, en cambio Berlin asegura –y he ahí entonces la respuesta a la pregunta que él había planteado al comienzo de su artículo: la pregunta por la "originalidad" de Maquiavelo, la pregunta acerca de "qué es lo que ha resultado tan llamativo a tantos" (p. 96) en su obra– que es exactamente esa verdad, y el "malestar moral" que de ahí resulta, la causa de la fascinación y del horror que Maquiavelo produce en sus lectores desde hace varios siglos. La realización principal de Maquiavelo, en fin, es, según Berlin, "su descubrimiento de un dilema insoluble, el plantear una interrogación permanente en la senda de la posteridad. Ésta brota de su reconocimiento *de facto* de que fines igualmente últimos, igualmente sagrados, pueden contradecirse mutuamente, y que sistemas de valores enteros pueden sufrir colisiones sin la posibilidad de un arbitraje racional" (p. 138).

Esta última cuestión es fundamental para nosotros, y nos va acercando al núcleo central del problema que estamos intentando delimitar, que es el problema de las características del pensamiento que llamamos "trágico", y del lugar de la obra de Maquiavelo en relación con ese pensamiento. Por el momento, podemos ir advirtiendo lo siguiente: que Maquiavelo, en quien muchos han visto una especie de fundador del racionalismo político moderno, un campeón de la causa de la razón en su lucha contra el mundo de las tinieblas y de las supersticiones, un anticipador, incluso, de los métodos de Galileo y de

Bacon –anacronismo, éste último, que el propio Berlin se ha encargado de denunciar y de desmontar–, no creía que la razón fuera un arma suficientemente fuerte como para resolver, en una situación caracterizada por la encrucijada moral en que situaba al actor político la existencia de dos sistemas de valores absolutos y al mismo tiempo contrapuestos, cuál era el mejor camino a seguir.[7] Veremos que ese reconocimiento de los límites de la razón con relación al mundo de los valores morales y políticos y a las decisiones que, en él, estamos todo el tiempo obligados a tomar, es uno de los atributos centrales del pensamiento trágico. Y que fue precisamente cuando la razón occidental, a través de sus grandes titanes de mediados del siglo siguiente al de Maquiavelo, intentó erguirse como legitimadora última de todas las decisiones de los hombres, y como tribunal último de todos los conflictos de sus vidas, que el universo de lo trágico se vio relegado a ese andarivel marginal, menor, "maldito", de nuestro pensamiento político, en el que todavía hoy podemos encontrarlo y de donde este trabajo intentará sacarlo a la luz para volver a examinar sus potencialidades y su riqueza. Pero no nos adelantemos. Hemos mostrado hasta aquí que el actor político en quien Maquiavelo está pensando –el Príncipe– debe debatirse siempre entre sistemas morales antagónicos e irreductibles. Que, dada una cierta situación, puede ocurrirle –y es a esto a lo que hemos llamado "tragedia de los valores"– tener que elegir, irremediablemente, entre hacer una cierta cosa y salvar a su república o hacer otra cosa y salvar su alma. *Pero ocurre que la situación del príncipe maquiaveliano es mucho más trágica que esto*, porque a esa primera tragedia de tener que elegir entre universos de valores –y vías de acción a ellos asociados– mutuamente incompatibles viene inmediatamente a agregarse una *segunda* tragedia. Esa segunda tragedia consiste en el hecho de que, incluso habiendo escogido con seguridad y convicción el conjunto de valores que decide privilegiar y la vía de acción que, conforme a eso, se propone seguir, e incluso empeñándose en actuar de la manera más adecuada a la obtención de los fines por los que se ha decidido, el actor político *puede no tener éxito* en su acción. El Príncipe, en efecto, puede terminar quedándose sin aquello que escogió *y también* sin aquello que desechó, porque el mundo en el que debe desarrollar su acción o sus acciones está plagado de contingencias y de imponderables que pueden dar por tierra con los planes más elaborados y con las mejores intenciones. Propongo llamar a esta segunda tragedia, complementaria de la primera, pero diferente de ella, "tragedia de la acción". Es sobre ella que me gustaría ahora hacer algunas consideraciones.

2. La tragedia de la acción

En el título del penúltimo capítulo de *El Príncipe*, Maquiavelo anuncia la consideración de un problema que gozaba ya de una larga tradición entre los pensadores políticos italianos de su generación y de las precedentes, cual era el de saber "cuánto influye la fortuna en las cosas humanas y cómo contrarrestarla cuando es adversa". Estamos, en efecto, ante un tema conocido por los contemporáneos de Maquiavelo: el de la oposición entre el dominio de la Fortuna, diosa pagana que representaba el carácter contingente, ingobernable y fortuito de la "variación de las cosas" del mundo, y el de la *virtù*, entendida como la cualidad o el conjunto de cualidades necesarias para enfrentar ese mundo de contingencias e inestabilidad, controlando o minimizando los efectos de sus vaivenes y de sus caprichos. Maquiavelo ya había dicho cosas bastante originales sobre ese problema en los capítulos anteriores de su libro, pero ahora, cerca ya del final, retoma su tratamiento presentando en términos muy clásicos[8] la posición contra la que se dispone a combatir: "Muchos han creído y creen todavía" –dice– "que a las cosas de este mundo las dirigen la fortuna y Dios, sin ser dado a la prudencia de los hombres hacer que varíen, ni haber para ellas remedio alguno" (*P*, XXV, p. 142). La prudencia "de los hombres", dice Maquiavelo, pero sabemos que le interesan *ciertos* hombres: los *príncipes*, que deben conducir los destinos de los pueblos enfrentando los peligros del mundo y los azares de la historia. Dicho esto, dos cosas, en la frase que acabamos de citar, llaman la atención. La primera es que Maquiavelo reduce el conjunto de atributos que componen –según él mismo explica en los capítulos anteriores de su libro– la *virtù* de ese sujeto político que es el Príncipe a uno solo, la *prudencia*, tranquilizadora noción que tenía ya una larga militancia en el pensamiento político europeo –en Fortescue, en Santo Tomás (cf. Pocock, pp. 24-26)– y que no plantea el conjunto de dilemas *morales* que en cambio sí planteaban algunos otros de los rasgos que Maquiavelo celebraba en un buen Príncipe, tales como, por ejemplo, la capacidad para ser cruel o despiadado (cf. Skinner, *op. cit.*, pp. 131ss). La segunda, cuando dirigimos la mirada en dirección a esa fuerza incontrolable de las cosas que los hombres en general y los príncipes en particular no pueden predecir ni dirigir, es que Maquiavelo reduce inmediatamente las inquietantes connotaciones de la figura de la diosa Fortuna poniendo a su lado el santo nombre de Dios, con lo que el carácter radicalmente anti-cristiano de la primera imagen queda suavizado por una idea que se acerca mucho más a la figura, también fuertemente presente en el pensamiento político de su tiempo, de la mano todopoderosa de la Providencia dirigiendo en secreto las cosas del mundo y los destinos de las personas. Ambas cuestiones (la reducción de la *virtù* a la *prudentia* y la aproximación de la idea de Fortuna a la de Providencia divina) marchan, por cierto, en la misma dirección: la de pintar el retrato de un sujeto que, munido de un conjunto de instrumentos demasiado débiles para la magnitud de su tarea, enfrenta los designios secretos de una fuerza omnipotente.

Es contra el telón de fondo de esa pintura tan tradicional como desilusionante ("... de modo que, siendo inútil preocuparse por lo que ha de suceder, lo mejor es abandonarse a la suerte" [*P*, XXV, p. 142]) que se recorta la impugnación que Maquiavelo se propone desarrollar en este capítulo XXV de *El Príncipe*. Una impugnación que no será –como veremos– nada simple, que no tendrá una estructura lineal ni un contenido monolítico, sino que describirá, a lo largo del capítulo que estamos comentando, un sugerente vaivén de argumentos y contra-argumentos que nos irá llevando sucesivamente de uno a otro de los polos de esta clásica oposición entre la Fortuna y la *virtù*, antes de revelarnos por fin el corazón de su enseñanza. Por el momento, destaquemos, siguiendo en esto a Claude Lefort, que "todo ocurre (...) como si la referencia a la Tradición –en este caso, la alusión a los designios impenetrables de la Providencia– no hiciera sino preparar el momento de la ruptura" (Lefort, *Le travail...*, p. 440)[9]. Y esa ruptura se produce de inmediato: "Sin embargo" –escribe, en efecto, Maquiavelo, tras habernos pintado el cuadro de situación que acabamos de recordar–, "como nuestro libre arbitrio existe, creo que de la fortuna depende la mitad de nuestras acciones, pero que nos permite dirigir la otra mitad, o algo menos" (*P*, XXV, p. 142), frase que nos deja ahora ante una imagen bien diferente: no ya la de un Ser insondable y todopoderoso imponiendo la fuerza de su arbitrio sobre un sujeto demasiado pequeño para él (o a lo sumo concediéndole graciosamente, como hacía el Dios cristiano de la teología medieval, *una cierta porción de libertad*, no incompatible con Su omnipotencia e incapaz de amenazarla), sino la de un combate bastante más equilibrado entre una fuerza que sólo puede gobernar, ahora, "la mitad" de nuestras acciones, y un actor político al cual le es dado "dirigir la otra mitad, o algo menos", y que puede, en consecuencia, *usando con virtuosismo esa posibilidad*, oponerse a ella, y tal vez vencerla. Y el énfasis que pone Maquiavelo en la capacidad de ese actor político, de ese sujeto, para llevar a cabo esa proeza es tan grande que a medida que el capítulo avanza la estatura de ese combatiente crece en la misma proporción en que se reduce la de su adversario. Así, inmediatamente después de la frase que acabamos de citar, Maquiavelo compara la Fortuna "con un río de rápida corriente que, cuando se sale de madre, inunda la llanura, derriba árboles y casas, arranca terrenos de un sitio y los lleva a otro" (*id.*). Poderosa e intimidatoria como es, esta imagen supone sin embargo, como es fácil notar, una evidente "degradación" de la Fortuna, que deja de ser aquella fuerza todopoderosa frente a la cual nada podían las pobres capacidades de los hombres para pasar a ser apenas algo comparable al "imprevisible desencadenamiento de las fuerzas naturales –fuerzas que pueden dominar al hombre, sin duda, *pero que ciertamente no carecen de causas ni son por lo tanto inaccesibles a nuestro entendimiento*" (Lefort, *Le travail...*, p. 440, subr. mío), y a las que el hombre *puede*, en consecuencia, enfrentar. Así, el combate no sólo se volvió más equilibrado, sino que *bajó*, por así decir, "del cielo a la tierra", donde el hombre puede enfrentar fuerzas que son, sin duda, feroces y temibles, pero no incognoscibles, y por eso mismo tampoco imposibles de domar. Y es así que los papeles comienzan entonces, sutilmente, a invertirse: la omnipotencia de la Fortuna, un momento atrás presentada al lado del mismo Dios ("la fortuna y Dios...") desaparece, y se va abriendo frente a nuestros ojos, en su lugar, la vía por la cual comienza a asomarse la omnipotencia *del Sujeto*. Porque si es cierto que los ríos, cuando se desbordan, producen todo tipo de destrozos y de males, los hombres, por su parte, pueden –dice Maquiavelo– "construir diques y calzadas para precaver, en otras crecidas, las inundaciones y los estragos" (*P*, XXV, p. 142). Así, si en el futuro otras inundaciones y otros estragos vinieran a producirse, *no podremos ya culpar al río, sino sólo a nuestra propia falta de previsión o de capacidad técnica* para controlar su cauce o moderar la fuerza de su correntada. Estamos en pleno entusiasmo renacentista; asistimos al triunfo del humanismo: el hombre es el centro de la creación y el amo del mundo, puede dominar a la naturaleza y también –nos está diciendo ahora Maquiavelo– a la Fortuna, que se parece a ella.[10]

Pero no se trata sólo de eso. La analogía entre las fuerzas de la Fortuna y las de la naturaleza no supone apenas, como sugeríamos hace un momento, una "degradación" de la primera desde las alturas a las que había sido elevada en el primer párrafo del capítulo hacia una dimensión mucho más prosaica y mundana, sino que también implica, como subraya Lefort y como podemos ahora apreciar nítidamente, "que la Fortuna deja de representar un poder positivo, independiente del hombre. Ya que, aunque sea imposible prever el momento en que nuestras empresas serán amenazadas, no lo es saber de dónde viene la amenaza y obrar de modo que ellas resistan ante el acontecimiento. La parte de la libertad y la de la Fortuna no son ya distintas como habíamos estado tentados a creerlo; ésta, aprendemos, no se alimenta sino de nuestra imprevisión y de nuestra inercia" (Lefort, *Le travail...*, p. 440). Con eso, los papeles terminan, ahora sí, de invertirse: no sólo no somos ya los esclavos o los títeres de la Fortuna, no sólo podemos enfrentarla y eventualmente dominarla, sino que podemos asegurar que ella *no existe sino como una creencia nuestra*. Que la Fortuna no tiene ningún lugar en el campo de las fuerzas "objetivas" o "reales" en el que se juega el destino de nuestros planes sobre el mundo, y que sólo puede gobernar nuestras vidas en la medida en que nosotros *pensemos* que puede hacerlo. Que la Fortuna no sólo no es ninguna divinidad en condiciones de imponernos sus designios, sino que tampoco es una fuerza anónima que, incluso no siendo divina, podría representar –como al comienzo la metáfora del río torrencial podría habernos llevado a imaginar– un rival de consideración para nuestros planes. No: el poder de la Fortuna, nos dice ahora Maquiavelo, sólo se manifiesta "cuando no hay fuerza ordenada que la resista" (*P*, XXV, p. 142), dirigiendo su violencia "donde se sabe que no hay reparo alguno para contrarrestarla" (*ibid.*, pp. 142s). Poder invisible e inexistente, representación puramente "imaginaria" –para usar una palabra cara a Maquiavelo–, la Fortuna se convierte así apenas en el nombre que damos al límite de nuestra *virtù* y de nuestra libertad, límite que, por otra parte, sólo depende de nosotros mismos (cf. Lefort, *Le travail...*, p. 441). Porque, al final, *sólo nosotros mismos contamos:* el único adversario que el sujeto político tiene que enfrentar es *su propia* falta de *virtù*. El combate entre la Fortuna y la *virtù*, que se presentaba en la primera frase del capítulo bajo la forma de un desequilibrio colosal a favor de la primera, no sólo parece definitivamente decidido a favor de la segunda, sino que –todavía más– se revela un combate inexistente, un debate en el cual uno de los términos no designa otra cosa sino la ausencia o la insuficiencia del otro. La Fortuna, en efecto, no es más que otro nombre para la falta de *virtù* del actor político.[11]

Estamos en uno de los polos del péndulo que nos hará recorrer Maquiavelo en esas breves pero decisivas páginas del capítulo XXV. En uno de los extremos –opuesto, entonces, a aquél de donde habíamos partido– del movimiento de vaivén con el cual, según anunciamos, Maquiavelo desarrolla su argumento sobre la fuerza relativa de la Fortuna y de la *virtù*. Pero todavía no llegamos a destino: después de contagiarnos por un momento el entusiasmo *humanista* con el que acaba de consumir en el fuego de la reflexión –como escribe Lefort– la creencia en un poder que se reveló invisible, que se demostró inexistente, después de disolverlo en el aire, de hacerlo desaparecer de entre las manos, de mostrar, por medio de un análisis al que perfectamente correspondería llamar –en el sentido que Louis Althusser, por ejemplo, da a la palabra– "materialista", que nada hay allí más que nuestras propias fantasmagorías e ilusiones, después de hacernos suponer por un momento que esa solución "desmitificadora" iba a ser el punto de llegada de sus cavilaciones, Maquiavelo introduce (vuelve a introducir) un brusco giro en su argumento, y nos revela que aquello que suponíamos una conclusión no es más que una nueva premisa, que aquello que imaginábamos una afirmación definitiva y final no es más que el punto sobre el cual va a desarrollarse la próxima negación, y nos lanza de nuevo en dirección contraria, en dirección al otro extremo del péndulo. En efecto: después de estampar las frases que acabamos de leer, Maquiavelo asegura que ellas valen "como regla general" (*P*, XXV, p. 143), pero que no pueden explicar cómo, "viniendo a los casos particulares", puede ocurrir a veces que un príncipe pase de la prosperidad a la ruina sin haber habido ningún cambio en su *virtù*, o que dos príncipes obtengan resultados diferentes actuando del mismo modo, o resultados idénticos actuando de maneras opuestas ("unos con discernimiento, otros sin meditación" [*id.*]). ¿De qué depende eso? Maquiavelo nos lo dice: de que adecuen o no sus procedimientos a la condición de "los tiempos". Porque –explica– hay tiempos en que son buenas las preocupaciones y la circunspección, y otros en que son más adecuadas la violencia y la ferocidad. Así, "prospera todo el que procede conforme a la condición de los tiempos, y se pierde el que hace lo contrario" (*id.*). Vemos claramente que, en efecto, fuimos arrancado violentamente del polo de la argumentación en que nos era dado pensar que los hombres podían gobernar a su antojo las fuerzas del mundo, y que sólo podían ser derrotados por ellas debido a su incapacidad o a su falta de *virtù*. Ahora –cuando el análisis se desplazó del nivel de lo general al de la particularidad histórica– descubrimos que esa *virtù* debe ejercerse siempre *en una cierta situación de hecho*, en una cierta *coyuntura*. Esa coyuntura ofrece al actor político *la materia*, digamos así, sobre la cual su *virtù* debe practicarse, pero esa "materia" no es una arcilla blanda y dócil: "El poder de inscribir una forma en una materia no puede ejercerse sino en razón de lo que la materia misma reclama", observa Lefort (*Le travail...*, p. 442), y es esa materia, por eso mismo, la que dicta el método con el que debe ser informada. O sea: la que determina, en cada situación concreta, qué es lo que debe ser considerado una conducta virtuosa. Se ve entonces hasta qué punto el cambio es radical: si un poco más arriba encontrábamos a la Fortuna transformada apenas en el nombre que dábamos a nuestra falta de *virtù*, ahora encontramos a la *virtù* convertida en una función derivada de esa forma particular de la Fortuna a la que Maquiavelo llama "la condición de los tiempos", y a cuyo cambio permanente –inscripto "en el ser mismo" de las cosas políticas, como dice Lefort, y al que, por eso mismo "es vano oponerse"– el sujeto político debe saber amoldarse. Si hace poco podíamos imaginar –continuamos acompañando el texto de Lefort– "un sujeto capaz de imponer su ley a la naturaleza y de sustituir el movimiento ciego del mundo por el movimiento reglado de su propia voluntad", ahora somos invitados a forjar la ficción contraria: el imperio de "los tiempos" sobre las capacidades humanas de lidiar con ellos exigiría del sujeto que quisiera encarar esa tarea una gran disposición para "transformarse permanentemente, aprovechar todas las ocasiones, estar abierto a todas las oportunidades, igualar con sus propia disposición al cambio las variaciones de la Historia, adquirir una movilidad, una volubilidad tales que le permitieran estar siempre en acuerdo con las cosas del mundo" (*ibid.*, pp. 442s).

Ficción pura, claro –como indica el propio Maquiavelo y subraya Lefort–, por dos razones. En primer lugar, porque esa capacidad de adaptación supera las posibilidades de cualquiera: "Ningún hombre, por prudente que sea, sabe acomodarse a estas variaciones" (*P*, XXV, p. 143). El cambio en los "tiempos" no es, como el cambio del curso de un río, previsible y controlable, sino sorprendente e inimaginable. Porque no es el cambio que se produce en una variable cuyos valores la razon humana puede predecir y calcular, sino el cambio que se produce en las coordenadas del propio escenario en que esas variables encuentran su lugar. En segundo lugar, porque ningún hombre tiene un temperamento o unas "inclinaciones naturales" tan flexibles como para hacer posible esa permanente adecuación: el propio carácter del actor aparece aquí como una "segunda naturaleza" contra cuyos lados más duros e inflexibles el mismo actor debe luchar, y cuyos límites, imposibles de superar, son también los límites de sus acciones sobre el mundo: hay príncipes que son "naturalmente" temperamentales y otros que son "naturalmente" circunspectos, y unos y otros triunfarán cuando los tiempos exijan de ellos las acciones que sus respectivas naturalezas los llevan a realizar, pero fracasarán tan pronto como los tiempos cambien. Lo que en cualquier caso es evidente es que la propia circunstancia de que el texto de Maquiavelo nos invite aquí a forjar esa ficción revela hasta qué punto el péndulo del argumento que estamos intentando acompañar se desplazó una vez más de un extremo al otro: del entusiasta elogio a la *virtù* nos hemos vuelto a mover en dirección a la aceptación de que hay alguna cosa del orden de la Fortuna que es insuperable, y que constituye no sólo un límite, sino incluso el punto de partida de cualquier acción posible. Sea como fuere, tantas cosas cambiaron en el camino que de ningún modo quedamos ahora en el mismo punto en que habíamos comenzado a recorrerlo: Primero, la Fortuna con la que ahora nos encontramos no tiene ya las características de una deidad caprichosa y vana. No se trata ahora, en efecto, de una voluntad sobrehumana inescrutable, de un designio impenetrable y todopoderoso que se impone sobre el débil deseo de los mortales, sino de una tendencia a los cambios que es intrínseca al ser mismo de la historia, de una contingencia radical de las cosas políticas, de una mutabilidad sin leyes, de una indeterminación esencial. (Y ahora empezamos a comprender, entonces, por qué Maquiavelo escribía, en la primera frase del capítulo, que muchos "*han creído y creen todavía...*" –o sea: que se trata de una creencia antigua que algunas mentes conservadoras o atrasadas todavía comparten– "que a las cosas de este mundo las dirigen la fortuna y Dios", mientras que unas líneas más abajo omitía el nombre de Dios cuando sostenía que "de la fortuna depende la mitad de nuestras acciones...": nuestro recorrido por el capítulo que se inauguraba con estas frases nos va revelando que Maquiavelo quiere dejar atrás la idea de que todas nuestras acciones son conducidas por un designio sobrehumano inexorable –la mano de la Providencia, la voluntad divina– ante el cual sólo cabe la resignación, para abrazar en su lugar la idea, mucho más secular y laica, de que *en el mundo mismo* hay algo que siempre, inexorablemente, escapa de nuestros cálculos y de nuestra previsión.) Después, la celebración de las capacidades creativas del sujeto dejó su marca en el recorrido de Maquiavelo, y así el reconocimiento de que existe un fondo inexplorable e incognoscible sobre el cual se recorta el campo de posibilidades de las acciones de todo actor político no implica ahora ni un llamado a la resignación de los sujetos de la acción en nombre de la imposibilidad de torcer el rumbo de la historia ni una invitación a que esos sujetos hagan inmediatamente suyas las tareas que el presente les propone, sino el reconocimiento de un *límite* que la voluntad y la razón política del sujeto deben admitir como existente, y al que no pueden dejar –so pena de dejar de ser políticos– de combatir.[12]

El problema es cómo hacerlo. Porque si, como decía Maquiavelo, existen épocas más propicias para los temperamentos circunspectos, y otras más aptas para los caracteres violentos y feroces, lo cierto es que *no hay modo de saber, a priori, a cuál de esos dos grupos pertenece el momento en que nos fue dado vivir.* No es posible, en consecuencia, ofrecer reglas infalibles, y eso es lo que hace de la política un arte incierto y temerario. Pero no es imposible sugerir, al menos, *algún principio general,* alguna regla que el Príncipe al que Maquiavelo se dirige debería tener como norma general de acción en este mundo incierto y cambiante. Y Maquiavelo ofrece, claro, ese principio general: "Entiendo que es mejor ser atrevido que circunspecto" (*P*, XXV, p. 145), dice, antes de agregar –en perfecta consonancia con una larga tradición, que hacía de la *virtù* un principio masculino y de la Fortuna una materia femenina, maleable y dominable– que "la fortuna es mujer, y, para tenerla dominada, es preciso tratarla sin miramiento, demostrando la experiencia que la vence quien la obliga, no quien la respeta. Como mujer, es siempre amiga de la juventud, porque los jóvenes son con ella menos considerados, más vehementes y más audaces" (*id.*). Un doble movimiento se verifica en estas frases postreras del capítulo. Por un lado, un desplazamiento, digamos, "de lo particular a lo general". Quiero decir: que si para huir del polo "optimista" en que un poco más arriba Maquiavelo había situado –asegurando que dirigir a la Fortuna era como dominar a la naturaleza– su argumento, el texto nos había invitado a pasar de esa ley "general" a los "casos particulares", a mirar la cosa, por así decir, *más de cerca*, ahora, cuando se trata de ofrecer al Príncipe una recomendación para la acción, Maquiavelo debe admitir que no es posible saber qué conducta es la más adecuada *en cada coyuntura particular*, qué es lo que cada coyuntura particular exige de nosotros, y por eso ofrece una regla *general*, una *máxima universal* de conducta. Por otro lado, asistimos a un segundo desplazamiento: se trata del movimiento, destacado por Lefort, que nos conduce desde el punto de vista del observador (a partir del cual se había desarrollado hasta aquí toda la argumentación) hacia el punto de vista del actor. Porque si, desde la perspectiva de un observador neutro, exterior y desinteresado, efectivamente "nada autoriza jamás a privilegiar un modo de actuar por sobre otro" (Lefort, *Le travail...*, p. 443), *desde la perspectiva del actor, del sujeto, del Príncipe*, cabe siempre (y, además, es la única cosa que cabe) la alternativa de intentar *torcer* los datos de la coyuntura, *violentar* –como un joven fogoso puede intentar violentar la resistencia que le opone una mujer cuando quiere dominarla– las fuerzas de aquello que nos viene dado, de *contrariar* –como dice Maquiavelo– a la Fortuna, en lugar de respetarla. *Desde el punto de vista del actor*, de un actor impetuoso y decidido a todo, nada puede haber en el espacio gobernado por los designios de la Fortuna que sea tan rígido e inmutable que su ferocidad no pueda derrumbarlo. Otra vez estamos pues en un extremo de ese péndulo argumentativo cuyo vaivén estamos intentando acompañar. Otra vez, en la mejor tradición humanista, Maquiavelo parece confiar en que la *virtù* del Príncipe (identificada ahora, en esta nueva formulación del mismo principio, menos con la prudencia que con la energía, menos con su capacidad técnica que con su ferocidad) puede vencer a las fuerzas caprichosas y hostiles de la Fortuna. Otra vez el combate entre esos dos colosales gladiadores parece desequilibrarse a favor de la capacidad que tiene el sujeto político de hacer frente a las fuerzas que se oponen a sus designios y triunfar sobre ellas, a punto tal que un autor tan poco sospechoso de alentar interpretaciones simplistas de las cosas como Quentin Skinner afirma que, para Maquiavelo, "un hombre de verdadera *virtù* nunca puede ser totalmente superado ni hasta por la más adversa fortuna" (Skinner, *op. cit.*, p. 121).

¿Será eso verdad? ¿Habremos llegado, al final, al puerto de arribo de las indagaciones maquiavelianas sobre el clásico problema de las fuerzas relativas de la Fortuna y la *virtù?* ¿Será finalmente a favor de ésta última que se inclinará la balanza de la reflexión de Maquiavelo? ¿Deberemos concluir que un príncipe virtuoso está siempre en condiciones de enfrentar con éxito las adversidades que los azares del mundo presentan como desafío a sus capacidades? ¿Será al fin de cuentas la Fortuna (como ya habíamos podido sugerir más arriba, en un momento anterior de nuestro recorrido por el capítulo de *El Príncipe* que estamos comentando) apenas el nombre que damos a la falta de *virtù* del actor político? ¿Será cierto, al final, que ese actor político no tiene otro enemigo que su propia ineptitud o su propia debilidad? Hay dos fuertes motivos que parecen contribuir a esa interpretación. El primero de ellos es que una conclusión semejante coincidiría con aquello que Maquiavelo nos había enseñado en el capítulo VII de su libro, el segundo de los dos capítulos consagrados a estudiar la oposición entre la Fortuna y la *virtù*, donde Maquiavelo mostraba cómo lo que en una primera impresión parecía, en la vida de César Borgia, un conjunto de golpes de suerte, en realidad era el producto de una conducta virtuosa y sabia, y cómo los efectos de un hecho fortuito, y sobre el cual él no podía tener ningún dominio –la muerte de su padre–, podría sin embargo haberse mostrado menos ruinoso para él si él hubiera demostrado una mayor *virtù* en la elección del siguiente Papa, elección que, conducida con mejor criterio, habría reducido los inconvenientes de aquel imprevisible infortunio. También aquí, entonces, en este capítulo que anuncia y prepara el que ahora estamos comentando, la Fortuna no tenía una entidad objetiva independiente de la *virtù*, sino que era apenas, por así decir, el modo de nombrar su falta. El segundo motivo que podría llevarnos a suponer que finalmente llegamos, con este elogio maquiaveliano de los comportamientos atrevidos y feroces, al punto final de nuestro recorrido, es que el párrafo en el que Maquiavelo realiza este elogio está exactamente al final de este capítulo XXV, precediendo inmediatamente, por lo tanto, al último capítulo del libro, la célebre "Exhortación para librar a Italia de los bárbaros", cuyo tono entusiasta y militante permitiría leerla como una perfecta continuación de esta conclusión: tras haber planteado el conjunto de problemas que enfrentaba la Italia de su tiempo, y tras haber concluido que sólo un príncipe arrojado y virtuoso, viril y decidido, podría enfrentar esos problemas y ponerles fin, Maquiavelo asegura al "príncipe nuevo" que estuviera dispuesto a redimir a Italia que será recibido con amor, fervor y felicidad por un pueblo harto de humillaciones y sediento de venganza. La desembocadura política más evidente del célebre panfleto de Maquiavelo nos conduciría a aceptar la tesis de que la clásica oposición entre la Fortuna y la *virtù* encontró finalmente su resolución en el descubrimiento de la supremacía (si no de principio, al menos *práctica, política*) de la segunda.

Sin embargo, esta solución –seductora y optimista– presenta un problema evidente, cual es el de dejar sin explicación una frase fundamental que Maquiavelo había dejado estampada en el curso de su argumentación, casi al comienzo del capítulo, y que nosotros ya tuvimos ocasión de considerar. Discutiendo las tesis más "tradicionalistas" acerca de la capacidad de la Fortuna para imponer sus designios sobre los hombres, a los que sólo cabría entonces la resignada aceptación de sus destinos, Maquiavelo escribía –recordemos– que "creo que de la Fortuna depende la mitad de nuestras acciones, pero que nos permite dirigir la otra mitad, o algo menos". En las páginas precedentes vimos cómo, a lo largo de la argumentación de Maquiavelo, la forma que asume esa figura de la Fortuna fue cambiando. *Pero la frase de Maquiavelo queda*, y es inequívoca, y el hecho de que a esta altura de nuestro recorrido por su texto estemos ya en condiciones de no pensar la Fortuna ni como una divinidad pagana ni como una fuerza natural ni como una rueda que gira todo el tiempo ni incluso como una materia que nos dicta de modo imperativo los límites de aquello que podemos hacer con ella, *sino apenas como una metáfora para lo incomprensible y lo incognoscible, como el nombre que damos a aquello que de radicalmente contingente, inestable e indeterminado tiene el movimiento de las cosas del mundo*, no le quita nada de su fuerza. Al contrario: le da una fuerza nueva. Por eso es necesario que volvamos a leer, después de haber acompañado el tono entusiasta con el que se cierra el capítulo que estamos discutiendo, esta advertencia fundamental con la que el capítulo se abría. Es necesario que no nos dejemos llevar tan dócilmente, es preciso *resistir* la fuerza con la que la prosa de Maquiavelo quiere conducir su análisis en dirección a su desembocadura política inmediata, y entonces es necesario reparar en el hecho de que aquello que Maquiavelo nos está diciendo en este capítulo decisivo es que incluso el príncipe más virtuoso, incluso el actor político que proceda con la mayor energía, impetuosidad y sabiduría, sólo podrá gobernar por medio de esa *virtù* "la mitad" de sus acciones, *y que puede, por lo tanto, fracasar en sus empresas*. Es claro que fracasará con mayor probabilidad si su conducta es menos virtuosa, y con toda seguridad lo hará con mayor frecuencia si, frente al angustiante descubrimiento de que ni toda su *virtù* puede otorgarle garantías, decide simplemente entregarse a las fuerzas de su suerte: la Fortuna –leíamos en el curso de este capítulo cuyo análisis ahora empezamos a cerrar– nos gobierna con tanta mayor fuerza cuanto más *creemos* que puede gobernarnos. Pero ése no es el punto. El punto es que, incluso actuando conforme a los dictados de la mayor *virtù*, incluso actuando del mejor modo posible, incluso actuando con la mayor sagacidad y la máxima energía, *es posible fracasar*. El punto es que, como hay siempre alguna cosa que escapa a nuestros cálculos, a nuestra capacidad de análisis y de comprensión, el ejercicio de la máxima *virtù* no nos garantiza el éxito de nuestros emprendimientos. A eso –que constituye, me parece, el angustiante corazón de la enseñanza maquiaveliana en este capítulo XXV– propongo llamarlo *tragedia de la acción* (de la acción en general, de la acción política –que es la que nos interesa– en particular) en Maquiavelo. La tragedia de la acción (política), en Maquiavelo, consiste pues en que *siempre queda algo* que resiste, o que, por lo menos, *puede* resistir, y resistir con éxito, a la acción virtuosa del sujeto (político) que tiene que lidiar con su suerte y que pretende sobreponerse a ella. La tragedia de la acción (política) consiste en que siempre queda algo de ingobernable, de incontrolable, de incognoscible. Y agregaría incluso –para volver al libro de George Steiner que ya abrimos e indicar dos de los rasgos que el ensayista inglés considera característicos del mundo de lo trágico–: algo de *inexorable*, y algo de *absurdo*.

Notas

[1] Tomo esta expresión, "mala fama", de un estimulante artículo de Newton Bignotto, "A má fama na filosofia política: James Harrington e Maquiavel", donde se revisan las tradiciones de lectura de Maquiavelo en el pensamiento político europeo (italiano, francés e inglés) posterior a él, y se indagan las razones de que las mismas hayan estado casi invariablemente presididas por una actitud de vituperio y de demonización. La fuerza de esas actitudes de rechazo, sostiene Bignotto, es el mejor síntoma y testimonio del vigor del pensamiento maquiaveliano, de sus "escandalosas revelaciones sobre la naturaleza del poder" (Bignotto, "A má fama...", p. 188) y de su "abandono de la búsqueda del régimen ideal, basado en la práctica de las virtudes" (p. 189). Bignotto se detiene luego en la "inversión" de este mecanismo de demonización ensayada, en la Inglaterra del siglo XVII, por James Harrington, para quien el *mal* no estaba encarnado ya en la insistencia de Maquiavelo en las grandes preguntas acerca del poder sino en la oposición al movimiento progresivo de la historia que encarnaría el "conservadurismo" hobbesiano. Aunque esta parte de su argumento interese menos a este momento de nuestra presentación, vale la pena ir señalando desde ahora la *contraposición* entre un "modo maquiaveliano" y un "modo hobbesiano" de enfrentar los grandes problemas de la política moderna: volveremos una y otra vez sobre este problema.

[2] Llamo la atención, desde ahora, sobre esta continuidad que establece aquí Merleau-

Ponty entre los pensamientos de Maquiavelo y de Marx, reunidos, como a través de una línea secreta tendida por debajo de los estertóreos humanismos "abstractos" y universalistas –"idealistas"– que ambos condenaron y que pueblan la historia del pensamiento político moderno, por una común vocación "verdaderamente" humanista, asociada a la comprensión de que son los hombres y no los principios los que cuentan en la historia. Esta continuidad, esta "línea secreta" uniendo los nombres de Maquiavelo y Marx fue también subrayada por ese notable discípulo de Merleau-Ponty que es Claude Lefort en su propia comparación entre los "realismos" maquiaveliano y marxista: véanse por ejemplo sus "Reflexiones sociológicas sobre Maquiavelo y Marx: la política y lo real", en su *Las formas...*, pp. 143-165. Y reaparecerá después como un *leitmotiv* de las reconstrucciones de la historia del pensamiento "materialista" moderno ensayadas por autores como Louis Althusser, Toni Negri o Miguel Abensour, todos los cuales destacan también –agreguemos– la importancia de *un tercer autor*, de un eslabón "intermedio", por así decir, entre esos "realismos morales" de Maquiavelo y de Marx. Me refiero, claro, a Spinoza, y en particular a su empeño en distinguir la simple *moral*, sostenida sobre los prejuicios de la imaginación teológico-política, de una *ética* propiamente filosófica, apoyada por su parte sobre la consideración de los hombres "tal como son" (Spinoza, *Tratado político,* I, 1). Véanse sobre esto, igualmente, Spinoza, *Ética*, I (Apéndice) y III (Prefacio), Chauí, "Ética e política...", y Tatián, "Imaginación y política..." y *La cautela...* (pp. 161s, n).

[3] Renato Janine Ribeiro argumenta a favor de la idea según la cual la conocida dicotomía weberiana entre la "ética de la convicción" y la "ética de la responsabilidad" se apoyaría sobre la distinción, previamente formulada por Maquiavelo, entre una ética de los principios o de las "buenas intenciones" y una ética de los resultados o de la política, en su *A sociedade...*, pp. 193ss.

[4] Escribo con toda intención –siguiendo el *"vertu"* de Merleau-Ponty– "virtud", y no *virtù* (grafía, ésta última, a la que Maquiavelo recurría para aludir al conjunto de cualidades técnicas "que ayudan al príncipe a 'conservar su estado'" [Skinner, *op. cit.,* p. 138, n], y que eran distintas de la sumatoria de las virtudes cardinales [*id.*, y tb. *ibid.*, pp. 182-186]) porque lo que me interesa subrayar aquí es precisamente la idea de que la política *tiene*, para Maquiavelo, una decisiva dimensión ética. De que el mundo de la política no es extraño al de los valores. De que el comportamiento político está y debe estar, para Maquiavelo, *sometido a reglas morales.* Sólo que, como estoy sugiriendo en el texto, *a reglas morales distintas de las que guían los comportamientos del sujeto que busca salvar su alma.* Sobre la fundamental categoría maquiaveliana de *virtù*, y sobre la contraposición entre esa *virtù* principesca y los caprichosos avatares de la Fortuna (tema de pasajes fundamentales y bien conocidos de *El Príncipe)* nos extenderemos en la próxima sección.

[5] Es exactamente lo que afirma también, en la huella y sobre la reconocida influencia de este trabajo de Berlin, Quentin Skinner: A pesar de que –explica Skinner– "a menudo se ha afirmado que la originalidad del argumento de Maquiavelo en estos capítulos se encuentra en el hecho de que divorcia la política de la moral, y por consiguiente subraya 'la autonomía de la política'", en realidad "la diferencia decisiva entre Maquiavelo y sus contemporáneos no puede caracterizarse adecuadamente como una diferencia entre una visión moral de la política y una visión de la política como divorciada de la moral. Antes bien, el contraste esencial es, más bien, *entre dos morales diferentes*" (Skinner, *op. cit.*, pp. 134s, subr. mío).

[6] Como observa Siperman en su libro sobre el carácter trágico del pensamiento de Berlin, que ya consultamos en la "Introducción" de este trabajo, Berlin presenta a

Maquiavelo como un crítico del "monismo ético": como "un dualista ético, que impugna *la pretensión de exclusividad* de la moral cristiana medieval –que sostiene al poder papal, nada grato a la propia definición política de Maquiavelo– porque ha descubierto la existencia de una moral republicana romana, diferente de la cristiana, no universalista sino cívica, heredera de la polis" (Siperman, p. 128, subr. mío). Así, Maquiavelo puede ingresar a la galería berliniana de los autores que, a lo largo de la historia del pensamiento político occidental, combatieron la pretensión de reducir la complejidad de las luchas históricas "a postulaciones trascendentes de lo verdadero y de lo bueno" (*ibid.*, p. 127), y casi convertirse (a través de un rápido malabar con el que Berlin intenta, en las líneas finales de su trabajo, llevar aguas maquiavelianas a su molino liberal) en una suerte de promotor, *malgré lui*, del tipo de "liberalismo pluralista" que él sin duda habría rechazado, pero que Berlin, sobre el telón de fondo de esta crítica del monismo occidental, sostiene y defiende. No es mi propósito discutir aquí, en este trabajo, la legitimidad o ilegitimidad de esta operación de "reapropiación" o de relectura "intencionada" (¿pero cuál no lo es?), ni mucho menos juzgar los méritos o deméritos de este tipo particular de liberalismo que Berlin promueve. Lo único que, aquí, me interesa de él, es su contenido agonal y trágico, derivado, entonces, de la crítica del monismo sobre la que se levanta. El descubrimiento del carácter trágico de la política es inseparable, en efecto, de la constatación de la existencia de pluralidad de sistemas éticos diferentes y contradictorios, y el énfasis maquiaveliano sobre la irreductibilidad de las morales cristiana-papal y pagana-republicana es un capítulo fundamental de la historia de esa constatación.

[7] Destaquemos aquí, una vez más, la importancia de esa insistencia maquiaveliana sobre el conflicto entre sistemas morales contrapuestos, igualmente absolutos y mutuamente excluyentes, entre los que el actor político (el príncipe) debe escoger, que no es más que una expresión de la certeza maquiaveliana (certeza, ya lo dijimos, perfectamente *trágica*, y que permite calificar como "trágico" al pensamiento de nuestro autor) sobre la ineliminabilidad del conflicto del mundo de los hombres. Porque, aunque aquí estemos planteando el tratamiento maquiaveliano de la cuestión del conflicto en el plano del drama –digamos– "subjetivo" de un actor –el Príncipe– sometido a las tensiones y los tironeos de esos sistemas de valores enfrentados entre los que se debate, el problema (quiero decir: el *doble* problema de la inerradicabilidad del conflicto y de la inexistencia de una razón universal capaz de darle una solución inapelable y definitiva) subsiste –e incluso, desde cierto punto de vista, aumenta su interés– cuando nos desplazamos (siguiendo el recorrido que nos lleva de *El Príncipe* a los *Discursos)* de ese terreno subjetivo al plano del drama "objetivo" de *una sociedad* que se debate entre los valores, intereses y aspiraciones de grupos sociales antagónicos. De hecho, es sólo entonces, es sólo cuando nos enfrentamos al conflicto no como, por así decir, "conflicto de la conciencia principesca" (que es el tipo de conflicto que vamos a tener ocasión de estudiar en nuestro recorrido por el texto de *Hamlet)*, sino como conflicto *social*, o simplemente –como nos enseñó Claude Lefort– como *lucha de clases,* cuando accedemos a una de las dimensiones más estimulantes, más actuales y más recuperables del pensamiento maquiaveliano: la que, como ya adelantamos, permite a muchos autores encontrar en el "materialismo" del secretario florentino un antecedente de los materialismos modernos en general, y marxista en particular, y fundar sobre sus lecturas de los grandes textos maquiavelianos valiosas contribuciones al pensamiento político contemporáneo. Vamos a decir alguna cosa sobre esto en el curso de este trabajo. Por el momento, me gustaría hacer apenas un brevísimo señalamiento sobre la importancia de esta cuestión el conflicto *social* en el pensamiento político de Maquiavelo. Porque lo que es necesario ahora destacar es el

hecho de que Maquiavelo no se limita a *constatar* la existencia, la inexorabilidad y el carácter inerradicable del conflicto del mundo social y político, sino que hace algo más: hace una fuerte apuesta *a favor* de ese conflicto como motor de cambios benéficos para las repúblicas y promotores de mejores leyes. Es el tema del capítulo 4 de los *Discorsi*, sugestivamente titulado "Que la desunión entre la plebe y el senado romano hizo libre y poderosa a aquella república", donde Maquiavelo defiende la tesis de que "los que condenan los tumultos entre los nobles y la plebe atacan lo que fue la causa principal de la libertad de Roma" (Maquiavelo, *Discursos...*, Cap. 4, p. 39). Esa tesis, "ofensiva e increíble para espíritus que identificaban unión con estabilidad" (Pocock, p. 194), y que, de hecho, "horrorizó a los contemporáneos de Maquiavelo" (Skinner, *op. cit.*, p. 181), es fundamental para que comprendamos, precisamente, la dimensión de la ruptura de Maquiavelo con la tradición humanista y republicana que él hereda y en el marco de la cual es necesario considerar su obra. Porque si, como afirma Skinner, "la idea de que toda discordia cívica debe ser proscrita como facciosa, junto con la creencia de que el faccionalismo constituye una de las amenazas más graves a la libertad política, había sido uno de los temas principales de la teoría política florentina desde finales del siglo XIII", la provocadora afirmación "de que (según lo expresa Maquiavelo) 'los tumultos merecen el mayor elogio' (...) implicaba cuestionar una de las suposiciones más profundamente arraigadas en toda la historia del pensamiento político florentino" (*ibid.*, p. 182). Volveremos sobre las características de este diálogo entre Maquiavelo y sus antecesores humanistas y republicanos. Por el momento, bástenos insistir sobre el hecho de que esa centralidad que Maquiavelo da al conflicto, unida a la resistencia maquiaveliana a pensar ese conflicto bajo ninguna tranquilizadora hipótesis de "síntesis" posible entre las posiciones en lucha (lo que es otra manera de decir lo que dice Negri cuando afirma que "el materialismo histórico de Maquiavelo no se convierte nunca en materialismo *dialéctico"* [Negri, *El poder...*, p. 122]: la dialéctica es siempre –ya lo vimos: desde Platón– un intento de encauzar, y, en el límite, de poner fin, al *pólemos*), es lo que nos permite considerar su pensamiento como un pensamiento "trágico".

[8] ¿Pero por qué –podríamos preguntarnos– presenta Maquiavelo este problema en términos tan clásicos?: ¿para subrayar el carácter convencional de la posición que se propone discutir, subvertir y revolucionar, o para volver *su propio planteo* audible y aceptable para el público de los lectores de su tiempo? La cuestión ha interesado a intérpretes de la obra maquiaveliana tan contrapuestos como Leo Strauss ("todas las enseñanzas antiguas o tradicionales serán desplazadas por una lección escandalosamente nueva. Pero él [Maquiavelo] tiene el cuidado de no escandalizar indebidamente a nadie. Cuando sugiere la necesidad de una innovación radical, lo hace en voz baja" [Strauss, *Thoughts...*, p. 59]) y Claude Lefort. Newton Bignotto –sobre cuya propia hipótesis de lectura del diálogo de Maquiavelo con la tradición deberemos volver– considera ese conjunto de cuestiones vinculadas a la estrategia retórica maquiaveliana en su *Maquiavel republicano*. Una sistematización muy adecuada de todas estas discusiones puede hallarse en el artículo de Claudia Hilb, "Maquiavelo, la república...".

[9] Vamos viendo, entonces, a qué nos referíamos en la nota anterior. En las páginas que siguen vamos a acompañar la lectura de este capítulo de *El Príncipe* propuesta por Lefort en su admirable y sorprendente *Le travail de l'oeuvre*, agregando aquí y allá algunas consideraciones complementarias.

[10] Un notorio contemporáneo de Maquiavelo, Leonardo da Vinci, escribió en sus *Cuadernos:* "Entre todas las causas de la destrucción de la propiedad humana, me parece

que los ríos ocupan el principal lugar en razón de sus excesivas y violentas inundaciones". Es posible que los dos hombres tuvieran en mente, en estas reflexiones, *un mismo río:* el Arno, que se había caracterizado, a lo largo de los siglos XIV y XV, por una especial inestabilidad, con grandes crecidas en los años 1333, 1466 y 1478, responsables de haber destruido plantaciones y afectado ciudades construidas sobre sus márgenes. No sólo eso: una cuidada y muy sugerente investigación desarrollada por Roger Masters muestra que en los primeros años del siglo XVI (con mayor precisión: entre 1503 y 1506) estos dos hombres "concibieron un ambicioso proyecto para conducir el río Arno a través de un canal que, en algunos puntos, estaría a 32 kilómetros de distancia de su curso natural" (Masters, p. 9). Leonardo, escribe Masters, "creó una ciencia de la hidráulica e imaginó una amplia transformación del valle del río Arno a través de un sistema de riego y de control de las crecidas que generaría riqueza y seguridad para Florencia y toda la Toscana" (*ibid.*, p. 26). A Maquiavelo –secretario del gobierno de Florencia– lo movían, además de eso, consideraciones políticas y militares: desviar el Arno de la ciudad de Pisa habría permitido controlar finalmente a la indócil enemiga, privándola de agua, y desbloquear el uso del río para el comercio florentino. La preciosa investigación de Masters revela detalles interesantes de la desconocida (y aparentemente secreta) colaboración entre los dos grandes florentinos en este proyecto gigantesco. Un proyecto que parece haber obsesionado a los dos hombres hasta el punto de hacerlos pensar en aquel río incluso cuando no estaban pensando en él, y expresar esos pensamientos prohibidos, esa obsesión indecible –como si hubieran estado esperando el intérprete que, en el futuro, viniera a "leer", casi psicoanalíticamente, esos signos, esas "señales" dejadas involuntariamente en sus textos–, en la superficie de sus obras más famosas: Por un lado, parece evidente para Masters que la elección de la metáfora del río como representación de la fuerza de la Fortuna –pero también del desafío que ella plantea a las habilidades y a las técnicas de los hombres– en el texto de Maquiavelo que estamos estudiando revela el modo en que el tema de su proyecto inconfesable había invadido su espíritu y se expresaba, casi "sintomáticamente", en los lugares más inesperados. Por otro lado, dice Masters, se habrá observado que en *La Gioconda*, de Leonardo, hay, detrás de la efigie de la famosa Mona Lisa, un río meandroso abriéndose paso por una bella planicie arbolada. Pues bien: sí, ¡es el Arno! Masters comparó el dibujo de ese río del más famoso cuadro de Leonardo con el que surge de los planos del proyecto de canalización, y la conclusión parece incontestable: se trata del mismo río, que aparentemente obsesionaba a Leonardo al punto de aparecérsele, a él también, en medio de sus otras actividades menos clandestinas y más notorias. Pero no nos distraigamos: lo que aquí nos interesa es el modo en que ese ambicioso plan expresa el entusiasmo humanista, técnico, científico, característico del espíritu renacentista: para la mayoría de las personas de comienzos del siglo XVI, escribe Masters, "sólo Dios era capaz de dividir las aguas del mar Rojo o de manipular el Arno para el beneficio humano. Leonardo y Maquiavelo intentaron, por medio de la ingeniería científica, hacer lo que Dios hizo para Moisés" (p. 27). El otro dato que también, es claro, nos interesa, es que el proyecto de Leonardo y Maquiavelo *fracasó* (aunque las causas de este fracaso, según Masters, no hayan estado vinculadas a la imposibilidad técnica de realizar el proyecto sino a problemas de tipo político y presupuestario). De ese fracaso los dos hombres extraerían sus lecciones: Leonardo llegó a la conclusión de que, "para tener éxito, debería trabajar para reyes o gobernantes dotados de poder y recursos para actuar independientemente" (p. 140). Maquiavelo, por su parte, aprendió que la *virtù* no se asocia necesariamente al entusiasmo, a los "emprendimientos grandiosos" –de los cuales, en *El arte de la guerra*, hablaría ya con cierto desencanto y considerable desconfianza. Pero no todavía: en el momento del razonamiento de Maquiavelo que ahora estamos examinando, la Fortuna no mostró aún toda su capacidad para dar por tierra con los sueños humanos de dominarla.

[11] Planteado en estos términos, el entusiasmo "racionalista" de Maquiavelo parecería incluso anticipar el de su fervoroso lector Baruch Spinoza, para quien lo que los espíritus supersticiosos llaman "fortuna" no es más que el resultado de la ignorancia y el desorden del pensamiento. De ahí que Spinoza hable –como indica Marilena Chauí comentando el *Tratado sobre la Reforma del Entendimiento*– de la necesidad de "pasar del desorden de las existencias cambiantes ofrecidas a la experiencia al orden necesario e inmutable de dependencia causal de las esencias conocidas por el intelecto" (Chauí, *A nervura...*, p. 578). Percibimos las cosas singulares y cambiantes, los bienes y los males que ocurren a los hombres *como si* dependieran de la fortuna, *como si* estuvieran "dirigidos por un poder extraño y caprichoso" (*ibid.*, p. 577), sólo porque "la mente humana no puede abarcar toda la serie de las cosas singulares cambiantes" (*id.*). Pero eso –adviértase– es un déficit de nuestra limitada mente humana, y no el hecho de que el mundo esté objetivamente sujeto a las leyes el azar y de lo arbitrario. *Desde el punto de vista de Dios* –digamos así–, desde el punto de vista del conocimiento que conoce verdaderamente y que aprende las cosas por sus causas inmanentes y necesarias, no hay, para Spinoza, nada así como la contingencia o la Fortuna.

[12] Tal vez la idea de que el sujeto político encuentra diseñada frente a sí, por los términos objetivos de la coyuntura, la "misión práctica" que debe encarnar sea uno de los aspectos más problemáticos de la estimulante lectura de *El Príncipe* que propone Althusser en sus *Écrits...*, y, al mismo tiempo, uno de los puntos de esa lectura en que más nítidamente se revelan las posiciones teóricas del propio intérprete. Veamos: Althusser insiste, como indicábamos, en el carácter "materialista" de la teoría de Maquiavelo, y cita en apoyo de esa idea la muchas veces comentada pretensión del secretaro florentino de sustituir las pretensiones "imaginarias" de los hombres por un tipo de conocimiento objetivo capaz de "*andare diritto*" –como se puede leer en un pasaje célebre del capítulo XV– "*alla verità effettuale della cosa*" que estudia. Que no es sino *la política*, esto es –dice Althusser– *la práctica* política. Porque ésa es la cuestión: el "conocimiento verdadero de la historia" que Maquiavelo quiere inaugurar es un conocimiento, sin duda, *teórico*, pero un conocimiento teórico en el cual lo esencial no es la historia *universal* ni la política *en general*, sino un objeto *particular* bien definido (para el caso, el problema relativo a la práctica concreta de la formación de la unidad nacional italiana) en una coyuntura singular, esto es, tomando en cuenta todas las determinaciones y circunstancias existentes. Los términos de la cuestión podrían incluso invertirse –sugiere Althusser, el "estructuralista" Althusser– y decirse entonces que Maquiavelo no piensa el problema de la unidad nacional italiana en términos de coyuntura, sino que *es la coyuntura* la que plantea, negativa pero *objetivamente*, el problema de la unidad nacional como problema político, y la que define la solución histórica a ese problema, transformándola en un *objetivo* político, en una *misión* práctica. La pregunta de Maquiavelo quedaría entonces definida en estos términos: ¿bajo qué *forma* reunir todas las fuerzas positivas disponibles para realizar el objetivo político de la unidad nacional? A esa *forma*, dice Althusser, Maquiavelo le dio el nombre de Príncipe. El Príncipe, entonces, es aquel que viene a llenar un vacío abierto en la coyuntura, a cumplir una tarea histórica prefigurada, casi impuesta, por los elementos objetivos del presente.

No es difícil ver cuál es el riesgo de una interpretación de este tipo: Maquiavelo se propone –ya lo dijimos– *"andare diritto alla veritá effettuale della cosa"*. Bajar del cielo de la ideología al suelo firme de los procesos históricos concretos. La pregunta que podríamos hacernos es si Althusser, transformando al Príncipe apenas en el agente encargado de cumplir una "misión" que la estructura objetiva del presente le encomendaba, no hizo de ese terreno de los procesos históricos concretos un suelo *demasiado firme* como para que, sobre él, la política pudiera tener lugar. En efecto: haciendo del Príncipe una función derivada de la coyuntura en la que ese príncipe debe actuar, Althusser parece eliminar la distancia (que, por el contrario, es fundamental en Maquiavelo) entre el lugar de la *realidad* política y el de la *razón* política. Y no: como señaló Genero Sasso en polémica contra este tipo de interpretaciones, en Maquiavelo no hay "un principio unitario que, siendo real, contenga en sí, sin divergencia o contradicción, la 'ratio'", sino "dos principios de calidad distinta y no inmediatamente coincidentes: la realidad *y* la 'ratio'" (Bignotto, *Maquiavel...*, p. 138). Y es precisamente por eso –porque hay un hiato entre la voluntad ordenadora de la razón y el carácter rebelde de la realidad– que hay política: "como la realidad es desorden e inseguridad, la 'ratio' debe vencerla, refrenarla, ordenarla" (*id.*). La realidad, cuyo desacuerdo con los planes ordenadores de la razón política impulsa al Príncipe a actuar, es, ella misma, un "fruto de la acción creativa de los hombres", un "producto de la capacidad demiúrgica de los actores políticos" que trae en sí "el veneno de la contingencia" (*id.*). Hay política porque existe ese veneno de la contingencia (y no es en vano que insistamos sobre esta metáfora del veneno: volveremos sobre ella) organizando siempre la escena de los procesos históricos.

Por eso mismo, debemos ahora agregar que menos todavía hay "política" cuando los "políticos" asumen para sí la mucho más triste tarea de encarnar *otras* "misiones": no ya la unidad nacional italiana (misión gloriosa que reclamaba, para Maquiavelo, un príncipe corajudo y decidido), sino, por ejemplo, el acatamiento a las *leyes* del mercado, a los *dictados* de la globalización, a los *imperativos* de la modernización, a la *necesidad* de acompañar "el rumbo de la historia", etcétera. "Misiones" éstas que ni siquiera tienen el interés de implicar una oposición a las fuerzas actuantes en la historia, a los poderes políticos del presente, a los intereses dominantes en una cierta coyuntura (como era el caso de la gran misión que Maquiavelo reservaba al príncipe que quisiera "librar a Italia de los bárbaros", *que era entonces, en resumen, una misión "objetivamente" inscripta en esa coyuntura, sí, pero inscripta en ella, repitamos, "negativamente": no como imposición, sino, por el contrario, como posibilidad o como desafío)*, sino que consisten simplemente en doblegarse ante la fuerza de los poderes existentes, en rendir dócilmente las armas a los pies del más fuerte, en capitular. No: si hay leyes, dictados, imperativos, necesidades y rumbos prefijados de la historia, y si los actores políticos asumen como suya la tarea de hacer triunfar esas fuerzas presuntamente objetivas del presente, entonces *no hay política*. Hay –quién sabe– administración, gestión, técnica. O, si quisiéramos retomar la terminología sugerida más arriba, en la "Introducción" de este trabajo: no hay política en ningún sentido fuerte o propio –sentido que supone siempre una *tensión* entre un cierto orden y las fuerzas que lo impugnan y eventualmente lo amenazan–, sino sólo en un sentido extremadamente débil y poco interesante. El conflicto entre la razón política y la realidad política es *constitutivo* de la política.

Pero volvamos un momento a Althusser: ¿no hemos ido acaso demasiado lejos en nuestras críticas? ¿No hemos sido injustos con él, pensando muy poco "althusserianamente" el doble problema de la relación entre lo objetivo y lo subjetivo –entre la estructura y el sujeto, entre las "tareas objetivas" y la "misión práctica"– y entre lo "necesario" y lo "contingente" que su tratamiento de la "cuestión Maquiavelo" planteaba, olvidando el hecho fundamental de que para Althusser (para el "estructuralista", decíamos, Althusser) la estructura nunca pertenece al orden de una objetividad necesaria y opuesta al campo de lo subjetivo y de lo contingente, sino que por el contrario sólo puede expresarse a través de él? ¿Y que el lugar del sujeto, en consecuencia, no es "accesorio" ni "derivado" de la estructura objetiva del presente, sino el único lugar desde el cual esta estructura puede ser leída como portando el conjunto de tareas objetivas que ese sujeto (para el caso: el príncipe) va a convertir en orientaciones prácticas para su acción? El problema es difícil, ciertamente (tal vez la presentación más sistemática de esta cuestión pueda encontrarse en Althusser, *Pour Marx* [cit. en la bibliografía como *La revolución...*], pero véase también Zizek, *El sublime...*, especialmente Parte I: "El síntoma"), y no vamos a resolverla en esta rápida nota al pie. Incluso porque preferiríamos que ese problema quedara planteado *como* problema. Y preferiríamos que quedara planteado como problema porque ese problema es *el* gran problema (o al menos uno de los grandes problemas) con que estamos lidiando en este trabajo. Donde estamos intentando preguntarnos, en efecto, cómo es que debemos *pensar la política* en ese espacio lleno de tensiones que se abre, como ya indicamos y como veremos a lo largo de este escrito, *entre* la estructura y el sujeto, *entre* las instituciones y la acción, *entre* los poderes instituidos y el poder constituyente, *entre* el sistema y la revolución.

Capítulo 2

HAMLET O LA CORRUPCIÓN DE LOS OÍDOS

1. Estado, sedición y anarquía

Inexorable y absurdo, en efecto, es para George Steiner el mundo de lo trágico, donde es siempre posible suponer, "fuera y dentro del hombre", una fuerza o un conjunto de fuerzas ("llámense como se prefiera: Dios escondido y maligno, destino ciego, tentaciones infernales o fuerza bestial de nuestra sangre" [Steiner, *La muerte...*, p. 13]) que nos aguardan emboscadas en cada curva del camino y que escapan a nuestras posibilidades intelectuales y a nuestras capacidades de control. De ahí que el personaje trágico (el héroe de las tragedias griegas o renacentistas) sea siempre –escribe Steiner– "destruido por fuerzas que no pueden ser enteramente comprendidas ni derrotadas por la prudencia racional" (*id.*). El entusiasmo que, en el momento más optimista (pero, como vimos, parcial y transitorio) de su razonamiento, llevaba a Maquiavelo a comparar a la Fortuna con un río torrencial, feroz, sí, *pero que la técnica de los hombres podía controlar*, es incompatible con una visión trágica del mundo. El teatro trágico, dice Steiner (pero nosotros podemos leer: *el mundo* de lo trágico, en el cual el *teatro* trágico encuentra, obviamente, su lugar, y cuyos secretos y problemas ese teatro trágico, como ya sugerimos y como intentaremos mostrar, frecuentemente se muestra más capaz que la filosofía política de examinar), "nos afirma que las esferas de la razón, el orden y la justicia son terriblemente limitadas, y que ningún progreso científico o técnico extenderá sus dominios" (*id.*). En efecto: así como no hay tragedia allí donde funciona una justicia compensatoria en la cual "el que las hace, las paga", en la cual al crimen sigue al castigo y la magnitud de éste tiene relación con la gravedad de aquél, así también no existe tragedia donde no hay un abismo, una escisión radical, entre nuestro conocimiento y nuestra acción, porque la inadecuación entre nuestro saber y el mundo *define* el horizonte de lo trágico. De ahí que, en el mundo de la tragedia, tiene tan poco sentido pedir una explicación racional de por qué las cosas ocurren como ocurren como pedir piedad. En el mundo de lo trágico, "las cosas son como son", dice Steiner (p. 14): irreductibles no sólo a los pobres parámetros de la justicia de los hombres, sino también a los de su insuficiente razón y comprensión. A esa inquietante (ahora podemos precisar: a esa *trágica*) conclusión es adonde nos había conducido nuestra lectura del capítulo XXV de *El Príncipe* de Maquiavelo, cuyo análisis nos obliga a tomar una definitiva distancia con respecto a la posición de aquellos que no quisieron "encontrar en *El Príncipe* más que un intento de objetivación y de racionalización del campo político" (Lefort, *Le travail...*, p. 444). No: para Maquiavelo, definitivamente, "la verdad de la política no se deja reducir a los términos de un saber objetivo" (*id.*), y si el fragmento que analizamos en nuestro capítulo anterior constituye, como vimos, una invitación a la acción, lo que debe agregarse de inmediato es que se trata de una invitación a la acción que no ofrece "otra seguridad que el riesgo" (p. 443), y que se sostiene sobre un fondo último de indeterminación y de aventura. Esa indeterminación del mundo y esa aventura del sujeto[1] son otros nombres posibles para designar el abismo entre el conocimiento y la acción que define al mundo de lo trágico. Si ahora nos desplazamos desde ese mundo de lo trágico en general hacia el mundo de la tragedia –entendida como género teatral o poético específico– en particular, no nos sorprenderá comprobar la frecuencia con la cual, en él, el héroe trágico debe convivir con Furias o con Esfinges, con Parcas o con Espectros, habitantes todos ellos del mundo de lo desconocido y de lo misterioso.

La tragedia del príncipe Hamlet –seguramente la más célebre y también la más enigmática de las creaciones de William Shakespeare– es paradigmática de esta situación en la que un actor político (por añadidura, un príncipe) debe actuar en medio de un mundo misterioso, gobernado por fuerzas que no consigue conocer ni conducir, habitado por sombras que vienen del pasado o de otro mundo, rodeado de oscuridades y de desconcierto, y condenado a enfrentar

los dardos y flechazos de la insultante fortuna [III.1.58]

sin más armas que una *virtù* que nunca será suficiente para la magnitud de su tarea. Por cierto, hay una diferencia fundamental –y obvia– entre la actitud del príncipe shakespeareano y la del maquiaveliano (o la actitud que Maquiavelo recomendaba al político a quien estaba dirigido su panfleto). Porque si, como vimos, éste último debía, como principio general, *actuar*, enfrentar lo que no conocía, tomar el toro por las astas, desafiar a la Fortuna e intentar dominarla, Hamlet peca –para decirlo en términos maquiavelianos– *por exceso de circunspección*, de pasividad, de prudencia. Aquí, a diferencia de lo que ocurría en Maquiavelo (mejor: a diferencia de lo que Maquiavelo sugería que debía ocurrir si el príncipe esperaba tener éxito), el príncipe, enfrentado a un mundo incierto y contingente, *no* actúa, obligándonos a formularnos –antes incluso de examinar las formas que asume la presencia de la diosa Fortuna en la pieza de Shakespeare– la pregunta que durante cuatrocientos años la crítica hamletiana no se ha dejado de plantear: *¿por qué?* ¿Por qué es que Hamlet no actúa? ¿Por qué es que demora, vacila, se detiene, le da mil vueltas a las cosas, "procastina"...?

A lo largo de los siglos, esa pregunta ha recibido incontables respuestas diferentes: Goethe, Coleridge y Schlegel juzgaron el espíritu de Hamlet impotente para cumplir una misión demasiado pesada para él, y atribuyeron esa incapacidad a su exceso de sensibilidad, de actividad intelectual o de escepticismo. Contra esa pretensión, Nietzsche dictaminó que no era la *contemplación*, sino la *comprensión* del carácter atroz de la verdad con la que se enfrentaba lo que impedía a Hamlet actuar. Sigmund Freud, Ernst Jones y Jacques Lacan sugirieron que el motivo de las vacilaciones hamletianas debía ser asociado a la trama secreta de un *deseo* (o de *dos* deseos: el del propio Hamlet *y el de su madre*) que organizaba clandestinamente, a espaldas de los propios protagonistas de la (in)acción, el curso de las cosas. Naturalmente, sería posible enumerar una legión de otras "explicaciones", complementarias o antagónicas a estas que aquí quedan apenas apuntadas, sobre la proverbial demora de Hamlet para actuar, y que eso sea así es sin duda uno de los méritos de Shakespeare y una de las razones que hacen de esta pieza un clásico. Y por supuesto que sería absurdo intentar saber cuál de las posibles "explicaciones" de la inacción de Hamlet es la "verdadera": ¿qué significaría decir que una "explicación" de la conducta de alguien que no es un personaje histórico ni un caso clínico, sino una creación poética, es más "verdadera" que otra?, ¿qué significaría decir que tal o cual crítico dio por fin con la "verdadera" explicación de *Hamlet*, que encontró finalmente el secreto que durante cuatro siglos Shakespeare consiguió esconder a nuestra mirada? No: lo que hace de *Hamlet* un clásico no es que durante tanto tiempo no hayamos podido encontrar su verdad secreta, su cifra oculta, sino que tanto tiempo después podamos continuar leyéndola (como todas las épocas anteriores a la nuestra la leyeron) como una clave posible para pensar los problemas de *nuestro* tiempo, interrogándola –e intentando "explicarla"– con *nuestros* sistemas teóricos y filosóficos, con nuestras mitologías y creencias, y que la obra resista altivamente –como lo viene haciendo desde hace cuatro siglos– ese ejercicio.

Pero tal vez valga la pena detenernos, ante esa cantidad de "explicaciones" sobre la demora de Hamlet para actuar, para hacernos *otra* pregunta. ¿Nos damos cuenta, cuando acumulamos, juzgamos, comparamos las distintas "explicaciones" que se han dado para la vacilación de Hamlet, qué es lo que estamos tratando de "explicar"? ¿Nos damos cuenta, cuando consideramos necesario "explicar" por qué Hamlet no actúa, que el presupuesto de esa necesidad es nuestra presunción (que Harold Goddard considera "el hecho más extraordinario en toda la historia de *Hamlet"* [Goddard, p. 333]) de que Hamlet, *si no fuera porque tiene algún problema cuya causa es necesario sacar a luz*, "debería" actuar? ¿Y reparamos, cuando suponemos esto, en que "actuar" significa asesinar a una persona, que a la sazón es su tío, el rey de su país y el marido de su madre? Lo sorprendente –observa René Girard– no es que jamás se haya encontrado una respuesta a la pregunta "más bien cómica" de por qué Hamlet no actúa de una buena vez, "sino que nos obstinemos en buscarla". Y agrega Girard, en el bello capítulo de su libro sobre Shakespeare dedicado a la pieza que estudiamos: "Si la enorme masa de los trabajos dedicados a *Hamlet* en los últimos cuatro siglos cayera un día en manos de personas que ignoraran por completo las costumbres de nuestra época, verían en ellos sin duda la obra de un pueblo extremadamente salvaje y sanguinario. Después de cuatro siglos de incesantes reflexiones, el hecho de que Hamlet titubee un poquito ante el asesinato nos parece tan aberrante que todos los días se escriben nuevas obras para intentar develar el misterio. Cuando intenten explicar este curioso montón de literatura crítica, nuestros descendientes se verán obligados a suponer que antes, en el siglo XX, a la primera señal de algún fantasma el más insignificante profesor de literatura era capaz de matar a toda su familia sin el más mínimo pestañeo". (Girard, p. 367)

La observación de Girard es fundamental, y nos va acercando al corazón de nuestro problema, que es el problema de lo que podríamos llamar, utilizando la terminología que introdujimos en nuestro capítulo anterior, la "tragedia de los valores" de ese príncipe –tan diferente, como vamos viendo, al príncipe maquiaveliano– que es el heredero de la corona danesa. El problema, en fin, de la lucha que evidentemente libran, en el interior del alma atormentada del príncipe Hamlet, *dos sistemas morales diferentes y antagónicos*, entre los cuales nuestro héroe no se consigue decidir. En una de sus conversaciones con el buen Horacio, Hamlet le confiesa, en una frase que en verdad resume el estado de su alma durante el curso de toda la pieza, que

en mi corazón había una suerte de lucha [V.2.4],

y lo que ahora vamos adivinando es que se trata del combate que sostiene, en el interior de su subjetividad atormentada, dividida, "fuera de quicio", la moral de la venganza, la vieja moral (digamos: premoderna, medieval, guerrera) de la honra y de la revancha, con la sospecha de que esa moral empieza a resultar inadecuada. Tal vez podamos examinar esta cuestión a la luz de un pasaje por muchas razones decisivo de la pieza: Tras el diálogo entre el actor-rey y el actor-reina, en la representación teatral que los actores recién llegados a Elsinor llevan a cabo, a pedido de Hamlet, ante los reyes y los nobles de la Corte, entra en escena (en la escena dentro de la escena, en la representación que duplica y comenta la que nosotros observamos) otro actor, llevando consigo la ampolla con el veneno que habrá de verter en el oído del actor-rey. Sabemos que ésas fueron –según el relato del espectro– las circunstancias de la muerte del viejo monarca en manos de su hermano, y que el propósito que persigue Hamlet con esta representación es capturar la conciencia del rey Claudio y hacerle revelar su culpa. Sin embargo, cuando el actor que representa el papel del asesino aparece, Hamlet, que está comentando la pieza con su tío, indica *"Éste es un tal Luciano, sobrino del rey"* [III.2.221], introduciendo un elemento de fuerte perturbación, un elemento decididamente *siniestro*, en la escena a la que estamos asistiendo: Lo que hasta ese punto era la representación de un crimen pasado, a través de la cual Hamlet le estaba advirtiendo a su tío "yo sé qué fue lo que ocurrió", se convierte, en un rápido golpe, en una amenaza respecto al futuro, por la cual el príncipe anuncia a su tío: "esto es lo que yo haré". Pero no podemos dejar de notar todo lo que esta extraña situación revela, *las dos cosas* –en realidad– que esta situación revela, y que lanzan una luz poderosísima sobre nuestra comprensión del sentido global de la obra. Primero: al sugerir que Luciano –a quien imaginábamos una representación de Claudio, o al menos una alusión a él– es un "*sobrino del rey*", Hamlet plantea, sin duda a pesar suyo, una equivalencia por lo menos inquietante entre su propia figura (mejor: entre la figura que él mismo encarnaría, entre la figura en la que él mismo se convertiría *en caso de que se decidiera finalmente a cumplir la orden del espectro*) y la de su tío. ¿Es posible para Hamlet –he ahí la primera pregunta que la "pieza dentro de la pieza" nos sugiere– cumplir su misión y no volverse idéntico a aquél a quien debe asesinar? Y segundo: En el momento en que el actor-asesino deja de recordar a Claudio para anticipar a Hamlet, *el actor-rey asesinado deja de señalar al viejo Hamlet para designar a Claudio*, y el carácter intercambiable de esos otros dos personajes no es menos perturbador que el de los dos primeros. ¿Pueden ser tan diferentes como Hamlet pretende creer ("*Un rey tan excelente, opuesto a éste / Como Hiperión a un sátiro*" [I.2.139-40]) esos dos reyes a los que el relato de la *inner play* parece aludir de modo tan notoriamente indistinto?

La respuesta es obvia: El viejo rey Hamlet y su hermano son mucho más parecidos que lo que las enfáticas protestas del joven Hamlet pueden hacernos pensar. Mejor: Que Hamlet no necesitaría protestar con tanto ardor si no precisara convencerse *a sí mismo* de la nitidez de una diferencia que nadie, comenzando por su madre, consigue percibir con tanta claridad. El modo en que *Hamlet* retoma el viejo tema mítico del fratricidio y de los hermanos-enemigos acentúa, en efecto, lo que Girard considera el rasgo decisivo de esa nada simple relación que es la fraternidad, esto es: la esencial y profunda *identidad* última entre los hermanos. Esa identidad, indiscernibilidad –en fin: *indiferencia*– entre el viejo rey y su sucesor no sólo es la causa por la cual Gertrudis pudo "pasar" tan rápidamente –para escándalo de su hijo, a quien le habría gustado que ella encontrara entre ellos una diferencia que él mismo es incapaz de hallar– de los brazos de uno a los de otro, sino que es también lo que le impide a Hamlet cumplir sin mil reflexiones y demoras su misión de venganza, porque le quita a esa venganza una condición fundamental, que es *la convicción acerca de la inocencia de la víctima que debe ser vengada.* Esa certeza, en efecto, es lo que le falta a Hamlet, y lo que le impide actuar. Claudio es un criminal, cierto (es –sabemos– el asesino de su padre), *pero ocurre que su padre era igual a él*, esto es: ocurre que su padre era también un criminal. Y esto no lo estamos adivinando, sino que lo sabemos, porque el propio espectro del viejo rey nos informa, al comienzo de la pieza, que está condenado a purgar con sufrimientos indecibles "*los sucios crímenes que en vida cometí*" [I.5.12]). No nos interesa la lista ni la descripción de esos crímenes. No nos importa si el viejo Hamlet llegó al poder de un modo más o menos deportivo que su hermano. Lo que sí nos interesa es que el anterior rey es un eslabón de una cadena criminal que seguramente no empezó con él, que se prolonga en la figura, análoga a la suya, de su hermano, *y de la cual la propia venganza de su hijo, en caso de que se consumase, no haría más que constituir otro eslabón, pavorosamente idéntico a los anteriores.* De ahí que en el corazón atormentado de Hamlet no deje de trabarse aquella "*suerte de lucha*" de la que le hablaba a Horacio, aquella lucha entre sistemas morales enfrentados que domina todo el tiempo su espíritu[2] y cuyas razones podemos ahora, tal vez, comprender un poco mejor: Hamlet, en efecto, *no puede dejar de cumplir la orden de su padre de vengar su muerte*, porque la "ética de la venganza", la "moral de la honra" que anima esa orden es también (es –podríamos decir, si quisiéramos historizar un poco nuestro enfoque–, "todavía") la suya propia, porque vive en un mundo regido por esa moral. *Pero tampoco puede cumplir esa orden atroz*, que lo haría igual a aquello que quiere destruir. He ahí, simplificando tal vez un poco las cosas, la "tragedia de los valores" de Hamlet.[3]

Pero además de esta "tragedia de los valores" tenemos también en la pieza de Shakespeare –empezábamos a decir– lo que en el capítulo anterior llamamos una "tragedia de la acción". Esto es: la tragedia de un sujeto obligado a actuar (o a *no* actuar: no importa –digamos mejor, entonces: obligado *a vivir*–) en un mundo *acerca del cual no sabe ni puede ni pretende saberlo todo*. Ese "no saberlo todo" (o no creer ni poder ni pretender saberlo todo) sobre el mundo *es la condición misma de la experiencia de lo trágico* y el rasgo definidor de lo que correspondería llamar "universo trágico", que era el tipo de universo donde se desarrollaban el pensamiento y la acción de los hombres europeos *antes* de que, como escribe George Steiner, "la nueva cosmovisión racionalista del mundo usurpase el lugar de las viejas tradiciones, (lo que ocurrió) en el curso del siglo XVII" (Steiner, *La muerte...*, p. 24). Esta observación de Steiner es extremadamente importante para nosotros, ya que sugiere que el tipo de mundo en el que la tragedia como forma estética dominante podía tener lugar –y volverse comprensible y verosímil– *estaba condenado a desaparecer* apenas pocas décadas después de que Shakespeare escribiera su obra, sepultado por el vasto proyecto de racionalización del mundo que se iría a encarnar en las direcciones dominantes de la filosofía moderna. El racionalismo filosófico, así, constituye una suerte de "punto sin posibilidad de vuelta" (*ibid.*, p. 160), a partir del cual, con la desaparición de ese abismo trágico entre el conocimiento y la acción, se extingue también el elemento central de la configuración simbólica y espiritual en la cual la tragedia era posible. Porque sólo hay tragedia, dijimos, mientras el sujeto no lo sepa todo ni crea saberlo todo sobre el mundo en el que debe vivir. Ese *no saber* fundamental era un elemento decisivo de los modos de la imaginación que organizaban "la experiencia material y psicológica", dice Steiner, desde los días de Sófocles hasta los de Shakespeare, antes de que las cosas cambiaran radicalmente con Descartes y con Newton. "Con el *Discours de la méthode* y los *Principia*" –escribe, en efecto, Steiner– "las cosas no soñadas en la filosofía de Horacio parecen desaparecer del mundo" (*id.*).

Las cosas no soñadas en la filosofía de Horacio. Reconocemos la cita, claro, y sabemos de qué Horacio se trata: el amigo y compañero de estudios del príncipe Hamlet es un protagonista fundamental de la pieza que nos ocupa. Invitado por los centinelas Marcelo y Bernardo a pasar con ellos las horas de la noche para verificar por sí mismo una historia que *a priori* no considera más que fantasía e ilusión, Horacio se presenta, desde el comienzo, como una racionalista escéptico y poco dispuesto a creer en algo que no puedan comprobar sus sentidos ni comprender su penetración –sentidos y penetración cuyos servicios volverán a ser solicitados, esta vez por el propio Hamlet, en el crucial "experimento" que tendrá como escenario, en la escena central de la pieza, al rostro del rey Claudio. Cuando el espectro hace su primera aparición, nos enteramos, por boca de Marcelo (*"Tú eres un hombre ilustrado. ¡Háblale, Horacio!"* [I.1.42]), de que el buen Horacio es un joven docto, letrado, poseedor de alguna calificación escolar o universitaria, y sólo debemos esperar hasta la siguiente escena para saber que se trata (como el propio príncipe) de un estudiante de la universidad alemana de Wittenberg, fundada en 1502 y reconocida en la Inglaterra isabelina como un núcleo protestante y un centro artístico de primer nivel.[4] Es pues en su condición de *scholar*, de universitario, de intelectual, de hombre de ciencia, que Horacio, a pedido de los soldados de la guardia, se dirige al espectro del viejo rey cuando éste aparece en la plataforma. Mala idea –dice Jacques Derrida–: los *scholars* nunca han sido buenos para hablar con los fantasmas, y eso simplemente porque "un *scholar* tradicional no cree en los fantasmas –ni en nada de lo que se podría llamar el espacio virtual de la espectralidad. No ha habido jamás un *scholar* que, en tanto que tal, no creyera en la distinción tajante entre lo real y lo no-real, lo efectivo y lo no efectivo, lo vivo y lo no-vivo, el ser y el no-ser (*to be or not to be*, según la lectura convencional), en la oposición entre lo que está presente y lo que no lo está..." (Derrida, *Spectres...*, p. 33). Y, en efecto, el fracaso de Horacio en su conjuro del espectro no podría ser más estrepitoso: *"Por el cielo, te conjuro a que hables"* [I.1.49], ensaya primero, sin éxito, y después, cuando el espectro ya se está yendo: *"¡Deténte! ¡Habla, habla, te conjuro a que hables!"* [I.1.51], con el mismo resultado. Definitivamente, si es que los espectros que vienen del pasado tienen un mensaje para darnos, es necesario que nosotros *sepamos escuchar* ese mensaje. Y los *scholars* como Horacio no parecen ser (a pesar de los ingenuos portadores de lo que Derrida llama "el síndrome de Marcelo") los más adecuados para hacerlo: "Teóricos o testigos, espectadores, observadores, sabios e intelectuales, los *scholars* creen que basta con observar", dice Derrida (*id.*). Pero no nos apresuremos a considerar al pobre Horacio un fracasado. Tal vez, por el contrario, sea precisamente ésa la principal tarea que el joven *scholar* deba cumplir a lo largo de toda la pieza: observar. Mejor: observar *y dar testimonio, después, de aquello que observó.*[5] De aquello en lo que no habría creído –como él mismo admite tras la partida del espectro–

Sin el testimonio sensible y cierto
De mis propios ojos. [I.1.57-58]

Porque ver, para Horacio, es creer. Ahora: eso no significa necesariamente *comprender:* cuando, en el final de la quinta escena de ese primer acto, Horacio advierte que el espectro no sólo puede aparecer en su armadura en medio de la noche sino también cavar bajo la tierra, desplazarse de un lado a otro, jugar a las escondidas con su hijo, exigir al grupo de amigos un absurdo juramento, entonces, superado por las circunstancias, debe admitir ante su príncipe y amigo que está asombrado, y dice "*Oh, día y noche, qué pasmosamente extraño es esto*" [I.5.164]. Es entonces cuando recibe como respuesta la frase famosísima a la que aludía Steiner:

There are more things in heaven and earth, Horatio,
Than are dremt of in your philosophy [I.5.166-167]

(donde "*your philosophy*", como observa Harold Goddard, significa, "por supuesto, no la filosofía de Horacio, sino la filosofía en general" [Goddard, p. 333, n])[6], lo que no quiere decir, es claro, que *sea bueno* que existan, ni que Hamlet piense que sea bueno que existan. De hecho, el propio curso de la pieza revelará hasta qué punto estaba fundada la sospecha de Horacio de que la presencia del espectro en la plataforma "*augura a nuestro Estado alguna extraña conmoción*" [I.1.69], y, por cierto, esos disturbios y problemas no cesarán hasta que, sobre el final mismo de la pieza, la muerte de todos los protagonistas de ese drama, la llegada de Fortimbrás, la legitimación de su aspiración al trono por parte del agonizante Hamlet *y la decisión de Horacio de sobrevivir a su señor para contar*

al mundo, que aún no sabe,
Cómo ocurrieron estas cosas [V.2.358-9]

permita augurar un futuro menos turbulento.

Deberemos considerar pues con cuidado esta escena final de la obra, en la cual el papel del fiel Horacio vuelve a ser –como lo había sido a lo largo de todo el primer acto– fundamental. Porque, en efecto, es posible advertir que la presencia de Horacio es muy fuerte *al comienzo y al final* de *Hamlet:* al comienzo, para destacar la insuficiencia de sus instrumentos intelectuales en el intento de comprender un mundo donde hay "más cosas" que las que su comprensión racional puede explicar; al final, cuando esas *otras cosas* hayan desaparecido de la escena, para sancionar la "nueva alianza" entre esa razón que –prefiguración de la de Newton o la de Descartes– resulta finalmente triunfante y soberana, y el poder legítimo del príncipe moderno. Entre esos dos extremos de la pieza, en cambio, la presencia de Horacio es mucho más marginal. Después de despedirse, al final del primer acto, de Hamlet y de los dos soldados, Horacio desaparece de la escena "por casi una hora", como dice, pensando en términos teatrales, Harley Granville-Barker, "hasta que Hamlet

–y Shakespeare– lo necesitan nuevamente, y lo hacen reaparecer entonces a través de un simple *"¡Hola, Horacio!"* [III.2.42]" (Granville-Barker, p. 218). Y agrega Granville-Barker: "... y la misma simplicidad del asunto sugiere de algún modo que Horacio había estado a la orden todo el tiempo" (*id.*). Ésa era la idea del crítico inglés que me interesaba destacar: análogamente a Fortimbrás –cuya suerte de sobreviviente de esa historia está destinado a compartir–, Horacio parece estar todo el tiempo "a la orden", como esperando un llamado. Sólo que ese llamado que finalmente deberá reponerlo en el centro de la escena no será el llamado de Hamlet, sino –si se me permitiera decirlo de un modo algo pomposo– el de la Historia. Tendremos ocasión de verificarlo. Por el momento, señalemos que, tras haber mantenido a Horacio lejos nuestro durante más de tres largas escenas, Shakespeare lo compensa "a través del simple expediente de darle a Hamlet, en ese momento, veinte líneas para hablar a su favor" (*id.*). Y lo que Hamlet dice a favor de Horacio en esas veinte líneas, mientras los actores se preparan para representar ante la corte "El asesinato de Gonzago", es sumamente interesante. Lo que Hamlet dice a favor de Horacio es que él nunca conoció alguien tan *equilibrado* como él. *"Horatio, thou art e'en as just a man / As e'er my conversation coped withal"* [III.2.44-45], dice, en efecto, Hamlet, y si *just* puede ser traducido –como se ha hecho– como "cabal", "correcto" u "honrado" (cosas que sin duda, por otro lado, Hamlet piensa sobre Horacio), su significado aquí, evidentemente, es el de "equilibrado" o "ecuánime". Es ese sentimiento de equilibrio y ecuanimidad, del que el propio Hamlet carece y sabe que carece, *del que Dinamarca*, enferma y –ella también– "fuera de quicio" (*"disjoint and out of frame"* [I.2.20]), *carece*, lo que el príncipe admira en Horacio y lo que justifica el pedido que va a hacerle: que sirva de testigo, durante la representación que va a tener lugar, de los movimientos del rostro del rey. Después de comentar con Hamlet el resultado de esa inspección ocular (otra vez los ojos, pues, otra vez la *mirada:* deberemos volver sobre esta cuestión), Horacio vuelve a desaparecer: Shakespeare le presta apenas una económica docena de líneas tras la partida de Hamlet a Inglaterra, pero no lo reinstala en el centro de la escena sino cuando el príncipe vuelve a Dinamarca, en el último acto, momento a partir del cual nunca más los veremos separados. En el cementerio, Horacio dialoga con Hamlet sobre el destino de los cuerpos bajo tierra y sobre el sentido de la vida y de la muerte, y después interviene para separar a su amigo de Laertes. Ya en el palacio, oye primero el relato de la aventura marítima del príncipe y enseguida se divierte, junto con éste, a expensas del ridículo Osric. Pero es cuando éste los deja solos, tras haber obtenido la confirmación de Hamlet de su participación en el combate al que había sido desafiado, que oímos el diálogo que me gustaría comentar:

HORACIO *Vais a perder, mi Señor.*

HAMLET *No lo creo. Desde que se fue a Francia, he estado practicando continuamente; con la ventaja que me dan, ganaré. No querrías saber, sin embargo, qué angustia siento aquí en el corazón. Pero no importa.*

HORACIO *No, mi buen Señor...*

HAMLET *No es más que una tontería, ese tipo de presentimientos que quizás podrían turbar a una mujer.*

HORACIO *Si vuestro espíritu recela algo, obedecedlo. Yo iré a decirles que no vengan, que no os sentís bien* [V.2.183-191],

recomendación prudente y amistosa que no puede dejar de recordarnos aquella otra que leíamos en el otro extremo de la pieza:

HAMLET *No hablará. Así que voy a seguirlo.*

HORACIO *No lo hagáis, mi Señor* [I.4.63-64],

porque, igual que ella, nos revela que, para usar las palabras de Sydney Bolt, "aunque Horacio es el confidente perfecto, no tiene la pasta de un héroe trágico. No es noble, es 'bueno'" (Bolt, p. 76). Horacio es el amigo que a cualquiera le gustaría tener, bueno y desinteresado además de inteligente, y es sin duda el amigo que Hamlet está encantado de tener. Pero hay entre ellos una diferencia fundamental: Horacio no es un personaje trágico, y –aún más– este último "intento de evitar lo inevitable" (*id.*) nos lo revela como un personaje definitivamente *anti*-trágico, cuyo mundo es diferente –e incluso antagónico– al mundo en el que vive el héroe que, ante la juiciosa objeción del camarada, replica, enfático,

HAMLET *De ninguna manera. Desafiamos los augurios* [V.2.192],

lo que obviamente "no significa que no cree en su premonición. Significa que la acepta, y que se niega a ser intimidado por ella. Este reconocimiento de la necesidad es la esencia de la experiencia trágica" (*id.*), y es exactamente lo que le falta al buen Horacio.[7] A diferencia de Hamlet, entonces, Horacio no es un personaje trágico. Es un personaje *anti-trágico* cuya filosofía no puede soñar las cosas que habitan el cielo y la tierra de esa Dinamarca convulsionada en la cual –como se dice– "le toca vivir", y cuya razón no puede comprender los comportamientos de los sujetos que habitan, con una concepción heroica de la vida, ese mundo de desorden y de tragedia. Sin embargo, esa figura anti-trágica de Horacio (como la de Fortimbrás, cuya importancia ya insinuamos, y sobre la que volveremos) es fundamental en la estructura del relato de *Hamlet*, y la circunstancia, que ya mencionamos de pasada, de que Horacio sea *uno de los dos sobrevivientes* de la tragedia a la que ese desorden del mundo da lugar –el otro es, precisamente, Fortimbrás– no constituye una razón menor para eso. Los personajes que sobreviven a la tragedia de *Hamlet* son personajes *anti-trágicos* (o personajes que tienen, de hecho, *una función* anti-trágica en la historia), y la Dinamarca que nos queda después de la tragedia es *cualitativamente diferente* a aquella a cuyo drama –a cuya agonía– asistimos a lo largo de los cinco actos de la pieza. En el final, las cosas no soñadas por la filosofía de Horacio desaparecerán de la escena de *Hamlet* (de hecho, es sugestivo que sobre el final no volvamos a tener ninguna noticia del espectro del antiguo rey), del mismo modo en que desaparecerán, cuarenta años más tarde –según destacaba Steiner– de la escena del pensamiento filosófico europeo. Así, es posible afirmar que *Hamlet* pone en escena (y que la presencia –y la sobrevivencia– de Horacio constituye uno de los instrumentos de esa puesta en escena) las condiciones en las que se verifica lo que, con Steiner, podemos llamar "la muerte de la tragedia", esto es: del mundo trágico, de la concepción trágica del hombre y de la vida que alimenta el género teatral al que ella misma pertenece. *Hamlet* es, en efecto, una tragedia, pero es una tragedia *cuyo tema* –digamos así– es el agotamiento, y finalmente la superación, de esa misma cosmovisión trágica de la que es tributaria, de ese mismo mundo trágico al que pertenece y del cual constituye la manifestación estética más acabada y más sublime.

El final de *Hamlet* pone en cuestión esa cosmovisión trágica porque pone en cuestión el hiato, la escisión, constitutiva del mundo de lo trágico, entre nuestro conocimiento y nuestra acción. Vimos que ese hiato era lo que configuraba la "tragedia de la acción" para el príncipe de Maquiavelo, así como para los "príncipes" shakespeareanos en general, y para el más famoso de ellos en particular. En síntesis: dentro de una concepción trágica de la acción, el sujeto de la acción debe actuar –o *no* actuar– en un mundo *sobre el cual no lo sabe todo*, sobre el cual no sabe, ni siquiera, *lo que debería saber* para que su acción resultara exitosa. Pues bien: es precisamente ese fantasma de un desajuste, de una inadecuación entre nuestro saber y el mundo en el que nos cabe actuar, lo que, en las líneas finales de la pieza que tenemos entre manos, Horacio se propone conjurar. Cuando llega finalmente Fortimbrás ("finalmente", digo, porque ¿acaso no habíamos estado esperando por él durante toda la pieza?, ¿acaso su llegada no se anunciaba desde el comienzo mismo?: he ahí otra cuestión sobre la que deberemos volver), no sólo Horacio se ofrece –como ya indicamos– para contarle con lujo de detalles todo lo ocurrido, sino que lo insta a que eso sea hecho *de inmediato*, tan grande es el riesgo que percibe de que la ausencia de ese relato autorizado de la historia prolongue y multiplique las desgracias:

Pero procedamos de inmediato,
Aunque los ánimos se encuentren agitados, no sea que ocurran,
A causa de intrigas o de errores, más desgracias [V.2.372-374]

La urgencia de Horacio es reveladora: Este intelectual racionalista, moderno, cuya presencia en la obra de Shakespeare anticipa algunas décadas, si la hipótesis con la que estamos tratando de pensarlo es adecuada, la de intelectuales como Descartes o Newton en la escena de las ideas europeas[8], este *scholar* en cuya filosofía no cabían las cosas que habitaban el cielo y la tierra de la Dinamarca arrasada por las luchas internas y externas, las ambiciones encontradas, los crímenes y las pasiones, las guerras y las amenazas de otras guerras, los muertos mal sepultados y sus espíritus caminando por las noches, *pero que se convierte ahora en el engranaje fundamental, en la "mediación"* (cf. Knight, p. 323) *que garantizará la transición a la Dinamarca que el joven Fortimbrás se propone pacificar*[9], sugiere que es indispensable que el príncipe noruego conozca "de inmediato" ("presently": *"But let this same be presently performed"*) qué fue lo que pasó, para que no ocurran, a causa de intrigas o de errores, más desgracias. Lo que nos ofrece, como en el revés de ese consejo al nuevo soberano, una sugerente hipótesis sobre la causa de las "intrigas" y de los "errores" –digamos: de los conflictos– *del pasado*, o tal vez, incluso, sobre la causa de las intrigas, de los errores y de los conflictos *en general*. Hay conflictos políticos, hay disturbios, sedición y conspiraciones, hay guerra civil, estaría diciendo Horacio, porque (o cuando) no hay una narración oficial de la historia, esto es: a) una narración compartida por los que tienen el saber (digamos: los intelectuales) y los que tienen el poder (digamos: los príncipes y los nobles: "*Y llamad a los más nobles a la audiencia*" [V.2.366]), pero sobre todo –y me parece que es ahí donde debe ponerse el énfasis–, b) una narración *única* de la historia, esto es: *un relato único de lo que ocurrió en el pasado* y correlativamente *una justificación igualmente monolítica de la legitimidad del poder político presente*. ¿Y no es acaso exactamente eso, en efecto, lo que le faltaba a la historia a la cual la llegada de Fortimbrás viene ahora a poner fin? ¿Y no es acaso exactamente a esa falta, a esa ausencia, a lo que cabe atribuir el estado de desorden y de luchas que atraviesa toda la pieza y explota espectacularmente en la última de sus escenas? ¿No es posible atribuir la discordia, la separación y los conflictos entre los diferentes actores de este drama, en efecto, *a la ausencia de una versión de la historia capaz de legitimarse como el único relato verdadero del pasa-*

do y como la justificación, universalmente aceptada, sobre el origen de la autoridad de los depositarios del poder político presente? En efecto: la causa del desequilibrio del mundo político, en *Hamlet,* no es el carácter violento o criminal del acto que está en la base del poder del rey: la violencia (si se quisiera ponerlo en estos términos: el crimen) constituye la marca de origen de *todo* Estado –y, si cierto médico vienés estaba en lo cierto, de toda sociedad–, y el hecho de que en *Hamlet* esa violencia original asuma la forma de un fratricidio –y de un fratricidio, además, llevado a cabo, por lo menos en buena medida, por causa de una mujer que los dos hermanos-enemigos se disputan– no hace más que acentuar el carácter universal, simbólico, "primordial", de esa violencia originaria.[10] No: el problema (quiero decir: la causa de los disturbios, de los conflictos y de las "desgracias", de la *tragedia* del mundo político danés) no es esa violencia –que no puede ser eliminada de los orígenes de la sociabilidad humana por la simple razón de que esa sociabilidad es su producto– sino el hecho de que entre las grietas del relato que el beneficiario de esa acción violenta construyó sobre el fundamento de su propia autoridad *otras interpretaciones posibles de las cosas,* forjadas por sujetos tan sospechosos e indeseables como lo son los locos rencorosos o los espectros que vagan por las noches, consiguen abrirse camino, hacerse audibles y volverse verosímiles. Y lo que ocurre con los relatos sobre la muerte del viejo rey ocurre con cada una de las cosas que en *Hamlet* deben –y no pueden– ser explicadas por su sucesor. Por ejemplo: con la muerte de Polonio, cuya insuficiente justificación por parte de la corona da lugar a las murmuraciones, a las maledicencias y a los rumores que "infectan los oídos" (volveré de inmediato sobre esta cuestión fundamental) del joven Laertes, quien, recién llegado de Francia,

> *(...) alimenta su angustia con su pasmo,*
> *No faltándole murmuradores que infectan sus oídos*
> *Con historias pestilentes sobre la muerte de su padre,*
> *En las que, a falta de conocimiento de lo que pasó,*
> *No tienen escrúpulos en insinuar, de oído en oído,*
> *Acusaciones contra nuestra persona* [IV.5.88-93],

llevándolo a la sedición y al borde mismo del golpe de Estado. Es cierto que Claudio, político hábil y de sangre fría, detiene oportunamente ese golpe, pero no lo es menos que el modo en que lo hace parece revelar menos su fuerza que su debilidad. En efecto: el rey ofrece a Laertes contarle, ante testigos que invita al joven a escoger entre sus más sabios amigos, su versión de la historia sobre la muerte de Polonio, y le promete su vida y su corona en caso de que su relato no logre convencerlo de su inocencia. "*¡Pero qué rey es ése!*" [V.2.62], estamos tentados a exclamar con el buen Horacio. ¿Qué rey es ése que no consigue que sus súbditos dejen de murmurar historias y que debe someterse a uno de ellos para probar ante testigos la verosimilitud de su relato, que no parece pasar de ser uno entre muchos otros ni valer más que el del último de los murmuradores? Definitivamente, algo anda mal, muy mal, *algo está podrido*, en Dinamarca.

No es por azar que esa frase de Marcelo que acabamos de citar ("*Algo está podrido en Dinamarca*" [I.4.90]) sea tan famosa. La imagen de la putrefacción, de la corrupción, de la infección de las cosas, de los cuerpos y del propio Estado, es una de las imágenes más fuertes y recurrentes de toda la pieza, y reaparece en gran cantidad de situaciones (así, por ejemplo, en la escena de los sepultureros [V.1], en el diálogo entre Hamlet y su tío sobre la "*asamblea de gusanos*" alrededor del cuerpo putrefacto de Polonio [IV.3], en las descripciones hamletianas del mundo como "*un viciado y pestilente conjunto de vapores*" [II.2.285-6], del lecho real como "*una ciénaga inmunda*" [III.4.93], de la guerra como un "tumor" [IV.4.27], de Claudio como un "*cáncer de nuestra naturaleza*" [V.2.69]), después de haber hecho su primera y horrible aparición, en la cuarta escena del acto inaugural, en la descripción hecha por el espectro de la muerte del viejo rey danés. Oigamos entonces al misterioso visitante nocturno del palacio de Elsinor contarnos qué fue lo que ocurrió. Mientras dormía tranquilamente en su jardín, dice el espectro del antiguo rey, Claudio entró

> *Con una maldita sustancia venenosa en una ampolla*
> *Y vertió a través de mis oídos*
> *El destilado mortal, cuyo efecto*
> *Es tan hostil a la sangre de los hombres*
> *Que recorre veloz como el mercurio*
> *Las vías y los conductos naturales del cuerpo,*
> *Y con un fulminante vigor coagula*
> *Y corta, como gotas de ácido en la leche,*
> *La sangre ligera y saludable. Eso hizo con la mía,*
> *Y una instantánea erupción cubrió con una costra*
> *Infecta y repugnante, como una lepra,*
> *Todo mi pulido cuerpo.* [I.5.62-73]

La corrupción, la putrefacción de ese cuerpo envenenado del padre del príncipe Hamlet es así el punto de partida, el núcleo duro, el "centro fatal" a partir del cual, como escribe Maynard Mack, las metáforas de la enfermedad y de la infección "se derraman en todas direcciones, hasta llegar a la comprobación de que hay algo podrido en toda Dinamarca. Hamlet nos dice que su espíritu está enfermo [III.2.291], la reina habla de su '*alma enferma*' [IV.5.17]; el rey se muestra preocupado por la 'fiebre' de su sangre [IV.3.62], Laertes planea la venganza para llevar consuelo a la enfermedad de su corazón [IV.7.54]..." (Mack, p. 248). Pero el valor de ese relato del espectro no se reduce al hecho de constituir un núcleo metafórico especialmente denso y un centro de significaciones y de imágenes que recorrerán toda la pieza. Por el contrario, hay por lo menos otras dos cuestiones, en esas líneas, que merecen nuestra atención. La primera de ellas es que la corrupción del cuerpo del viejo rey *no es un fenómeno natural*, sino que fue inducida por la aplicación, en ese cuerpo, *de un veneno*. No sólo eso: por analogía con el cuerpo envenenado del viejo Hamlet (una analogía que es el propio espectro el que se encarga enseguida de establecer), *el cuerpo político de toda Dinamarca* también fue "envenenado" por un relato falso acerca de las causas de su muerte, que su autor y beneficiario atribuyó, como sabemos, a la mordedura de una serpiente. Estamos en el corazón temático y alegórico de *Hamlet*, en cuyo desarrollo no sólo el veneno tendrá un papel fundamental, sino que la *imagen* del veneno se convertirá en una de las metáforas más fuertes y recurrentes. De hecho, Nigel Alexander, en su magnífico *Poison, Play, and Duel* –uno de los textos clásicos de la crítica hamletiana–, sugiere que la imagen del veneno es *una de las tres grandes imágenes* –las otras dos son, precisamente, la del teatro y la del duelo– que dominan la acción de toda la obra. Así, por ejemplo, Claudio dice que la locura de Ofelia es "*el veneno del dolor profundo*" [IV.5.74], espera que, tras la muerte de Polonio, la calumnia,

> *Cuyo rumor transporta de una punta del mundo a la otra su veneno*
> *Con la precisión con que un cañón dirige su proyectil contra su blanco,*
> *No alcance nuestro nombre* [IV.1.41-43],

y asegura a Laertes que el relato de Lamord sobre su habilidad como esgrimista "*Envenenó de envidia a Hamlet*" [IV.7.102], mientras que el príncipe le dice a su madre que confiará en Rosencrantz y en Guildenstern "*como en serpientes venenosas*" [III.4.204][11]. La segunda cuestión que quería subrayar es que ese veneno que infectó el cuerpo del viejo rey, como el veneno que infectó e infecta el cuerpo político del reino, fue vertido *por el oído*. En efecto: fue, como ya vimos, "*a través de mis oídos*" que Claudio vertió el destilado letal, y fue también "*el oído de toda Dinamarca*" [I.5.36] el envenenado por el falso relato de la mordedura de serpiente. Claudio –escribe Alexander– "envenenó el oído de Dinamarca con falsas historias, tanto como envenenó el oído *del rey* de Dinamarca '*Con una maldita sustancia venenosa en una ampolla*'" (Alexander, p. 19). En un caso como en el otro, el oído es la vía de entrada, el canal por el cual el veneno corruptor ingresa al cuerpo[12], y por la misma razón el blanco de los ataques de quien busca infectarlo. No es en vano que la metáfora militar del "ataque a los oídos" se repita tan sintomáticamente a lo largo de *Hamlet*. Así, por ejemplo, en el comienzo mismo, cuando Horacio acaba de llegar a la plataforma, Bernardo le pide que se siente y que le permita *"atacar una vez más vuestros oídos, / Que tanto se resisten al relato / De lo que ya dos noches hemos visto"* [I.1.31-33]. Poco después, en I.2, Hamlet le dice a Horacio que no haga a sus oídos la violencia de hacerles oírle hablar mal de sí mismo, y enseguida, en I.3, Laertes recomienda a su hermana no prestar oídos demasiado crédulos a los galanteos del príncipe. Más tarde, en la escena en el cuarto de Gertrudis, ésta le dice a Hamlet que las palabras que oye *"entran como puñales en mi oído"* [III.4.95]. Y *via dicendo.*

La paradoja a la que conducen la sensibilidad y permeabilidad de estos oídos daneses es que Claudio, que como sabemos fue el primero en aprovecharse de ellas, es también su principal víctima, porque la legitimidad y estabilidad de su poder están todo el tiempo amenazadas por el veneno de los rumores, de las murmuraciones y de las voces que (viniendo de lugares tan poco tranquilizadores como el Más Allá, o tan poco nobles como el populacho) atacan la conciencia de los súbditos *a través de sus oídos*, "infectándolos" con versiones de las cosas diferentes a las suyas. Bien vistas las cosas, *es exactamente eso lo que ocurrió en la plataforma*, donde el veneno del relato que el espectro del anterior rey vertió en los oídos de Hamlet consiguió hacer tambalear, en el interior de la conciencia atormentada del príncipe, la credibilidad de la versión oficial de los hechos. *Ése es el problema en Dinamarca; eso es lo que está podrido en Dinamarca:* no tanto (lo escribimos una vez más) que el poder político se sostenga sobre un hecho violento o criminal (¿cuál no lo hace?), sino que ese mismo poder político, así erigido, no consiga hacer del relato que ha construido sobre sí mismo, sobre su fundamento, sobre su historia y sobre sus acciones, *el único relato* aceptado de las cosas. Es lo que le preocupa al rey –ya lo vimos también– en la escena en que le dice a su mujer que las murmuraciones del vulgo han infectado los oídos de Laertes, obligándolo a él mismo, a Claudio, para conjurar el peligro que esa infección implicaba para su reinado, a representar una vez más el papel de envenenador. *Ésa parece ser la "tragedia del envenenador" en* Hamlet: *que no puede parar de envenenar*. Y es precisamente el modo en que Claudio envenena –con sus habladurías contra Hamlet, con sus recuerdos de Polonio, con sus elogios y promesas a Laertes– los oídos, aparentemente muy permeables, del hijo del viejo consejero real, lo que llevará a éste a convertirse en un instrumento del último plan del rey, un plan en el que el veneno (el de la espada de Laertes, el de la copa destinada a Hamlet) tendrá por cierto, una vez más, un papel fundamental.[13]

En resumen: la causa de la corrupción del cuerpo político, en la Dinamarca de *Hamet*, es el veneno de los rumores y las murmuraciones que ingresan en la conciencia de los súbditos de ese Estado "fuera de quicio" *a través de sus oídos*. Lo que no es más que otra manera de decir lo que ya dijimos un poco más arriba: que la causa de la sedición, de los disturbios, de las revueltas y de la inestabilidad política, en *Hamlet*, es *la ausencia de un relato oficial de los hechos, monolítico y universalmente aceptado*. Ese relato es el que sobre el final de la pieza el prudente Horacio, que entendió todas estas cosas mucho antes que nosotros, ofrece hacer al nuevo rey. "*Pero procedamos de inmediato*", insiste, antes de que ocurran más desgracias: Horacio sabe que nada hay más peligroso para la estabilidad política del reino que la multiplicación de versiones y de historias, que la proliferación de palabras, de señales y de signos. Que nada hay más peligroso para la paz que las murmuraciones y los rumores. Por cierto, no será el único, en la Inglaterra del siglo XVII, en saber esto.

2. Voces, cuerpos, miradas

En su relato sobre la guerra civil inglesa –el *Behemoth*–, Thomas Hobbes indica que sólo la corrupción general del pueblo, sólo la "infección del cuerpo político" (Janine Ribeiro, *Ao leitor...*, p. 52), explica que el rey, con todo su poder, haya podido ser derrotado.[14] Otra vez, entonces, la metáfora de la corrupción, de la infección de un "cuerpo". ¿Pero *por qué* esa infección se había producido, por qué se habían generalizado en el cuerpo de la sociedad inglesa la anarquía y las conductas de desobediencia? Para preguntarlo con las palabras del propio Hobbes: "¿Cómo vino el pueblo a corromperse tanto? ¿Y qué tipo de personas eran ésas que pudieron seducirlo así?" (Hobbes, *Behemoth*, p. 32) He ahí la cuestión fundamental: la *sedición* –anota Janine Ribeiro comentando este pasaje– "resulta de una *seducción*. El pueblo fue secuestrado de su deber –*débauché* por estos Don Juanes de la política que, como el engañador de Sevilla, se esmeran en alejar a los débiles de sus obligaciones" (Janine Ribeiro, *Ao leitor...*, pp. 52s). Sin duda. Pero *¿quiénes eran* esos seductores, esos "Don Juanes de la *res publica*", que aprovechaban que "los ciudadanos, frágiles como mujeres, fácilmente olvidan sus obligaciones" para "desviar a los hombres de sus deberes legítimos" (*ibid.*, p. 58)? Hobbes nos lo dice: los *predicadores*. Y muy especialmente los predicadores disidentes: en primer lugar los presbiterianos, después los papistas, enseguida los miembros de las sectas (anabaptistas, milenaristas) que rechazan la disciplina eclesiástica y –anotemos esto– *"ejercen la interpretación privada de las Escrituras, rechazando la oficial"* (p. 60). Como en Elsinor, donde la sedición, el desorden y las luchas surgen como consecuencia de las múltiples interpretaciones "privadas" de los hechos y de las narraciones, aquí –en la Inglaterra de Hobbes– *es también la pluralidad de interpretaciones, versiones y lecturas (para el caso: de la Biblia) la causa de las conmociones y de la anarquía.* En Hobbes, sabemos, la anarquía política es siempre una consecuencia o una manifestación de una anarquía de los significados de las palabras, la subversión del Estado es siempre efecto de la subversión del lenguaje (de ahí la condena de Hobbes, sobre la que volveremos, a las artes retóricas –características de la educación clásica que él mismo había recibido[15]– que hacen prevalecer "los abusos sobre los usos del lenguaje, la connotación sobre la denotación, las pasiones del hablante o del oyente sobre la definición precisa de los términos" [Janine Ribeiro, *Ao leitor...*, p. 61]), y el remedio para eso es otorgar al Poder, al Estado –el "Gran Definidor", como dice sugestivamente Wolin– el derecho a *definir*, precisamente, el significado de las palabras, de los relatos y de las escrituras (y de las Escrituras). Verdadero y falso –se lee a cierta altura del *Leviatán*– son atributos de las palabras, no de las cosas, y las palabras deben ser, para Hobbes, siervas del poder.[16]

Se ve ahora no sólo por qué insistíamos antes en la "cuestión de los oídos" –en Hobbes, como en *Hamlet*, la infección del cuerpo político comienza por los oídos, y la corrupción se propaga *"de oído en oído"*[17]– sino también por qué dábamos tanta importancia a la preocupación de Horacio por contar su relato de los hechos al futuro rey de Dinamarca y a los más altos nobles del reino, en soldar la *verdad* de su relato al *poder* de las autoridades (¿no está acaso aquí, como en ciernes, el núcleo de lo que cierto sardo obcecado y empeñoso llamaría varios siglos después "hegemonía"?: he aquí otra cuestión sobre la que deberemos volver), en convertir su relato en un relato *oficial* (y de ese modo verlo sancionado como verdadero): hay aquí, en este gesto anti-trágico del joven *scholar* de Wittenberg, una premonitoria modernización *"a la Hobbes"* del escenario político danés, que nos permite pensar a *Hamlet* –desde la perspectiva filosófico-política con la que aquí estamos intentando examinarla– *tanto* como un escenario donde se desarrolla esta "tragedia de la acción política" que se anunciaba en Maquiavelo *cuanto* como un lugar donde se prefigura la solución hobbesiana a los problemas derivados del desarrollo de esa tragedia. *Tanto* como un ejemplo del tipo de dilemas característicos del mundo político –incierto y frágil– que se inauguraba con la primera teoría moderna de la acción *cuanto* como una pintura del telón de fondo contra el cual se recortará, para enfrentar las incertidumbres y la fragilidad de ese mundo "maquiaveliano", la primera teoría moderna del Estado. Por eso nuestra atención debe desplazarse ahora de la figura de Horacio a la de Fortimbrás, que complementa la función de aquél en la estructura del relato y que es, como aquél, un personaje anti-trágico de esa magnífica tragedia que es *Hamlet*.

Tendremos ocasión de decir varias cosas sobre el futuro rey de Dinamarca. Por el momento, en esta rápida presentación de nuestro problema, nos basta seguir sus pocos movimientos y sus palabras, todavía más escasas. Ya hemos indicado que el príncipe noruego llega a Elsinor sobre el final mismo de la pieza. Lo vemos ahora entrar al palacio, solemnemente, por la puerta principal, y mirar horrorizado el cuadro pavoroso que se presenta ante sus ojos. Ésa es una cuestión fundamental para nosotros: del mismo modo en que en el mundo "fuera de quicio" de la Dinamarca anterior a la llegada del príncipe noruego –una Dinamarca habitada y gobernada, como ya dijimos, por hombres y mujeres *seductores* y *seducidos*– el poder, las influencias, la capacidad de dominar la voluntad del otro o de torcer su fidelidad se ejercían a través de la conquista, de la corrupción (en el límite: del envenenamiento) de sus *oídos* (exactamente como los predicadores, a los que tanto despreciaría medio siglo más tarde Hobbes, conquistarían, corromperían, envenenarían los oídos de sus audiencias volviéndolas *sediciosas*), a partir del momento en que la escena, en *Hamlet*, es dominada por las figuras de los "sobrevivientes" Fortimbrás y Horacio[18], las metáforas auditivas, las alusiones a ese sentido pasivo y "femenino" del oído, ceden su lugar a las imágenes de la visión y a las referencias al sentido –activo, "masculino"– de la *vista:*

> FORTIMBRÁS *¿Dónde está ese espectáculo?*
> HORACIO *¿Qué es lo que queréis ver?* [V.2.340][19]

La pieza está casi terminando. Horacio informa a Fortimbrás que tiene un mensaje para darle y el príncipe noruego hace llamar a los nobles del reino para que ellos también se enteren de lo que el joven estudiante tiene para contar. Ordena a sus soldados que sean prestadas a Hamlet las honras debidas a un guerrero y manda retirar los cuerpos de la escena ("*Sacad los cuerpos de acá*"), porque, explica, *such a sight as this,* un *cuadro* como éste (otra vez la vista, pues, otra vez la mirada),

> *Conviene al campo de batalla, pero aquí luce fuera de lugar* [V.2.380-1],

lo que no sólo revela con suficiente claridad que Fortimbrás ha llegado a Dinamarca para sancionar un corte decisivo en el curso de las cosas, sino que permite pensar esa ruptura en términos análogos a los que medio siglo más tarde utilizaría Hobbes para pensar el quiebre, la distancia, la escisión, entre el campo de batalla y la vida política reglada, entre la anomia y la sociedad civil, entre la guerra y la paz. De modo que, si un poco más arriba sugeríamos que por la boca de Horacio era la voz del racionalismo moderno (la de Descartes, dijimos, la de Newton –y ahora podemos agregar: *la del propio Hobbes,* protagonista fundamental de la vasta empresa de racionalización y secularización del pensamiento que tiene lugar en el siglo XVII–) la que dejaba oír, con varias décadas de anticipación, sus prudentes consejos o su desconfianza escéptica, lo que ahora podemos observar es que de la mano de Fortimbrás –que llega a Dinamarca "para hacer la limpieza", como dice Lacan, y para apropiarse del botín de una guerra en la que ni siquiera necesitó participar, *pero también "para quebrar la cadena de crímenes y de venganzas"* (Kott, p. 59) *y para inaugurar en ese país, así, una forma de convivencia radicalmente distinta a la que había gobernado las relaciones entre las personas hasta entonces–* es el *Leviatán* de Hobbes, *es la concepción hobbesiana de la política como opuesta a la tragedia de la guerra y de la incomprensión recíproca, la que hacer su entrada en el palacio de Elsinor.* Por eso, es necesario entender que cuando Fortimbrás ordena "*Sacad los cuerpos de acá. Un cuadro como éste / Conviene al campo de batalla, pero aquí luce fuera de lugar*" no está adoptando apenas una higiénica medida de salud pública, ni sugiriendo un pequeño cambio de decoración para iniciar en un palacio libre de cadáveres y de sangre su reinado, *sino que está ordenando una completa reestructuración del escenario político danés.* Los cuerpos "lucen fuera de lugar" *aquí*, dice Fortimbrás. Aquí *y ahora*, podríamos agregar. *Porque no lucían tan mal algunos minutos antes*, en medio de la verdadera "batalla" (a la cual este cuadro, por el contrario, "conviene" ["*Becomes*": "Such a sight as this / Becomes the field"]) en que degeneró el duelo entre Hamlet y Laertes, ni tampoco en las escenas anteriores, como aquella en la que Hamlet conversa largamente con su madre sin que ninguno de los dos parezca especialmente perturbado por la presencia, a los pies de ambos, del cadáver ensangrentado de Polonio, o aquella en que el príncipe lucha con Laertes al lado del cuerpo muerto de Ofelia, para no hablar de aquella otra en la que los protagonistas juegan o filosofan mientras manipulan los huesos y las calaveras –a las que eventualmente dirigen la palabra– de los muertos. *Es preciso comprender lo que Fortimbrás está diciendo.* Esos cuerpos sí "convenían" a ese "campo de batalla" que había sido la Dinamarca anterior a su llegada.[20] La abundancia de metáforas bélicas en el texto de *Hamlet* no permite que nos engañemos: Dinamarca es un campo de batalla, Elsinor es el escenario de una guerra "de todos contra todos". *Hamlet* constituye *una estetización y una estilización "avant la lettre" de aquello que Thomas Hobbes llamaría, algunas décadas más tarde, "estado de naturaleza"*. Y la exhibición de ese "horrible cuadro" que enfrenta a su llegada Fortimbrás, la monstruosidad de esa "escena de calamidad y pasmo", el espectáculo atroz de ese "montón de cuerpos" que "revela una devastación" [V.2.343] tienen la misma función que cumple, en la obra de Hobbes, la abundancia de referencias a los horrores de la guerra, esto es: la de indicarnos aquello *por oposición a lo cual*, aquello *contra lo cual* es preciso pensar.[21] Y actuar: Fortimbrás llega a Elsinor –concluyamos– *para sepultar los antagonismos y las luchas*, para superar el estado de discordia y guerra en que había vivido la Corte y toda Dinamarca, para establecer un corte radical con el pasado de guerra y de destrucción, y para erigir, contra esa pesadilla, contra ese mundo de angustia, de incertidumbre y de oscuridad[22], contra ese mundo habitado por cosas que la filosofía no podía comprender, por fuerzas desconocidas y por pasiones desenfrenadas, la posibilidad de una vida política pacífica en un marco de previsibilidad y orden. El corazón del programa teórico y político de Hobbes, el corazón del programa teórico y político con el que Hobbes pretendía evitar que el mundo se convirtiera en un gigantesco campo de batalla, conjurando el fantasma de la guerra civil y de la sedición política e inaugurando –"más acá" de ese espacio de "nada política", como dice Wolin, donde sólo cabían la muerte y la destrucción recíproca– el campo de la política reglada, de la política "institucional", de la política moderna, está anunciado, en *Hamlet*, en esa llegada final, victoriosa, del joven Fortimbrás.

3. Acción e institución en los orígenes del pensamiento político moderno

Recapitulemos. Llamamos la atención, un poco más arriba, sobre la *doble operación* que vimos hacer a Maquiavelo en aquellas páginas fundadoras del capítulo XXV de su obra más leída: *por un lado*, la emancipación del sujeto de la acción respecto a la fuerza absoluta, determinante e inapelable de figuras tales como la Providencia divina o el Destino. Ese movimiento, dijimos, es fundamental para la posibilidad de una idea moderna sobre la política: sólo hay política, en efecto, allí donde el sujeto no es apenas un títere de Dios o de los dioses, del Destino o de la Providencia, de la Fortuna o de alguna otra divinidad más o menos laica frente a la cual de nada serviría su voluntad de torcer el rumbo de las cosas.[23] *Por otro lado*, y complementariamente, la advertencia de que, por más virtuoso que se revele ese sujeto ahora emancipado para moldear a su capricho la materia que le ofrece la historia, *no es posible eliminar, de la relación entre ese sujeto y el mundo, cierto elemento de imprevisibilidad y de sorpresa*, de modo que las operaciones que aquél realice sobre éste no pueden aspirar nunca a tener un resultado garantizado de antemano. Hay algo que siempre escapa a nuestras facultades de previsión y de control, y la existencia de ese "algo" es el otro elemento fundamental en la definición moderna de la política que el texto de Maquiavelo nos permite pensar. En efecto: así como no hay política, sino teología o teleología (o teo-teleología, para abusar de una expresión acuñada, creo, por Derrida), allí donde el sujeto de la acción está preso de un conjunto de determinaciones, de fuerzas o de "leyes" frente a cuya omnipotencia no puede hacer nada, tampoco hay política, sino fantasía tecnológica o tecnocrática, ilusión de una razón instrumental finalmente soberana, sueño de un triunfo final del hombre sobre su "medio" social o natural, allí donde ese sujeto de la acción no encuentra frente a su voluntad organizadora la resistencia de la historia, la piedra dura de lo imponderable y de lo imprevisto, el límite que impone a su razón el carácter irremediablemente contingente de las cosas. Ese doble movimiento operado entonces en la obra de Maquiavelo (del que este capítulo que consideramos es especialmente revelador) es lo que hace posible hablar, en un sentido moderno de la palabra, de "política", y es en ese sentido que podemos afirmar que Maquiavelo "funda" el pensamiento político moderno, y que todos nosotros somos, en un sentido fundamental, maquiavelianos. Ahora: que ni la más virtuosa de las acciones que un actor político pueda realizar tenga *garantías de éxito*, que el carácter contingente de las cosas del mundo pueda hacer que naufraguen incluso nuestros proyectos más sabiamente elaborados y más enérgicamente conducidos, que ese sujeto –emancipado por Maquiavelo de la fuerza omnipotente de la Fortuna o de la Providencia– finalmente sólo esté en condiciones de dirigir "la mitad" de sus acciones, no sólo constituye una condición para que podamos pensar la acción de ese sujeto como una acción *política*, sino que es exactamente, como vimos, lo que constituye lo que llamamos *la tragedia* de esa acción política. En efecto: ese elemento de incertidumbre, de imprevisibilidad, de acaso, de contingencia, ese elemento que se hurta a nuestra comprensión pero cuya presencia no podemos eliminar de nuestras vidas, es –dijimos– el elemento "trágico" de la acción política, el elemento que configura la "tragedia" de la acción política tal como Maquiavelo nos permite concebirla. *Es contra esta tragedia de la política que intentará pensar, de Hobbes en adelante, la filosofía política de los siglos por venir*. Esa circunstancia, que no debe sorprendernos (la filosofía política es *siempre*, como mostró Nietzsche en relación a la de los griegos, y como ya tuvimos ocasión de señalar nosotros también un poco más arriba, un pensamiento anti-trágico), es la que tal vez justifique un ejercicio como éste que aquí nos hemos propuesto: pensar la tragedia de la política no tanto (o no sólo) en los textos de los grandes filósofos políticos que tuvieron que lidiar con ella o intentar conjurarla como a un fantasma, sino en un texto literario, poético, teatral: en el texto de *Hamlet*.

Donde podemos encontrar –según habíamos sugerido y según esta primera incursión nos permite ahora verificar– *tanto* el drama "maquiaveliano" de un sujeto enfrentado a un mundo que nunca consigue entender ni gobernar, *cuanto* –anunciada como en sordina a lo largo de toda la pieza, y proclamada con pompa y toques marciales en el final– la solución "hobbesiana" a la catástrofe a la que esa situación de desconocimiento, desgobierno y desorden del mundo político puede eventualmente conducir (y de hecho, en este caso, conduce, con el resultado, que conocemos bien, de una cantidad de crímenes injustos, de jóvenes que pierden la razón o se suicidan, de complots, intrigas y amenazas a la estabilidad política del reino, y finalmente de ese espectáculo espantoso de cadáveres desparramados por el suelo del palacio cuando llega Fortimbrás). ¿En qué consiste esa solución? En el establecimiento de un Estado capaz de ser, para decirlo con palabras célebres de Hobbes, "el reino de la razón, la paz, la seguridad, la riqueza, la belleza, la compañía, la elegancia, la ciencia, la benevolencia" (Hobbes, *De Cive*, Cap. X, 1, p. 90), y que para eso debería sostenerse en un relato unitario y monolítico, oficial y obligatorio, de la historia. En el establecimiento, en fin, de un Estado y de instituciones eficaces para superar el estado de guerra de todos contra todos, ese estado donde dominan, en cambio, "las pasiones, la guerra, el miedo, la pobreza, la fealdad, la soledad, la barbarie, la ignorancia, la crueldad" (*id.*), y para hacer posible una vida política en paz. Vemos entonces el doble desplazamiento que se operó a lo largo de nuestro recorrido –recorrido del que *Hamlet* es, entonces, testimonio y punto de pasaje–: por un lado, un movimiento desde el énfasis en la *virtù* del sujeto político para enfrentar los peligros de un mundo desconocido e ingobernable hacia el énfasis en la solidez de las instituciones que organizan y regulan la vida en común de los hombres. Por otro lado, el paso desde una noción de la política como tragedia en dirección a una noción de la política *antagónica*, *opuesta* (o que por lo menos *querría poder pensarse como antagónica y opuesta*) al mundo de lo trágico. Vamos por partes.

En su notable *Los fundamentos del pensamiento político moderno*, Quentin Skinner subraya la existencia de dos grandes tradiciones intelectuales preocupadas por el problema de la virtud y de la corrupción de la vida cívica. Una de esas tradiciones, de esas "escuelas" (cuya fundación es posible encontrar entre los retóricos pre-renacentistas y más tarde entre los humanistas cívicos del Renacimiento italiano, y de la cual Maquiavelo es, evidentemente, el representante más notorio), acentúa que es "el *espíritu* apropiado de los gobernantes, el pueblo y las leyes el que, ante todo, debe sostenerse" (Skinner, *The foundations...*, I, p. 45), esto es: que es la *virtù* de los sujetos políticos lo que les permitirá asegurar el bien común de la *respublica* y la libertad de sus miembros, sea como fuera que, en cada caso, se definan ese bien común y esa libertad. La otra de esas dos grandes tradiciones (de la cual se encuentran antecedentes importantes entre los autores escolásticos del medioevo y más tarde entre los humanistas atraídos por el modelo de la República de Venecia, y cuyo mayor exponente moderno, dice Skinner, es Hume) "insiste en que el gobierno es eficaz siempre que sus instituciones sean fuertes; y corrompido cuando su maquinaria no funciona de la manera adecuada" (*ibid.*, pp. 44s), o sea, que no es en la *virtù* (subjetiva) de los hombres, sino en la eficacia (objetiva) de las instituciones y de las leyes, donde radica la clave de un buen gobierno y de la preservación de la libertad. Por supuesto que el pensamiento político de Thomas Hobbes pertenece inequívocamente a este segundo universo teórico, y es claro también, por eso mismo, que nuestra sugerencia de pensar "en clave" hobbesiana el final de una pieza cuyos protagonistas (y especialmente cuyo protagonista principal) pensaron, durante cinco actos, en términos mucho más "maquiavelianos", constituye una invitación a introducir, sobre el final, un punto de vista radicalmente nuevo sobre toda la historia. Naturalmente –y según ya habíamos empezado a insinuar–, no somos nosotros, sino Shakespeare, quien hace esa invitación, a través del expediente de hacer llegar a Elsinor, en el final, al joven Fortimbrás. En efecto: ese punto de vista radicalmente nuevo, anti-maquiaveliano, no preocupado por la *virtù* de los sujetos sino por la fortaleza del edificio institucional que se trata ahora de erigir, es el punto de vista de Fortimbrás. *El punto de vista de Fortimbrás es hobbesiano* (o mejor –ya lo dijimos–: protohobbesiano), así como el punto de vista de Hamlet era maquiaveliano, porque el punto de vista de Fortimbrás es el punto de vista de las instituciones y del Estado, y el punto de vista de Hamlet es el del sujeto y la acción. *Hamlet* oscila entre esos dos puntos de vista, entre esas dos perspectivas, dejándose pensar al mismo tiempo con los instrumentos de las dos grandes teorías que fundan la modernidad política: con los instrumentos de *la primera teoría moderna de la acción* –la de Maquiavelo–, y con los instrumentos de *la primera teoría moderna del Estado* –la de Hobbes.

El pensamiento político moderno es tributario, al mismo tiempo, de esas dos grandes teorías –la de Maquiavelo sobre la acción, la de Hobbes sobre el Estado–, a las que podemos ver ahora como dos pasos, como dos eslabones, como dos "momentos" (volveremos sobre esta nomenclatura) de un mismo movimiento, que debía *primero* destruir el mundo simbólico medieval para sólo *después*, sobre esas ruinas, erigir el mundo de la política moderna. Esa secuencia es la que subraya, por ejemplo, Renato Janine Ribeiro: Maquiavelo, dice Janine Ribeiro, "hizo, por así decir, el trabajo *negativo*", desmontando la "ética de principios" característica del mundo moral del medioevo (Janine Ribeiro, *A sociedade...*, p. 86). ¿En qué consiste esa "ética de principios"?: en la suposición de que los criterios morales sobre lo bueno y lo malo –entendidos como valores absolutos– debían regir los comportamientos de los príncipes tanto como regían la vida de cualquier mortal. En la suposición de que un príncipe debía actuar siempre de modo "moralmente" *bueno*, y nunca de modo "moralmente" *malo*. En la suposición, en fin, de que de una acción buena sólo podía derivarse el bien, y de que de una acción mala sólo podía derivarse el mal. Y no: el gran descubrimiento de Maquiavelo, por el contrario, es, como se sabe, que un príncipe –más en general: un actor político– no puede actuar siguiendo esos criterios morales, porque hay veces en que la clemencia de un gobernante puede conducir a la ruina a su país, o en que la crueldad puede redundar en beneficios para su pueblo. Como dice Maurice Merleau-Ponty en un artículo que ya consultamos, "en la acción histórica, la bondad es a veces catastrófica y la crueldad resulta a veces menos cruel que la indulgencia" ("Note sur...", pp. 294s). Lo que (digámoslo una vez más) no hace que la bondad deje de ser bondad, ni la crueldad, crueldad. Es lo que destaca, como ya vimos también, Isaiah Berlin: "Los hombres que en la práctica efectivamente siguen los preceptos cristianos son hombres buenos, pero cuando gobiernan Estados a la luz de tales principios los llevan a la destrucción" ("La originalidad...", p. 38). *En política*, entonces –descubre Maquiavelo–, del bien no siempre se sigue el bien, ni del mal necesariamente se sigue el mal. A veces una acción buena puede llevar al desastre, y a veces una acción despiadada de un príncipe puede salvar de la ruina a su país. Es esa "paradoja de los valores" la que expresa admirablemente el príncipe Hamlet, que tal vez nunca se nos presente de un modo tan característicamente maquiaveliano como cuando dispara aquel

Debo ser cruel sólo para ser bueno [III.4.179]

en el cuarto de su madre.

Se ve claramente que ese trabajo "negativo" de cuestionamiento de los valores morales convencionales del medioevo cristiano es complementario de aquel otro "trabajo" –igualmente "negativo"– que habíamos visto hacer a Maquiavelo más arriba: el de cuestionamiento del poder omnímodo de la Providencia para regir los destinos de los hombres. En efecto: la salida de Dios del centro de la escena (para no hablar de una "muerte de Dios" que seguramente sería apresurado diagnosticar en esta época) produce como resultados *tanto* el descubrimiento maquiaveliano de que Sus designios[24] sólo pueden gobernar "la mitad" de nuestras acciones, dejándonos consecuentemente gobernar "la otra mitad", *cuanto* el descubrimiento de que Sus valores sólo pueden regir "la mitad" de nuestra vida (nuestra vida privada, particular: la vida de quien aspira a salvar su alma), siendo inútiles para regir "la otra mitad", que es aquella de nuestra vida *política*, o –mejor– la de la vida política de los príncipes, el comportamiento de los príncipes, por así decir, *qua* príncipes. Y esa segunda parte del "trabajo negativo" de Maquiavelo es tan importante como la primera. Porque *es sólo sobre esta base*, como argumenta Janine Ribeiro en el texto que habíamos comenzado a acompañar, que se volverá posible, después, la tarea positiva de autores como Hobbes o Mandeville, preocupados por "garantizar la duración de la vida social" (Janine Ribeiro, *A sociedade...*, p. 89) por medio de *mecanismos* que le den continuidad. "Mecanismos", entonces. Instituciones, leyes, Estado. No la mera (y, ya vimos, frágil) *virtù* de este o aquel líder astuto o arrojado o temerario, ni menos todavía –es claro– la *virtud* moral de los sujetos, con la cual esos autores del siglo XVII no son ya tan ingenuos como para contar. Por el contrario: es exactamente con los vicios (privados), con las pasiones egoístas y anti-sociales de los hombres, con los que ahora estos autores cuentan. En términos un tanto esquemáticos: si el gran descubrimiento de Maquiavelo había sido que una acción *moralmente* "buena" *de un príncipe* puede llevar a resultados *políticamente* "malos", el gran descubrimiento de Hobbes (o de Mandeville) es que las acciones *moralmente* "malas" *de los ciudadanos* pueden llevar a resultados *políticamente* "buenos" *siempre y cuando se consigan crear los mecanismos, las mediaciones, las instituciones, los automatismos, capaces de convertir el egoísmo privado en riqueza pública, o el miedo de cada uno en seguridad de todos.*[25] Si fuera posible considerar todo el asunto desde la perspectiva "secuencial" que aquí estamos examinando, y si quisiéramos justificar a esta nueva luz la pertinencia de un trabajo como éste que aquí estamos tratando de llevar adelante, podríamos decir que *Hamlet* puede ser pensada como una alegoría de aquello en que se convierte el mundo social y político cuando los sujetos de la acción política *ya* consiguieron emanciparse del marco –sin duda asfixiante, pero también tranquilizador– que les proveían las nociones de Providencia o de Dios y la ética de principios que les era solidaria, pero *todavía* no lograron conquistar el *nuevo* marco que les proveerán las teorías modernas de las instituciones y del Estado. Ese "ya" y ese "todavía" definirían pues los límites, al mismo tiempo teóricos e históricos, de nuestra investigación.

Sin embargo, esa presentación de los pensamientos de Maquiavelo y de los pensadores del siglo XVII, como Hobbes o Mandeville, como dos momentos en una misma evolución, como dos pasos de un mismo proceso, puede contribuir a oscurecer la circunstancia de que entre uno y otro de esos dos "momentos" existen también fuertes discontinuidades, rupturas y hasta antagonismos. De que el pensamiento de Hobbes (dejemos por el momento al autor de *La fábula de las abejas:* es claro que su influencia en el pensamiento político posterior es considerablemente menor que la del autor del *Leviatán*) no sólo *presupone* al de Maquiavelo como al encargado de dar un paso anterior y necesario, sino que también *se opone* a él, y lo niega, en aspectos fundamentales. Al punto de que es posible afirmar (como ya lo hemos hecho y podemos ahora recordar) que en cada uno de esos dos "momentos", en cada una de esas dos grandes teorías fundacionales, encuentra su origen no sólo uno de los dos grandes "paradigmas" en los que tal vez podríamos, si quisiéramos, dividir, clasificar u organizar las grandes líneas del pensamiento político moderno, sino también una de las dos grandes ideas *acerca del significado de la propia palabra "política"*, acerca de lo que debemos entender por "política", que están en juego en este período. La primera de esas teorías –la de Maquiavelo, la que piensa la política como una voluntad creadora, organizadora, de un sujeto sobre el mundo– es la que estuvimos recorriendo en el capítulo anterior de este trabajo, donde encontrábamos un actor político enfrentado a un mundo indócil y desconocido e intentando imprimir, en la díscola materia que ese mundo le ofrecía, la forma que su *virtù* aconsejaba. *Esa acción era, dijimos, la política*, y esa acción política era –ya lo vimos también– una acción *trágica*, porque sus resultados no estaban garantizados, porque estaba sumergida en un mar de contingencias y de imponderables, porque el lugar al que llevaban al sujeto no podía ser ni previsto ni controlado por él. En *Hamlet* asistimos exactamente a ese tipo de tragedia: la tragedia de un "actor" enfrentando un mundo incierto y peligroso y que debe actuar, o no actuar, en medio de ese "mar de adversidades". La otra idea de "política" de las dos que –estamos sugiriendo– ven la luz en esos años del Renacimiento europeo, es la que se anuncia, sobre el final de *Hamlet*, con la llegada triunfal de Fortimbrás, y se sistematiza en la filosofía política del autor del *Leviatán*. Aquí la política no es la tragedia de la acción de un sujeto (como en *El Príncipe*) ni de un pueblo o una multitud (como en los *Discursos*), sino el conjunto de mecanismos y de procedimientos que permiten que la vida social se desarrolle en orden y sin sobresaltos, y que los ciudadanos puedan gozar de paz, tranquilidad y bienestar. Esta segunda idea (digamos: "institucionalista") sobre la política no sólo es todo lo contrario de una idea "trágica", sino que se levanta exactamente *para conjurar, para exorcizar, la tragedia de la política entendida en el sentido anterior,* en el sentido "maquiaveliano", en el sentido de una teoría –trágica– de la acción. Ahora: sobre esta idea de la tragedia de la política, o de la política *como* tragedia, debemos todavía decir algunas cosas más. Es lo que haremos a continuación.

4. La tragedia del lenguaje

"Words, words, words."
Hamlet, II.2.189

En nuestros comentarios sobre el pensamiento de Maquiavelo destacamos, más arriba, la importancia de lo que llamamos sus dos grandes "descubrimientos": el descubrimiento –digámoslo una vez más– de que los hombres estamos condenados a vivir en medio de los solicitudes simultáneas y antagónicas de sistemas morales divergentes e incompatibles, y el descubrimiento de que siempre hay algo de desconocido y de incognoscible (y de ahí: de imprevisible, de incontrolable, de ingobernable) en el mundo en medio del cual debemos actuar. El primero de esos dos descubrimientos define lo que llamamos la "tragedia de los valores"; el segundo, lo que denominamos la "tragedia de la acción". Enfaticemos, ahora, que esos dos "descubrimientos" (el descubrimiento de que no hay ningún criterio objetivo para evaluar sistemas morales enfrentados, y el de que nunca estamos a salvo del veneno mortal de la contingencia), prerrequisitos de cualquier idea moderna sobre la política, *son mutuamente solidarios,* y expresan dos dimensiones, por así decir, de una misma crisis más amplia y general. En efecto: el agotamiento de una cierta forma de verse y de pensarse el mundo (llamémosla, para abreviar, cristiana, o medieval) está en la base *tanto* de la emancipación del sujeto de la acción política respecto a los patrones morales convencionales (una emancipación que, sin embargo –he ahí la "tragedia de los valores"– no autoriza a ese sujeto a confiar ciegamente en ninguna moral alternativa) *cuanto* de la liberación de ese sujeto de la acción política, de ese actor político, de ese Príncipe o de ese pueblo, de la tiranía de la Providencia (una emancipación que, sin embargo –he ahí la "tragedia de la acción"– tampoco permite a ese sujeto a confiar enteramente en su propia *virtù*).

Pero hay más. *Hay una tercera manifestación de esa crisis de la cosmovisión medieval que debemos ahora analizar, y que se refiere no ya al mundo de la acción ni al de la moral, sino al de las palabras.* Mejor: al de la relación –si se me permitiera una mención demasiado notoria– entre *las palabras y las cosas*. Porque, en efecto, en el mismo movimiento por el cual Dios desaparece del centro de las representaciones simbólicas de los hombres europeos del Renacimiento como garantía última de su destino y como referencia última de su moral, lo que debemos observar ahora es que *desaparece también como garantía última del significado de las palabras*. O, mejor: de la adecuada, de la "natural" relación entre las palabras y las cosas que ellas designan. Antes del final del Renacimiento, esa relación, ese lazo, estaba garantizado por lo que Foucault designó, en el texto, sin duda fundamental, al que acabo de aludir, como "la profunda pertenencia del lenguaje y del mundo" (Foucault, *Les mots...*, p. 58). Pero esa profunda y recíproca pertenencia, esa *inmanencia* de las palabras y las cosas, de las palabras *en* las cosas, esa antigua "existencia propia del lenguaje, su vieja solidez de cosa inscripta en el mundo" (*id.*), desaparecerá con la "inmensa reorganización de la cultura" que introducirá, en el hiato abierto de ese modo entre las palabras y las cosas, entre los signos y el mundo, el aparato de la *representación*, y con ella el engaño, la mentira, y la posibilidad de la manipulación política del otro[26]. En efecto: disuelto el lazo "natural" (o divino) que las ligaba a sus referentes, las palabras comienzan a vagar libres por el mundo, con la posibilidad de adquirir más de un significado y de convertirse, ellas mismas, en el objeto o incluso en el campo de una *batalla por el sentido*. Me gustaría defender la idea de que, junto con la emancipación del actor político en relación con los dictados de la Providencia y con la liberación de las acciones de ese actor político con respecto a los criterios morales convencionales, *esta liberación de las palabras constituye una tercera y fundamental condición de posibilidad para el surgimiento de una noción moderna de la política*. Porque la política –la política en un sentido moderno, propio y fuerte– *presupone la existencia de significados diferentes para las palabras*. No habría política , en efecto, si todas las personas entendieran lo mismo por palabras tales como "libertad", "justicia" o "Dios". No habría política si todos entendieran en el mismo sentido una frase como, por ejemplo, "todos los hombres son iguales", frase que en efecto la mayor parte de los hombres suscribiría, sólo que seguramente entendiendo cosas muy distintas tanto por "hombre" como por "igualdad". La política comienza allí donde entran en escena esas diferencias. *Por eso* es condición de posibilidad de la política la existencia o la posibilidad de existencia de significados múltiples para las palabras. Y *por eso*, también, no es posible hablar propiamente de "política" antes de la explosión de esa "*epistème*" pre-moderna que "ataba" el significado de cada palabra a una "cosa" con un lazo que el hombre era demasiado débil para deshacer. Es sólo cuando ese lazo se disuelve y el mundo queda habitado por una cantidad de "palabras" vagando libremente, "fuera de quicio", sin relaciones fijas que las unan a las "cosas", que la política puede aparecer, *porque puede aparecer el conflicto y la lucha por el significado de esas palabras, de esos "signos"*. Es sólo entonces, también, que la *filosofía* política (notoriamente a partir de Hobbes) puede asumir la tarea de *conjurar* ese estar fuera de quicio de los signos, esa proliferación de palabras errantes, fijando su sentido, volviendo a atar sus significados, no ya en una Escritura Divina, sino en una escritura secular, laica y racional: la escritura geometrizante de la Ciencia. Otro modo, entonces, de caracterizar el período del cual me estoy ocupando aquí sería decir que es aquél que se abre con el agotamiento de una cosmovisión que ligaba firmemente las palabras a las cosas a través de la Palabra y se cierra con el surgimiento del gran proyecto racionalista de reinstaurar esa ligazón *a través de ese otro tipo de "Palabra" que es la palabra racional y laica de la Ciencia*. Y otro modo de justificar el énfasis que estoy poniendo en el estudio de la mayor de las tragedias inglesas de este período sería decir que *Hamlet* tematiza o alegoriza lo que ocurre cuando las palabras *ya* se emanciparon de las cosas pero *todavía* (otra vez, entonces, ese *ya* y ese *todavía*) no ataron nuevamente su sentido en un Orden simbólico obligatorio y universal.

Intentando, entonces, sistematizar un poco nuestras tres ideas de tragedia (mejor: las tres ideas que nos permtirían pensar la política, en los albores de los tiempos modernos –y tal vez más acá también– *como* tragedia), podríamos decir que, si lo que llamamos *la tragedia de los valores* consiste en que los mundos valorativos entre los cuales nos debatimos son, no sólo diferentes, sino sobre todo incompatibles, y si lo que llamamos *la tragedia de la acción* consiste en que la *virtù* del sujeto nunca es suficiente para ofrecerle garantías de éxito en sus acciones, lo que ahora podemos llamar *la tragedia del lenguaje* consiste, por su parte, en que las palabras pueden querer decir más de una cosa al mismo tiempo, y en que (erosionada *ya* la garantía trascendente de Dios, ausente *todavía* la exterioridad trascendente de la Ciencia y del Estado) no hay ningún criterio objetivo para saber cuál es su significado "verdadero". Es en ese marco que adquiere toda su importancia una cuestión que había quedado apenas mencionada más arriba, y que es tiempo, ahora, de retomar. Me refiero a la distinción, fundamental en el pensamiento de Hobbes, y que Renato Janine Ribeiro sistematizó en su *A marca do Leviatã*, entre el concepto de *marca*, que alude a un tipo de lenguaje denotativo, referencial, y que es, por eso mismo, "el fundamento de la ciencia" (Janine Ribeiro, *A marca...*, p. 24), y la noción de *signo*, que por el contrario "se opone a la actitud propiamente geometrizante que caracteriza a la ciencia" (*ibid.*, p. 28) y se distingue en cambio por la ambigüedad y la imprecisión. La marca, dice Janine Ribeiro interpretando a Hobbes, "permite el control por el hombre de sus propios pensamientos, la dominación del cerebro humano" (p. 24), y, consecuentemente, el desarrollo de la "recta razón", libre de memoria factual, de preconceptos, de asociaciones libres y de desvíos de la imaginación. El signo, por su parte, representa la dimensión social del lenguaje, su circulación, su uso: no es el campo del rigor y de la precisión, sino el de la opinión, la persuasión (la *retórica*) y, en el límite, la falsedad. Se ve claramente cómo la oposición marca/signo se va moldeando sobre otras dicotomías clásicas de la filosofía y de las teorías del lenguaje: denotación/connotación, *epistème/doxa*, producción/circulación, y, de especial interés para los temas que estamos recorriendo: escritura/oralidad. En efecto: como ya vimos, es el lenguaje *hablado*, la circulación de opiniones "de oído en oído", la proliferación de las murmuraciones, la multiplicación de las ideologías, la desenfrenada circulación, en fin, de los *signos*, lo que teme Hobbes, porque ve en ella, como ya indicamos, la antesala de la revuelta y la subversión del Estado.

Lo que aquí querría, ahora, sugerir, es que en ese punto, una vez más, la literatura se adelanta a la historia: que aquí, de nuevo, *Hamlet* se adelanta a la guerra civil inglesa y al pensamiento teórico de Hobbes, trazando, en caracteres sorprendentemente premonitorios, una preciosa estilización del fantasma de esa situación de desorden y subversión contra la cual el filósofo inglés, medio siglo más tarde, se debatiría. En *Hamlet*, en efecto, *la ambigüedad del sentido de las palabras es constitutiva de esa situación en que el mundo (para el caso: simbólico) está –para volver una vez más sobre la expresión– "fuera de quicio"*, y en la cual, *por eso*, la tragedia tiene lugar. Así, por ejemplo, cuando leemos, en cierto diálogo entre Gertrudis y su hijo:

> GERTRUDE *Why seems it so particular with thee?*
> HAMLET *Seems madam? Nay it is, I know not seems* [I.2.75-76]

("*-¿Por qué te parece tan extraño? / -¿Parece? No, señora: es. Yo no sé de apariencias*")[27], no estamos sólo ante un juego de palabras más o menos imaginativo: la ambivalencia de "*seems*" es lo que le permite a Hamlet introducir, en su respuesta a la reina, una reflexión que en realidad apunta al corazón mismo de la tragedia de la que es protagonista, de la cual uno de los temas fundamentales es precisamente el de las falsas apariencias, la representación de la verdad, los disfraces, las convenciones y las artes de la simulación. Los ejemplos en el mismo sentido podrían multiplicarse, pero no quiero dejar de mencionar especialmente uno, cuando Hamlet es mandado llamar por Claudio tras la muerte de Polonio:

> CLAUDIO *Now Hamlet, where's Polonius?*
> HAMLET *At supper.*
> CLAUDIO *At supper? Where?*
> HAMLET *Not where he eats, but where a is eaten. A certain convocation of politic worms are e'en at him. Your worm is your only emperor for diet (...)* [IV.3.16-21]

("–Y bien, Hamlet, ¿dónde está Polonio? / –En una cena. / –¿En una cena? ¿Dónde? / –No donde él come, sino donde es comido. Una asamblea de gusanos lo está comiendo. El gusano es el único emperador de la alimentación"). Aquí no hay uno, sino varios juegos con las palabras. El más obvio, claro, es el que está contenido en la primera frase de la respuesta de Hamlet: Polonio está en una cena, pero no en una cena donde él come, sino en una donde él es comido. (Ignoro si Borges tenía en mente ese pasaje de *Hamlet* cuando aludió, en su "Fundación mítica de Buenos Aires", al lugar

> *en que ayunó Juan Díaz y los indios comieron,*

verso magnífico cuya gracia radica, obviamente, en que aquello que los indios comieron fue, precisamente, a Juan Díaz.) Pero me gustaría llamar la atención sobre *los otros* trocadillos que se suceden en las siguientes dos frases del príncipe que acabamos de citar. "*Diet*", naturalmente, significa tanto "régimen alimenticio" como "asamblea", que es también el significado de "*convocation*"[28]. Ahora: la asamblea/banquete de la cual habla Hamlet es una asamblea de gusanos, *worms*, a los cuales, por lo demás, Hamlet califica de "políticos", lo que si por un lado no deja de connotar a la figura del propio Polonio, político de profesión y participante privilegiado del banquete en cuestión (y de paso a Claudio, ciertamente), por otro lado remite a la ciudad alemana de Worms, que había sido la sede de una de las mayores Dietas de la época. Esas Dietas, como los parlamentos ingleses, eran eventualmente convocadas –y, naturalmente, presididas– por el emperador, en la ciudad que éste, en cada caso, escogiera. (Fue en Worms, por cierto, que en 1521 había tenido lugar, convocada por Carlos V, la Dieta que había condenado a Lutero). Designando al gusano *emperor,* emperador, de la "dieta" (asamblea / alimentación), Hamlet utiliza el típico recurso cómico, grotesco, de replicar una escena "alta" –la del emperador y los políticos reunidos en solemne asamblea– con su inversión "baja", burlesca, carnavalesca y sarcástica: la de la "asamblea" de los verdaderos emperadores del ciclo alimenticio y vital comiéndose a uno de esos políticos de la Corte. Pero nos equivocaríamos si supusiéramos que Hamlet (y *Hamlet*) recurre a los juegos de palabras sólo en los pasajes cómicos de la pieza y apenas con la intención de enriquecer algún paso de comedia de los muchos que esta magnífica tragedia contiene. Por el contrario, Hamlet juega con las palabras hasta en los momentos de mayor gravedad, solemnidad y dramatismo. Es así que, en la escena final, Hamlet se lanza sobre Claudio para obligarlo a beber de la copa envenenada al grito de

> *Drink off this potion. Is thy union here?*
> *Follow my mother* [V.2.304-5]

(que no consigo traducir mejor que "*Bébete de un trago este brebaje. ¿Está aquí tu perla, tu prenda de unión? / Únete pues a mi madre*"), donde "*union*" designa a la perla que el Rey había colocado en la copa destinada a Hamlet, pero también, *al mismo tiempo*, a la incestuosa unión matrimonial de Claudio con Gertrudis. En todos estos casos, la ambivalencia de las palabras, la separación entre ellas y "las cosas", el libre juego de los signos, aparece como especialmente perturbador para la estabilidad del poder, que desearía –en Elsinor como en todas partes– que cada palabra significara una cosa y sólo una, y que ese fino esgrimista del lenguaje que es el príncipe Hamlet no aprovechara cada ocasión que se le presenta para recordarle a la pareja real la hipocresía de sus convenciones ("*I know not seems*"), la miseria de su condición ("*Your worm is your only emperor*") y el carácter incestuoso de su vínculo ("*Is thy union here?*").

Hamlet –que es, bien vistas las cosas, el gran conspirador, el gran sedicioso, el gran peligro que durante toda la pieza debe enfrentar la estabilidad del Estado danés bajo el reinado de Claudio– es también quien más abundantemente juega con las palabras a lo largo de los cinco actos.[29] Lo hace hasta el final, cuando, ya tendido en el suelo, tiene todavía ánimo para decir

> *Had I but time, as this fell sergeant death*
> *Is strict in his arrest, oh I could tell you...* [V.2.315-6]

("*Si sólo tuviera tiempo, antes de que este cruel oficial, / La rigurosa muerte, me detenga, oh, podría deciros...*"), donde "to arrest" tiene, como el español "detener", el doble sentido de "interrumpir" y de "arrestar" –que es lo que hacían los "sergeants", oficiales encargados de convocar a los reos a comparecer ante el tribunal–, y enseguida su célebre

> *The rest is silence* [V.2.337],

en el que es imposible no percibir la significación de la doble valencia de "rest".

Que es –claro– "resto", *pero también "descanso"*. Ese descanso que, *precisamente debido a la ausencia de silencio, precisamente debido a las murmuraciones, los rumores y las conspiraciones*, había faltado hasta entonces, en Dinamarca, *hasta a los muertos*, desprovistos en ese reino trastornado –como Laertes, por cierto, no había dejado de observar– de las honras y los ritos que merecen y precisan para su descanso, para su "rest"[30]. Menciono estos juegos de palabras del agonizante Hamlet no porque sean especialmente interesantes ni porque tengan muchas implicaciones adicionales, sino porque tienen el enorme interés de ser *los últimos*. Pocas líneas después, en efecto, Hamlet muere, *y después de eso no hay más juegos de palabras en la pieza*. Queda lo que ya sabemos: la llegada triunfal de Fortimbrás, su diálogo con Horacio y la orden de retirar los cuerpos. Pero lo que me interesa destacar aquí es lo siguiente: que el lenguaje de esas últimas tres páginas de la obra es radicalmente diferente del de las precedentes. En esas tres páginas finales, en efecto, no hay más ambigüedades ni dobles sentidos: todo es ahora pura denotación. Los personajes hablan, claro, en verso, porque ése es en Shakespeare y en todo el teatro isabelino el registro que conviene a los nobles, a los guerreros y a los príncipes, pero no nos equivocaríamos si afirmáramos que ese verso apenas disimula ahora un lenguaje que se ha vuelto, en un sentido decisivo, *prosaico:* el lenguaje de la razón, de la eficiencia, del orden. Horacio –ya lo dijimos– se ofrece a contar a Fortimbrás qué fue lo que ocurrió, y no hay ninguna ambigüedad en las palabras con las que resume la historia, anticipando que sobre todo eso puede *"Truly deliver"* ("hacer un relato fiel" [V.2.365]). *Truly:* sin vueltas, sin metáforas, sin retórica. Es inimaginable la escena de Horacio confundiendo a Fortimbrás con sus palabras u obligando al príncipe noruego a decirle, como tenía que decirle Gertrudis al insustancial Polonio, "*Más sustancia y menos arte*" [II.2.95]. Y tampoco hay ambigüedad en las palabras con las cuales el propio Fortimbrás, en las últimas frases de la pieza, ordena prestar honras a Hamlet y sacar los cuerpos de la escena.

Son, en efecto, palabras inequívocas, directas, claras: son órdenes. Vale la pena –si se quisiera hacer un pequeño ejercicio con el texto que estamos estudiando– comparar estas órdenes que cierran la pieza con el accidentado diálogo con el cual, veinte escenas atrás, ella se abría. Esas dos escenas han sido comparadas, previsiblemente, muchas veces, y varios autores han destacado el hecho de que en ambas hay soldados (en la primera, los centinelas daneses que están haciendo su guardia; en la última, las tropas noruegas que acaban de llegar a Elsinor), lo que, según algunos, constituiría un indicio más de que, tras describir una especie de vuelta circular completa "una *'fine revolution'*

[V.1.75] en sentido clásico" (Roiz, p. 44), todo habría vuelto, sobre el final de la pieza de Shakespeare, al punto de partida. Evidentemente, no puedo estar de acuerdo con semejante pretensión. Por el contrario, estoy intentando argumentar a favor de la tesis según la cual la Dinamarca que nos queda al final de *Hamlet* es *cualitativamente* diferente de aquella que teníamos en el comienzo.[31]

Veamos entonces: En el comienzo, en la primera escena de *Hamlet,* tenemos efectivamente dos soldados. Son centinelas. Uno de ellos está de guardia y el otro, Bernardo, llega para sustituirlo. *Y él* (nótese), *Bernardo*, pregunta:

> *¿Quién vive?* [I.1.1]

Es la primera línea de *Hamlet.* Línea sólo aparentemente simple, me gustaría sugerir que hay en ella al menos dos cosas sobre las que es útil a nuestro propósito llamar la atención. La primera es que se trata de *una pregunta.* Como si Shakespeare nos estuviera advirtiendo, desde el comienzo mismo de su pieza más famosa, que el tono que va a caracterizar a esa pieza es un tono de interrogación, de duda, de incertidumbre. *¿Quién vive?:* El inicio mismo de *Hamlet* anuncia, en efecto, el aire de misterio (misterio angustiado y atroz) que Maynard Mack considera "el atributo que primero nos impresiona" (Mack, p. 236) de la historia del príncipe danés, *cuyo mundo entero,* como agrega inmediatamente Mack, "está eminentemente construido en el modo interrogativo, que se refleja en preguntas angustiadas, reflexivas, alarmadas" (*ibid.*, p. 237), como ésta con la cual la pieza comienza, o la inmediata serie de preguntas que se suceden en esa misma escena (FRANCISCO: *"¿Bernardo?"* [I.1.4], HORACIO: *"¿Quién eres tú...?"* [I.1.46]), o las infinitas y "famosas preguntas" (Mack, p. 237) que atraviesan toda la pieza, hasta llegar, claro, a la más famosa de todas: *"Ser o no ser"* [III.1.56], que no sólo es una pregunta, sino que es, como el propio Hamlet dice, *la* pregunta: "*To be or not to be, that is* the *question*". Si *Hamlet* es, en fin, una pieza "llena de" preguntas, es porque el propio mundo, el ser, la vida, están planteados, en ella, en un *tono* de pregunta, en un tono de interrogación, de duda, de incertidumbre, de misterio.[32] Ése es el tono que anuncia la primera línea de la obra, con esa pregunta nerviosa, angustiada (volveré, en el próximo capítulo, sobre esta idea de la angustia)[33], del pobre centinela. Pero esa primera línea de *Hamlet* no sólo es una pregunta, sino que es también –y ésa es la segunda observación que yo quería realizar– una pregunta que es formulada *por la persona equivocada.* Bernardo está llegando a la guardia; es el otro centinela, Francisco, el que debía preguntar. *Pero no pregunta.* Bernardo, nervioso, se le adelanta; *pregunta mientras se adelanta y entra al escenario.* "¿Quién vive?" –pregunta. Francisco, confuso, advierte el absurdo de la situación, y responde:

"No, contestad vos. ¡Alto! ¡Identificaos!" [I.1.2]. El mundo está, en efecto, *out of joint*, fuera de quicio, los tiempos están locos, la noche está brumosa y oscura, y los soldados, que ya vieron aparecer una vez el espectro del antiguo rey, están nerviosos. Esa oscuridad, esa confusión, ese estar "fuera de quicio" de las palabras, las personas y las cosas, ese nerviosismo, anuncian desde las primeras líneas de la pieza la tragedia a la que vamos a asistir. *Sobre el final, todo eso se invierte.* Fortimbrás es *the right man in the right place.* El tiempo, los tiempos, el mundo, el reino de Dinamarca, se enderezan, vuelven "a su quicio"; las palabras dicen lo que quieren decir y sólo eso, y cada uno cumple su función y ocupa su lugar. Entramos, después de la guerra de todos contra todos, después de los desentendimientos y las luchas, después de las murmuraciones, las conspiraciones y la sedición, después, en fin, de la tragedia, en el mundo prosaico, anti-trágico, de la política reglada.

¿Que Fortimbrás es un militar? Claro que lo es. Y claro también que él sabe (como sabría más tarde Hobbes: "*Covenants without the sword...*") que la política se sostiene sobre relaciones de poder, de fuerza, de guerra, de muerte. Pero es igualmente claro que él también sabe –de nuevo: como Hobbes– que ella no puede *reducirse* a esas relaciones, y que la política sólo conseguirá edificar su reino *a partir del establecimiento de una distancia radical y definitiva con ellas.* He ahí la razón, me parece, del fuerte interés de Fortimbrás en enterrar con todas las honras, con todos los ritos, *y bien profundo*, el cuerpo de Hamlet, interés que muchos autores han preferido considerar como una evidencia más del compromiso de Fortimbrás con los valores militares que Hamlet, en cuanto encarnación de la "vieja" Dinamarca heroica y guerrera, representaría. Creo por el contrario que la preocupación de Fortimbrás porque esta vez sí sean cumplidos todos los rituales funerarios, que el interés del joven príncipe noruego porque Hamlet sea enterrado con todos los honores que corresponden a un soldado ("*como un guerrero*" [V.2.375]), revela mejor que ninguna otra cosa su firme voluntad de *no volver nunca más* a ese pasado de guerra, odios y desencuentros. Tiene razón Lacan, sin duda, al sostener que fue precisamente *la falta de esos rituales*, que fue *el hecho de que los vivos no habían enterrado bien a sus muertos*, el hecho de que el *travail du deuil* que era preciso realizar por esos muertos no había podido, en consecuencia, realizarse, el origen de las desgracias y la tragedia en aquella vieja Dinamarca: la sepultura de los muertos (y nadie dirá que no es ése uno de los temas, uno de los temas principales, incluso, de *Hamlet)* es fundamental para el éxito de ese trabajo de duelo.[34] *Y también para lo que de ahí se sigue: la posibilidad de, después del duelo, "pasar a otra cosa", comenzar un nuevo tiempo, una nueva vida, un nuevo mundo.* Es en eso en lo que está pensando Fortimbrás en esas líneas finales de *Hamlet.* En el mundo nuevo que viene después de la guerra.

5. Final sobre los finales

¿Será posible sostener esta interpretación? ¿Será posible leer "en clave hobbesiana", como aquí estamos proponiendo, el final de *Hamlet?* ¿Será posible defender la hipótesis que aquí adelantamos: que el final de esa gran tragedia es un final "anti-trágico", o por lo menos –para decirlo de un modo más moderado– que es un final que anuncia la posibilidad de superación, en el futuro, de las situaciones que habían resultado en el desencadenamiento de la tragedia, de la guerra de todos contra todos, de la desunión, los desencuentros y las luchas? Hay dos problemas, al menos, que una interpretación semejante está obligada a resolver. El primero puede ser formulado así: estamos dando una gran importancia a un conjunto de menos de medio centenar de líneas pronunciadas, todas ellas, *después* de la muerte del principal protagonista de la pieza. En efecto: el diálogo entre Horacio, Fortimbrás y el Embajador inglés que viene llamando nuestra atención es un diálogo que se produce inmediatamente *después* de la extinción de la vida del príncipe Hamlet. Cuyo famoso *"the rest is silence"*, "el resto es silencio", ya considerado por nosotros, merece todavía, en este contexto, algún comentario adicional. Porque, en efecto, ¿qué quiere decir aquí, para nosotros, que "el resto es silencio"? No hay duda de que, *desde el punto de vista de Hamlet*, "el resto" –es decir: todo lo que vaya a ocurrir después de su muerte– "es silencio". Hamlet sólo puede predecir ("*prophesy*") que la elección de los nobles recaerá sobre Fortimbrás y encargar a Horacio que cuente todo lo que vio, *pero no estará allí en la hora que debía ser su hora.* Desde el punto de vista de Hamlet, *Hamlet* es una tragedia completa y perfecta, una tragedia sin redención ni consuelo ni justicia.

Nadie muere a tiempo –escribió Sartre. Y ese destiempo de la muerte –que en *Hamlet* completa y refuerza el destiempo de la vida y de la acción–[35] es el sino de lo trágico. *Desde el punto de vista de Hamlet,* la vida, la muerte, la política y la historia son trágicas sin remedio y sin compensación, y ninguna lectura "anti-trágica", "proto-hobbesiana" o más o menos "contractualista" de la historia que lo tuvo por protagonista encuentra justificación. *Desde el punto de vista de Horacio, o de Fortimbrás,* en cambio, las cosas –como ya dijimos– son distintas, y *desde ese punto de vista* sí parece posible sostener la hipótesis de una lectura, digamos, "anti-trágica" del final de esa magnífica tragedia que es

Hamlet. La pregunta que tal vez tenga interés plantear aquí es si es legítimo que *nosotros*, lectores de *Hamlet*, adoptemos como propio uno *u* otro de esos dos puntos de vista. Si es la historia de los vivos o la de los muertos la que contiene la "moraleja" –digamos así– que nosotros podríamos o deberíamos extraer de todo el enredo. El final de *Hamlet* nos presenta así un conjunto de dilemas interpretativos del mayor interés para la perspectiva de lectura que estamos proponiendo, y en ese sentido puede resultar interesante relacionarlo con otros momentos muy terribles, muy sangrientos y muy trágicos, también, de la obra de Shakespeare: me refiero, por ejemplo, a los finales de *Romeo y Julieta* y de *Otelo*, en los que –igual que en el final de *Hamlet*– asistimos también a la llegada, inmediatamente posterior a la muerte de los protagonistas principales de la acción, de los representantes del poder político estatal, de la "fuerza pública", por así decir, que vienen a poner al mundo sobre sus pies, a construir el relato de lo que ocurrió (LUDOVICO: "*Yo me embarcaré enseguida, y al Estado / Narraré este grave hecho con grave corazón*" [*Otelo*, V.2.380-1]) y a extraer, para los tiempos futuros, la enseñanza de las desgracias del pasado. El final de *Romeo y Julieta* es, desde el punto de vista que aquí nos interesa, sorprendentemente semejante al de *Hamlet.* Como ahí, el desenlace de la historia de antagonismos y malentendidos da lugar a un "cuadro" pasmoso y terrible, a una "escena" estremecedora, y cuando los guardias, el príncipe y los padres de los dos jóvenes amantes –cuyos cuerpos sin vida están tendidos en la cripta del cementerio– llegan al lugar, sus palabras, como ocurre en *Hamlet*, se pueblan de imágenes visuales:

> PRIMER GUARDIA *¡Qué espantosa visión! (...)*
> CAPULETO *¡Oh, cielos! ¡Mira, esposa, cómo sangra nuestra hija! (...)*
> DAMA CAPULETO *¡Ay de mí! Esta visión de la muerte es campana*
> *Que repica llamando mi vejez a la tumba*
> Entra Montesco
> PRÍNCIPE *Ven, Montesco. Has madrugado*
> *Para ver a tu hijo caído tan temprano. (...)*
> *Observa, y verás.* [*Romeo y Julieta,* V.3.173-212]

Y lo que hay para ver es un cuadro tristísimo, frente al cual nadie puede encontrar consuelo: Dos víctimas inocentes de una enemistad que ni contribuyeron a forjar ni llegaron siquiera a comprender, murieron (CAPULETO: "*pobres víctimas de nuestra enemistad*" [V.3.303]) sin justicia y sin compensación. Muertes inútiles, absurdas, trágicas. Porque, ya lo vimos, es exactamente eso la tragedia: mirar al cielo, preguntar "por qué", y oír como los dioses callan. No hay "por qué" para las muertes de Romeo y de Julieta, como tampoco hay "por qué" para la muerte de, digamos, Ofelia. O de Desdémona.

Sin embargo, no sería exacto decir que las muertes de los dos jóvenes de Verona no traigan consigo una lección, *que ellos, evidentemente, no podrán aprovechar*. Es así que oímos, primero, la oferta de amistad del desconsolado Capuleto: "*Ay, hermano Montesco, extiéndeme tu mano*" [V.3.295], inmediatamente la respuesta del padre de Romeo, y finalmente el diagnóstico tristemente esperanzado del príncipe:

Una lúgubre paz trae consigo esta aurora [V.3.304],

que parece, aun reconociendo la indecible infelicidad de la situación ("*Pues nunca hubo una historia de tanto sufrimiento / Como ésta de Julieta y su Romeo*" [V.3.308-9]), poner esa desgracia y esas muertes, por así decir, "en la cuenta" de la posibilidad de la pacificación futura de la ciudad y del reencuentro, la comprensión y el aprendizaje de los dos viejos enemigos. Así, vemos configurarse la posibilidad de una "doble lectura", digamos, de estas tragedias. *Desde el punto de vista de Romeo o de Julieta*, o desde el punto de vista de quien sea sensible al drama de su amor magnífico e imposible, *Romeo y Julieta* es una tragedia terrible, tristísima y definitiva. *Desde otro punto de vista*, en cambio, *desde el punto de vista del príncipe* –digamos–, o de quien prefiera privilegiar la preocupación por las posibilidades de la vida pacífica de las personas en Verona, o incluso de quien sea sensible a la importancia de que futuros Romeos y Julietas puedan amarse en esa localidad italiana sin tantas dificultades ni tantos tormentos, los terribles dolores de esta tragedia pueden ser leídos como los dolores del parto de un tiempo diferente –y mejor.

Cuestión de "puntos de vista", entonces. *Cuestión de óptica*. Las catástrofes serían "ilusiones de óptica", escribe Gérard Lebrun comentando a Hegel y a su conocida interpretación, contenida en las páginas de la *Fenomenología del Espíritu*, del Terror francés (Lebrun, *O avesso...*, p. 184). Y la referencia es pertinente, porque es exactamente de eso de lo que se trata: de la vieja contraposición –que ya presentamos en la "Introducción" de este trabajo– entre tragedia y dialéctica. Es *el punto de vista de la tragedia* –dice el dialéctico Hegel– el que se obstina en afirmarse en la inmediata (y en consecuencia *abstracta* o *falsa*) identidad de las víctimas de la historia, y el que, *por eso*, concibe su dolor, su sufrimiento y su muerte como puros sacrificios sin contrapeso ni retribución, como una pura aniquilación sin sentido y sin resto. En cambio, *el punto de vista de la dialéctica* ofrece otra perspectiva: "ordena que pactes con el dolor, que comprendas que no es a 'ti' a quien él lastima, sino que es al Sí que ella enriquece. *Incapacidad de resistir transformada en ontología*. Es eso lo que vuelve mágico el universo hegeliano: la anulación de toda situación de fuerza, la futilización de la tragedia." (*id.*). Eso es la dialéctica: la futilización de la tragedia en nombre de una idea de la historia concebida como aprendizaje, como pedagogía: "¿Qué hiciste durante la Revolución? –'Aprendí', podría responder la consciencia-de-sí" (*ibid.*, p. 185). *Cuestión de óptica*. De ahí que no sea posible "resolver" el problema, planteado más arriba, sobre cuál es la mejor forma, la forma "adecuada" o "correcta", de leer las tragedias de Shakespeare. Es *la óptica del trágico* la que encontrará en ellas expresiones sublimes y terribles –las más sublimes y terribles que el genio poético europeo haya forjado– del absurdo de la vida y de las vidas. Es *la óptica del dialéctico*, del filósofo racionalista, del creyente en una "objetividad *en devenir*" (p. 23) que se realiza disolviendo particularidades y devorando vidas, la que encontrará en ellas, en cambio, un momento de un aprendizaje interminable. ¿Qué debemos encontrar nosotros? Lo que queramos, claro. Pero si optamos por leerlas como el relato de los horrores e infortunios que preceden a la construcción de un orden político estable llamado a superarlos, y que, según sugerimos ya tantas veces, se anunciaría, en *Hamlet*, en la llegada final de Fortimbrás, en el diálogo entre él y el buen Horacio y en la promesa de un Estado organizado ahora, por fin, sobre la base de una narración única y universalmente aceptada de los hechos del pasado, de una plena legitimidad de las autoridades del reino y de una rigurosa observación de los ritos fúnebres, lo mínimo que deberíamos hacer es no olvidar ese origen desgraciado, sangriento, trágico, de ese orden. *La tragedia como origen y como fondo atroz e irreductible de la política:* he ahí la primera lección que podemos extraer de esta discusión.

La otra (y nos acercamos entonces al segundo de los dos problemas que había anunciado al comienzo de esta sección) resulta inmediatamente de ésa. Porque la pregunta que inmediatamente se nos impone ahora es si esta idea de la tragedia como fondo de la política debe ser entendida apenas en el sentido de que en el origen *histórico* de todo orden hay una escena trágica o en el sentido, más radical y más perturbador, de una presencia constante, de una *permanencia* de ese fondo trágico que tiene siempre la política en las entretelas de todo orden institucional establecido. Sería sumamente tranquilizador poder inclinarnos por la primera opción, por la opción de suponer que la tragedia es algo así como la triste "prehistoria" de la política, como una especie de escena originaria pero "siempre-ya-superada" del orden. Que la tragedia tuvo que tener lugar, en un tiempo anterior al tiempo, a fin de que hoy podamos pensar y vivir fuera de sus redes. Que Fortimbrás podrá gobernar en paz, y que futuros Romeos y Julietas podrán amarse sin perturbaciones. *Pero ocurre que es difícil imaginar eso.* Al final de cuentas –como indica Eduardo Grüner comentando, él también, el final de *Hamlet*–, "Fortimbrás no ha retirado *realmente* los cadáveres: sólo los ha ocultado entre las bambalinas, fuera de la escena, para que sigan 'oprimiendo como una pesadilla el cerebro de los vivos'" (Grüner, "El Estado...", p. 152). La cita del Marx de *El 18 Brumario* es extremadamente sugerente: los muertos de *Hamlet* son los nuevos fantasmas que, a pesar de los buenos auspicios con los cuales se inicia el reinado de Fortimbrás (que muy probablemente conseguirá construir un orden más firme, una "hegemonía" más sólida que su antecesor: tiene todo a su favor para hacerlo), *nunca podrán ser definitivamente expatriados de la escena política danesa.* Los muertos como fantasmas para los vivos, entonces, y –en esa exacta medida– *la propia tragedia como fantasma para la política.* Como fantasma, esto es: como eso *que todo el tiempo está volviendo*, que vuelve –a pesar de que desearíamos que no lo hiciera, a pesar de que preferiríamos olvidarla y dejarla sepultada para siempre en el pasado– con un mensaje para darnos: con el mensaje de que, como decíamos bastante más arriba, el conflicto es siempre inerradicable del mundo de los hombres y, en consecuencia, todo orden es necesariamente inestable y frágil.

Fortimbrás, entonces, no retiró *realmente* los cuerpos: nadie podría hacerlo. La observación de Grüner es fundamental para nosotros. Pero *no* –obsérvese bien– porque relativice la posibilidad, que anunciamos nosotros más arriba, de pensar esta escena final de *Hamlet* como una alegoría (alegoría anticipada, dijimos) del pasaje del "estado de naturaleza" a la sociedad civil tal como medio siglo después lo concebiría Thomas Hobbes, *sino por la luz que permite echar, precisamente, sobre esa teoría* del autor del *Leviatán.* Que tampoco creía, en realidad, que el contrato fuera capaz de eliminar de una vez y para siempre la amenaza de la vuelta, "como una pesadilla", como un espectro, del desacuerdo y del desorden. Que sabía bien que, a pesar de sus más firmes deseos, la amenaza de la guerra –y ésa es, si pudiéramos decirlo así, *su* tragedia– no podía ser retirada *realmente* de la escena de la convivencia humana, sino apenas "ocultarse entre las bambalinas" del contrato. *Hobbes habría deseado que hubiera sido posible* ingresar, después de la tragedia de la guerra y de la muerte, en el mundo prosaico y anti-trágico de una política para siempre libre de ellas. *Pero supo mejor que nadie que ese mundo ideal era inaccesible.* En efecto: *contra* el sueño de una comunidad por fin pacificada que el racionalismo filosófico, en sus más diversas formas, no se ha cansado de soñar, *Hobbes comprendió que la amenaza de la revuelta y de la revolución permanece siempre como un peligro inextinguible, incluso para la más sólida de las construcciones institucionales.* Como un telón de fondo, como una "espada de Damocles" –para usar la sugestiva figura a la que recurre Janine Ribeiro no el título del cuarto capítulo de su *A marca do Leviatã*–, como un "recordatorio de ese estado de naturaleza siempre latente en nosotros" (Janine Ribeiro, *A marca...*, pp. 71s). Ese estado de naturaleza está organizado, según Hobbes, por el movimiento incesante, creciente, de un *deseo* que es siempre, por definición, deseo imposible de ser satisfecho. De donde se sigue, para Hobbes, una conclusión sumamente perturbadora: que la victoria del sentimiento de conservación sobre el ilimitado movimiento del deseo es siempre (no puede no ser) una victoria transitoria y frágil: De la búsqueda minimalista de una pacificación que les resguarde la vida frente a los horrores de la guerra y de la muerte, los hombres tienden a pasar a la reivindicación maximalista de un mayor bienestar, a la consecuente revuelta y a las luchas, y de ahí a un nuevo clamor por la seguridad y la sobrevivencia. Hobbes fue sin duda alguna al mayor profeta del orden y de la necesidad de que el Estado controle la anarquía de los significados y el desorden político. Sin embargo, *sabía demasiado bien* que eso era imposible. Y nada de lo que hayamos dicho, ni de aquello que vayamos a decir, sobre la inequívoca voluntad de Hobbes de cerrar –por medio de la construcción de un Estado organizador de las relaciones y proveedor de sentido– la fisura abierta entre el mundo y sus signos, de hacer imposible la sedición y de garantizar la paz y el orden político, implica que Hobbes no supiera perfectamente que *esos precarios órdenes políticos están siempre al borde del abismo*. Ésa es la tragedia de Hobbes; ése es el lugar de la tragedia *en* Hobbes. Hobbes quiso (mejor: habría querido) eliminar la tragedia del mundo de la política. Sin embargo, la tragedia reaparece, insiste, retorna, como por la ventana de su propio sistema de pensamiento, para reabrir la lucha por el sentido. He ahí lo que hace de ese pensamiento de Hobbes, a pesar de todo, un pensamiento indudablemente trágico; he ahí lo que hace de él menos el enemigo a ser rechazado que el necesario interlocutor de un tipo de pensamiento –como éste que aquí estamos tratando de esbozar– que se proponga pensar la tragedia de la política, la política *como* tragedia.

[1] Me permito remitir aquí al bello ensayo de Georg Simmel sobre la aventura, concepto que el sociólogo alemán presenta en términos que sin duda autorizan una comparación (aunque no, como veremos, una identificación), con la figura maquiaveliana del príncipe *virtuoso*. Como éste, en efecto, el "aventurero" simmeliano es alguien que se enfrenta con lo que de azaroso, incontrolable e inseguro tiene la vida *intentando conjurar esa inseguridad a partir de su propio ímpetu y determinación*. Como el príncipe maquiaveliano, el aventurero en el que piensa Simmel es así *un conquistador*, y, como en Maquiavelo, esa palabra, esa idea, tiene en Simmel una connotación predominantemente *erótica*. De ahí también que, así como Maquiavelo piensa al príncipe virtuoso como un "joven fogoso" capaz de subyugar a la Fortuna ("que es mujer"), del mismo modo Simmel haga de la fuerza y la intensidad propias de la juventud las condiciones del ánimo aventurero (cf. Simmel, pp. 11-26). El aventurero simmeliano, en fin, recuerda mucho al príncipe de Maquiavelo. Pero no recuerda a ese príncipe en el momento final del recorrido que nosotros acompañábamos en el capítulo anterior, sino *en el momento de la argumentación maquiaveliana que corresponde a la "penúltima estación", digamos así, de su recorrido, a la "penúltima posición" del péndulo cuyo movimiento fuimos acompañando:* en el momento en que Maquiavelo, tras haber advertido que hay "tiempos" en que es más adecuada la prudencia y otros donde es preferible la ferocidad, *pero que no hay forma de saber a ciencia cierta a cuál de esos dos grupos pertenece el "tiempo" en que le es dado al Príncipe vivir*, indica que, *en principio*, "es mejor ser atrevido que circunspecto". Que, *en principio*, es preferible intentar violentar la resistencia que ofrece siempre la Fortuna, y no rendirse a ella. Que –digamos así: "en la duda"– es siempre mejor actuar. El aventurero simmeliano, por así decir, se queda aquí, en este punto de las recomendaciones maquiavelianas, *en esta posición del péndulo*. Actúa, así, como con un "instinto místico", una "seguridad sonámbula" (*ibid.*, p. 18), un ímpetu casi demencial. En cambio, lo que Maquiavelo agregaría (y ése es, recordamos, el último movimiento de nuestro "péndulo") es que ese ímpetu, indispensable para el éxito de cualquier acción, al mismo tiempo *no puede ofrecer al actor ninguna garantía de éxito*. He ahí la "tragedia de la acción", tragedia que el aventurero simmeliano debe obcecarse en desconocer. El príncipe *realmente* virtuoso, entonces, es un aventurero, sí. Pero es un aventurero –digamos– reflexivo, crítico, y conciente de que ni el mayor coraje, decisión y energía pueden ofrecerle las garantías de éxito que a él sin duda le gustaría poder tener. He ahí lo que hace del príncipe virtuoso, a diferencia del *simple* aventurero (y sería tal vez interesante, aunque nos llevaría innecesariamente lejos, extraer de aquí un punto de partida para una reflexión sobre los usos de la categoría de "aventurerismo" en el pensamiento político moderno), una figura "trágica".

[2] Pero no sólo el suyo. En verdad, el tema del alma de los hombres sujeta a la lucha entre fuerzas (morales) contrapuestas es uno de los *leitmotivs* de *Hamlet*. Como observa Harold Goddard, en efecto, el rey Claudio también aparece ante nosotros, en la llamada *"pray scene"* (nombre ligeramente inadecuado, en realidad, porque, de hecho, se trata de la escena del rezo *frustrado*, del rezo *imposible –y en eso radica precisamente toda su gracia y toda su fuerza–* del atormentado rey), "atrapado análogamente entre fuerzas opuestas –el deseo de mantener los frutos de su pecado y el deseo de rezar–" (Goddard, p. 341). Las líneas que el pobre rey pronuncia entonces:

Y como un hombre abocado a dos tareas,
Quedo paralizado sin saber por dónde comenzar,
Y descuido ambas [III.3.41-43]

son, es claro, perfectamente "hamletianas". Como lo es también la situación descripta en la narración, en el discurso del Primer Actor, de los instantes inmediatamente previos a la consumación de la venganza que el joven Pirro se prepara a tomar del viejo Príamo, asesino de su padre. En efecto: en medio del incendio de la ciudadela militar y del ruido infernal de la batalla, la espada del joven guerrero griego –leemos–,

Que ya caía sobre la blanca cabeza
Del venerable Príamo, parece quedar suspendida en el aire.
Así, como el retrato inmóvil de un tirano, Pirro se detuvo,
E indiferente a su deseo y a su meta,
No hizo nada. [II.2.436-40]

(No es el caso extendernos aquí sobre la importancia de este parlamento del Primer Actor. Baste decir que, como Laertes, Fortimbrás y Hamlet, Pirro es un joven noble en busca de venganza por la muerte de su padre, y recordar que su momentánea indecisión, descripta en las líneas que transcribimos, tiene una resolución bien distinta a las que suelen tener las indecisiones que atormentan el espíritu de Hamlet. Así, en efecto, sigue el Primer Actor: "*Pero igual que a menudo preludia a una tormenta / Un silencio en los cielos, y las nubes se detienen, / Y enmudecen los atrevidos vientos, y el globo ruge / Mudo cual la muerte, hasta que el terrible trueno / Rasga el cielo; así también en Pirro, tras la pausa, / Renace el deseo de venganza, / Y nunca los martillos de los Cíclopes cayeron / Sobre la armadura de Marte, forjada para resistir eternamente, / Con menos piedad que la que tiene ahora la sangrienta / Espada de Pirro cayendo sobre Príamo.*" [41-50] Vale la pena recordar que, en la misma *pray scene* que acabamos de comentar, Hamlet, en una situación *que reproduce casi exactamente ésa del relato troyano*, con el rey de rodillas –como Príamo– y enteramente a su merced, y teniendo –como Pirro– su espada en la mano, una vez más prefiere *no* actuar. Sólo "actuará" [matará a Claudio] mucho más tarde. Veremos cuándo, y por qué.)

[3] Y de *Hamlet*. Porque si esa "revenge tragedy" es tan extraordinaria y original es porque consigue tematizar críticamente los propios presupuestos morales del género al que pertenece. En efecto: Igual que Hamlet, que no se decide a llevar a cabo su venganza sin reflexionar casi exasperantemente sobre el significado de la misma, Shakespeare tampoco se decide a llevar a cabo su *tragedia de venganza* sin convertirla *a ella* en el lugar donde la moral que anima a ese género es sometida a examen e inspeccionada con los criterios, digamos, "modernos", que no dejan de anunciarse en el interior de su propia obra, torturada por su notoria –y tantas veces comentada– pertenencia simultánea a dos tiempos, dos épocas, dos mundos. Para decirlo de otro modo: Ni Hamlet ni Shakespeare se sienten muy a gusto ante lo que tienen que hacer. Ni a Hamlet le gusta la idea de vengarse ni a Shakespeare la de escribir una tragedia de venganza, y la causa de ambas vacilaciones es la misma: la incomodidad que ambos sienten ante la ética de la honra y de la guerra en la cual tanto la venganza como las tragedias que hacían de ella su motivo se sostienen. Finalmente –sabemos–, ambos terminarán haciendo lo que tenían que hacer: Hamlet consumará su venganza; Shakespeare, su *revenge tragedy*. Sólo que, entonces –y como esperamos mostrar–, ni la venganza de Hamlet será una *pura* venganza, ni la tragedia de Shakespeare será una *pura* "revenge tragedy".

[4] Situada en una pieza cuya acción pretende transcurrir en la Dinamarca de los *vikings*, la mención de esa Universidad constituye pues –como la tantas veces comentada referencia a la famosa "guerra de los teatros" de la Inglaterra de 1600-1601 en II.2– un ejemplo de los anacronismos y anatropismos que pueblan la obra de Shakespeare, y entre los cuales Borges celebraba otros dos: el que hace que las brujas de *Macbeth*, que viven en la Escocia del siglo XI, hablen sobre un velero que acababa de zarpar, en los días de Shakespeare, del puerto de Londres, y el que lleva a los bufones de la pieza que estamos examinando, en V.1, a comprar su licor en una taberna que quedaba, parece, a la vuelta del teatro.

[5] Llamo la atención sobre este punto, que tendremos ocasión de reencontrar: la oposición entre el sentido –pasivo, "femenino"– del oído (sobre el cual vamos a hablar abundantemente en las próximas páginas) y el sentido –activo, "masculino"– de la vista, metáfora del tipo de conocimiento propio de los intelectuales racionalistas modernos de los que Horacio, si estamos en lo cierto, constituye una anticipación o una metáfora.

[6] En efecto: cierto uso del "*your*", en el inglés de Shakespeare, permite o incluso exige leer el pronombre posesivo como artículo. Así ocurre, por ejemplo, en "*your worm is your only emperor for diet*" ("*el* gusano es el único emperador de la alimentación" [IV.3.20-1]) o en "*your water is a sore decayer...*" (*el* agua es una poderosa corruptora..." [V.1.145-6]). De la misma manera, aunque en la famosa frase de Hamlet a Horacio que estamos comentando el "*your*" tenga, sin duda, un sentido preciso, tal vez levemente irónico (hay más cosas en el cielo y en la tierra –le está diciendo a Horacio, si no me engaño, el príncipe– que las que *la* filosofía –la filosofía que nosotros dos, Horacio, aprendemos en Wittenberg, *pero que vos te tomás demasiado a pecho*– puede soñar), es indudable que lo que la expresión de Hamlet está indicando son los límites de la filosofía *en general* (y no de algún sistema filosófico, en el que sólo Horacio creería, en particular) como forma de aprensión de las cosas del mundo. El problema de la confrontación entre una comprensión filosófica y una comprensión trágica de la vida está así planteado, en el texto mismo de la obra que consideramos, a través de su principal protagonista.

Pero hay más. En el magnífico capítulo dedicado a *Hamlet* de su *The Meaning of Shakespeare*, que acabamos de citar, Goddard no sólo sostiene la tesis de que "el requisito fundamental para entender *Hamlet* es creer en los fantasmas... (Si 'creer en los fantasmas' suena demasiado antiguo o supersticioso, dígase, más pedantemente, creer en el carácter autónomo del inconciente. Es lo mismo.)" (p. 382), sino que afirma que ése –el problema de la existencia de los espectros o del inconciente, de los dioses y los demonios, de las *cosas que hay en el cielo y en la tierra y que la filosofía no puede pensar:* el problema de "su existencia y su incidencia en los asuntos humanos" (p. 383)– es *el* tema, o por lo menos uno de los grandes temas, de *Hamlet*. Me gustaría citar aquí sólo dos momentos de la argumentación de Goddard. En el primero de ellos, Goddard observa la importancia del siguiente pasaje de la conversación entre los dos sepultureros, en la escena del cementerio:

> *1ER BUFÓN Permíteme. Aquí está el agua. Bien. Aquí está el hombre. Bien. Si el hombre va hacia el agua y se ahoga, lo haya querido o no, el caso es que él va. Notad eso. Pero si el agua viene hacia él, y lo ahoga, él no se ahoga a sí mismo. Argal, aquel que no es culpable de su propia muerte no acorta su propia vida* [V.1.13-17],

propone, inmediatamente, leer ese pasaje junto a este otro, extraído de la disculpa de Hamlet a Laertes, antes del duelo en que ambos perderán la vida:

¿Fue Hamlet quien agravió a Laertes? No: eso jamás.
Si Hamlet está fuera de sí,
Y no siendo él mismo hiere a Laertes,
Entonces no es Hamlet quien lo hace, Hamlet lo desconoce.
¿Quién es el que lo hace entonces? Su locura [V.2.205-9],

y concluye, sorprendentemente, que "es el mismo discurso trasladado de lo abastracto a lo concreto con 'agua' sustituido por 'locura'. No fue ella, sino el agua, quien la ahogó; no fue él, sino su 'locura', quien realizó el crimen. Simplemente dos términos diferentes para el inconciente" (Goddard, p. 375).

El segundo momento de la argumentación de Goddard que quería mencionar comienza con el recuerdo de una anécdota: "Cierta vez le pregunté a una niñita, a quien acababa de leerle *Hamlet*, si pensaba que el Espectro era el padre de Hamlet o el demonio. Me gusta considerar su fresca reacción de inocencia como una pieza maestra, incontaminada por la opinión crítica tradicional: 'No veo que eso haga ninguna diferencia', dijo, 'me parece que es lo mismo'. '¿Lo mismo?', pregunté, sorprendido. 'Bueno', explicó, 'yo diría que quienquiera te mande matar a alguien es el demonio'. *Lo mismo...* El Padre, en la medida en que representa la autoridad y la fuerza, *es* el Demonio" (p. 382). Así, la conclusión de Goddard llega enseguida: "El Diablo, la Locura, el Agua, Quienquiera Te Mande Matar: ¿qué cambia la terminología? Cada una de esas palabras o frases es apenas otro nombre para las fuerzas infernales que, si no son detenidas por una vigilancia eterna, se precipitan, a la menor abdicación de la voluntad del hombre, para poseerlo" (p. 383). Para poseerlo, para dominarlo, para hacerle actuar a pesar o incluso en contra de sus designios racionales. El *scholar* Horacio preferiría no creer en esas fuerzas ingobernables, diabólicas, que habitan el universo de lo trágico.

[7] Según una convención del teatro isabelino, cuando los reyes y los príncipes hablaban de sí mismos en su condición de tales –como personajes reales, como símbolos y encarnación del reino–, usaban a menudo la primera persona del plural, mientras que, cuando se referían a sus sentimientos íntimos o a sus personas "privadas", lo hacían en el singular. Así, por ejemplo, cuando, hablando ante Rosencrantz y Guildenstern acerca de la conducta de su sobrino, el rey dice "*I like him not, nor stands it safe with us / To let his madness range*" ("*No nos gusta el modo en que está actuando, ni nos resulta seguro / Dar rienda suelta a su locura*") [III.3.1-2], el "I" y el "us" designan a la misma persona: el propio rey, sólo que una vez para indicar su percepción *personal* sobre el comportamiento de Hamlet, y la otra para insinuar que es su persona *real*, su *dignidad* real, la que peligra como consecuencia de esa conducta. Pues bien: notemos que Hamlet, que durante casi toda la obra habla de sí mismo en la primera persona del singular –la más apropiada, sin duda, para la expresión de su espíritu perturbado e introspectivo–, "pasa" al plural en la frase decisiva, heroica *y trágica* que acabamos de citar ("*Not a whit, we defy augury*": "*De ninguna manera. Desafiamos los augurios*"), con la que se niega a ser eximido por Horacio de luchar contra Laertes y decide en cambio –como un noble, como un héroe– enfrentar su suerte.

[8] "Que la historia copiara a la historia" –dice Borges en "Tema del traidor y del héroe"– "era ya bastante asombroso. Que la historia copiara a la literatura" –agrega, introduciendo un tema sobre el cual me gustaría decir unas palabras– "era inverosímil".

Y, en efecto, ¿puede afirmarse verosímilmente, como estamos proponiendo en el texto, que el personaje de Horacio constituye una anticipación literaria de un cierto tipo de intelectual que sólo vería la luz, en la vida cultural europea, cuarenta años después de que Shakespeare lo imaginara? O que –como vamos a sugerir más adelante– el estado de descalabro del mundo político que se manifiesta en *Hamlet* constituya una estilización *avant la lettre* de aquello que Hobbes llamaría, medio siglo más tarde (pensando a su vez, como también veremos, en la situación de la Inglaterra de *su* tiempo), "estado de naturaleza"? ¿O incluso que –para anticipar otra de las hipótesis que presentaremos– cierto uso que da Hamlet al verbo "to rant", en la primera escena del último acto de la pieza, anticipa las connotaciones y las implicaciones que esa palabra sólo adquiriría en la vida política inglesa en el curso de las guerras civiles de la década de 1640? Sí: es posible, sin duda, hacer esas afirmaciones. Que implican sugerir que la idea según la cual una obra de arte puede expresar un cierto cuadro histórico no exige suponer que ese "cuadro" deba imaginarse, según una concepción pobremente etapista de la historia, como una totalidad cerrada, precedida y sucedida por otras totalidades igualmente monolíticas, plenas de sentido y portadoras, cada una, de una (y sólo una) "verdad interior" que esa obra de arte debería recoger. Por el contrario: Como Fredric Jameson muestra muy convincentemente en su *Documentos de cultura, documentos de barbarie*, semejante tipo de análisis y de procedimientos, que nos conducen a menudo a la situación de "tener que 'decidir' cuestiones tales como si Milton debe ser leído dentro de un contexto 'precapitalista' o de capitalismo naciente, y cosas de ese tenor" (Jameson, p. 75), son extremadamente empobrecedoras. Sobre todo porque esos procedimientos, que paradójicamente suelen ser reivindicados en nombre del marxismo, o de una comprensión marxista de la historia, tienden a perder de vista –obligados como están a hacer de cada producto cultural la expresión de *el* espíritu de la época a la cual "corresponderían"– una noción que, en cambio, debería ser central en todo análisis marxista de la cultura: la noción de "contradicción" (cf. *ibid.*, p. 65).

Si, en cambio, enfatizamos esa noción fundamental, lo que se abre ante nuestros ojos es la imagen de una sociedad atravesada, en cada uno de los momentos que describe su historia, en cada uno de los "períodos" en los cuales esa historia puede ser eventualmente dividida o clasificada, por las oposiciones y la negatividad. De una sociedad que es, de hecho, y siempre, el resultado de la imbricación o de la coexistencia de *varias sociedades al mismo tiempo*. De una sociedad, en fin, que incluye –dice Jameson, muy cercano aquí al Raymond Williams de las formaciones sociales "hegemónicas", "residuales" y "emergentes" (cf. Williams, pp. 143-149)– tanto "vestigios y sobrevivencias" de otras sociedades más antiguas, "ahora relegadas a posiciones estructuralmente dependientes" dentro de la nueva, cuanto "tendencias anticipatorias que son potencialmente incongruentes con el sistema existente pero que no han generado todavía un espacio propio autónomo" (Jameson, p. 77). *Si esto es así*, los textos (por ejemplo: los textos literarios) no surgen nunca en un espacio liso y homogéneo que podrían limitarse a "expresar", sino "en un espacio en el que seguramente están simultáneamente enlazados y cruzados por una diversidad de impulsos provenientes de modos contradictorios de producción cultural" (*id.*). Así, nada de extraño tiene, en ese contexto, que podamos afirmar que en una pieza teatral de inicios del siglo XVII un personaje "representa" un tipo de intelectual que no aparecería en la vida cultural europea sino a mediados de ese mismo siglo: En cierto sentido, sería posible afirmar que, aunque todavía "deshabitado", cierto *lugar*, cierto "espacio social" del intelectual racionalista *estaba ya listo* (siquiera, digamos, como posibilidad, siquiera como horizonte) cuando Shakespeare escribió *Hamlet*. (Casi como un corolario, sería posible apuntar, a partir de ese ejemplo, una hipótesis de carácter más abarcador: la de que la literatura –o, todavía más en general: el arte–, en la medida en que se instala siempre en el seno de esas contradicciones y que puede apresar estas "tendencias anticipatorias" en su ser pura posibilidad, en el espacio virtual de ese horizonte todavía irrealizado en el que apenas pueden anunciarse, tiene una capacidad anticipatoria –ésta que aquí nos permite afirmar la idea de que la figura de Horacio "anticipa" las ideas y las figuras de Descartes o de Newton– necesariamente mayor que la de las llamadas "ciencias sociales". Ciencias sociales que, no pudiendo trabajar sino con *hechos*, sólo pueden aprehender esas tendencias cuando ellas ya dejaron de serlo, concretizándose, materializándose, cristalizándose, volviéndose realidad social y actualidad histórica.)

[9] Este papel de "mediador", de puente, de conector entre dos reinados que Horacio debe cumplir es fundamental. Lo que se vuelve aún más evidente si comparamos esta "mediación" con la que le cupo a la reina cumplir en el pasaje, en la "transición", entre el reinado de su primer marido y el de Claudio. Como observa Dover Wilson, "tras la muerte de su padre, los "derechos" sobre el reino habían correspondido a Hamlet, aunque su padre, habiendo sido asesinado, no haya podido apoyar esos derechos con su *dying voice*. Sin embargo, antes de que Hamlet pudiera reclamarlos, el asesino se había interpuesto, y casándose con la Reina y persuadiendo a Polonio y al Consejo, se había asegurado la 'elección'. La descripción que hace Claudio de Gertrudis como '*imperial jointress*' [I.2.9] es importante en esta conexión, ya que la expresión significa, no 'co-monarca', como algunos editores explican, sino una viuda que retiene su vínculo o su participación en la corona, y así avala el argumento legal o el subterfugio por medio del cual Hamlet fue suplantado" (Wilson, pp. 37s). Sobre las teorías constitucionales acerca de las formas de la sucesión al trono en el tipo de monarquia representado en *Hamlet* volveré más adelante, de la mano de un bello libro de Carl Schmitt, *Hamlet o Hécuba*. Lo que aquí me interesaba señalar era el contraste entre la "frágil" transición promovida, por la vía del apresurado casamiento de Claudio y Gertrudis, *por una mujer*, por una mujer que es presentada además, como sabemos, como puro cuerpo, deseo incontenible, sexualidad apasionada y desbordante (y recordamos aquí, claro, el "*fragilidad, tu nombre es mujer*" [I.2.146] de Hamlet) y la presumiblemente "sólida" transición que tendrá por protagonista al *scholar* racionalista y sabio (por las *ideas*, por el *relato* del *scholar* racionalista y sabio) que es Horacio, *"Cuyas pasiones y cuya razón están tan bien balanceadas"* [III.2.59], y que se prepara ahora para contar al próximo rey lo que ha ocurrido y para sancionar, con su relato de la voluntad póstuma (la "*dying voice*") de Hamlet, la legitimidad del nuevo soberano.

[10] Me gustaría destacar este hecho de que *Hamlet* constituye una tematización, una "versión", del mítico tema de los hermanos-enemigos (tema mítico, en efecto, en cuya fuerza sostienen los relatos sobre la construcción misma de las sociedades "tanto la historia sagrada cuanto la profana" [Bobbio, *A era...*, p. 58], desde los enredos de Caín y Abel, de Rómulo y Remo o de Eteocles y Polinice hasta el *Tótem y tabú* freudiano), por dos motivos. En primer lugar, porque me parece posible afirmar que ésa es una de las razones del duradero "éxito", de la vigencia, de la perennidad de *Hamlet*. Tal vez pueda hacer comparecer aquí, en apoyo de esta sospecha, el texto de la primera conferencia de Jacques Lacan sobre la tragedia que nos ocupa. En ella, el psicoanalista francés sostiene que lo que hace de una tragedia una *gran* tragedia es su capacidad para lidiar con

algunos de esos "grandes temas míticos en los que se ensayan a lo largo de los años las creaciones de los poetas" (Lacan, p. 24). Creaciones que –prosigue Lacan– constituyen "extensas aproximaciones por las que (esos grandes temas míticos) acaban entrando en la subjetividad, en la psicología" (*id.*). Dos cosas hay en estas observaciones que nos interesan. La primera es la afirmación de que las creaciones poéticas, "más que reflejar, engendran las creaciones psicológicas" (*id.*), afirmación sin duda osada y que tal vez ofrezca la mejor justificación de un trabajo como éste que acá hemos emprendido: el de intentar pensar, digamos, "filosóficamente", una creación poética, una tragedia. Al final –nos está diciendo Lacan–, son los poetas, son las creaciones poéticas, las que terminan configurando nuestra subjetividad, y de ahí que sean esas creaciones poéticas las que la filosofía, interesada en comprender nuestra condición y nuestra vida, debería proponerse comprender. Pero el texto de Lacan –y ésa es la segunda cosa que me interesaba destacar– no nos autoriza a suponer que esa configuración de nuestra subjetividad sea un invento *ex nihilo* de un poeta o de un puñado de poetas geniales. Por el contrario, lo que Lacan está diciendo es que esos poetas trabajan –"a lo largo de los años", dice, pero entendemos que se trata de *millares* de años– con la materia prima que les ofrece un conjunto de "grandes temas míticos" que son relativamente invariables y que, por otra parte, no son tantos: desde Sófocles y Esquilo hasta Shakespeare o Racine, en efecto, los *temas* que constituyen la materia de las grandes tragedias que nos configuran y que informan nuestra subjetividad, de las grandes tragedias de las que somos, si se quisiera poner así, hijos y productos, son un pequeño grupo de temas que se repiten sugestivamente. Entre ellos, como ya sugerimos, el tema de los hermanos-enemigos y del fratricidio ocupa un lugar central.

Pues bien: La historia de Claudio y de su hermano Hamlet debe ponerse en un lugar fundamental en esta "serie" (cf. Girard, pp. 346-370). Y es obvio que Shakespeare estaba perfectamente conciente de que lo que estaba haciendo era trabajar con uno de los grandes mitos de la humanidad, como lo revela el hecho de que la historia de Caín y Abel es aludida tres veces a lo largo de la pieza. La primera vez, en el magnífico *lapsus linguae* en que lo hace incurrir a Claudio en su primer diálogo con Hamlet. Se trata del discurso con el cual el rey interviene en la discusión entre Hamlet y su madre, en la segunda escena de la obra, acerca del carácter natural de la muerte y de si el dolor que Hamlet manifiesta está justificado o merece la censura que la pareja real le dirige. "*Sabes que es natural: todo lo que vive ha de morir*" [I.2.72], le había dicho Gertrudis, y es en esa misma dirección que avanza el argumento de Claudio, que dice que la naturaleza, la razón y la piedad ordenan aceptar la inevitable muerte de los padres, y que eso ha sido así "*Desde el primer cadáver hasta el que acaba de morir*" [I.2.105]. Pero ocurre que "el primer cadáver" fue, como sabemos, el de Abel, cuya muerte no fue precisamente "natural", lo que no sólo arruina la lógica de la argumentación de Claudio sino que también, a pesar suyo, lo acusa sutilmente: *como Papá Hamlet, Abel fue asesinado por su hermano*. Más tarde, en la escena en la que Claudio intenta –en vano– rezar, lo oímos lamentarse de que pese sobre él "*la maldición primera y primordial*" [III.3.37], expresión con la que su crimen –"*El asesinato de un hermano*" [III.3.38]– vuelve a asociarse en sus palabras (palabras pronunciadas esta vez con plena y terrible conciencia) con el de Caín. Finalmente, en la escena del cementerio, oímos a Hamlet, en diálogo con Horacio, protestar contra el modo en que el sepulturero tira al suelo una calavera "*como si fuera la mandíbula de Caín, que cometió el primer asesinato*" [V.1.65-66]. Y naturalmente que el hecho de que uno de los motivos de la disputa entre estos dos hermanos, de que una de las causas del asesinato del antiguo rey, haya sido *una mujer*, Gertrudis (y que eso es así es algo que sabemos por muchas razones, pero sobre todo porque *el propio Claudio*, solo, en aquella escena de la oración frustrada, nos lo dice, cuando repasa para sí mismo la lista "*De aquellos bienes por los que asesiné: / Mi corona, mis propias ambiciones y mi reina*" [III.3.54-55]), no hace más que reforzar el valor simbólico, metafórico, mítico, de ese crimen. Me extiendo en esta consideración porque interesa fuertemente a mi argumento: del mismo modo en que es posible pensar el asesinato del viejo Hamlet por su hermano como una manifestación, una metáfora, una versión de ese "crimen primordial" sobre el cual toda la pieza parece una larga reflexión, así también es posible pensar la tragedia *política* de *Hamlet* (y éste es el segundo motivo por el que me interesaba destacar esta dimensión mítica de la historia narrada en esta pieza) como una alegoría, una estetización, una estilización, de otra situación, de otra "escena" típicamente mítica, que es aquella a la que Hobbes llamaría, medio siglo después de Shakespeare (pero a la que otros ya habían llamado, antes de él), "estado de naturaleza".

[11] De la misma manera, no sería difícil encontrar, en diferentes momentos de la pieza, recursos metafóricos *a las otras dos figuras* cuya importancia destaca Alexander: la de la representación teatral, el mundo como teatro, la vida cortesana (y la vida, en general) como conjunto de mascaradas y ficciones (*play*), y la del duelo (*duel*). En cuanto a la primera cuestión, el propio Alexander indica que "la sugerencia de que el mundo entero era un escenario para actores humanos habría sido familiar para una audiencia isabelina" (Alexander, p. 14), que, todavía más, "el teatro del mundo como un emblema de la vida humana" era, como destacara Frances Yates, "un *topos* difundido en el Renacimiento" (p. 15), que el propio Shakespeare ya había hecho uso de esa misma figura en un pasaje de *Como gustéis* en que leemos "*El mundo es un escenario / Y los hombres y mujeres meros actores*" [II.7.139-40], y que "el mismo nombre del teatro *The Globe*" implicaba una referencia a la "permanente actuación de los hombres" en el gran teatro del mundo (*id.*). En la pieza que nos ocupa, la cuestión del teatro es por supuesto, quizás más que en ninguna otra, central, ya que en ella, como destaca el propio Hamlet, *todo el mundo parece estar representando un papel.* Empezando por él mismo, por cierto: Hamlet es, en efecto, un actor consumado, un actor sagaz, crítico y reflexivo, *y todo el tiempo está representando un papel y examinando, al mismo tiempo, el papel que representa.* Un actor que explora y analiza los distintos personajes que tiene a su disposición, que de a ratos "se hace el loco", que de a ratos trama su venganza, que de a ratos se ríe de sí mismo o se indigna con su propia incapacidad para estar a la altura de su rol. Un actor que, en fin, al mismo tiempo que actúa su papel o sus papeles, desnuda el hecho de que todos los demás también están actuando: de que Elsinor, y acaso –decíamos– el mundo, es un gran teatro. Cuando le anuncian la llegada de los actores, por ejemplo, Hamlet afirma que "*el que represente al rey será bienvenido*" [II.2.298] y lo llama "*Su majestad*" [*id.*]. La implicación es obvia: ¿Por qué no deberíamos llamar "Su majestad" a este actor que hace de rey, cuando nombramos de ese modo *a ese otro actor* –a Claudio– que también "hace de" rey en la gran farsa de la vida de la corte, y al que el propio Hamlet llamará más adelante, en una frase famosísima que de hecho completa y comenta ésta que acabamos de citar, "*un rey de harapos y remiendos*" [III.4.102]?

(Me gustaría dejar constancia aquí, antes de seguir, de la estimulante interpretación de esta última frase de Hamlet propuesta –en polémica, que le agradezco mucho, con la mía– por Enrique A. Kozicki, quien asegura que la frase de Hamlet *no alude al rey*

Claudio, sobre quien el príncipe venía hablando, *sino a su predecesor*, cuyo espectro acaba de aparecer en escena. Recordemos cuál es la situación, para poder percibir la sutileza del argumento de Kozicki. Hamlet está hablando con su madre acerca del actual esposo de ésta, quien es –dice el joven–

[...] Un asesino y un villano,
Un miserable que no vale ni la vigésima parte del décimo
De vuestro anterior señor, un rey payasesco,
Un ratero del imperio y de la ley,
Que robó de un anaquel la preciosa diadema
Y la metió en su bolsillo.
GERTRUDIS *¡Basta!*
Entra el espectro
HAMLET *Un rey de harapos y remiendos...*
¡Guardadme y cubridme con vuestras alas,
Ángeles del cielo! ¿Qué desea vuestra noble figura?
GERTRUDIS *¡Ay, está loco!* [III.4.96-105]

El argumento de Kozicki es sumamente sutil, digo, y lo es en primer lugar porque depende enteramente de que aceptemos [como hacen *algunas* de las ediciones de *Hamlet*, como ésta de Philip Edwards que estamos acompañando, pero –como el propio Kozicki observa– *no todas*: ¡el problema es que ninguna edición de *Hamlet* es otra cosa, como se sabe, que una *reconstrucción* de unos originales perdidos para siempre!] que el espectro entra a escena inmediatamente *antes*, y no inmediatamente *después*, de la célebre frase del príncipe. Si en cambio siguiéramos en este punto a las ediciones que, como por ejemplo la de Jenkins, hacen entrar al espectro *después* de esas palabras ["GERTRUDIS: *¡Basta!* / HAMLET: *Un rey de harapos y remiendos...* Entra el espectro / *¡Guardadme y...!*"], la pregunta sobre *a cuál de los dos reyes* se está refiriendo Hamlet con la expresión que nos interesa perdería todo su sentido: el joven estaría aludiendo, evidentemente, al *actual* rey, su tío, como por otro lado parece confirmarlo –según observa el propio Jenkins– la correspondencia entre la alusión a los "harapos y remiendos" y la anterior caracterización de Claudio como "un rey payasesco". Ahora: incluso si aceptáramos que la entrada del espectro se produce [como en la versión de Edwards que hemos adoptado] *antes* de la frase de Hamlet, a mí no me parece evidente que, como pretende Kozicki, "ésta esté, *indudablemente*, dirigida al espectro" [Kozicki, p. 71, subr. mío]. ¿Por qué no suponer que Hamlet –quien, en medio del acaloramiento del áspero diálogo con su madre, no tiene por qué advertir *inmediatamente* la entrada del espectro– está aludiendo, en efecto, a su tío, *se interrumpe cuando –apenas una línea más tarde– se da cuenta que el espectro ha entrado a la habitación,* invoca entonces a los ángeles del cielo y sólo después se dirige al extraño visitante para preguntarle qué hace allí? Desde todo punto de vista, esta explicación de las cosas me sigue pareciendo la más simple y natural.

¿Por qué es entonces que Kozicki prefiere otra? Porque Kozicki está interesado en demostrar [y querría enfatizar que esa demostración me parece extraordinariamente aguda y sugerente] que lo que aparece para Hamlet ["*ante los ojos* de Hamlet", dice Kozicki: recordemos que Gertrudis *no ve* al espectro] hecho jirones, "en harapos y remiendos", *es la función simbólica del padre.* Esa función simbólica del padre que en cambio había aparecido, al comienzo de la pieza, en toda su majestuosidad [con todo su poder, con toda su potencia], en la figura del espectro *en armas*, venerable, temible, y que ahora aparece devaluada, incluso destrozada, en este retorno en el que el Padre vuelve, *no* –como Hamlet sin duda querría– para mandar sobre él ["*Habla, estoy preparado para oírte*", I.5.6] ni para reprenderlo ["*¿Venís acaso a reprender a vuestro negligente hijo...?*, III.4.106], sino apenas *para pedirle al hijo* ["¡pero qué padre es ése!"] *que tome a su madre a su cuidado, que se ocupe de ella, que la cuide, que la consuele.* Desmoronamiento de la figura del *pater* majestuoso y reverenciable, desmoronamiento de las exigencias y las prohibiciones parentales en la conciencia moral del hijo: ése sería –según Kozicki– el tema de [por lo menos esta escena de] *Hamlet;* eso sería lo que está en juego en el "*¡Un rey de harapos y remiendos!*" del desdichado príncipe. Que no aludiría, entonces, sólo al hecho de que cierta función "regia" es, en Elsinor, *representada*, sólo al hecho de que el rey no es allí [como por lo demás en ninguna parte] más que alguien "que *hace de* rey", *sino* al hecho de que cierta *otra* función –"regia" o "paterna": *es lo mismo* ["*Te llamaré Hamlet / Soberano, padre, rey de Dinamarca*", I.4.44-5]– sólo es *re-presentada* hoy como el débil eco, la pálida sombra, la *farsa payasesca* ["una vez como tragedia..."] del modo en que se ejerció una vez. A diferencia del simple "*el que haga de rey...*", el "*¡Un rey de harapos...!*" no involucra sólo, en síntesis, la idea de re-presentación, sino la de re-presentación *degradada, farsesca, menor.* No sólo las ideas de simulación y de apariencia, de mascarada y de ficción, sino la de corrupción *moral.* Mejor: la de la corrupción de los principios, de las *funciones*, sobre las que se sostiene la moral, "*disjoint and out of frame*" [I.2.20], desarticulada, desquiciada, de su principal protagonista.

Esta hipótesis de lectura que nos propone Kozicki es tan provocadora como sólida. ¿Debemos indicar que nada nos impide aceptarla con el mayor entusiasmo y reconocimiento *sin aceptar al mismo tiempo*, en cambio, la exigencia a la que Kozicki parece querer –me parece a mí que innecesariamente– someternos: la exigencia de *decidir* si el "*¡Un rey de harapos...!*" de Hamlet se refiere a un rey "*o*" al otro? ¡Al contrario!: Creo que el hecho de que esa exclamación pueda ser leída *tanto* como una referencia a Claudio [y que *puede* ser leída en este sentido es algo que no necesito demostrar aquí: *todo el mundo la ha entendido siempre en este sentido*, y esto por la sencilla razón de que este sentido es el más evidente] *cuanto* como un señalamiento en relación al viejo Hamlet [y que esta interpretación *también* es *posible* –subrayo el "también", subrayo el "posible"– es algo de lo que Kozicki, definitivamente, ha logrado convencerme] constituye la razón más profunda de su enorme interés. Un interés que no radica sólo, por cierto, en el hecho de que esta línea –como tantísimas otras líneas de esta pieza extraordinaria– quiera decir y de hecho diga *más de una cosa al mismo tiempo*, sino en que –justamente en ese "decir más de una cosa al mismo tiempo", justamente en esa ambivalencia fundamental– *vuelve a subrayar lo que, según hemos dicho en nuestra nota inmediatamente anterior, constituye uno de los grandes temas y uno de los núcleos fundamentales de toda la obra: el énfasis en la profunda identidad –en el límite: en la perfecta intercambiabilidad, en la absoluta in-diferencia– entre los dos reyes, entre los dos "hermanos-enemigos".*)

Pero decíamos: el mundo, en *Hamlet*, como un gran teatro, y la acción como una actuación. La segunda de las tres imágenes de las que nos habla Alexander –Poison, *play...*– no podría tener una importancia más destacada y más permanente a lo largo de toda la obra. Por cierto, el punto culminante de esa representación del mundo como un conjunto de juegos teatrales se encuentra en la magnífica escena –central desde muchos puntos de vista– de la "representación dentro de la representación", de la "pieza dentro de la pieza", en III.2, que lleva hasta el paroxismo el carácter teatral del conjunto de acciones, relaciones y situaciones desplegadas a lo largo de todo el enredo. Para volver a citar el clásico artículo de Maynard Mack al que ya hemos recurrido, y que también es indicado en este punto por Alexander: "Sobre el escenario ante nosotros se desarrolla la representación de una pieza en la que un actor llamado el Actor-rey está actuando. Pero en el escenario está también Claudio, otro Actor-rey que es un espectador de aquella pieza. Y también hay sobre el escenario un príncipe que es un espectador de ambos Actores-rey y que actúa con gran intensidad, él mismo, un papel. Y alrededor de esos reyes y de ese príncipe hay un grupo de cortesanos espectadores –Gertrudis, Rosencrantz, Guildenstern, Polonio y el resto–, que como sabemos son actores también. Y finalmente estamos nosotros mismos, espectadores observando a todos estos espectadores que son también actores. ¿Dónde –puede ocurrírsenos de pronto preguntar– termina la obra? (...) ¿Cuándo es que un acto no es una actuación?" (Mack, p. 246)

En cuanto a la última de las tres figuras destacadas por Alexander: la del duelo, sería igualmente difícil exagerar su importancia a lo largo de toda la pieza. En efecto: como dice el crítico inglés, "la imagen del duelo es una de las grandes imágenes que dominan la acción de la obra" (Alexander, p. 25). Esto nos va a interesar más tarde, cuando examinemos el compromiso de los personajes de *Hamlet* con el mundo pre-moderno del pundonor y de la honra, al que la institución del duelo, muy característicamente, pertenece (para una preciosa historia de la institución del *duelo* en la cultura europea, véase el trabajo de Kiernan, *El duelo...*). Por el momento, bástenos destacar la fuerza y la recurrencia de esta imagen, que aparece primero en el recuerdo del "famoso duelo entre el Rey Hamlet y el Rey Fortimbrás de Noruega" –un "combate de campeones '*pactado / Según la ley y el fuero de las armas*' [I.1.87]" (*id.*)–, se refuerza con la constante presencia de las figuras y alegorías de la guerra –cuya función, como dice Alexander siguiendo en esto a Kenneth Muir, es "enfatizar que Claudio y Hamlet están embarcados en un duelo a muerte, un duelo que conduce finalmente a la muerte de ambos" (*id.*)–, adopta una forma estilizada y sutil en los numerosos "duelos" *verbales* que tienen al Príncipe como protagonista (contra Claudio, contra Rosencrantz y Guildenstern, contra el sepulturero), se afirma en imágenes metafóricas como la de la Reina hablando sobre "*el mar y el viento cuando disputan / Cuál de los dos es más potente*" [IV.1.7-8], o como la del propio Hamlet refiriéndose a "*las feroces puntas de las armas / De dos poderosos adversarios*" [V.2.61-2], y termina dominando la escena en el duelo final, nada metafórico, entre el Príncipe y Laertes.

Alexander subraya la importancia de las dos escenas centrales de las pieza sobre las que hemos llamado la atención: la de la "pieza dentro de la pieza", dominada por la imagen del teatro (*play*), y la del combate final, dominada por la imagen del duelo (*duel*), y destaca el hecho de que ambas escenas están fuertemente asociadas, también, a la *tercera* imagen, que es la que estábamos comentando y la que más nos interesa: la del veneno (*poison*). En efecto, "la *inner-play* presenta el acto físico del envenenamiento dos veces, una vez en el show mudo y otra vez acompañada de palabras", y "en el duelo final cuatro de los principales protagonistas de la pieza mueren envenenados" (Alexander, p. 2). Quizás sería posible ir incluso un poco más lejos y afirmar que esta tercera imagen –la del veneno– adquiere, precisamente por el hecho de dominar las escenas del "teatro" y del "duelo", una importancia *aún mayor* que esas otras dos, hasta convertirse en *la* metáfora del desquicio del mundo político en la Dinamarca anterior a la llegada de Fortimbrás. Porque, en verdad, la imagen del veneno no sólo está "presente" en esas dos escenas fundamentales que comentábamos, sino que, literalmente, las invade, las contamina: las *infecta*. Y esto no sólo en el sentido de que tanto en la representación dentro de la representación como en el duelo final "hay" veneno ("*veneno en broma, nada ofensivo*" [III.2.214] en la "inner play", veneno verdadero y mortal en la punta del florete de Laertes y en la copa preparada por el Rey), sino también en el sentido, más poderoso, de que tanto la representación dentro de la representación cuanto el duelo final están, *ellos mismos*, "envenenados", "corrompidos", infectados, *por una segunda intención* que los anima y que hace que sean, en verdad, *algo diferente* –un ardid, una coartada– *de lo que parecen ser*. Así, la representación de "La muerte de Gonzago", "envenenada" por el propósito de Hamlet de capturar con ella la conciencia del Rey, no es una *pura* representación; así, también, el duelo final, "envenenado" por el propósito de Claudio de anesinar a Hamlet, no es un *puro* duelo. El veneno presente en esas dos escenas –el "veneno en broma" de la *inner play* y el veneno del florete y de la copa, *pero también el "veneno" de los cálculos secretos y de las "segundas intenciones"* (debo esta idea al profesor Gabriel Cohn)– no afecta sólo los oídos, las gargantas y los cuerpos de sus víctimas, sino también la propia representación teatral (*play*) y el propio duelo (*duel*), del mismo modo en que infecta el lenguaje, las relaciones entre las personas y el estado político del Reino.

[12] Lo que, por otro lado, es el sentido de la expresión "*And in the porches of my ears did pour / The leperous destilment...*", cuya mejor traducción no (me) parece ser "Y en los pórticos de mis oídos vertió...", sino, como queda dicho, "Y vertió *a través* de mis oídos..." En efecto: Como indica Philip Edwards, "the porches of my ears" alude a "the ears as porches of the body", a los oídos como pórticos del cuerpo (cf. su nota a esta línea en su edición de *Hamlet*, p. 108). El líquido que infectó el cuerpo del rey no fue vertido en las puertas de sus oídos por la sencilla razón de que los oídos no tienen puertas, sino que *son, ellos*, las "puertas" que conducen los fluidos al interior del cuerpo. En la época de Shakespeare, apunta Edwards, "estaba extendida la creencia de que las drogas, terapéuticas o tóxicas, podían ser administradas *via* el oído" (*id.*), y de hecho, según anota Péricles Eugenio da Silva Ramos en su bella traducción de *Hamlet* al portugués, se sospechaba que un contemporáneo de Shakespeare, el famoso cirujano Ambroise Paré, había instilado veneno en los oídos de Francisco II de Francia. Los oídos, en fin, son la vía por la cual el veneno ingresa (en el relato del espectro y después, dos veces, en la representación de la pieza-dentro-de-la-pieza) en el cuerpo del rey, así como son también la vía por la cual el "veneno" de los rumores y de las murmuraciones ingresan –como veremos enseguida en el texto– en el alma de los súbditos.

[13] Es sumamente interesante ese diálogo entre Claudio y Laertes, porque en él el rey, cuya voz debería ser la del Estado y la de todo el Reino, se rebaja a la condición de un conspirador más, murmurando en secreto con su cómplice ("*¡Pero qué rey es éste!*") y obligándose a cambiar el tono –como hacen los criminales y los conjurados– cuando su mujer entra en escena:

> *(...) me ocuparé de que le sea ofrecido*
> *Un cáliz especialmente preparado, de modo que con que apenas tome un sorbo,*
> *Si por acaso escapara de vuestra estocada envenenada,*
> *Nuestro propósito sea alcanzado. Pero silencio, ¿qué ruido es ése?*
> Entra Gertrudis
> –*¿Qué sucede, dulce reina?* [IV.7.158-162]

[14] Sobre las causas de la guerra civil para Hobbes, y sobre la evolución de las ideas del filósofo inglés sobre el particular en el recorrido que va de los *Elements of Law*, pasando por el *De Cive*, hasta el *Leviatán* y el *Behemoth*, véase la importante tesis de maestría de

Eunice Ostrensky, "A obra política de Hobbes na revolução inglesa de 1640" (USP, San Pablo, Brasil, 1997). Dos resúmenes de las ideas principales de ese trabajo, publicados en español y más accesibles al público argentino, pueden encontrarse en sus "La obra..." y "Hobbes: entre...".

[15] Véase sobre esto Skinner, *Reason and...*, donde se estudian las características del currículum humanista –basado en la centralidad de la gramática y la retórica– en la Inglaterra del joven Hobbes, la propia formación clásica de nuestro autor, y su rechazo, posterior, del espíritu de esa formación. Volveremos sobre esta cuestión más adelante.

[16] Cierto. Aunque conviene ser prudentes, y tener siempre presente la distancia que existe en Hobbes entre el ámbito del poder y el de la verdad. Por eso, vamos a hacer comparecer aquí por primera vez, para ayudarnos a corregir cualquier exceso que esa formulación algo esquemática que dejamos planteada en el texto pueda implicar, un reciente trabajo del filósofo argentino Leiser Madanes, *El árbitro arbitrario*, al que con toda seguridad deberemos recurrir más de una vez en el curso de nuestra argumentación. De hecho, uno de los planteos fundamentales de Madanes es el que destaca que, a diferencia de lo que ocurría en Platón, para quien "el filósofo es quien tiene derecho a gobernar porque es quien conoce cuáles son las mejores decisiones que hay que tomar" (Madanes, p. 18), en Hobbes, para quien "el derecho a gobernar se fundamenta en el consentimiento de los súbditos, y no en la sabiduría del gobernante" (*ibid.*, p. 19), *es posible y necesario "distinguir entre autoridad política y verdad"* (*id.*). Subrayando el hecho de que Hobbes piensa al soberano bajo la figura jurídica del árbitro, Madanes observa que "el recurso al arbitraje vale por su eficacia: de común acuerdo se evita la violencia, que es un mal mayor" (p. 38), y agrega que "el árbitro pacifica, pero no enseña. Trae la paz, pero no la verdad." (*id.*) La paz, entonces, no la verdad, es lo que el soberano hobbesiano debe traer a los súbditos, de donde se sigue la importante conclusión de que "la verdad de una proposición no la determina el soberano" (p. 53, n). En efecto: Hobbes –dice Madanes– "no propone un método para determinar la verdad sino para asegurar la paz" (p. 54). Los hombres, explica, reproduciendo el argumento de Hobbes, "son falibles, pueden equivocarse y disputar entre ellos acerca de quién tiene razón. Si desean poner fin a la disputa para evitar que ésta degenere en una pelea violenta, elegirán de común acuerdo un árbitro. El árbitro es un hombre o grupo de hombres, tan falible como aquellos otros hombres que disputaban y lo convocaron. La decisión del árbitro logra evitar la pelea, pero no hay ningún motivo para sospechar que los acerque a la verdad" (p. 56). Ahora: ese árbitro es, dijimos, el soberano, cuya función, en consecuencia, es la de pacificador, no la de maestro. "Garantizar la paz no implica expedirse acerca de la verdad o falsedad de las distintas posiciones en una controversia" (p. 65).

Eso es, evidentemente, cierto. Es claro que el monopolio del uso legítimo de la fuerza no implica ningún privilegio epistemológico. El soberano tiene la función de garantizar la paz, y eso no lo pone más cerca de la verdad que nadie. Pero ocurre que la verdad no es algo que esté "ahí fuera" de la relación entre los hombres y entre ellos y el Estado. No es necesario permanecer presos a una concepción tan estrechamente "referencialista" de la verdad, y tampoco es necesario ser un foucaultiano de comunión diaria para admitir algo tan obvio como que –como solía decir el pensador francés– "la verdad es de este mundo, se produce en él gracias a múltiples coacciones" (Foucault, *Un diálogo...*, p. 143). De hecho, *aquí estamos sugiriendo que el buen Hobbes sospechaba ya algo de eso.* Así, cuando aquí hablamos de "verdad" no estamos hablando de la verdad de tal o cual "proposición", ni tampoco de la verdad de tal o cual sistema de creencias o dogma religioso, "verdades" acerca de las cuales, en efecto, como Madanes destaca con toda razón, el soberano no tiene nada para decir (de donde Madanes, desafiando las interpretaciones más convencionales del pensamiento del autor del *Leviatán*, extrae una convincente clave de lectura de Hobbes como un paladín de la tolerancia y de la libertad de expresión: volveré sobre ese punto), sino del "régimen de verdad", de la "política de la verdad" –para seguir usando una terminología foucaultiana– que toda sociedad necesariamente tiene, y con cuya configuración, evidentemente, el poder político estatal *sí* tiene mucho que ver. Es claro que el soberano no tiene la capacidad para volver verdadero, como por arte de magia, todo lo que dice. Pero de ahí no se deriva que no sea importante para él la tarea *política* (más: es *exactamente de ahí* que resulta que sea importante, que sea "política" *y que sea una tarea*) de sancionar a través de su poder la verdad –digamos, para ser más moderados y evitar cualquier equívoco: *lo que será socialmente considerado como* la verdad– de tal o cual significado para las palabras y para las narraciones. El "sesgo antiplatónico" que Madanes destaca con razón en el pensamiento de Hobbes no hace que para el soberano en el que Hobbes está pensando sea menos importante conseguir una "soldadura", por así decir, entre la verdad y el poder, sino que esa soldadura sea precisamente algo que el soberano debe "conseguir", porque no está garantizada de antemano.

[17] La manera en que, de *Hamlet* a Hobbes, la corrupción de la sociedad se vincula a los efectos perniciosos de la palabra *hablada* permite pensar en una forma de relación entre palabra hablada y palabra escrita, entre la oralidad y la escritura, radicalmente diferente –antagónica– a la que Jacques Derrida encuentra, en su *De la gramatologie*, en los pensamientos que se tienden entre Rousseau y Lévi-Strauss. Porque si ahí, en esas estaciones privilegiadas de la gran aventura "fonocéntrica" occidental, era *la escritura* la que debía soportar la insidiosa sospecha de constituir siempre una derivación, una representación, un desvío –y de ahí: una falsificación y un engaño, o por lo menos una severa imperfección o un "peligroso suplemento"–, lo que ahora tenemos es una desconfianza mucho mayor en la palabra *hablada*, que ya no es sinónimo de experiencia inmediata ni de relación pura e incontaminada con el origen y el Sentido, sino, por el contrario, un arma peligrosísima que consigue hacer fluir ese sentido sin ningún control, hechizar a los que escuchan con el poder seductor de su melodía y de sus figuras, excitar las pasiones en vez de la razón, envenenar las almas individuales y el alma política de un pueblo, multiplicar las versiones de las cosas. Por oposición, en Hobbes la palabra *escrita* parece ofrecer más garantías: no es *signo*, es *marca* (volveré sobre ese punto); es una palabra *que pasa por la censura del Estado* y de las instituciones; es una palabra, en fin, y por todos esos motivos, más "controlable". Desde un punto de vista más general, es posible afirmar que la diferencia entre las opiniones de Hobbes y de Rousseau con respecto a la escritura se vincula con la diferencia entre sus respectivas opiniones sobre la *representación*, de la cual la representación de las voces por los signos escritos no es más que un caso, aunque sin duda un caso fundamental. Hobbes –sabemos– es un teórico (y, si pudiéramos decirlo así, un *defensor*) de la representación, en la que encuentra un medio para huir del horror "natural" de una imposible vida sin mediaciones. Rousseau, en cambio, es *un crítico* de la representación, en la cual ve siempre una corrupción, una prostitución, una *pérdida* con respecto a la plenitud de un sentido original del cual esa representación, del tipo que sea, siempre nos aleja. ¿Y *Hamlet*? Me parece posible sugerir que el pesimismo de *Hamlet* supera el de cualquiera de esas dos posiciones. En efecto, *Hamlet* introduce –como estamos viendo en el texto– una

"hobbesiana" desconfianza en la palabra hablada, pero tampoco nos deja muy tranquilos con respecto a la precisión y a los méritos de la palabra escrita: la carta de Claudio al rey inglés, que Hamlet falsifica y que condena al final a Rosencrantz y Guildenstern, revela mejor que ninguna otra metáfora la capacidad de simulación, de engaño, de mentira *–y de muerte–* que tiene la escritura. Y también aquí podemos asociar esta desconfianza a una teoría más general de la representación como falsedad y engaño que se abre camino en varios pasajes de *Hamlet*, sobre todo por boca de su principal protagonista: en sus críticas a la hipocresía de las convenciones, en su condena moral a las pinturas –otro tópico rousseauniano– de las mujeres ("*Dios os ha dado un rostro y vosotras os hacéis por vuestra cuenta otro*" [III.1.137-138]), o en su pretensión de abrigar en su interior algo "*que supera la ostentación*" [I.2.85].

18 Estas dos figuras, en efecto, *dominan* la escena tras la muerte de Hamlet: Fortimbrás, que recuerda tener "*ciertos viejos derechos sobre este reino, / Que ahora mi situación me invita a reclamar*"[V.2.368-9], comienza inmediatamente a dar órdenes y a tomar decisiones: hagan esto, hagan aquello, busquen a los nobles, retiren los cuerpos. Por su parte, Horacio, a quien siempre habíamos visto en una actitud de fidelísima y apagada subordinación ("*Aquí estoy, mi buen Señor, a vuestro servicio*" [III.2.43], "*Bien, mi Señor*" [III.2.46], "*Sí, mi Señor*" [V.1.73], "*Sí, mi buen Señor*" [V.2.37]), asume una actitud de iniciativa y liderazgo tras la muerte de su amigo y señor: "*ordenad que estos cuerpos / Sean expuestos en lo alto de una palataforma, / Y permitidme contar al mundo, que aún no sabe / Cómo ocurrieron estas cosas*" [V.2.356-9], "*Pero procedamos de inmediato*" [V.2.372].

19 Y enseguida:

> *Si es alguna escena de calamidad o pasmo, dejad de buscar* [V.2.341],

y todavía:

> 1er EMBAJADOR *Este cuadro es horrible* [V.2.346]

No me parece excesivo encontrar acá, en estas sugestivas –y sugestivamente reiteradas– metáforas de la visión, otra anticipación del espíritu de la ciencia y de la razón modernas que sobre el final de *Hamlet*, si estoy en lo cierto, consiguen imponerse, de las manos de los "modernos" Fortimbrás y Horacio, sobre el mundo de las brumas, del misterio *y de la centralidad del sentido del oído* que habían caracterizado todo el desarrollo de la acción. *Pero que poco tiempo después de eso conseguirán imponer también, en el mundo de las ideas europeas, el triunfo de su sistema de pensamiento, apoyado en no pequeña medida sobre el desarrollo de la óptica y sobre la influencia de sus descubrimientos y de su método.* Es el caso, por ejemplo, del propio Hobbes, cuya formación científica debe mucho a los trabajos sobre los colores, la visión y la luz que él mismo desarrolló, durante los años 1630, junto con Robert Payne, así como a sus estudios ulteriores sobre el fenómeno de la refracción y los mecanismos para producirla. Hobbes –indica Quentin Skinner– "parece haber completado en fecha tan temprana como 1640 su tratado –manuscrito en latín– sobre óptica, una sección del cual fue publicado por Mersenne en sus *Universae geometricae sinopsis* en 1644 con una nota preliminar atribuyendo el trabajo 'a ese excelente hombre y excepcionalmente sutil filósofo D. Hobs, quien investiga refracciones según sus propias hipótesis'. Poco después de haber terminado su tratado, Hobbes comenzó a escribirse con un crecientemente irritable Descartes (con Mersenne actuando como intermediario) sobre la explicación de la refracción ofrecida en la *Dióptrica* de Descartes. Cuatro años más tarde, a pedido de Newcastle,

Hobbes volvió nuevamente al tema, produciendo su *Minute or First Draught of the Optiques* en la segunda mitad de 1645. A pesar de que este manuscrito nunca fue impreso, Hobbes luego incorporó nueve de sus capítulos a su sección sobre óptica en el *De Homine*, la segunda parte de su trilogía filosófica, que finalmente publicó en 1658." (Skinner, *Reason and...*, p. 329).

No hay duda, en fin, de que la óptica constituye un campo de permanentes preocupaciones para nuestro autor, cuya prosa no casualmente abunda en metáforas extraídas de ese campo, como cuando habla sobre las pasiones de los hombres como "lentes de aumento" de los peligros y agravios que sufren los hombres (cf. *Leviatán*, cap. XVIII, y también Tatián, "Imaginación y...", pp. 1-4). Y lo mismo puede decirse sobre la importancia de la óptica no sólo entre las preocupaciones de ese gran lector de Hobbes que fue Baruj Spinoza, sino también en el conjunto de inspiraciones y de herramientas con las que el filósofo holandés construyó su sistema filosófico. Así, contra aquellos que buscan en ciertas teologías –judaica o panteísta– el modelo explicativo de la obra spinoziana, Marilena Chauí sugiere explorar, con el mismo propósito, los campos de la óptica y de las teorías de la luz implicadas en los grandes paradigmas pictóricos de su tiempo. Por un lado, entonces, *la óptica:* Spinoza –escribe Chauí– "es pulidor de lentes, emplea un ejemplo de la óptica para explicar a Simon de Vries las definiciones de la sustancia y del atributo, discute con Huygens, Hudde y Jelles problemas de la naturaleza de los fenómenos luminosos, particularmente los de la refracción, cuestiones de dióptrica para el empleo de lentes en la fabricación de los telescopios y microscopios, utiliza ejemplos visuales para exponer su teoría de la no-positividad del error y hace de la luz la referencia privilegiada del conocimiento: *Sane sicut lux seipsam et tenebras manifestat, sic veritas norma sui, et falsi est ('Ciertamente, así como la luz se manifiesta a sí misma y a las brumas, así también la verdad es norma de sí misma y de lo falso'*, Spinoza *Ética*, II, P43 *schol.*)" (Chauí, *A nervura...*, p. 47). Por otro lado, *la pintura*, en cuyos debates (italianos contra holandeses, Vermeer contra Rembrandt) se expresan las diferencias y tensiones entre diversas y enfrentadas concepciones sobre el conocimiento, ideas sobre la relación entre el ojo humano (metáfora habitual del espíritu o de la razón) y las cosas del mundo, paradigmas ópticos y teorías sobre la luz. Spinoza, asegura Chauí, forjó su sistema en la fragua de esos grandes debates.

Así, los problemas de la visión y de la luz están en el centro de las preocupaciones teóricas de los más importantes filósofos del siglo XVII, y en el centro también de los recursos alegóricos con los que esos filósofos pensaron y describieron los problemas del conocimiento (de las "imágenes" y la "imaginación", de la "lucidez" y de las "alucionaciones"...) y de la vida social. Y no dejarían de tener una influencia significativa en el pensamiento filosófico de los siglos posteriores, como destaca Tatián recordando un ejemplo clásico: Para el Marx del célebre capítulo primero de *El Capital*, en efecto, "el secreto del mundo encantado de la mercancía es, en el fondo, óptico: la forma mercancía devuelve a los hombres una *imagen* de su trabajo y el producto de su trabajo como si se tratara de una relación entre cosas. De igual forma –escribe– que 'la impresión luminosa de una cosa sobre el nervio óptico no se presenta como la excitación de ese nervio óptico propiamente dicho, sino como la forma objetiva de una cosa exterior al ojo'. El trabajo crítico consistirá en hacer aparecer la inconmensurabilidad existente entre *lo que se ve* y la naturaleza de las relaciones materiales ocultas; disipar el *trompe l'oeil*, la ilusión, el espejismo de cosas con vida propia" ("Imaginación y...", pp. 1s, n). Casi como una nota marginal, y saliendo ahora del campo de la historia de la filosofía, tal vez sería interesante llamar la atención sobre el hecho de que las investigaciones del profesor canadiense Marshall McLuhan sobre las influencias de las transformaciones tecnológicas en las formas perceptivas de la humanidad llegan a un resultado coincidente con la constatación que nosotros estábamos haciendo aquí: la de un pasaje –que McLuhan atribuye a la invención de la imprenta– del *oído* a la *vista* como sentido dominante en la relación de los hombres con su medio en los años inaugurales del período que solemos llamar "moderno". Véase sobre esto, especialmente, su *La galaxia...*

[20] La importancia y el carácter de espectáculo de los cuerpos en el teatro jacobeo, "continuación por otros medios" de la visibilidad y centralidad de los cuerpos en el *mundo* jacobeo, fue destacada por Francis Barker en su bello y agudo *Cuerpo y Temblor*. Imágenes del cuerpo como las que se expresan en muchas obras de este período, dice Barker, "no son ejemplos de la perversión arbitraria de dramaturgos aislados, ni siquiera atrocidades perpetradas en ocultas mazmorras o campamentos remotos por gobiernos violentos pero irremediablemente furtivos, sino la insistencia en el espectáculo de una corporalidad muy diferente de la nuestra" (Barker, p. 29). Entendamos: muy diferente de la corporalidad moderna, de la corporalidad que se abre con Descartes y con las "disciplinas" ejemplarmente estudiadas por Foucault. *Antes* de esa modernidad filosófica y política, que constituye el horizonte dentro del cual pensamos, el cuerpo ocupaba, en las representaciones de los poetas y en la vida social misma, "un lugar central e irreductible" (*ibid.*, p. 30). Vivo o muerto, el cuerpo jacobeo "no es ese resto negado en que se convertirá después, debajo o detrás del reino propio del discurso, sino una materialidad que participa plenamente y sin pudores en los procesos de dominación y resistencia que constituyen la sustancia íntima de la vida social" (p. 31). Parafraseando a Merleau-Ponty: nos hemos acostumbrado a pensar que el cuerpo es un objeto que el sujeto *tiene*, y no *eso que el sujeto es*, un núcleo de significación, un centro de sentido (cf. Merleau-Ponty, *Fenomenología...*, p. 215). *Ese cuerpo*, ese cuerpo pre-moderno, pre-cartesiano, pre-disciplinario, era el que se ponía en escena, espectacularmente, tanto en las torturas y ejecuciones públicas (imposible no recordar aquí las bien conocidas páginas iniciales del más famoso de los libros de Foucault) como en el teatro, y ese cuerpo visible, espectacular y lleno de sentido es, dice Barker, "la verdadera medida de aquello que la burguesía tuvo que olvidar" (p. 33. Sobre otra dimensión, complementaria, de esta misma cuestión, puede verse el capítulo segundo –"La civilización como transformación específica del comportamiento humano"– del magnífico *El proceso de la civilización*, de Norbert Elías, y muy especialmente las secciones dedicadas a "la compostura en la mesa", los "cambios en las actitudes frente a las necesidades naturales", "el modo de sonarse", "el modo de escupir" y "el comportamiento en el dormitorio": en todos esos campos "el proceso de la civilización" implica una progresiva *separación del "sujeto" respecto de su cuerpo*, al que empieza a resultar de buen tono mantener "a distancia" y subordinado). Lo que aquí estoy sugiriendo es la contemporaneidad (más que eso: la perfecta complementariedad) de ese planificado "olvido" de los cuerpos en nombre de una idea moderna del sujeto y del análogo olvido de las batallas, las guerras y la muerte colectiva en nombre de una idea moderna de política. Desde ese punto de vista, el "*Sacad los cuerpos de acá*" de Fortimbrás adquiere, sin duda, una enorme significación.

[21] "Proclamando la guerra del principio al fin, siempre y dondequiera" –dice Foucault en una bella conferencia dedicada al autor del *Leviatán*, sugestivamente titulada "La guerra conjurada"– "el discurso de Hobbes decía en realidad exactamente lo contrario"; era, "en el fondo, un no a la guerra" (Foucault, *Genealogía...*, p. 73). Nada que no haya

sido dicho ya muchas veces. El interés del texto de Foucault, sin embargo, radica en la fuerza con la que él subraya el hecho de que, para oponerse a la guerra y pensar contra ella, Hobbes ponía a los horrores de la desunión, el conflicto y la batalla en el primer plano de su construcción. Un movimiento análogo (y contemporáneo) es el que se verifica en la *Lección de Anatomía del Dr. Tulp*, de Rembrandt, del que Francis Barker, en el libro citado en la nota anterior, nos dejó un análisis magnífico. En él, el catedrático inglés señala la fuerza de la representación, en el primer plano de la tela de Rembrandt, *de un cuerpo*, del cuerpo desnudo de un hombre muerto (pura *naturaleza*, pues, pura *materialidad*), alrededor del cual el Dr. Tulp y sus alumnos se preparan a practicar una disección. La centralidad del cuerpo en la escena alimenta la tentación de convertirlo en la sede de un conjunto de significaciones, y también la de concebir toda la escena como la prolongación de aquella otra, anterior –pero que imaginamos–, en la que se ejerció sobre ese cuerpo (que es el cuerpo de un delincuente que acaba de morir en el patíbulo) el poder soberano del Estado. Centralidad "jacobea" de los cuerpos –estamos tentados a decir. Sin embargo, cuando se mira bien, se observa que, como subraya Barker, "dentro de la pintura no hay ningún ojo que vea el cuerpo" (Barker, p. 99). En efecto: los alumnos del Dr. Tulp, agrupados en torno al cadáver, están mirando atentamente. *Pero no en dirección al cadáver,* sino al Atlas de anatomía abierto a los pies del cuerpo, y donde ese cuerpo se encuentra *representado,* textualizado. El hecho de que los ojos de los cirujanos –dice Barker– "ni siquiera vean la carne, a pesar de la tentadora proximidad que hay entre ésta y sus líneas de visión, sólo subraya la extraordinaria contorción histórica por medio de la cual este cuerpo en exhibición se ha vuelto, en un importante sentido, invisible. Ahora sólo material en bruto, así reducido, el cuerpo ha dejado de significar –salvo de modo residual– alejándose de la visión para hundirse en el pasado" (*ibid.*, p. 100). El movimiento es análogo, decíamos, al que se anuncia en el espanto de Fortimbrás frente al espectáculo horroroso del conjunto de cuerpos tirados por el piso de Elsinor y se completa con la descripción hobbesiana del "estado de naturaleza-guerra", porque aquí también, como en el cuadro de Rembrandt, la contundente materialidad de la muerte (no ahora de la muerte individual, sino del horror de esa muerte colectiva que es la guerra: "*Oh, muerte altiva, / ¿Qué fiesta se prepara en tu infernal morada...?*" [V.2.343-4]) nos es mostrada en primer plano, nos es exhibida en el centro de la escena, sólo para mostrarnos que eso que se pone frente a nuestros ojos es exactamente *lo que no podemos mirar, pensar, imaginar*, lo que debe ser *superado* (a través del lenguaje, de la letra: *de la representación*) para que la historia, la política, *el sentido*, puedan comenzar.

[22] No es casual que *Hamlet* esté enteramente recorrida por metáforas de la noche y de la oscuridad ("CLAUDIO: *¿Qué? ¿Todavía ensombrecido por las nubes?*" [I.2.66], "GERTRUDIS: *Mi buen Hamlet, abandona ese color nocturno*" [I.2.68]), y que en el comienzo mismo de la pieza la cerrada oscuridad de la noche haga difícil reconocer a las personas a pocos metros de distancia:

MARCELO *¡Hola, Bernardo!*
BERNARDO *¡Hola!*
¿Está ahí Horacio?
HORACIO *Sólo en parte.* [I.1.18-19],

y que, en contraste, muchas puestas en escena de *Hamlet* hagan entrar a Fortimbrás en medio de una luminosidad epifánica, gloriosa triunfal. En el final de *Hamlet*, la razón se impone sobre la tragedia, el día sobre la noche, la luz sobre las brumas.

[23] Ya indiqué más arriba que cuando pienso en esas "divinidades más o menos laicas" estoy pensando en las benditas "Leyes de la Historia", "Necesidades del Presente", "Fuerzas del Mercado", "Tendencias de la Hora", etc., etc., que suelen funcionar, en el discurso de nuestros políticos menos imaginativos, como una especie de límite insuperable, de marco infranqueable no sólo de sus acciones, sino también (lo que desde cierto punto de vista es más grave todavía) de sus pensamientos. En la medida en que renuncian a introducir en el mundo el más mínimo elemento de aventura, de desafío y de novedad, esas acciones y esos pensamientos, estoy sugiriendo, simplemente renuncian a poder ser calificados como políticos. Al menos, repitámonos, como políticos en el sentido propio o fuerte que aquí estamos tratando de darle a esa palabra.

[24] Estoy planteando así las cosas sólo para esquematizar el argumento. Ya vimos que, pagano, Maquiavelo no habla tanto de la Providencia divina cuanto de los variables caprichos de la diosa Fortuna.

[25] Lo que define –bien se ve– el núcleo fundamental de la idea que sistematizaría Kant en aquel célebre pasaje de *La paz perpetua* donde el filósofo escribe que sería posible alcanzar la paz incluso en un "pueblo de demonios", *siempre que esos demonios fueran demonios racionales.* Oigamos: El problema, dice Kant, "se reduce a esto: cómo organizar una multitud de seres razonables que desean, todos, leyes universales para su propia conservación, aun cuando cada uno de ellos, en el secreto de su ánimo, se inclina siempre a eludir la ley. Se trata de ordenar su vida en una constitución de tal modo que aunque sus sentimientos íntimos sean opuestos y hostiles unos a otros, se neutralicen entre sí y el resultado público de esos seres sea exactamente el mismo que si no tuvieran malas intenciones" (Kant, p. 126). Comentando este pasaje, Diego Tatián anota que "se trata en esencia del programa político de Hobbes, en el que resultan cruciales los conceptos de obediencia e interés. Es decir, sólo el interés, el autointerés, el egoísmo, podrían motivar a un 'demonio' o a un 'lobo' a obedecer, no obstante su íntima 'inclinación a eludir la ley'. De manera que el problema a resolver es aquí el de cómo crear *las condiciones políticas* para que el interés en obedecer sea mayor que la inclinación a transgredir –o, como dice Kant, a hacer de sí mismos una excepción." (Tatián, *La cautela...*, p. 28, subr. mío) Esas "condiciones políticas" son las que aquí estamos llamando, en el sentido más general posible, "instituciones".

[26] A ese respecto, véase por ejemplo el bello análisis de Todorov en su *La conquista de América...*, cuya tesis central es la de que la capacidad de los hombres de Hernán Cortés para derrotar al vasto imperio de los súbditos de Monctezuma radicaba en su dominio de una lengua que, no pretendiendo "copiar" o repetir las cosas, sino designarlas a distancia (esto es: representarlas), constituía un instrumento útil para la manipulación y el engaño de los otros y para la acción creativa y novedosa sobre el mundo.

[27] A lo largo de todo el trabajo he citado y citaré *Hamlet* en español, excepto en los casos en que la referencia al original inglés sea indispensable. Esta sección, en que lidiamos con trocadillos y juegos de palabras, constituye obviamente uno de esos casos. Inmediatamente después de cada cita, ofrezco la traducción a nuestra lengua.

[28] Con la diferencia de que la dieta (*diet*) es la suprema asamblea del Imperio Germánico, mientras que *convocation* es el nombre dado a las asambleas del clero anglicano. Que eran dos –la de Canterbury y la de York–, cada una de las cuales correspondía a una de las dos arquidiócesis del reino.

[29] Hemos elegido, en el texto, un sumario repertorio de juegos de palabras cuya signi-

ficación política es evidente e inmediata. Pero otras bromas de Hamlet con las palabras, no necesariamente destinadas a aludir a la situación política del reino, pueden también ser indicadas. Así, por ejemplo, cuando Hamlet (se) promete recordar a su padre

whiles memory holds a seat
In this distracted globe [I.5.96-7]

("mientras la memoria tenga un sitio / En este globo trastornado"), *"globe"*, globo, puede aludir *tanto* a la cabeza de Hamlet *cuanto* al mundo, a la esfera terrestre: la grandeza de Shakespeare, aquí como en otras partes, radica en permitirnos leer su texto al mismo tiempo en más de un sentido. Y que esos dos sentidos están aquí simultáneamente aludidos y mutuamente implicados es algo que se vuelve todavía más evidente si se repara en el modo permanente en que, en *Hamlet* y, en general, en el pensamiento europeo del Renacimiento, individuo y cosmos actúan como metáfora uno de otro. Vale la pena recordar, además, que el teatro de la compañía de Shakespeare, el teatro donde se representaba *Hamlet*, se llamaba *The Globe*, lo que viene a agregar una tercera alusión a la línea que consideramos, que es difícil imaginar que no haya estado en la mente de Shakespeare al escribirla, ni en la de sus espectadores al oírla. (¿Es necesario señalar, en apoyo de esta última idea, la importancia del doble valor de "seat" ["whiles memory holds a seat..."], que es "sitio", por supuesto [o "lugar", "situación", "puesto"], *pero también* "asiento, "silla", "localidad... *en un teatro*"?) A veces los juegos con los significados de las palabras (pero también con sus parentescos, sus sonoridades, sus connotaciones) son relativamente simples, como en el ejemplo de *fishmonger* ("pescadero", pero también, en sentido figurado, y dada la proximidad entre "fish" –pez– y "flesh" –carne humana–, "rufián") en cierta célebre respuesta de Hamlet a Polonio en II.2.172. Otras veces son más complejos, como cuando Hamlet les dice a Rosencrantz y Guildenstern que

I know a hawk from a handsaw [II.2.348],

que si literalmente quiere decir "puedo distinguir un halcón de una sierra", de inmediato acarrea una sugestiva serie de sutilezas. Por un lado, como destaca Jenkins, la frase parece tener el segundo sentido de que Hamlet ve a sus camaradas como *aves de presa* del rey o como sus *instrumentos* (cf. Jenkins, pp. 473s). Por otro, *hawk* (halcón) es también un tipo de paleta de albañil, y *handsaw* (serrucho) puede suponerse también una ligera corrupción de *hernshaw, hernsew, heronshaw* o *heron* (garza), con lo que cada una de las palabras remite oblicuamente a la otra, o al universo de la otra, dejándonos ante "puedo distinguir un halcón de una garza" o "puedo distinguir una paleta de albañil de un serrucho", es decir, "puedo distinguir un tipo de ave de otro", o "un tipo de herramienta de otro". Lo cual, por cierto, parece a primera vista más razonable que decir "puedo distinguir un halcón de un serrucho". Sólo que –primero– no hay por qué suponer que Hamlet dice siempre cosas razonables, y –segundo– "quizás sea la absoluta *disimilitud* entre un halcón y un serrucho", como observa Edwards (p. 134), lo que constituye el punto de Hamlet. Cuya frase –que sigue a la afirmación de que no está tan loco como los otros piensan: "*I am but mad north-north-west*" ("No estoy loco más que al nor-noroeste" [II, 2, 347])– vendría entonces a querer decir más o menos lo siguiente: "No estoy tan loco como los otros piensan; la prueba de eso es que puedo distinguir un halcón de una sierra". Esto es: que puedo distinguir tan bien como puede hacerlo un loco. Lo que dejaría el sentido de todo el pasaje –bien se ve– en ese terreno ambiguo en el que se desarrolla todo el tiempo la reflexión de Hamlet sobre su propia locura, al mismo tiempo afirmada y negada por sus palabras. Menos compleja, pero más polémica y famosa, es una de las frases que dispara Hamlet en la escena en la que maltrata –mientras escuchan, detrás de los tapices, Claudio y Polonio– a la bella Ofelia. ¿Cuánta tinta se ha gastado discutiendo si *nunnery*, en la frase en la que Hamlet le dice

Get thee to a nunnery [III.1.119],

significa simplemente "convento" o si está usada en el sentido vulgar de "prostíbulo"? Un apoyo fundamental para la segunda hipótesis lo encontramos en la sugerencia, largamente desarrollada por Dover Wilson, de que Hamlet sabe (y sabe que Ofelia sabe) que Polonio y Claudio están escuchando. La hipótesis de Wilson se sostiene sobre su sugerencia de que, en la escena en la que Polonio y Claudio pergreñan el plan que ahora llevan adelante, Hamlet ingresa al escenario unas líneas más arriba que lo que la mayoría de las ediciones aceptan (otra vez las "entradas", pues: otra vez el problema de cómo reconstruir las indicaciones de dirección que tal vez Shakespeare escribió alguna vez en un papel perdido en la noche de los tiempos, o que tal vez sólo hacía oralmente a sus actores y ni siquiera escribió jamás) y consigue por lo tanto oír –sin ser visto– parte de la conversación entre el rey y su consejero (cf. Wilson, pp. 125-136). Si eso fuera verdad, lo que Hamlet estaría sugiriendo sería que Ofelia ha aceptado prostituirse, en esta escena, para arrancarle su secreto. En un sentido opuesto, Philip Edwards –que no considera necesario suponer que Hamlet conozca la estrategia de la que está siendo objeto– no sólo rechaza la pretensión de que la palabra *nunnery* esté usada en su sentido vulgar de "burdel", sino que asegura que "buena parte del poder y significado de esta escena se pierde" si aceptamos semejante sugestión (Edwards, p. 149). Hamlet –dice Edwards– está acusando a todos los hombres y mujeres, incluyendo a Ofelia y a él mismo, de flaqueza moral. Sólo en un convento podría Ofelia resistir las inclinaciones de su naturaleza, y, desistiendo del sexo y de la procreación, no propagar el pecado por el mundo. Una vez más, todo lo que tengo para sugerir es que tal vez no sea necesario *elegir* una de las dos opciones, y que si es obvio que Shakespeare no quiso decir (no quiso que Hamlet dijera) *solamente* que Ofelia era una prostituta, este significado procaz de la palabra que elige, y que llena a la escena de enriquecedoras connotaciones (acercando la historia, digámoslo de paso, al mito danés original en el que la tragedia shakespeareana está basada), no podía, por supuesto, escapársele, y que, aquí como en otras partes, *es la indeterminación del significado de las palabras y de las expresiones lo que constituye su riqueza. Hamlet* es el exacto contraejemplo, el perfecto contra-modelo del mundo por el cual medio siglo después bregaría Thomas Hobbes: un mundo caracterizado por un lenguaje preciso, libre de ambigüedades, puramente denotativo.

[30] Cf. el notable trabajo de Facundo Casullo, *Vademecum...*, p. 19.

[31] Lo cual no quiere decir que no exista una *cierta* dimensión de *ritornello*, una *cierta* idea cíclica del tiempo (que no necesariamente implica que "todo vuelva al mismo punto" al final de la historia, sino que la historia no termina nunca de empezar de nuevo cada vez, *pero cada vez en un nivel distinto*) en la estructura narrativa de *Hamlet:* más adelante veremos, por cierto, que éste es exactamente el caso. ¿Y entonces? Entonces, que quizás sea posible postular que hay aquí otra verificación de la condición de texto-bisagra que ya observamos en *Hamlet* a propósito de otras cuestiones. Que igual que es posible afirmar que en *Hamlet* conviven, en permanente tensión (una tensión que tiene como escenario principal, como ya vimos, la conciencia atormentada del propio príncipe), una ética pre-moderna del honor y una ética moderna de la paz, quizás sea posible sostener también que ese y otros textos de Shakespeare tematizan la

tensión entre *dos ideas distintas sobre el tiempo:* una idea cíclica, típicamente pre-moderna (que Roiz, en el libro que indicábamos en el texto, cometería el exceso, no de observar, sino de *absolutizar*), y una idea lineal, progresista, típicamente moderna, que es la nuestra. Debo a los profesores Gabriel Cohn y Miguel Chaia esta valiosa observación.

[32] El gran tema de *Hamlet*, dice Mack en su bello artículo, es "la naturaleza problemática de la realidad" (p. 239), que se revela, entre otras cosas, en la importancia y el papel que el texto confiere a las *appearances* (apariencias) y a las *aparitions* (apariciones), en la frecuencia algunos verbos como "*to seem*" (parecer), "*to assume*" (suponer, *pero también "fingir")* o "*to show*" (mostrar, *representar*), y en el igualmente frecuente recurso a las metáforas vinculadas a los mundos de las ropas, de la pintura y –ya vimos esto– del teatro (esto es: a los mundos de la apariencia y la simulación), y que parece encontrar en el modo interrogativo de las frases la mejor forma de expresión. Utilizo con toda intención esta palabra, "expresión", que me remite aquí, en este punto, al título de un clásico libro de Ana María Barrenechea, *La expresión de la irrealidad en la obra de Borges*. En él, Barrenechea estudia la manera en que la propia escritura de Borges, su vocabulario y su sintaxis, se convierten en medios por los cuales el autor de *El Aleph* expresa su permanente sospecha sobre el carácter "irreal" –ficticio, fantasmagórico, ilusorio, onírico– del mundo y del yo. Por ejemplo: "A veces Borges intercala, entre paréntesis o entre comas, una advertencia que pone a la oración principal el comentario acerca de la subjetividad de toda afirmación humana (...): '... hasta que percibí, o creí percibir, un argumento...', 'creían (o creían que creían)...', 'evitó (trató de evitar) las limitaciones del tiempo'..." (Barrenechea, p. 109). Si quisiéramos jugar un poco con el título del libro de la profesora argentina, podríamos decir que los signos de pregunta constituyen "la expresión de la irrealidad" en la obra de Shakespeare que estamos estudiando. Que si los signos de interrogación abundan en *Hamlet* es porque el propio sentido de lo real está, en esa pieza, entre signos de pregunta.

[33] Por el momento, limitémonos a señalar que Bernardo no es el único que, en esa noche tenebrosa, la padece: "FRANCISCO: *Muchas gracias por el relevo. Hace un frío cruel / Y la angustia me oprime el corazón*" [I.1.8-9].

[34] Oigamos ahora a Jacques Derrida, cuyo magnífico libro sobre la cuestión de la presencia del problema hamletiano de los espectros en la obra de Karl Marx vamos a revisar en nuestro próximo capítulo: El trabajo del duelo, dice Derrida, "consiste siempre en intentar ontologizar los restos, en hacerlos presentes, en primer lugar en *identificar* los despojos y en *localizar* a los muertos" (Derrida, p. 30). Localizar a los muertos: saber dónde están (a quién pertenecen las tumbas: "HAMLET: *¿De quén es esta tumba, compañero?"* [V.1.99]), y saber que, ahí donde ellos están, están tranquilos y seguros y quietos, y que ahí permanecerán: "*es necesario saber* quién está enterrado dónde – y *es necesario* (saber, asegurarse) que, en lo que queda de él, *él se quede* (que, dans ce que reste de lui, *il y reste)*. ¡Que se quede ahí y no se mueva!" (*id.*) ¡Que los muertos dejen de moverse! Imposible no recordar el final del primer Acto:

ESPECTRO (Bajo tierra) *Jurad.*
HAMLET *Ja, ja, muchacho, ¿fuiste tú quién habló? ¿Estás ahí, compañero? (...)*
ESPECTRO *Jurad*
HAMLET *Hic et ubique? Cambiaremos pues de sitio. (...)*
ESPECTRO *Jurad.*
HAMLET *Bien dicho, viejo topo, ¿puedes cavar tan de prisa bajo tierra?*
Excelente zapador. Una vez más movámonos, buenos amigos.

HORACIO *Oh, día y noche, qué pasmosamente extraño es esto. (...)*
ESPECTRO *Jurad.*
HAMLET *Descansa, descansa, espíritu perturbado* [I.5.149-83]

"*Rest, rest, perturbèd spirit.*" Derrida: Que se quede ahí y no se mueva. "*Que, dans ce que reste de lui, il y reste*". El francés viene aquí en auxilio del inglés, y en nuestro auxilio –*reste, rester, resto, to rest, the rest...* (HAMLET: "*The rest is silence*")–, revelando una interesante cadena de significaciones hilvanadas.

[35] Ya dijimos algo, un poco más arriba, sobre la proverbial *demora* de Hamlet para "actuar" y sobre la viejísima (y, dijimos también, no siempre sagazmente formulada) pregunta sobre *los motivos* de la "inacción" del príncipe, sobre las razones por las que Hamlet "no actúa". Pero igualmente pertinente resulta la pregunta acerca de por qué (y de cuándo) Hamlet, finalmente, *sí* actúa. En ese sentido, puede indicarse que, del mismo modo que Hamlet sólo lanza ante el rey su desafiante "*Soy yo, Hamlet el Danés*" [V.1.224-5], sobre el que por cierto volveremos, *después* de haber visto (se trata de la penúltima escena: la del cementerio) el cadáver de Ofelia (como si fuera el dolor causado por esa muerte, por lo absurdo e innecesario –*por lo trágico*– de la muerte de la mujer a la que amaba, más que la obligación asumida con el espectro de su padre, lo que lo llevara a decidirse a enfrentar al rey), así también sólo se decide a matar por fin a Claudio cuando, *por un lado*, descubre que *él mismo ya ha sido envenenado*, que ya está, por así decir, "del otro lado": muerto (LAERTES: "*Hamlet, estás muerto*" [V.2.293]), pero sobre todo cuando, *por otro lado*, ve morir en frente suyo, también envenenada por su tío –de modo no por indeliberado menos culpable– *a su madre* (como si, también aquí, el deseo de vengar *esa* muerte fuera mucho más fuerte e irresistible que la obligación –que de hecho Hamlet no hace otra cosa, durante cuatro actos, que *resistir*– de vengar la de su padre). En síntesis: que Hamlet, exactamente al revés que el Príncipe maquiaveliano (que es sobre todas las cosas, como ya vimos, un dúctil operador del tiempo), *actúa siempre a destiempo*. O, como dice Lacan, "a la hora del Otro" (Lacan, p. 85). Tarde. Esa tardanza, ese "destiempo" de su acción (una vez más el "destiempo", pues: una vez más el tiempo "fuera de quicio") es parte de la tragedia de su vida y de su muerte.

Capítulo 3

(SOBRE EL DESORDEN DEL TIEMPO)

HAMLET (...) Qué habría de hacer un hombre sino estar alegre? Mirad si no qué animada parece mi madre, y mi padre murió hace dos horas.

OFELIA No, hace dos veces dos meses, mi Señor.

HAMLET ¿Tanto tiempo? Pues entonces que se vista de negro el diablo, que yo voy a ponerme un traje de piel de marta cebellina. ¡Oh, cielos! ¿Dos meses muerto y aún sin olvidar?

Hamlet, III.2.111-116

1. Voces y fantasmas del pasado

En el prefacio a la edición americana de su clásico *The political philosophy of Hobbes*, Leo Strauss nos informa sobre el cambio que se había operado en él en relación con cierta idea que él mismo había defendido en la época de la primera edición del libro. "Hobbes me parecía el fundador de la filosofía política moderna" –dice. Y agrega: "Esto era un error: quien merece este título no es Hobbes, sino Maquiavelo" (Strauss, *The political...*, p. XV). Por su parte, Quentin Skinner, menos apurado que Strauss por determinar cuál de los dos autores merece el título de padre fundador del pensamiento político moderno, o más sensible que él al movimiento que va configurando, de modo dinámico y como "en dos tiempos", por así decir, las líneas mayores de ese pensamiento, opta por el plural al titular uno de sus libros más famosos, que por cierto ya tuvimos ocasión de citar: *The foundations of modern political thought*. Mas arriba intenté sugerir una idea semejante a ésa. Mi impresión, según indiqué, es que Maquiavelo, por así decir, "abre", quizás por vez primera, un conjunto de problemas y cuestiones que Hobbes se ocupa, después de ese verdadero "terremoto", de introducir en un nuevo marco –ya decididamente racional y laico: moderno– de pensamiento. Permítaseme entonces recordar apenas dos ideas que ya anunciamos y que organizarán lo que siga. La primera es que esta "sucesión" que es posible plantear entre Maquiavelo y Hobbes no es de manera alguna la sucesión que se establece entre dos pasos de un mismo programa, entre dos momentos de un mismo camino ascendente. En efecto: la perspectiva trazada por Hobbes es radicalmente *antagónica*, en puntos decisivos, a aquella otra, la de Maquiavelo, *contra la cual* –no sería exagerado plantearlo así– se levanta todo el edificio teórico construido por el autor del *Leviatán*. De modo que la imagen según la cual Maquiavelo habría "abierto" una serie de problemas que Hobbes iría más tarde a "cerrar", no debe –ya lo dijimos– engañarnos: Hobbes es, por cierto, impensable sin Maquiavelo, pero la relación que puede establecerse entre ellos no es de complementariedad, sino de oposición. Hobbes viene a "responder", digamos así, algunas de las preguntas que la crítica maquiaveliana del pensamiento político medieval había planteado, pero responde a esas preguntas de un modo que cancela muchas de las potencialidades que esa crítica había inaugurado. La segunda idea que me gustaría enfatizar es que la ruptura maquiaveliana con la tradición cristiana medieval daba a la obra del secretario florentino no sólo una entonación "conflictivista" que abriría una senda que –como ya es frecuente señalar, y como veremos en este capítulo– muchos otros autores irían después a recorrer, *sino también un tono que llamé "trágico"*, frente al cual Hobbes construiría su proyecto *–proyecto cuya propia tragedia, dijimos, consiste en comprender su propia imposibilidad–* de desplazar la tragedia fuera de los límites del mundo de la política. Es en esta clave que estamos, aquí, lidiando con *Hamlet*, de Shakespeare, en cuyo texto, según creo, podemos encontrar *tanto* la marca de la "revolución maquiaveliana" del pensamiento político europeo *cuanto* la anticipación de la "solución hobbesiana" a los problemas que esa revolución planteaba.

Ahora: lo que es indudable es que, independientemente del problema de los méritos relativos del autor de *El príncipe* y del filósofo de Malmesbury en la destrucción de la cosmovisión medieval y en la estructuración de una visión moderna del mundo político, e independientemente, también, de nuestras propias preferencias, esa "solución hobbesiana" se volvió, durante los últimos tres siglos y medio, absolutamente hegemónica en el pensamiento político occidental. En otras palabras: que si la sucesión de los pensamientos de Maquiavelo y de Hobbes debe ser pensada, según sugerimos, menos como una continuidad armoniosa y cooperativa que como un conflicto y hasta como un duelo, lo mínimo que nos cabe decir es que ese duelo tuvo un vencedor nítido e indiscutible. Es un lugar común, en efecto, señalar que la matriz dominante del pensamiento político occidental moderno es hobbesiana, que el pensamiento de Hobbes organiza hasta hoy nuestro pensamiento sobre la política y nuestra propia idea sobre *qué cosa es* la política, que sin Hobbes ni Rousseau ni Kant ni Hegel ni Marx ni Weber ni Gramsci habrían sido posibles, y que todos nosotros, en fin, somos, en un sentido decisivo, hobbesianos. Lo que no quiere decir, es claro, que todos defendamos opciones políticas del tipo que más entusiasmaba al autor del *Leviatán*, sino que todos continuamos pensando en el marco de las *grandes líneas* establecidas por él. Que no son las líneas referidas a problemas relativamente secundarios tales como el de las formas de gobierno, la mayor o menor candidad de derechos de los súbditos frente al Estado, etc., sino las referidas a los *grandes rasgos del sistema hobbesiano:* su idea del Estado como una persona artificial distinta *tanto* de la persona del gobernante *como* de la masa del pueblo[1] y su idea del contrato como expresión de la voluntad de los hombres de crear esa persona artificial y, de ahí, como razón de la obligación de esos hombres de obedecerle. Cuando hablamos entonces del triunfo del pensamiento hobbesiano en la escena de la filosofía política moderna estamos hablando del triunfo de esas dos grandes ideas, que, en efecto, definen el marco en el interior del cual todavía hoy seguimos pensando. Es verdad que para los pensadores políticos posteriores a Hobbes se volvió una cosa de "buen tono" proclamarse anti-hobbesianos; es verdad que el pensamiento de Hobbes ha cargado casi desde su propio surgimiento una "mala fama" tal vez sólo comparable a la que, como ya vimos, había cargado también el de su gran antagonista Maquiavelo, y es verdad también que esa "mala fama" todavía hoy no lo ha abandonado.[2] Es verdad, incluso, que el pensamiento de Hobbes contiene una cantidad de "pormenores" (la palabra es de J. P. Moreau) que los siglos que siguieron no le dejarían de censurar, y por oposición a los cuales fueron levantados los grandes edificios de las teorías "liberales" modernas, de John Loke en adelante. Pero no es menos cierto que, como escribió Gérard Lebrun, "a pesar de todas las maldiciones que dos siglos hicieron llover sobre Hobbes, fue por el camino por él abierto que avanzó el pensamiento político" (Lebrun, *O que...*, p. 49), no es menos cierto que aquellos "pormenores" de los que hablaba Moreau son exactamente eso: pormenores, y que, mientras ellos son discutidos largamente, todos nosotros aceptamos los núcleos centrales del argumento hobbesiano, que no sólo no fueron nunca seriamente contestados por las líneas centrales del pensamiento político moderno, sino que se convirtieron en los rasgos centrales de ese mismo pensamiento.

Por eso, tal vez no sea el caso discutir si Hobbes es o no es "el padre del liberalismo", como pretende Strauss (contra quien es posible argumentar que, en efecto, el liberalismo se levantó más bien *contra* Hobbes, quien fue siempre la *"bête noire"* del pensamiento que se reivindicó a sí mismo como liberal), ni si es o no el gran "filósofo de la burguesía", como quiere C. B. Macpherson (contra quien, por su parte, puede apuntarse, entre otros hechos notorios, el de que la burguesía nunca fue, ni en los tiempos de Hobbes ni después de ellos, "hobbesiana": volveré sobre esto), porque, de hecho, Hobbes es *mucho más* que el padre del liberalismo y el gran filósofo de la burguesía: es, simplemente, el padre y el gran filósofo *de la modernidad política*. En otras palabras, lo que hace Hobbes, en verdad, no es sólo algo *distinto* a instaurar las bases teóricas del Estado liberal o de la dominación política de la burguesía, sino algo que es, por lo menos, "lógica y cronológicamente *anterior*" (Pousadela, p. 376) a eso: instaurar las bases teóricas de un modelo de dominación política que –una vez más es Lebrun quien nos lo dice– "es la condición *sine qua non* para el funcionamiento *de toda sociedad moderna*" (*O que...*, p. 60). Así, Hobbes es, mucho más que el primer teórico del liberalismo o de la dominación burguesa, *el primer filósofo político moderno* y el fundador de una matriz de pensamiento que será posible encontrar, después de él, en las más diversas familias políticas y teórico-políticas de los últimos tres siglos y medio: desde el liberalismo (que es ciertamente *una* de las diferentes figuras de la dominación pasibles de ser inscriptas dentro de ese cuadro general) hasta el jacobinismo (en el que dos ideas hobbesianas, complementarias a la del Estado como aparato impersonal, adquieren una importancia decisiva: la idea de *representación* y la idea de *soberanía*)[3], desde la definición weberiana del Estado como la instancia que monopoliza el derecho al uso legítimo de la fuerza hasta las metáforas gramscianas (en las que es preciso estar sordo para no oír estridentes ecos hobbesianos) de "cementos", "bloques" y otras contundencias. Así pues, en resumen, y para homenajear, ya que acabamos de mencionarlo, al siempre sugestivo autor de las *Notas sobre Maquiavelo* –sobre las cuales ciertamente volveremos–, no nos equivocaríamos si afirmáramos que la "solución hobbesiana" al conjunto de problemas planteados al pensamiento político occidental en los albores de la modernidad se volvió decididamente "hegemónica" durante los últimos tres siglos y medio. Que –para introducir ahora una terminología ligeramente diferente– esa solución acaba por configurar un marco, un "paradigma", una visión del mundo de la que tal vez inconscientemente (como por lo demás ocurre siempre) estamos presos. Un paradigma dentro del cual, tal vez sin siquiera percibirlo, pensamos, formulamos nuestros problemas y les damos solución. Si esto es así, si efectivamente todos nosotros cargamos de modo más o menos automático e inconsciente un conjunto de suposiciones y creencias que inscriben nuestro pensamiento, sepámoslo o no, en las coordenadas de un "paradigma hobbesiano" para pensar la política, tal vez valga la pena el ejercicio de volver nuestros ojos, *no sólo* en dirección a la coyuntura histórica en que ese paradigma se articuló originalmente, sino incluso un poco *más allá* de ella, en dirección *a aquellos otros* pensamientos *contra los cuales* ese paradigma, en su momento, se levantó, y que el trifunfo de ese paradigma después sepultó, eclipsó o relegó a la marginalidad o simplemente al olvido.

Es en esa dirección que avanza el argumento central de Quentin Skinner en un pequeño librito, *Libertad antes del liberalismo*, cuyo tema nos concierne, y que me gustaría comentar aquí muy rápidamente. La tesis de Skinner parte de la constatación relativamente banal de que "es fácil dejarnos hechizar por la creencia de que las maneras de pensar sobre (nuestros conceptos) que nos fueron transmitidas por la corriente principal de nuestras tradiciones intelectuales deben ser *las* maneras de pensar sobre ellos" (Skinner, *Liberdade...*, p. 93). Dicho de otro modo: tendemos a olvidar la circunstancia evidente de que nuestros conceptos, nuestras maneras de pensar, incluso los valores que incorporamos a nuestras escalas normativas, no son los únicos posibles, sino que son el producto de "una serie de opciones hechas en épocas diferentes entre diferentes mundos posibles" (*id.*). Y que –ésa es la implicación– *otras opciones podrían haber sido hechas*. De ahí resulta una doble tarea: por un lado, la de intentar "adquirir una comprensión autoconciente" de esos conceptos que todos nosotros empleamos "de modo *no* autoconciente". Para eso, nada mejor, dice Skinner, que convertirnos en "historiadores del pensamiento": volver a las raíces del paradigma del que estamos presos, viajar al pasado de nuestras ideas presentes, para comprender no sólo ese pasado, sino sobre todo "*nuestro* actual mundo moral y político" (p. 89). Es necesario comprender a Hobbes (digamos, para volver a nuestro tema), es necesario comprender con quién estaba discutiendo Hobbes, en qué luchas estaba comprometido, cuáles eran los fantasmas contra los cuales se estaba debatiendo, no sólo para comprender mejor su pensamiento, sino sobre todo para comprender mejor *el nuestro*.[4] Por otro lado, la tarea de investigar lo que podríamos llamar, tal vez, "las opciones que no hicimos". Es, de nuevo, lo que propone Skinner: "Uno de los valores actuales del pasado es el de constituir un repositorio de valores que ya no suscribimos, de problemas que ya no nos planteamos. Un papel correspondiente para el historiador del pensamiento es el de actuar como una especie de arqueólogo, trayendo de vuelta a la superficie tesoros intelectuales enterrados, sacándoles el polvo y permitiéndonos reconsiderar lo que pensamos sobre ellos" (p. 90). Es exactamente eso lo que hace el propio Skinner en el libro que estamos considerando. Allí, Skinner nos ofrece un bello estudio de esa familia de pensadores ingleses de la primera mitad del siglo XVII a los que llama "republicanos" o "neo-romanos", y especialmente de la idea de libertad que esos pensadores neo-romanos defendían, y justifica la importancia de un estudio semejante en la medida en que, "con el ascenso de la teoría liberal a una posición de hegemonía en la filosofía política contemporánea, la teoría neo-romana quedó tan olvidada que el análisis liberal vino a ser ampliamente considerado como la única manera coherente de pensar sobre el concepto en cuestión" (p. 91). En este trabajo estamos, nosotros también, intentando hacer algo semejante: intentando "traer de vuelta a la superficie", como rescatándolo de abajo del peso de la obra del autor del *Leviatán*, un cierto pensamiento que, tras haber abierto las grandes preguntas que inauguraron la modernidad filosófica y política, nos parece haber sido, si no olvidado, por lo menos eclipsado, marginalizado, condenado a circular por un camino lateral, menor, maldito, del pensamiento político moderno, sofocado, en fin, por el paradigma inaugurado por Hobbes *en respuesta* a aquellas preguntas fundamentales. Se trata, ya lo sabemos, del pensamiento político de Maquiavelo.

Sin embargo, hay algo que suena un poco extraño en esto que acabamos de escribir. ¿Maquiavelo, decimos, "eclipsado"? ¿No estaremos acaso exagerando? ¿Maquiavelo "marginado"? Pero, ¿no sabe acaso cualquier estudiante de primer año de cualquier curso de Ciencias Sociales que Maquiavelo es nada menos que "el fundador de la Ciencia Política moderna"? Lejos de parecer marginado o eclipsado por nadie, Maquiavelo suele presentársenos como un autor altamente reconocido, como el máximo estandarte, incluso, del pensamiento político moderno, como el padre de *nuestro* propio pensamiento, como el anticipador, en el campo de las ideas políticas, de la "revolución científica" de la que Galileo iría a ser el máximo exponente, un siglo después, en el campo de las ciencias exactas y naturales, como el primero en alcanzar el tipo de visión objetiva, realista, de los hechos políticos que nosotros nos enorgullecemos de compartir. ¿Maquiavelo, entonces, "sofocado", necesitado de quién sabe qué tipo de "arqueología de las ideas" que venga a rescatarlo o a traerlo de vuelta a la superficie? Será preciso considerar esto un poco más de cerca.

Para ello, nada mejor que volver a abrir un libro que ya consultamos más arriba: *Espectros de Marx*, de Derrida, que por otro lado va a permitirnos retomar nuestra simultáneamente interrumpida discusión sobre *Hamlet*, de Shakespeare. Porque el problema que plantea Derrida en su libro es, en efecto, semejante al nuestro, aunque la hegemonía que a él le interese discutir sea otra: no ya la hegemonía de las ideas "hobbesianas" sobre el Estado y el contrato en la filosofía política moderna, sino la hegemonía del pensamiento liberal (o, mejor, "neo-liberal") en la escena política occidental posterior a la caída del Muro de Berlín. Así, en *Espectros de Marx* el viejo tema shakespeareano, hamletiano, de los espectros que, en su regreso al mundo de los vivos, tienen aún un mensaje para darnos, es retomado para rescatar un cierto legado de la obra de Marx que hoy sería preciso "saber escuchar" (porque los espectros del pasado sólo nos hablarán si nosotros somos capaces de *escuchar* ese mensaje, esa "interpelación", ese "llamado": recordemos el fracaso de los pobres Horacio, Bernardo y Marcelo en la plataforma del palacio de Elsinor) por debajo de los estruendosos festejos por la vociferada "muerte del marxismo". El título del libro de Derrida involucra pues un juego de palabras: *"Espectros de Marx"* alude *tanto* a la presencia de los espectros *en la obra de Marx*, al tratamiento marxiano del tema de los espectros –fuertemente inspirado en las notorias lecturas shakespeareanas del filósofo de Tréveris, cuya importancia ya había destacado, hace tiempo, Claude Lefort–, *cuanto a la propia obra de Marx* como un "espectro" que –sombra de un cuerpo injustamente asesinado y enterrado después con demasiada urgencia, sin las debidas ceremonias y sin cumplir con los rituales del "trabajo de duelo" que habría sido necesario realizar– recorrería por las noches los alrededores del palacio del neo-liberalismo triunfante con un mensaje para nosotros.

Un mensaje que nosotros tendríamos, por lo tanto, la *responsabilidad* (responsabilidad teórica, filosófica, política) de oír. Derrida es especialmente enfático en este punto: "Será siempre una falta no leer y releer y discutir a Marx. (...) Será cada vez más una falta, una falta contra la responsabilidad teórica, filosófica, política", escribe el autor de *De la gramatologie*, y su argumento asume un tono militante cuando agrega: "Desde el momento en que la máquina de dogmas y los aparatos ideológicos 'marxistas' (Estados, partidos, células, sindicatos y otros lugares de producción doctrinaria) están en vías de desaparición, *no tenemos más excusas*, sino sólo coartadas, para desentendernos de esta responsabilidad" (Derrida, *Spectres...*, pp. 35ss.). Comentando el éxito del conocido panfleto de Francis Fukuyama sobre el "fin de la historia", Derrida se pregunta si acaso el exagerado entusiasmo y el grotesco arrebato con el que, en ese libro y en los medios en los que el mismo fue tan desmedidamente celebrado, se canta "la victoria del capitalismo liberal", no constituye en realidad una forma de disumular "que nunca ese triunfo ha sido tan crítico, frágil, amenazado, incluso en cierto sentido catastrófico, y en el fondo doloroso" (p. 116). "Doloroso" (*endeuillé*), indica Derrida –y la cuestión nos interesa– "por lo que el espectro de Marx representa todavía hoy, y que se trataría de conjurar de manera jubilosa y maníaca (fase necesaria en un trabajo de duelo aún no acabado, según Freud)" (*id.*), a saber: lo que Derrida llama el *espíritu* de la crítica marxista, "que parece hoy más indispensable que nunca" (*id.*), y que Derrida propone distinguir: a) "del marxismo como ontología, sistema filosófico o metafísico, 'materialismo dialéctico'" (*id.*), b) "del marxismo como materialismo histórico o como método" (pp. 116s), y c) "del marxismo incorporado en los aparatos de partido, en los Estados o en una Internacional obrera" (p. 117). Lo que nos llevaría a una serie de cuestiones que no nos interesan aquí, excepto para llamar la atención sobre dos problemas.

En primer lugar, que, para Derrida, *no existe un solo espíritu del marxismo, sino varios.* Y podríamos agregar, inclusive, que existen varios espíritus del marxismo *no sólo* debido a los usos diferentes que, *después* de Marx, se hicieron de su obra, sino incluso debido a que *tampoco existe un único Marx, sino varios.* Por lo menos –y en relación con lo que aquí nos interesa–, dos: el que concebía el mundo *como una danza macabra de sombras que han perdido sus cuerpos* (el que creía, entonces, en los fantasmas y los espíritus habitando el mundo de los vivos y de la materia, sea en la forma de las sombras del imperio romano o de la Revolución Francesa o, en general, de las generaciones muertas oprimiento o avivando, según el caso, la conciencia de los vivos, sea en la del "fantasmagórico" valor de cambio de las mercaderías del primer capítulo de *El Capital)*[5], y el que, horrorizado por los fantasmas que él mismo había descubierto ("una hostilidad aterrada que se defiende a veces del terror con una carcajada" [p. 83]), se propone *conjurar* esos fantasmas, afirmar que ellos no eran o no debían ser "reales", que no eran o no debían ser *nada*, rechazar su propio, inquietante descubrimiento de que era posible –para ellos, para los fantasmas– huir de la famosa dicotomía hamletiana de "Ser o no ser" y, así, "ser" y "no ser" *al mismo tiempo.*[6] Sepultar, en fin, recubrir, tachar la propia *hantologie* (que es un pensamiento sobre la esquiva y atormentadora naturaleza de los espectros), con una *ontologie* –que es un tranquilizador pensamiento del ser. *La ontología marxista, dice Derrida, es el nombre del conjuro marxiano a la lógica de la espectralidad* (del ser/no ser, del *ser-no-siendo* de los fantasmas que recorren el mundo) que el propio Marx había descubierto y analizado –shakespeareanamente, hamletianamente– en toda su *angustiante* capacidad para desestabilizar nuestras formas de vivir y de pensar.[7] Y es entonces contra esa ontología que se trata, dice Derrida, de pensar. Es esa ontología la que, *en nombre del propio Marx* (o de *cierto* Marx, antagónico al Marx ontologizante y "caza-fantasmas" que acabamos de presentar), se trata de *deconstruir.* Lo que nos lleva a la segunda de las cuestiones que habíamos mencionado. Que no es más que la verificación del hecho obvio de que, siendo así las cosas (quiero decir: dada la existencia, *no* de un único espíritu del marxismo, sino de varios), heredar el espíritu marxista *que nos interesa,* oír la voz o el mensaje del espectro *que elegimos escuchar,* es necesariamente una operación activa y crítica, y que involucra una decisión o una opción. "Una herencia es siempre la reafirmación de una deuda, pero una reafirmación crítica, selectiva y filtrante" (p. 150).

Esta observación de Derrida nos interesa porque nos permite volver a Maquiavelo y reescribir, en otros términos, algo que comenzábamos a apuntar. En efecto: igual que el espíritu de Marx, el espíritu de Maquiavelo que sigue hablándonos como "desde abajo", él también ("excelente zapador, viejo topo"), de ese verdadero *piso* que constituyen para el pensamiento político modeno las tesis hobbesianas sobre el contrato y la soberanía (que son en efecto un "piso" –estamos tratando de insinuar–, *pero también un techo:* un punto de partida, pero también una losa sepulcral), no es *un solo espíritu*, sino muchos, o por lo menos varios. Está, por ejemplo, el espíritu del Maquiavelo pagano, anti-cristiano y crítico de la Iglesia, pero también el del patriota apasionado en busca del héroe capaz de liberar a Italia, el del teórico proto-hegeliano de la necesidad del Estado nacional y el del padre de la *raison d'État*, el del esteta que veía en el Estado una creación artística y el del empirista enemigo de la metafísica, el del demócrata convencido y el del amante de la independencia de Florencia dispuesto a aceptar cualquier forma de gobierno que la garantizara.[8] Y está, naturalmente, el que ya consideramos: el espíritu del Maquiavelo "científico", objetivo y moralmente neutro, que, lejos de reclamar ningún oído especialmente sensible o atento, resuena estridente y orgulloso en las primeras páginas de cualquier manual de Ciencia Política. Pues bien: aquí también, oír la voz de Maquiavelo *que nos interesa*, volver a interrogar el espíritu maquiaveliano *que queremos escuchar* será una operación, como decía Derrida, "crítica, selectiva y filtrante". Porque aquí no nos interesará volver a oír ninguna de las voces, ninguno de los "espíritus" que acabamos de listar, y que no nos interesan *precisamente porque son los que han triunfado*, precisamente porque son los que se vienen imponiendo como lugares comunes fácilmente digeribles y como sentido común de la politicología triunfante y soberana. El espíritu de Maquiavelo que, en cambio, nos interesa "volver a oír", volver a convocar (y no es que nos anime ninguna pretensión de originalidad: apuntamos ya una serie de nombres, y mencionaremos más adelante otros, en cuya estela nos gustaría inscribir esa "convocatoria", ese "llamado", esa *inyunción*), es el del Maquiavelo "trágico" que presentábamos en el primer capítulo de este trabajo: el del Maquiavelo que sabe que sólo tenemos nuestra *virtù* para enfrentar los caprichos de la suerte, pero que sabe también que ni siquiera la mayor *virtù* nos garantiza el éxito en nuestras luchas; el Maquiavelo que sabe que la moral adecuada al mundo de la política es distinta de la que nos dicta el modo de salvar nuestra alma, pero que sabe también que no existe ningún criterio objetivo para saber cuál de esas dos es la "mejor", que sabe que es preciso elegir y, eligiendo una forma de felicidad, renunciar a la otra. De forma más general: el Maquiavelo que sabe que el mundo (el mundo social y político, el mundo moral, el mundo de nuestras alternativas públicas y personales) está atravesado por el conflicto y por las luchas, pero que sabe también que ese conflicto y esas luchas no respetan ningún libreto previo ni anticipan o preparan ninguna "solución superadora"; que son pura apertura, pera contingencia, pura indeterminación.

Planteada la cuestión en estos términos, entonces, nuestro recorrido por el texto de Derrida nos deja en un punto muy cercano al que habíamos alcanzado de la mano del de Skinner. Si para éste el desafío era, en efecto, y como ya apuntamos, el de traer "de vuelta a la superficie tesoros intelectuales enterrados, sacándoles el polvo y permitiéndonos reconsiderar lo que pensamos sobre ellos", para Derrida la tarea tiene una forma muy semejante: volver a oír, trayéndolas también a la superficie del mundo de las ideas vivas y corrientes, las voces enterradas de los espíritus que todavía vale la pena seguir escuchando. La diferencia entre las dos perspectivas, si tuviéramos que apuntar alguna, es tal vez de énfasis. En efecto: para Skinner, el interés de una "arqueología de las ideas" como la que se propone parece ser de tipo, digamos, espistemológico: revisar los orígenes, alcances y límites de los paradigmas de los que estamos presos y apreciar las alternativas paradigmáticas que, entre todas aquellas de las que disponíamos, elegimos (u otros eligieron por nosotros, antes de nosotros) descartar. Comprender, entonces, que nuestro conocimiento sobre el mundo político está fijado a ciertos parámetros que al mismo tiempo que lo alimentan necesariamente lo limitan, y reflexionar (re-flexionar, es decir: hacer que el pensamiento vuelva sobre sí mismo, sobre sus propios puntos de partida, sobre aquello que le permite ser) sobre esas determinaciones que, en general sin siquiera pensar en ello, aceptamos. Para Derrida, en cambio, el énfasis está puesto en la dimensión ética del asunto: en la necesidad de respetar lo que él llama un imperativo de justicia. En efecto: "Si me dispongo a hablar extensamente de fantasmas, de herencia y de generaciones, de generaciones de fantasmas, es decir, de ciertos *otros* que no están presentes, ni presentemente vivos, ni entre nosotros ni en nosotros ni fuera de nosotros" –anuncia casi al comienzo–, "es en nombre de la *justicia*" (p. 15). De ahí que, como ya vimos, Derrida no hable de la *conveniencia* ni de las *ventajas* de volver a oír la voz de Marx, sino de la "responsabilidad" de hacerlo. Se trata de "hacer justicia" a Marx, a sus causas, a su testamento y a su herencia. Se trata, en fin, no ya –como para Skinner– de un problema de técnicas historiográficas, sino de un problema ético y, en el sentido más amplio de la palabra, *político*. Y, para Derrida, "ninguna ética, ninguna política (...), parece posible y pensable y *justa*, si no reconoce en su principio el respeto por esos otros que ya no están o por esos otros que todavía no están *allí, presentemente vivos*, sea porque ya están muertos o porque todavía no han nacido" (*id.*). Sorprendente y original indicación sobre la cual debemos detenernos. Porque el respeto a los que "no están" –mandamiento ético de la mayor importancia, cuya inspiración benjaminiana es fácil percibir– es como vemos, para Derrida, *tanto* el respeto a los que *ya* "no están" (a los muertos y a su legado, que era donde el autor de las *Tesis sobre filosofía de la historia* ponía el acento[9]) y se re-presentan en el presente como sombras, como voces, como herencias, *cuanto* el respeto a los que *todavía* "no están": a los que todavía no nacieron y apenas se anuncian, en el presente, como una posibilidad futura. En otras palabras: que el presente está abierto *tanto* hacia el pasado *cuanto* hacia el futuro (tal vez mejor: que está habitado tanto por los espectros del pasado como por los del futuro), y que tiene responsabilidades tanto en relación con uno cuanto con el otro. Se anuncia aquí un problema cuya presencia (que curiosamente Derrida soslaya) tendremos ocasión de verificar en la pieza de Shakespeare que estamos estudiando, a saber: el hecho de que el presente de la Dinamarca hamletiana, el presente dislocado, rarificado, "fuera de quicio", de ese estado "*disjoint and out of frame*" ("desunido y desquiciado") [I.2.20], está habitado *tanto* por los espectros (sobre todo uno: ya sabemos cuál) del pasado *cuanto* por los espectros (sobre todo uno: ya insinuamos cuál) *del futuro*. Que el tiempo presente, en Elsinor, está abierto –él también– tanto hacia atrás como hacia adelante, inundado de pasado y preñado de futuro, y que no terminamos de aprender la lección política que *Hamlet* tiene para darnos, ni el modo profundo en que la *hantologie* marxiana es tributaria de la mayor creación dramática de Shakespeare, ni el sentido que puede tener para nosotros revisar ese legado, hasta que no comprendemos esa *doble* apertura, esa *doble* contaminación. Pero no nos adelantemos. Hemos introducido con toda intención una cuestión (una expresión, una idea notable de Hamlet: la del mundo, las cosas, el tiempo, "fuera de quicio", *out of joint)* en la que es necesario ahora detenernos.

Tras la conferencia con el espectro de su padre, Hamlet –recordemos– se reencuentra con sus amigos Horacio y Marcelo en la plataforma del palacio. El príncipe está, sin duda, profundamente perturbado. Niega información a sus compañeros acerca de su conversación con el espectro, les exige en seguida un curioso juramento, vuelve a sorprenderse con la reaparición, ahora bajo tierra ("excelente zapador, viejo topo"), de la sombra del antiguo rey, y concibe, por lo menos en sus trazos más elementales, el "plan" de "hacerse el loco" en el futuro.[10] Después, ya en el final de esta última escena del Primer Acto, y usando uno de esos *couplets* que solían servirle a Shakespeare para reforzar el efecto o la importancia de una frase, dice lo que nos interesa escuchar:

> *The time is out of joint. O cursed spite,*
> *That ever I was born to set it right.* [V.5.189-190]

"The time is out of joint". Se trata, en efecto, de una frase en extremo sugerente, en la que Shakespeare lleva al paroxismo su capacidad, que ya tuvimos ocasión de verificar, de decir, gracias a los dobles y a veces triples sentidos de las palabras, *más de una cosa* (incluso: *muchas* cosas) *al mismo tiempo*. Aquí, en efecto, estamos ante una de esas frases magníficas, y magníficamente "polisémicas". Porque, ¿qué quiere decir, podemos preguntarnos, "*the time is out of joint*"? Quiere decir, claro, que "el mundo está fuera de quicio". Que, si se prefiere, "el tiempo" (en el sentido de *este* tiempo, de "el tiempo presente", *el mundo presente)* está fuera de sus casillas. Que *las cosas* (las cosas del mundo, las cosas presentes, el presente) están desarregladas o desajustadas o fuera de sus ejes. Pero la frase de Hamlet quiere decir, *también*, que el mundo está "cabeza para abajo", invertido, subvertido.[11] O por lo menos (si esta idea de un desajuste total o de una subversión completa de las cosas sonara demasiado fuerte), que el mundo o el tiempo (*the time*, esto es: el mundo *actual*, el tiempo *presente*, o incluso: *la época*) está *trastornado*, que es un mundo o un tiempo agitado o conmovido (y no podemos sino recordar al buen Horacio, para quien la aparición del espectro *"augura a nuestro Estado alguna extraña conmoción"* [I.1.69]), *una época, entonces, turbulenta*. La connotación política de la imagen es en cualquier caso evidente: "Este mundo turbulento... completamente fuera de quicio, incapaz de ser reducido un tiempo largo a ninguna forma de gobierno pacífico" –cita Harold Jenkins, en su notable edición de *Hamlet*, a los *Travels* de Horsey (Jenkins, p. 228, n). Tanto la traducción de "*the time*" como *la época*, o incluso *esta* época, cuanto la entonación política, o, mejor todavía, *moral*, se acentúan en la traducción de la frase de Hamlet al francés de André Gide: "*Cette époque est déshonorée*", "esta época está deshonrada", respecto a la cual Derrida apunta que, "por sorprendente que parezca a primera vista", es la traducción que mejor consigue ser fiel a "la tradición de un idioma que, de Moro a Tennyson, da un sentido aparentemente más *ético* o *político* a esta expresión. '*Out of joint*' indicaría la decadencia moral o la corrupción de la ciudad, el desarreglo o la perversión de las costumbres" (Derrida, *Spectres...*, p. 44). Y no hay dudas de que esta sensación de una "decadencia moral", de un desajuste de los valores, de que el mundo se convirtió, como dice Hamlet en la

primera ocasión en que lo dejan solo, en "*un huerto sin cultivo / Y sin desmalezar*" [I.2.135-136], es una constante en las consideraciones del príncipe sobre el estado de las cosas en Elsinor y en Dinamarca, y de que es legítimo atribuir ese tono, también, a la célebre frase que estamos comentando.

Y tampoco hay dudas de que otras variantes, u otros matices, podrían todavía, si nos lo propusiéramos, apuntarse, u otras traducciones de esa misma frase proponerse. Aquí sólo nos interesará considerar *una posibilidad más*, que es, me parece, fundamental para lo que estábamos comenzando a decir, y fundamental en la estructura dramática de *Hamlet*, y que consiste en traducir "*the time*", simplemente, por *el tiempo*. En suponer que es *el tiempo mismo* (además, claro, del presente, la época, las cosas, *el reino de Dinamarca*) lo que está, en *Hamlet* –aunque, desde luego, no sólo ahí– desajustado o enloquecido. En efecto, ¿no es acaso posible suponer que "*The time is out of joint*" quiere decir (insisto: *también, al mismo tiempo* que todo lo demás –he ahí la grandeza de Shakespeare) que "*the time*" mismo, que *el tiempo*, que *la temporalidad* (y no *sólo* el mundo, las cosas, el Estado, la época, *esta* época), está "fuera de quicio", está, por así decir, astillado, destruido en su unicidad y en su linealidad, quebrado en mil pedazos? Esta posibilidad es tanto más verosímil cuanto que el hecho de que el tiempo está fuera de quicio, de que el presente está contaminado de pasado y preñado de futuro, de que la linealidad del tiempo ha sido trastocada por una serie de acontecimientos excepcionales y ofensivos, *es uno de los temas fundamentales de Hamlet.* En efecto: ¿Qué es lo que Hamlet está expresando con aquel famoso

> *Economía, Horacio, economía. Los manjares cocidos para el funeral*
> *Sirvieron como fiambres en la mesa de la boda* [I.2.180-181]

si no su indignación con el hecho de que el tiempo ha sido subvertido, de que los plazos sancionados por las convenciones del luto y por la naturaleza de los sentimientos de pesar han sido violados? ¿Cuál es el tema de –entre otros pasajes– su primer monólogo, aquél que precede inmediatamente ese encuentro con su amigo, y donde lo oímos repetir, obsesivamente, "*Apenas dos meses lleva muerto –no, no tanto: ni dos*" [I.2.138], "*Y sin embargo, en un mes...*" [145], "*Apenas un mes...*" [147], "*En un mes...*" [153], y multiplicar las referencias a la "*premura infame*" [156] de su madre –"*Antes aun de que se gastaran los zapatos / Con los que siguió, bañada en llanto, como Níobe, / El cuerpo de mi pobre padre*" [147-149], "*Antes aun de que la sal de sus lágrimas inicuas / Dejara de fluir de sus ojos irritados, / Ya está casada*" [154-156], etc.–, cuál es el tema, digo, de ese y otros pasajes de la pieza que estamos estudiando, sino el hecho de que el tiempo, la linealidad del tiempo, el fluir del tiempo, ha quedado *out of joint*, trastocado?[12] De nuevo, Derrida: "'*The time is out of joint*', el tiempo está *desarticulado*, descoyuntado, desencajado, dislocado, el tiempo está descompuesto[13], acosado y trastornado, *desquiciado*, a la vez desarreglado y enloquecido. El tiempo está fuera de quicio, el tiempo está deportado, fuera de sí, desajustado." (*Spectres...*, p. 42) El tiempo, entonces, no es ya una dimensión lineal y homogénea que arrastra a los fenómenos, los objetos y las vidas en un único sentido; el tiempo no es ya la serie simple que puede ser trazada alieneando uno tras otro, como cuentas independientes y sucesivas de un mismo collar, el pasado, el presente y el futuro, y eso porque el propio presente está –como ya hemos sugerido– contaminado de pasado y de futuro, porque el presente es pasado y es futuro resprecto de sí mismo. Esa no-contemporaneidad consigo del presente es fundamental para lo que nos interesa decir, y es fundamental para Derrida: "La disyunción en la presencia misma del presente, esta suerte de no-contemporaneidad del tiempo presente en relación consigo mismo, esta intempestividad o esta anacronía radicales" constituyen los puntos de partida "a partir de los cuales intentaremos (...) pensar el fantasma" (*ibid.*, p. 52). No podría ser de otro modo: Si el pasado fuera un capítulo del tiempo definitivamente sepultado (si fuera posible *que los muertos enterraran a sus muertos*, que es, en el fondo, el sueño de todo progresismo), si el presente se cerrara sobre sí mismo y agotara en sí, sin deudas con ese pasado sepultado y sin expectativas abiertas en relación con el tiempo por venir, todos sus sentidos, entonces el presente sería siempre ese "presente vivo, presentemente vivo" en el que se obstinan en convertirlo todas las ontologías (incluida la marxista) y los fantasmas no tendrían ningún lugar en él. Es sólo porque *el tiempo* está "fuera de quicio", porque *el presente no es contemporáneo de sí mismo*[14], que nosotros podemos oír (Derrida diría: *debemos* oír, tenemos la *responsabilidad* de oír) las voces de los fantasmas del pasado y del futuro que lo habitan y que lo recorren, a veces clandestinamente, por las noches. Es porque nuestro presente "moderno" y (volvamos a nuestro problema) "hobbesiano" nunca consiguió ni conseguirá sepultar *enteramente* los pensamientos que sus líneas filosóficas dominantes se empeñan en no pensar, que nosotros podemos, por ejemplo, proponernos marchar, "más allá", *detrás* del propio Hobbes, a la fuente principal en la que se nutren esos pensamientos –a la obra, ya lo dijimos, de Maquiavelo–, sentirnos de algún modo *contemporáneos* de ella, e intentar *dialogar* con ella. Me gustaría detenerme un momento sobre esta cuestión.

2. La actualidad de los clásicos

"... *cette présence toujours actuelle en dépit des siècles, comme si Machiavel, de sa campagne où vivent les hommes et les bêtes, était, depuis toujours, descendu parmi nous, et nous parlait.*"

LOUIS ALTHUSSER

Sobre todo para indicar la centralidad que en esta perspectiva adquiere, más allá de la idea de nuestra posible *contemporaneidad* con los autores y con las obras del pasado, con los grandes "clásicos", digamos, del pasado, esa otra noción, fundamental, del *diálogo* con ellos. Noción fundamental, en efecto (y fundamental para nosotros: ¿qué estamos haciendo, aquí, sino, precisamente, intentar *dialogar* con estos autores del pasado?), que nos permite tomar una definitiva distancia con respecto al tipo de abordaje que parte de suponer que sólo podemos tener, a propósito de los autores o de los textos a los que acostumbramos llamar "clásicos", una actitud pasiva y reverencial. Y que nos lleva, en consecuencia, a revisar nuestra propia idea sobre *qué es, exactamente, un clásico*, cuestión sobre la que me gustaría sugerir que existen dos posibles líneas de respuesta. Para acentuar hasta la caricatura el carácter convencional de la primera de esas dos líneas de respuesta, a la que llamaré, para abreviar, "idealista", diré que ella consiste en suponer que los clásicos lo son porque enunciaron, en el tiempo en el que –como se dice– "les tocó vivir", un conjunto de verdades universales y eternas, un conjunto de verdades cuya universalidad las haría inmunes al correr del tiempo y al cambio de las condiciones particulares en las que hoy podemos reecontrarnos con ellas. Es posible que no seamos concientes del modo en que las seductoras redes de este idealismo nos atrapan cuando decimos o escribimos cosas tales como "Sabemos, con Fulano, ...", o "Como nos enseña Mengano...", o también "Como Sultano deja suficientemente establecido..." Un clásico es, para el idealismo, alguien que deja "suficientemente establecida" alguna verdad inmutable y eterna en el cielo inmarcesible de las ideas universales, y es en ese espacio celestial y libre de contingencias y de historia donde somos (evidentemente, y por lo mismo que el tiempo ha desaparecido de la escena) sus contemporáneos. Lo que no quiere decir, es claro –y ésa es la otra cuestión que me interesaba destacar– sus iguales. Si los clásicos son los que "dejan suficientemente establecidas" las verdades que ellos descubrieron en el cielo sin tiempo de la Teoría, nosotros sólo podemos recurrir a ellos, para dejarnos inundar por la luz de esas verdades, en una actitud de modesta y respetuosa *contemplación*. La noción de *vita contemplativa* corresponde muy nítidamente a esta idea del conocimiento como conocimiento (esencial y no accidental, a-histórico y no temporal, necesario y no contingente) de los universales, de lo universal.

Pues bien: lo que me gustaría sugerir es que es precisamente la crisis o la impugnación de esta idea sobre el conocimiento, sobre la verdad (y también sobre los clásicos), crisis o impugnación que la historia de las ideas nos permite situar en los años del desarrollo de lo que se llamó el "humanismo cívico" italiano (y sobre todo florentino) que precede y prepara el momento en el que se desarrolla, entre otras, la obra fundamental de Maquiavelo, lo que nos deja a las puertas de un modo diferente de considerar nuestra poisibilidad de entrar en contacto con los autores y las obras del pasado, y de ser, de esa manera, contemporáneos de los clásicos. De una perspectiva a la que llamaré, entonces, por contraposición con la anterior, "materialista". No parece haber ningún abuso en estas denominaciones que propongo: si definimos la materia como "lo absoluamente singular, irreductible y no universalizable" (esto es, como lo perfectamente opuesto al Espíritu Universal, a las Ideas platónicas o a cualquiera de las formas del Equivalente General [Grüner, "La servilleta...", p. 53]), no habrá dificultad en considerar *materialista* al tono de aquellos escritos y discursos de los humanistas cívicos del *trecento* y del *quattrocento*, no ya inspirados –como la filosofía medieval que combatían– en el ideal clásico de la *vita contemplativa*, sino en la idea de una *vita activa* o, con una más decidida entoncación republicana, de un *vivere civile*, ideas que involucraban la noción de una participación intensa de los hombres en la vida ciudadana, que necesariamente se producía *en situaciones concretas y particulares*. Doble desplazamiento, entonces: De la contemplación a la acción, y –correlativamente– *de los universales a los particulares*. Pero sobre los particulares (y sobre todo: sobre las soluciones particulares a los problemas también particulares de la asociación política) no son ya posibles los conocimientos bajados del cielo platónico de una verdad previa, a-histórica e inapelable: de ahí que "la necesidad de volver inteligible lo particular" –como escribe John Pocock en un libro que ya mencionamos y sobre el cual deberemos volver– "haya estimulado la idea de conversación, la idea de que lo universal era inmanente a la participación ciudadana en la red de la vida y el lenguaje, y así los más altos valores, incluso aquellos de la contemplación no-política, hayan llegado a ser vistos como alcanzables sólo a través de la conversación y la asociación social" (Pocock, p. 64).

Es difícil exagerar las consecuencias de esta revolución filosófica, que ponía a la conversación, a la asociación política entre sujetos particulares y a la comunicación entre ellos, en el camino del acceso a la verdad y a la razón. Sobre todo por un motivo sobre cuya importancia me gustaría llamar la atención: que si en la Antigüedad clásica, donde los humanistas florentinos de los siglos XIV y XV tomaban evidentemente inspiración, esa activa participación ciudadana en los asuntos públicos, ese compromiso personal de cada uno en la discusión de los problemas de la ciudad, esa suerte de "conversación perpetua" que era la vida de la *polis* tenía lugar bajo los auspicios de un Logos último, de una idea de razón universal que garantizaba, como desde un nivel "meta", la racionalidad de la discusión entre los particulares, y que permitía pensar cada conversación como una especie de búsqueda colectiva de la verdad, el estallido de ese Logos único y tranquilizador volvía ahora al conflicto entre las visiones particulares del mundo mucho más inquietante y peligroso, en la medida en que desplazaba la idea misma de verdad del terreno de la filosofía al de la retórica. Es decir: al de la política. "La verdad misma" –dice Pocock– "se volvió menos un sistema de proposiciones que un sistema de relaciones" (*ibid.*, p. 63). Para ponerlo en los términos clásicos a los que ya recurrimos: las palabras comenzaban a separarse de las cosas, y la verdad (como Hobbes, en su momento, comprendería muy bien) quedaba peligrosamente del lado de las primeras.

Entonces: la oposición entre el privilegio que daban los filósofos medievales a la *vita contemplativa* y la preferencia de los humanistas florentinos por la *vita activa* corresponde, vamos viendo, no sólo a la preferencia relativa por el conocimiento de los *universales* o de los *particulares*, sino a dos actitudes diferentes (incluso: a dos "profesiones" diferentes, como dice Pocock) respecto al conocimiento y a la palabra. Resumiendo: la Filosofía y la Retórica. A la filosofía correspondía el estudio contemplativo de los universales; a la retórica, la persuasión de los hombres para la acción, en condiciones históricas siempre particulares y cambiantes. La primera, entonces, la Filosofía, era un saber no-político; la segunda, la Retórica, el arte de la persuasión por los usos comunicativos del lenguaje, era "intelecto en acción y en sociedad, presuponiendo siempre la presencia de otros hombres a quienes ese intelecto se dirigía" (p. 58). De ahí que si los filósofos ponían énfasis en la *lógica*, los humanistas preferían la *gramática* y la *filología*. Se entiende por qué era importante, para esos humanistas cívicos, la gramática: porque, concibiendo el lenguaje como un instrumento destinado a persuadir, a provocar efectos en el otro, a mover a la acción, consideraban necesario conocer las relaciones entre la estructura de las frases y sus capacidades comunicativas. Prefiero detenerme un momento para comentar por qué les importaba la filología. Eso nos llevará al centro de la cuestión que nos interesa aquí, que es la de los modos en que podemos concebir nuestras relaciones con los clásicos, con los grandes textos y autores del pasado.

Pues bien: los humanistas florentinos leyeron abundantemente los grandes documentos del pasado. De *su* pasado, naturalmente: del glorioso pasado romano. Y sobre todo, del pasado clásico y republicano, pre-imperial, en el cual, según una tendencia que llega hasta los *Discursos* sobre Tito Livio, de Maquiavelo, acostumbraban buscar ejemplo y enseñanza. Ahora: ya indicamos que esta lectura que hacían los humanistas cívicos de esos grandes textos del pasado –y los *Discursos* de Maquiavelo son especialmente reveladores de esto– no podía ya contar con la hipótesis de algunos *universales* cuyos significados se situaran más allá del tiempo y del espacio. Lo que los humanistas buscaban en sus clásicos, lo que Maquiavelo busca en Tito Livio, son siempre enseñanzas sobre lo particular, lo singular, lo contingente; no ya verdades universales que podrían ser aplicadas en cualquier tiempo y lugar. Los humanistas del Renacimiento italiano buscaban sin duda en los grandes textos del pasado, en los grandes *clásicos* del pasado, una inspiración, un *mensaje*, dirigido a ese presente histórico en el que los leían. Pero ese mensaje no era lo que esos clásicos habían dejado, como decíamos hace un momento, "suficientemente establecido" en el espacio no contaminado de las veredades universales y eternas, sino un mensaje cuya comprensión exigía estudiar, más allá del *texto* al que aludía, el *contexto* –insanablemente particular y contingente– en el que ese texto había sido producido y en el que recibía su sentido. Es esa necesidad la que creó entre los humanistas cívicos, como indicábamos, una conciencia "filológica" sobre el carácter temporal, social, histórico, de las voces que les llegaban del pasado. *Estimulando las comparaciones entre casos particulares, la filología permitía el diálogo de los hombres en el tiempo*, del mismo modo que, anulando la historia, el estudio lógico de los universales lo impedía. De ese modo –dice Pocock, y el asunto nos interesa–, "los retóricos humanistas estaban convirtiendo la vida intelectual en una conversación entre los hombres en el tiempo" (p. 61). Una vez más la *verdad* se asocia entonces a la conversación, pero no se trata ahora de una conversación entre contemporáneos, de la lucha retórica para imponer un punto de vista, sino de una conversación *en el tiempo*, del esfuerzo filológico para comprender las grandes experiencias y los grandes textos del pasado, y por extraer de ellos enseñanzas para la acción. De modo que es posible encontrar, entre los humanistas cívicos y también en Maquiavelo –heredero y continuidador, en muchos aspectos, de ellos–, *dos* ideas, complementarias, sobre la conversación. Por un lado, la que alude a la conversación de los hombres en el presente (la "conversación civil", como diría Bruno [cf. Tatián, *La cautela...*, p. 22]), cuyo objetivo es la sanción de buenas leyes; por otro lado, la que se refiere a la conversación de los hombres en el tiempo, cuya meta es la sabiduría. Encontramos un ejemplo de este segundo tipo de "conversaciones" en las cartas que muchos de ellos "enviaban" a los grandes hombres de la república romana, muertos un milenio atrás. Otro ejemplo, muy famoso, puede encontrarse en el tantas veces citado pasaje de la carta en la que Maquiavelo le cuenta a su amigo Francesco Vettori cómo llega a su casa al anochecer, se cambia de ropas y entra en presencia *y conversación* –dice– con los antiguos a través de la lectura de sus libros.

Entrar en conversación con los hombres del pasado, entonces, y volvernos así sus herederos, sus legatarios. Porque es un legado, en efecto –legado teórico, legado político, mandato de hacer justicia, como diría Derrida– lo que recibe aquel que se propone escuchar los mensajes que el pasado tiene para darle. Lo que ahora correspondería señalar (o, mejor, recordar, porque esto ya lo hemos dicho) es que esa herencia no es, ni puede ser nunca, una actitud pasiva, sino que supone también una decisión, una selección, y eventualmente –agregamos ahora, porque esto todavía no lo habíamos dicho– *un conflicto:* la conversación del heredero con el pasado es también (puede ser, también) una *discusión*. Y esa observación es fundamental no sólo para comprender la relación de los humanistas del *trecento* y del *quattrocento* con los grandes pensadores de la Antigüedad clásica, sino también para comprender la relación de Maquiavelo, Guicciardini y sus contemporáneos con *sus propios* predecesores: *esos mismos humanistas cívicos del Renacimiento italiano*, "sus" propios clásicos. Puede no carecer de interés, me parece, hacer una breve incursión en este problema, sin duda muy complejo y que aquí sólo podemos rozar, de la relación de Maquiavelo con sus clásicos "menos" clásicos, con los "clásicos" cuyos nombres –Petrarca, Salutati, Alberti, Bruni, Cavalcanti– van enriqueciendo la tradición que de algún modo, pero de un modo nada simple, lo preanuncia y lo hace posible. Porque si por un lado Maquiavelo retoma los temas de esta tradición humanista, se inspira sin duda en ellos y cita a menudo a muchos de sus representantes más importantes, por otro lado es sólo *en la polémica* con ellos que se va definiendo la originalidad de su propio pensamiento. No hay dudas, dice Newton Bignotto en su trabajo sobre el espíritu republicano de Maquiavelo, que el humanismo cívico está "en el origen de la ideología que dominó la escena política a lo largo de los primeros años del *cinquecento*" (Bignotto, *Maquiavel...*, p. 57). Pero su fuerte influencia en la obra de Maquiavelo sólo se explica "porque la profunda *crisis* institucional atravesada por Florencia puso en jaque varios presupuestos de ese pensamiento humanista" (*id.*). De hecho, la investigación de Bignotto parte de la hipótesis de un "*enfrentamiento* del secretario florentino con las tradiciones" (*ibid.*, p. 8), e, incluso más, de la idea de que "el pensamiento de Maquiavelo fue *una verdade-*

ra máquina de guerra contra el humanismo cívico" (p. 213). La originalidad y la grandeza del pensamiento de Maquiavelo radicaría pues, si la hipótesis de Bignotto fuera cierta, en su *confrontación* con el cuerpo de ideas en las cuales, sin embargo, recoje inspiración, y de las cuales, precisamente en virtud de ese doble movimiento de adhesión y crítica, se constituye en heredero. Es que, en efecto –como estábamos sugiriendo–, el heredero puede también sentir disconformidad con las soluciones que el legado (teórico, político) recibido le propone para los problemas de *su* tiempo. Más: es sólo entonces cuando estamos ante la posibilidad de la aparición de un pensamiento creativo o innovador. Es sólo entonces que los espectros de los pensadores del pasado no se presentan ya ante nosotros como lápidas que oprimen como una pesadilla la conciencia de los vivos, sino como una inspiración renovadora y crítica.

Sin duda. Maquiavelo, legítimo heredero de los énfasis republicanos y democráticos del humanismo cívico, fue también un crítico severo de muchos de sus postulados, y, si Bignotto está en lo cierto, habría que atribuir precisamente a la severidad de esa crítica su éxito en la formulación de un pensamiento altamente original. Sin embargo, es el propio Bignotto quien destaca dos circunstancias que hacen a las cosas bastante menos simples que lo que esta presentación general del problema parece sugerir. La primera de esas dos circunstancias es evidente, y ya fue anunciada: la "lucha constante" que Maquiavelo traba contra las teorías dominantes de la época tiene lugar "en un contexto en el que nuestro autor, al mismo tiempo que dirigía violentos ataques contra esas teorías, adhería también a muchos de sus presupuestos" (p. 213). A pesar de su novedad, el pensamiento de Maquiavelo conserva, entonces –afirma Bignotto–, lazos diversos con la tradición con la que discute. La segunda cuestión es, en cambio, menos evidente, y más inquietante: Muchas veces –sugiere Bignotto–, Maquiavelo seguiría los postulados de la tradición humanista que combate *como una estrategia retórica de seducción de sus lectores*, desarrollada con el único propósito de volver más eficaz la crítica dirigida a aquello que finge seguir. El artificio "de hablar el lenguaje de la tradición" (p. 89) sería apenas una "estrategia empleada por Maquiavelo para conquistar a los lectores de su tiempo" (*id.*), y la habilidad retórica de Maquiavelo consistiría en haber elaborado "un pensamiento que, incluso en sus momentos de mayor audacia, es capaz de mantener a los lectores ligados a la tradición" (pp. 89s). La operación es sutil: "La sorpresa provocada por el escándalo incita a continuar la lectura" (p. 90), mientras, sin embargo, "la seducción sigue trabajando en el interior de la ruptura con la tradición" (*id.*). Con este tipo de estrategia –de la que encontraríamos ejemplos en el elogio a la estabilidad de los principados hereditarios en la presentación sumamente convencional, de las *Historias Florentinas*, o en la intencionada confusión entre la "Fortuna" y la Providencia divina, que ya tuvimos ocasión de considerar y que le permite conducir al lector, en el comienzo del capítulo XXV de *El Príncipe*, "por sendas que no le parezcan extrañas"–, Maquiavelo "demuestra conocer a sus lectores y querer evitar los peligros de una confrontación directa" (p. 76). Esta observación de Bignotto es sumamente interesante. De acuerdo con ella, no sólo el pensamiento de Maquiavelo se inscribe dentro de una tradición que hizo el elogio de la retórica y del uso político de las palabras, sino que la propia prosa de Maquiavelo sería, ella misma, una obra mayor de la retórica y del arte de fascinar y convencer a los lectores.

O de "corromperlos", como podemos leer en las páginas, llenas de santa indignación, del libro que Leo Strauss dedicó a la obra de Maquiavelo. Sostenido en la certeza de que las enseñanzas de Maquiavelo son "diabólicas", y de que él mismo es un "demonio", el libro de Strauss está atravesado, en efecto, por una empobrecedora entonación moralizante que lo lleva a condenar el carácter "inmoral" e "irreligioso" del pensamiento del secretario florentino. Esta crítica al inmoralismo de Maquiavelo es frecuente –como ya vimos–, y está en la base del modo despreciativo en el que todavía hoy solemos utilizar palabras tales como "maquiavélico" o "maquiavelismo". Ya dijimos también que esta crítica no es especialmente interesante. Pero no se trata de *la única* crítica que Strauss tiene para hacer al autor de *El Príncipe*. La *segunda*, y más interesante, objeción que Strauss plantea a Maquiavelo se refiere no a la inmoralidad, sino a la *ilegitimidad metodológica* de los recursos de su retórica. Por ejemplo: "Maquiavelo no está siempre preocupado por la verdad histórica, y con frecuencia cambia a su antojo los datos provistos por los historiadores: si hay en su obra ejemplos que son tanto hermosos como verdaderos, puede haber también otros que son hermosos sin ser verdaderos. En el lenguaje de nuestro tiempo, Maquiavelo es un artista tanto como un historiador." (Strauss, *Thoughts...*, p. 45) Así, condenando el carácter efectista de la prosa de Maquiavelo, Strauss lo expulsa de la zona superior de la Verdad y de la Ciencia para arrojarlo, en la mejor de las hipótesis, al espacio artístico de la búsqueda de la belleza literaria, y, en el peor, al terreno político de la búsqueda de meros efectos discursivos. En el mismo sentido pueden ser leídas las críticas de Strauss a la *ambigüedad* de las palabras que usa Maquiavelo. El ejemplo escogido por Strauss es clásico, y se dirige a una categoría fundamental del pensamiento maquiaveliano: la categoría de "virtud", que –como ya vimos también– tiene a veces una valor moral y otras veces significa una combinación de inteligencia y coraje. Sólo que –observa Strauss– *nunca sabemos exactamente en qué sentido usa Maquiavelo la palabra*. Esa oscuridad –dice Strauss– "es esencial a la presentación que hace Maquiavelo de su enseñanza" (p. 47).

Estamos, bien se ve, ante una formulación perfectamente clásica y consecuente de la crítica filosófica a la retórica y a los usos confusos (y eventualmente manipuladores) del lenguaje. Un tipo de crítica que, en el siglo posterior a Maquiavelo, encontraría en Hobbes, como ya vimos, a uno de sus más enérgicos representantes. En efecto: si la Retórica, en el Renacimiento italiano, había levantado su voz contra la Filosofía en nombre de la *vita activa* y del compromiso del ciudadano en los asuntos de la ciudad, la Filosofia volvería por sus títulos, en el Renacimiento inglés, y de la mano de Hobbes, en nombre de la Paz y el Orden: las trampas retóricas y los juegos de palabras eran para nuestro filósofo (ya lo vimos, y volveremos todavía sobre esta cuestión) la antesala de la guerra civil. Pero el problema que más inquieta a Strauss no es de orden, digamos, político, sino interpretativo. Volvamos al texto de Bignotto e intentemos definir cuáles son exactamente los términos de este problema. Si es correcta la hipótesis de Bignotto según la cual muchas veces Maquiavelo dice cosas que no piensa a fin de seducir a sus lectores y llevarlos a aceptar aquellas que él *sí* piensa, entonces el problema que se nos presenta *a nosotros* es el de saber cuáles son, entre las muchas cosas que Maquiavelo escribe, aquellas que él *realmente* piensa. El propio Maquiavelo nos enfrenta a este difícil problema cuando escribe, en una carta a Guicciardini que Strauss cita como ejemplo inequívoco y prueba concluyente de la incorregible inmoralidad de nuestro florentino, que "Nunca digo lo que pienso y nunca creo en lo que digo, y si alguna vez me ocurre de decir la verdad, la revisto de tantas mentiras que es difícil entrontrarla en medio de ellas" (cit. en Strauss, *Thoughts...*, p. 36). Si fuera así, la tarea de saber cuánto de lo que Maquiavelo escribe coincide con lo que Maquiavelo piensa sería, por lo menos, extraordinariamente ardua, y no hay dudas de que esa circunstancia está en la base de la existencia de tantas y tan variadas interpretaciones diferentes sobre su obra. En lo que se refiere al tema que estamos discutiendo aquí, el problema es el siguiente: si por un lado es verdad que Maquiavelo *está de acuerdo* con muchos de los postulados del humanismo cívico en el que dice inspirarse y en el que, en un sentido importante, efectivamente se inspira, pero si, por otro lado, tenemos buenos motivos para sospechar que muchas de las referencias que hace Maquiavelo a esa tradición no son más que estrategias de seducción destinadas a conducir a sus lectores a conclusiones opuestas a aquellas en las que Maquiavelo finge apoyar sus argumentos, no tenemos, *a priori*, ninguna base firme para saber hasta qué punto estaba

Maquiavelo de acuerdo con el espíritu de la tradición de pensamiento con la que estamos intentando vincularlo.[15] Todo lo que podemos decir es algo tan general –pero tan importante para lo que me gustaría plantear– como esto: que Maquiavelo, que de modo muy notorio recoge inspiración en el espíritu, en los temas, en las preocupaciones de los humanistas florentinos de los dos siglos anteriores al suyo, no estaba *enteramente* de acuerdo con las soluciones que esos autores proponían a los problemas de *su* tiempo. Ahora bien: ese no estar *enteramente* de acuerdo, hemos dicho, es el necesario punto de partida de un pensamiento capaz de heredar con creatividad y espíritu crítico el legado de sus antecesores. De otro modo: que si Maquiavelo es un autor crítico lo es, en buena medida, porque es un *lector* crítico. Todavía de otra forma (y ya que un poco más arriba asociamos la noción de *materialismo* a la idea de lo *particular* y de ahí, también, a la idea de *conflicto*): que si Maquiavelo es un autor materialista[16] no es *sólo* porque piense la realidad social en términos de conflicto, sino porque hace del conflicto una determinación interna del modo en que dialoga con las fuentes de las que se nutre. Del modo en que *conversa*, dijimos, con sus clásicos.

Así, la idea de *conflicto* –como la de *conversación*, a la que como vemos está asociada– tiene en Maquiavelo un doble sentido, un doble valor. Por un lado, según un eje que tal vez podríamos llamar "sincrónico", y dirigiendo la mirada hacia el terreno de las luchas sociales y políticas, el conflicto es la oposición entre los intereses o los deseos de los diferentes actores (entre los intereses, por ejemplo, de las distintas clases sociales, o entre los deseos del Príncipe y los del pueblo), y correlativamente entre las diferentes perspectivas y visiones particulares en que esos intereses o deseos se formalizan, que se enfrentan en un momento dado de la historia, y que idealmente (quiero decir: si existiera una forma republicana de gobierno y se verificaran condiciones amplias de deliberación colectiva) se expresan en la conversación, en la *discusión*, que los ciudadanos mantienen entre sí en relación con los asuntos de la *polis*. Por otro lado, siguiendo ahora un eje que correspondería quizás llamar "diacrónico", y mirando en dirección a la zona de la lectura y del estudio de los autores del pasado, el conflicto es la contraposición y el desacuerdo entre una obra de otra época y su lector o sus lectores actuales, y se expresa, por su parte, en la "conversación" que los hombres –autores, lectores– mantienen, entonces, *en el tiempo* (mejor: "a través" del tiempo), a lo largo de distintas épocas. Me interesa especialmente subrayar este doble valor que asume, en la obra de Maquiavelo o en relación con ella (con el modo en que ella "lee" aquellas que la preparan y le abren el camino, con el modo en que ella, despues, *fue leída* por otros –veremos por qué otros– o todavía merece ser leída *por nosotros*), la idea de conflicto, porque ese doble valor está en la base del doble significado, de la doble valencia, del doble sentido que tiene una fórmula acuñada hace ya un cuarto de siglo por Pocock y que es tiempo ya de hacer ingresar en nuestro recorrido. Me refiero a la noción, fundamental para nosotros y para nuestro problema, de "momento maquiaveliano".

3. Momento, momentos

Este concepto de "momento maquiaveliano" se convirtió en una referencia frecuente en la filosofía política contemporánea a partir, en efecto, del notable y erudito trabajo que John G. A. Pocock dedicó, a mediados de los años setenta, al pensamiento político florentino de finales del siglo XV y comienzos del XVI y a la persistencia de algunos de sus tópicos en la tradición republicana anglosajona posterior. Ya tuvimos ocasión de consultar, en nuestra última sección, este libro fundamental. El hecho que me interesa destacar aquí es que, si Pocock podía poner bajo los auspicios de este concepto de "momento maquiaveliano", que organiza su investigación y da título a su libro, el *doble* problema del estudio (digamos, de nuevo: sincrónico) de un cierto universo de discursos e ideas en la Italia del Renacimiento y del estudio (digamos, una vez más: diacrónico) del modo en que algunos de los temas que habían poblado aquel universo continuaron resonando en tradiciones políticas y filosóficas muy distantes, *es porque el concepto mismo está habitado (y ésta es su riqueza y su interés) por una doble valencia, por un doble sentido*. En un primer sentido, en efecto, en el sentido más evidente y tal vez también más débil, la noción de "momento maquiaveliano" alude al *momento histórico* en que vivió y escribió su obra Nicolás Maquiavelo, y al conjunto de instrumentos con los que los pensadores florentinos de su tiempo se habían habituado a conceptualizar los problemas sociales y políticos. Entre las dimensiones que integran ese primer sentido del "momento maquiaveliano" que interesa a Pocock, se incluye también, evidentemente (he ahí entonces una primera dimensión de *diacronía*, inscripta ya en el interior mismo del análisis *sincrónico* del momento *histórico* "maquiaveliano", de la coyuntura en la que Maquiavelo vivió, pensó y escribió), el modo en que este universo teórico de Maquiavelo y sus contemporáneos (entre los cuales Guicciardini era sin duda el más notorio) se relacionaba con –y eventualmente se nutría de– la lectura de las obras de *otros* autores, anteriores, obras éstas que integraban el "*background* conceptual", como dice Pocock, de los hombres de aquella generación. Ya dijimos quiénes eran esos otros autores: Por un lado, sus clásicos, dijimos, "más" clásicos: los antiguos filósofos, historiadores y retóricos romanos; por otro lado, sus clásicos "menos" clásicos: los teóricos italianos del *trecento* y del *quattrocento*, que habían pensado los problemas de la vida de los hombres en la ciudad en una época caracterizada por importantes luchas sociales, revueltas políticas y conflictos armados, y con los que Maquiavelo mantenía una relación que, como ya dijimos también, estaba lejos de carecer de fuertes tensiones. Ya destacamos la importancia de esas tensiones en la definición de lo que tal vez podríamos llamar la "política de la lectura" maquiaveliana, y la coincidencia entre el espíritu conflictivista que caracterizaba esa "política de lectura" y el que alentaba la "lectura" maquiaveliana de la realidad social y política, y no es el caso insistir ahora sobre este punto.

En un *segundo* sentido, en cambio, en el sentido más original y tal vez también más fuerte, la idea de "momento maquiaveliano" alude *no* a un momento *histórico*, sino a un momento *teórico:* no a *un momento en el tiempo* sino a lo que tal vez debería designarse como *una cierta disposición teórica* para el estudio de la realidad política. Una disposición teórica asociada a la adopción, por parte de los autores que integran la historia de ese "momento maquiaveliano" del pensamiento político moderno, de un conjunto de presupuestos que caracterizan el dispositivo teórico maquiaveliano, y al frente de los cuales debe anotarse, como dijimos ya muchas veces, la idea que hace del *conflicto* el núcleo duro, irreductible, de las relaciones entre las personas y entre los grupos y el motor de las transformaciones en la historia. Ese conjunto de presupuestos definen un cierto "punto de vista", una cierta "perspectiva", un cierto "paradigma", que se caracteriza por el interés, asociado a la adopción de este punto de partida "conflictivista", por una serie de tópicos recurrentes: el de la *vita activa* y el del compromiso ciudadano con los asuntos públicos, el de la *república* como la mejor forma de organización de la vida política, el del tiempo como apertura y la historia como contingencia radical. Pues bien: ¿qué es, en el fondo –podemos ahora, intentando atar algunos cabos sueltos, preguntarnos–, esa disposición teórica, qué es en el fondo esa perspectiva, ese *paradigma*, ese momento *teórico* "maquiaveliano" de la filosofía política moderna, si no, él mismo, *un espectro?* Un espectro, en efecto, que –como el del antiguo rey de Dinamarca, o el de los cuerpos *que Fortimbrás nunca conseguirá esconder tan bien como querría*, o el de la guerra que Hobbes *habría deseado que hubiera sido posible dejar anclada en el pasado*– "vuelve" una y otra vez (con sus insistencia sobre las ideas de conflicto, de apertura de la historia y de contingencia de las dominaciones, con su opción por la república y su apuesta a la potencia democrática de la mutitud), en la historia de las ideas políticas, haciendo oír su voz como *desde abajo* ("excelente zapador, viejo topo") de esas verdaderas losas sepulcrales de la política que son –digámoslo una vez más– la teoría del contrato y la tesis de la soberanía.

He ahí lo que permite pensar la dimensión "diacrónica" del "momento maquiaveliano" que habíamos anunciado, y que viene dada por el posible "encadenamiento", por así decir, de los diferentes momentos, en la historia de las ideas políticas modernas, en que ese "espectro" maquiaveliano hizo su aparición y consiguió ser escuchado. Ese encadenamiento podría ofrecernos el relato de una historia de las ideas, de una cierta *corriente* –mejor– de la historia de las ideas, antagónica o alternativa al formalismo constitucionalista, al paradigma jurídico liberal, a las diversas versiones de las tesis sobre la soberanía y el contrato y a la funcionalización dialéctica del conflicto, que en cambio inaugurarían las líneas mayores, oficiales, triunfantes, de la filosofía política moderna. Así –es fácil ver–, los dos sentidos de la expresión "momento maquiaveliano" quedan estrechamente vinculados. La historia del "momento maquiaveliano" de esa filosofía política moderna, entendida como la historia de la reaparición, acá y allá, del espectro del materialismo del viejo Maquiavelo, como la historia de la reiteración, en ciertas corrientes del pensamiento político, de los problemas del antagonismo y de las luchas, de la república y del carácter contingente de las dominaciones, es una historia que va anudando diversos "momentos maquiavelianos", una "serie", digamos (serie, evidentemente, no continua, sino que va avanzando de modo espasmódico, como por saltos, con momentos de fuerte crispación y otros de reposo o de retroceso), reuniendo o enlazando esas coyunturas que estimulan, a partir de ciertos rasgos que tienen en común (la intensificación de las preocupaciones políticas, la crítica y la crisis de las teleologías establecidas), la aparición de ese tipo de pensamientos. Ésa es una cuestión. La otra cuestión que es importante destacar es que entre esas coyunturas, entre esos "momentos", aquél en el que Maquiavelo vivió y escribió no ocupa siquiera, desde el punto de vista cronológico, el primer lugar. No se trata apenas, en efecto, de que Maquiavelo haya sido en su época, como dice Pocock, "sólo uno entre muchos hombres, mayores o menores, ocupados en la búsqueda de soluciones" a los problemas del momento en que escribieron, sino de que ese momento en el que Maquiavelo y esos otros hombres escribieron fue sólo uno entre muchos momentos, más o menos importantes (entre los cuales Pocock destaca en primer lugar, como ya vimos, el momento de auge de aquel humanismo cívico en el que el secretario florentino no dejó de inspirarse, pero con el cual también, decíamos, no dejó de discutir: ésa es la lógica del "encadenamiento" de los eslabones del "momento maquiaveliano"), en que el tipo de pensamiento que aquí estamos considerando pudo aparecer[17].

Así, sería posible trazar una línea, una *historia*, de los diferentes "momentos maquiavelianos" (en plural), que sería el relato del desarrollo *del* momento maquiaveliano (en singular) en la historia de la filosofía política moderna. O, mejor: *dos* líneas. *Una* es la que estudia el propio Pocock en su libro: es la que podemos llamar la historia "atlántica" del momento maquiaveliano, que une el nombre del secretario florentino, *via* James Harrington, a los autores del *Federalista*. La otra es la línea sobre la que insistió hace ya un tiempo Louis Althusser, y más recientemente, y desde otras perspectivas, Antonio Negri o Miguel Abensour[18], y que podríamos llamar la historia "europea", o tal vez "continental", de ese momento maquiaveliano, que se desarrollaría enhebrando los nombres de Maquiavelo, Spinoza y Marx. Claro que ni Harrington o los constitucionalistas norteamericanos por un lado, ni Spinoza o Marx por otro, son lo que podríamos llamar "maquiavelianos puros". Quiero decir: Que si en Harrington es posible encontrar una concepción de las relaciones jurídicas y políticas, y de la vinculación entre sistema político y sistema de propiedad, que no sólo hereda el "conflictivismo" maquiaveliano sino que incluso lo radicaliza y lo profundiza, al mismo tiempo la potencia de una tal perspectiva aparece en él relativizada por su aceptación de un "constitucionalismo" que nada tiene que ver con las preocupaciones del autor de *El príncipe* (cf. Negri, *El poder...*, pp. 133-180). O bien –yendo ahora hasta la "estación terminal" de ese primer recorrido, de esta "línea atlántica" de la historia del momento maquiaveliano del pensamiento político moderno–: que si los autores del *Federalista* heredaban sin duda las preocupaciones maquiavelianas por el lugar del conflicto en el fortalecimiento de las instituciones y las leyes, por la participación política de la ciudadanía, el rechazo de la tiranía y la defensa de una idea "fuerte" y positiva (quiero decir: no apenas "defensiva") de la libertad, y especialmente por el respeto a la forma republicana de gobierno (y esto al punto de que es posible decir sin exageración que los modelos romano y norteamericano constituyen "los dos grandes hitos" de la tradición republicana occidental [Demirdjian y González, p. 338]), al mismo tiempo, como destaca Roberto Gargarella, ellos procesaban esa herencia en el interior de una concepción "rígidamente representativa" de la política y sus instituciones. De una concepción de estas instituciones políticas, entonces, que si por un lado suponía "reivindicar la idea de que fueran los propios ciudadanos quienes a través de los funcionarios electos tuvieran bajo control el manejo de los asuntos públicos", por otro implicaba cerrar las puertas a la posibilidad de "un sistema de gobierno más descentralizado y más afín a la democracia directa" (Gargarella, "En nombre...", p. 176)[19].

El mismo tipo de relación con los textos maquiavelianos (una relación, entonces, de inspiración, pero no de incondicionalidad) caracteriza las obras de los autores que integran lo que llamamos la "línea continental" de ese "momento maquiaveliano" del pensamiento político moderno. Así, Antonio Negri destaca la fuerte influencia que tuvieron sobre Spinoza (y sobre Marx) el realismo político de Maquiavelo, sus preferencias republicanas y la centralidad que él otorgaba a la noción de *multitudo* (cf. *Las anomalía...*, *passim*), y Miguel Abensour agrega a esto la fuerza de la continuidad entre los proyectos maquiaveliano y spinoziano (y, de nuevo, marxista: se trata, en efecto, de "una línea de continuidad (...) que va de Maquiavelo a Marx pasando por Spinoza") de "destruir el *nexus* teológico-político, ese mixto impuro de fe, de creencia y de discurso que invita a la sumisión", de "liberar a la comunidad política del despotismo teológico, a fin de dar a lo político su consistencia propia" (Abensour, p. 22)[20]. Es exactamente, claro, el proyecto de Spinoza y de Marx, calcado sobre el de Maquiavelo. Pero aquí comienzan las diferencias. Porque si Spinoza hereda de Maquiavelo la confianza en la potencia democrática de la multitud, esa potencia, que en la obra del secretario florentino sólo podía asumir la forma *negativa* de un deseo del pueblo de no ser oprimido ni comandado, en Spinoza alcanza una forma *positiva* capaz de realizarse, capaz de concretarse (lo que es imposible en el pensamiento de Maquiavelo, pensamiento de la inestabilidad y de la permanente apertura de la historia) *en un régimen político determinado: la democracia*. Si la democracia, en efecto, es para Spinoza el más natural de los regímenes políticos (frase ésta que simplemente carece de significado para Maquiavelo) es porque es el régimen político en que el derecho civil consigue realizar el derecho natural, esto es: en que puede concretarse el deseo de todos de gobernar y no ser gobernados.[21] Lo que es otra manera de decir algo que ya dijimos más arriba: Que el pensamiento de Maquiavelo es un pensamiento trágico, cosa que el pensamiento de Spinoza, evidentemente, no es. Con Marx, en cambio, las cosas son más difíciles. Porque si es obvia la influencia, en él, de los problemas, digamos, "maquiavelianos" de la desunión y las luchas como núcleos duros e irreductibles de la historia y como claves para su inteligibilidad, al mismo tiempo la inscripción de esa reflexión en el marco del pensamiento dialéctico que él hereda de Hegel (y que es, como ya vimos, una forma tranquilizadora y ciertamente anti-maquiaveliana de lidiar con esos conflictos y con esas luchas) hace que ese maquiavelismo sea, por lo menos, fuertemente matizado. Tal vez debiera, por eso, hablarse (ésta es, me parece, la implicación del argumento de Abensour) de un "momento maquiaveliano" *en el interior de la propia obra de Marx*, pero que no la agota, y que traba en ella, todo el tiempo, una lucha contra otras dimensiones, alternativamente más fuertes o más débiles, de ese mismo pensamiento.[22]

Entonces, resumiendo: en ninguno de los autores que integran lo que llamamos la (o las) historia(s) del "momento maquiaveliano" de la filosofía política moderna es posible encontrar una entera fidelidad al espíritu de los textos del secretario florentino. *Pero es que ése es precisamente el punto.* ¿No dijimos acaso que ese espíritu "maquiaveliano" era un espíritu de conflicto y de confrontación, y que ese conflicto y esa confrontación se expresaban, también, en la manera en que él lidiaba con sus fuentes? ¿No dijimos que si Maquiavelo era un autor crítico lo era porque era, también, un *lector* crítico? De la misma manera, el "conflictivismo" que algunos filósofos políticos modernos heredaron de él se expresa entre otras cosas en la manera en la que ellos *lo* leyeron y *lo* interpretaron. Planteando el problema de un modo intencionalmente paradójico, y casi como una broma, podríamos decir que la única manera de ser fiel a Maquiavelo sería ser crítico de él. Pero eso, claro, nos dejaría en un terreno sumamente vago e innecesariamente incierto, y no es necesario ir tan lejos. Aunque no sea siempre fácil definir los límites exactos de la "fidelidad" a los presupuestos básicos del pensamiento maquiaveliano que podríamos exigir de alguien para incluir su obra en la historia del "momento maquiaveliano" cuyas grandes líneas, bien o mal, hemos intentado trazar, aun cuando cada momento histórico, planteando a sus pensadores nuevos desafíos y problemas, obligue a leer de una manera disconforme y crítica –y sólo así respetuosa de su propio espíritu renovador– los textos del pasado, se entiende que una razonable convicción sobre algunas de las ideas centrales de Maquiavelo (resumiendo: las ideas de conflicto, desacuerdo y lucha, la preferencia por el sistema republicano de gobierno, el énfasis en el carácter contingente de la historia y, de ahí, en la irremediable precariedad de la legitimidad de toda y cualquier dominación) es constitutiva de los pensamientos cuyo encadenamiento permite trazar lo que, siguiendo a Pocock y ampliando un poco su perspectiva, hemos considerado aquí la historia del momento maquiaveliano de la filosofía política moderna. La pregunta que ahora debemos enfrentar, la pregunta que estamos postergando pero que es preciso encarar ya, y que nos llevará de nuevo al núcleo central de nuestro problema, es la pregunta sobre el lugar que debemos atribuir, en relación con Maquiavelo y con este "momento maquiaveliano", al autor de la primera teoría moderna del Estado, al fundador de la corriente central según ya sugerimos– de la filosofía política moderna, al encargado de "cerrar" buena parte de las preguntas y de los problemas que Maquiavelo se había ocupado de "abrir". Me refiero, claro, a nuestro viejo Thomas Hobbes.

Porque si, por un lado, Hobbes parece ser el mayor heredero y el mejor lector de la gran enseñanza de Maquiavelo –que sería, en resumen, para usar la sucinta fórmula de Merleau-Ponty, "que la historia es una lucha" ("Note sur...", p. 301)–, si tal vez nadie haya comprendido como él la centralidad del conflicto en las relaciones entre las personas, por otro lado nadie hizo tanto como él para *expulsar* el conflicto fuera del campo de la política, para hacer de la política una suerte de "más acá" del espacio "natural" de la guerra y de la destrucción recíproca. Dicho de otro modo: que si por un lado Hobbes, "maquiavelianamente", reconocía el conflicto y la lucha como el núcleo duro y resistente de las relaciones entre los hombres, por otro lado era el mayor y más convencido *opositor* a la doctrina maquiaveliana, en la medida en que ese conflicto y esa lucha eran al mismo tiempo identificados como *aquello que debía ser expulsado* para que la política, para que la vida social misma, pudiera comenzar. La operación hobbesiana, entonces, es doble: Hobbes reconoce, sí (y me gustaría insistir en que tal vez nadie fue tan lejos como él en ese reconocimiento y en la aceptación de las consecuencias que se derivaban de él), la centralidad de los antagonismos, de los conflictos y de las luchas, pero inmediatamente *desplaza* esa escena atroz del campo de la política hacia otra región, hacia una región-otra, "no política", extra-política (mejor aún: anti-política), a la que llamó –siguiendo una larga tradición– "estado de naturaleza"[23], *contra el cual* (contra cuya presencia, contra cuya insistencia, contra cuya amenaza) era preciso pensar. Así, el conflicto es para Hobbes el núcleo de las relaciones *naturales* entre las personas, sí, *pero no el núcleo de sus relaciones políticas*, porque la política, zona *artificial* y *construida*[24], se levanta precisamente para superarlo. Ése es el lugar de la otra llave maestra en la construcción teórica hobbesiana: el *contrato*. Esos dos conceptos fundamentales, entonces –el concepto de "estado de naturaleza" y la idea de "contrato"–, permiten a Hobbes construir un edificio teórico que no sólo no podría ser inscripto entre los eslabones de la historia del "momento maquiaveliano" cuyas grandes líneas hemos intentado trazar en este capítulo, sino que *se levanta precisamente contra él*. Es necesario observarlos ahora un poco más de cerca.

[1] Cf. Skinner, "The State" (especialmente pp. 112-126). Retomaré este notable artículo de Skinner, siquiera muy rápidamente, más adelante, a propósito de cierto pasaje de *Hamlet*.

[2] Sobre la mala fama en Hobbes, véase Janine Ribeiro, "Sobre a má fama..."

[3] Representación y soberanía. Esas dos ideas, en efecto, forman con la del Estado una suerte de trípode de conceptos fundamentales en la teoría política de Hobbes: "El Estado es capaz de actuar –dice Hobbes– si y sólo si está representado. Y el Estado es capaz de actuar legítimamente si y sólo si nosotros, los miembros individuales de la población, lo autorizamos a representarnos. Hobbes llama soberano al representante del Estado, y afirma que el Estado es capaz de actuar porque el soberano está autorizado a actuar en su nombre. Pero las acciones del soberano son apenas las de un actor, las de alguien que representa un papel. La esencia de la teoría de Hobbes es que la persona que tiene que asumir la responsabilidad por las acciones que realiza el soberano es la persona del Estado, que es quien en verdad detenta la soberanía." (Skinner, "El estado, un monstruo...", p. 3. Véase también, en la misma dirección, el apartado "Soberanía y representación en Thomas Hobbes" en el artículo de Julián Carvajal Cordón, "Soberanía...", pp. 36-41). Ahora: lo que aquí estamos indicando es que esos dos conceptos fundamentales del pensamiento hobbesiano (el de representación y el de soberanía) hallarán una de sus actualizaciones más vigorosas, más de un siglo después de que el autor del *Leviatán* los hubiera concebido, en el pensamiento jacobino. En ese sentido, Lucien Jaume ha destacado, en su *El jacobinismo y el Estado moderno*, la continuidad entre la primera de esas dos ideas hobbesianas –la de *representación*, que no es, en Hobbes, el simple *reflejo* de una voluntad popular pre-existente, sino la *sustitución* de la sociedad por un Estado que sólo otorga a esa sociedad su unidad a través del expediente de hablar y actuar en su lugar– y el modo en que los miembros de esa fracción política e intelectual de la Revolución francesa pensaron el ejercicio del poder (véase especialmente cap. 2, pp. 57-91). Por su parte, Renato Janine Ribeiro observa que la segunda de esas dos ideas –la de *soberanía*–, muy débil en la tradición anglo-sajona de los *checks-and-balances* y de la división de poderes, es central, en contrapartida, en el pensamiento europeo continental posterior a Hobbes, y muy especialmente, de nuevo, en la visión francesa de la política y de la revolución. ¿Por qué? Porque, "con la soberanía, dejan de contar los 'estados' (*états*, órdenes, estamentos) como sujetos contratantes de la política, para aparecer *El* Estado, con el cual el poder supremo se asigna a alguien (individuo o asamblea) que se dice soberano en la medida exacta en que todo puede decidir y, por lo tanto, no sólo juzgarlo todo, no sólo interpretarlo todo, sino *cambiarlo* todo. La condición para la Revolución, para 1789, está en la teoría de la soberanía: del *Leviatán* no sale sólo el Estado absoluto y el monarca absolutista; sale el poder revolucionario y jacobino", escribe Janine Ribeiro (*La última...*, p. 67), y agrega: "La soberanía, tal como Hobbes la define, no encuentra realización histórica, por lo menos sistemática, antes de la Revolución francesa y de los jacobinos." (*ibid.*, p. 80)

[4] Es lo que se desprende, también, de la indicación de Fredric Jameson: "puesto que por definición los monumentos culturales y obras maestras que han sobrevivido tienden necesariamente a perpetuar únicamente una sola voz (...), no puede asignárseles apropiadamente su lugar relacional en un sistema 'dialógico' sin la restauración o reconstrucción artificial de la voz a la que inicialmente se oponían, una voz en su mayor parte

ahogada y reducida al silencio, marginalizada, cuyos enunciados propios se dipersan a los cuatro vientos o quedan reapropiados a su vez por la cultura hegemónica" (Jameson, p. 69). Esa restauración, esa reconstrucción de las "otras voces" entre las que los grandes "monumentos culturales" se levantaron sería la tarea del historiador del pensamiento.

[5] Quien primero destacó –hasta donde yo sé– esta distinción entre la preocupación de Marx por la "historia evolutiva" de las fuerzas productivas de la humanidad y su comprensión de la historia como *una danza macabra de sombras que han perdido sus cuerpos*, es Claude Lefort, en el bello artículo "De una visión de la historia a otra", contenido en su *Las formas de la historia*. Sólo que allí no ve Lefort esas dos visiones como contrapuestas o antagónicas. Por el contrario, la idea que él defiende es que, intentando ofrecer una interpretación del conjunto de la historia del desarrollo humano, Marx es llevado a comprender la importancia de un momento (que "coincide con el advenimiento de una sociedad sin cuerpo, de una sociedad privada de sustancia" [p. 198], es decir: con el advenimiento de la sociedad mercantil) *a partir del cual* las relaciones entre los hombres comienzan a revestirse de formas ilusorias o quiméricas, los fantasmas entran en la historia como personificaciones de las condiciones económicas o como modelos –o pesadillas– venidos del pasado, las más diversas fuerzas imaginarias se encaranan en las instituciones que dominan a los hombres y "la sociedad como tal, y la historia como tal, se convierten, ellas mismas, en entidades fantasmagóricas" (*id.*). Previsiblemente –y como lo hará Derrida más tarde–, Lefort centra su análisis en *El Capital*, en el *Manifiesto Comunista* y en *El 18 Brumario*. La gran novedad, por así decir, que introduce la perspectiva de Derrida –que curiosamente ni cita ni discute el texto de Lefort– es esta percepción, que estamos destacando en el texto, de *un conflicto*, de *una tensión, en el interior del propio pensamiento de Marx*, entre esas dos perspectivas, entre esas dos "visiones de la historia" que Lefort parece percibir como complementarias o incluso como mutuamente necesarias, y que Derrida percibe como profundamente antagónicas.

[6] Derrida considera, en su libro, la doble valencia de la palabra *conjurer* ("conjurar"), que parece ser la más apropiada para traducir el "*charge*" de Horacio en su desesperada invocación a la sombra del viejo rey en la primera escena de la pieza que nos ocupa: "*Stay! Speak, speak, I charge thee speak!*" ("¡Deténte! ¡Habla, habla, te conjuro a que hables!") [I.1.51], orden o súplica que el amigo de Hamlet dirige al espectro a pedido del "*Question it Horatio*" ("Interrógalo, Horacio") [I.1.45] de Marcelo. Pues bien: "conjurar", dice Derrida, tiene en primer lugar el significado de interpelar, interrogar, cuestionar ("*Question it*"): Horacio, dice Derrida, "ordena a la Cosa que hable, se lo ordena dos veces en una actitud a la vez imperativa y acusadora" (*Spectres...*, p. 34). "*I charge thee speak*", "te conjuro a que hables", es pues, en primer lugar, una inyunción. En segundo lugar, y al mismo tiempo, "conjurar" tiene el valor de "detener", "contener", "estabilizar". Se conjura un peligro, un mal, un mal espíritu, un fantasma. Y eso es exactamente, *también*, lo que hace Horacio al "conjurar" al espectro a hablar con él, pretendiendo con ello "confiscar, estabilizar, detener al espectro dentro de su palabra" (*id.*). Conjurándolo *a hablar*, quiere conjurarlo también *como espectro*. Volverlo comprensible, inteligible. *Detenerlo* ("*¡Deténte!*", y después: "*¡Deténte y habla! ¡Deténlo, Marcelo!*" [I.1.139]). Pues bien: La sugerencia de Derrida es que la actitud dual de este *scholar*, que si por un lado se atreve a mirar a los espectros a los ojos y a intentar hablar con ellos –a *conjurarlos*, en el sentido de "convocarlos"–, por el otro debe exigirles para eso que se nieguen *como espectros* y se presenten hablando un lenguaje "comprensible" y racional –*conjurarlos*, en el sentido de "detenerlos"–, anticipa la de

ese otro scholar, Marx, *que también tendría ante los espectros esa misma relación dual* que comentamos en el texto. Esto es: que por un lado oiría su mensaje, se dejaría interpelar por ellos y los convocaría a sus grandes pinturas histórico-políticas y a los momentos fundamentales de su teoría económica, pero que por otro lado se empeñaría en reducirlos a ese "no ser", a esa condición de "pura ilusión" que debería superarse, *y que iría a superarse*, en el camino a la construcción de una sociedad emancipada.

[7] La palabra *hantologie* aprovecha el significado de *hante* (frecuentar, rondar, asediar, [re-]aparecer), al mismo tiempo que juega también, claro, con la sonoridad, para oponerse a *ontologie* (ontología) como un pensamiento del ser-no-siendo (digamos así) de los espectros, del ser-siempre-apareciendo de los fantasmas (de un ser atormentador y obsesionante, en consecuencia [*hantise* = obsesión, *hanté* = atormentado, *hanté par un souvenir* = atormentado por un recuerdo: "*¿Que te recuerde? / Por siempre, desventurado espectro, mientras la memoria tenga un sitio / En este globo trastornado*", I.5.95-7]), a un pensamiento del mucho más tranquilizador "ser *o* no ser" de las cosas corrientes del mundo. Como un pensamiento de lo inestable y de lo móvil, entonces, a un pensamiento de la estabilidad y el orden. De ahí el interés de la traducción de *hantologie* que propone Ernesto Laclau en el ensayo dedicado al libro de Derrida en su *Emancipación y diferencia*, donde el filósofo argentino traduce el neologismo derrideano por "rondología" –"... que es, hasta donde puedo figurarme, el que de más cerca captura su sentido" (Laclau, *Emancipación...*, p. 122, n.). Es verdad que la "traducción" de Laclau pierde o por lo menos relativiza, en su esfuerzo por captar la dimensión de *movimiento* involucrada en la expresión de Derrida, la dimensión de, digamos, *indeterminación ontológica* de los objetos (los fantasmas) a los que esa palabra se refiere. ¿Pero qué traducción no pierde *alguna cosa* en el camino?

[8] Para una consideración de conjunto de estas distintas lecturas posibles de Maquiavelo (de estos distintos "espíritus", digamos, de Maquiavelo), véanse Berlin, "La originalidad...", y también Lefort, *Le travail...* (Troisième partie: Interprétations exemplaires), pp. 153-309.

[9] Cito las *Tesis...* en la bella traducción del filósofo chileno Pablo Oyarzún Robles: "El pasado lleva consigo un secreto índice, por el cual es remitido a la redención. ¿Acaso no nos roza un hálito del aire que envolvió a los precedentes? ¿Acaso no hay en las voces a las que prestamos oídos un eco de otras, enmudecidas ahora? ¿Acaso las mujeres que cortejamos no tienen hermanas que jamás pudieron conocer? Si es así, entonces existe un secreto acuerdo entre las generaciones pasadas y la nuestra. Entonces hemos sido esperados en la tierra. Entonces nos ha sido dada, tal como a cada generación que nos precedió, una *débil* fuerza mesiánica, sobre la cual el pasado reclama derecho" (Benjamin, *La dialéctica...*, p. 48).

[10] El problema de la "locura" de Hamlet, de su naturaleza y de sus causas, es uno de los grandes problemas de *Hamlet*, acerca del cual no sólo el rey, la reina y el consejero real tienen, cada uno, su propia y peculiar "teoría" (Claudio cree que Hamlet está loco de ambición, Gertrudis, que está loco de dolor, Polonio, que está loco de amor), sino que *la crítica* hamletiana no ha dejado de interrogarse desde hace cuatrocientos años. Para formular bruscamente el problema fundamental, la pregunta que debe responderse es la siguiente: Hamlet, ¿es, o se hace? Es claro que, en un sentido importante, "se hace" –y no tenemos más que recordar, para confirmarlo, su "*Vienen a la función. Debo hacerme el loco*" [III.2.79] dirigido a Horacio. Sin embargo, no es menos cierto que hay varios

pasajes (y éste que estamos considerando es uno de ellos) en que el príncipe revela una conmoción –por decir lo menos– que está lejos de ser simplemente fingida. En ese sentido, Dover Wilson destaca, comentando estas líneas en su clásico *What happens in Hamlet*, que, de vuelta de su conversación con el espectro, Hamlet se encuentra en un estado de "extrema inestabilidad emocional" (Wilson, p. 91), que lo hace pasar de la hilaridad ("*¡Hillo, ho, ho, chico! Ven, pajarito, ven.*" [I.5.116], y enseguida: "*¿Qué novedades, mi Señor? / ¡Oh, extraordinarias!*" [I.5.117-8]) a la solemnidad y a lo patético ("*-Sobre mi espada. -Ya hemos jurado, mi Señor. / -¡Vamos, sobre mi espada, vamos!*" [I.5.147-8], y en seguida, cuando se oye la voz del espectro bajo el suelo, a una nueva "jocosidad histérica, más disparatada y desconcertante que nunca" (*id.*: "*Ja, ja, muchacho, ¿fuiste tú quien habló? ¿Estás ahí, compañero?*" [I.5.150]), seguida nuevamente "por el más profundo abatimiento". Esas manifestaciones de la proverbial "locura" del príncipe son, dice Wilson, "claramente deliberadas en parte y en parte involuntarias" (Wilson, p. 92): Shakespeare "quiere que sintamos que *Hamlet finge su locura porque no puede evitarlo*. Las trágicas aflicciones de su ánimo lo han afectado, y él está conciente de que ya no tiene perfecto control sobre sí mismo. ¿Qué más natural entonces que esconder su trastorno nervioso tras una máscara que le permitiría dejarse llevar por la locura cuando ésta lo atacara?" (*id.*) Wilson cita, como un antecedente de su propia opinión, la de Edward Dowden, para quien la locura de Hamlet "no es asumida deliberadamente; una *antic disposition* se le impone, por así decir, por la casi histérica excitación que sigue a su entrevista con el espectro, y él, ingeniosamente, se justifica ante sí mismo descubriendo que esa excitación puede en adelante serle útil" (*id.*, n.), y agrega de su propio puño que, "descubriendo que en presencia de Horacio y Marcelo ha dado rienda suelta a sus emociones de modo intenso y sin ningún control", Hamlet "finge que ha estado representando un papel, y les advierte que lo mismo puede volver a ocurrir en el futuro" (*id.*). Hace "del defecto virtud": *finge que ha estado fingiendo* y define, obligado por circunstancias que no ha elegido y sobre las que (descubre que) no tiene control, su estrategia. En síntesis: Que la locura de Hamlet es fingida, sí, pero que esa ficción *se le impone*, por así decir, a su propio protagonista.

[11] "Cabeza para abajo", "trastornado", como dice el título de un hermoso libro de Christopher Hill, *The world turned up down* (*El mundo trastornado*). Una traducción de este tipo (cuyo equivalente francés más aproximado –entre los que considera Derrida– parece ser el de Jules Derocquigny: "Le monde est *à l'envers*") acentuaría (y por eso es que con toda intención cito aquí el libro de Hill) la dimensión *política* de la "subversión" del mundo hamletiano. De hecho, en su libro, Hill estudia los comportamientos, ideas y producciones escritas de los grupos más radicales, más *subversivos*, de la Inglaterra del siglo XVII, del siglo del que *Hamlet* constituye, si estamos en lo cierto, un portal especialmente valioso y anticipatorio. Volveremos a abrir este libro de Hill más adelante, en busca de una clave de interpretación de cierto pasaje del último acto de la pieza que nos ocupa.

[12] Debo a Horacio González la indicación de que es posible hallar una comprensión más sutil del tiempo (quiero decir: una idea sobre la posibilidad de continuar viviendo, sin mayor desesperación y sin pensar a cada paso en la alternativa del suicidio, en un mundo donde "*the time is out of joint*") en el pasjae –que abre esa misma escena del monólogo del príncipe y de su diálogo con Horacio– que él bautizó como el parlamento de los *dos ojos* del Rey Claudio ("*Con un ojo esperanzado y el otro sin consuelo*" [I.2.11]), donde encontramos la idea de un presente situado entre un pasado que *todavía* puede

dolernos y un futuro que *ya* puede alegrarnos, y la sugerencia de que es nuestra obligación –y una tarea para nuestra sabiduría y nuestra prudencia– hacer compatibles en nosotros, en nuestro presente, los ecos del pasado y la anticipación del futuro ("*Con alegría en el funeral y lamentos en la boda*" [I.2.12]): convivir al mismo tiempo con diferentes sentimientos y con diferentes temporalidades.

[13] Jean Malaplate tradujo al francés la frase de Hamlet, precisamente, como "*le temps est detraqué*" (descompuesto), lo que sin duda constituye una traducción problemática o simplemente mala, toda vez que, como destaca Derrida, "un cierto uso de la expresión deja pensar en el tiempo que *hace*" (Derrida, *Spectres...*, p. 44), para designar el cual existe en inglés la palabra *weather*, y no *time*. Sin embargo, no deja de ser interesante algo que el propio Derrida apunta en otro lugar: que incluso una "mala" traducción puede a veces contribuir a iluminar el significado primitivo de una cierta frase. En este caso, si es obvio que Shakespeare no quiso que Hamlet dijera que el tiempo, en aquella noche, estaba feo, o que el clima era desagradable, lo cierto es que, en aquella noche –y, por cierto, también en la anterior–, *el tiempo estaba, sí, feo*, y el clima era sumamente desagradable ("HAMLET: *El aire está cortante, hace mucho frío.* / HORACIO: *Es un aire helado y penetrante*" [I.4.1-2]). No sólo eso: las metáforas del clima descompuesto, la atmósfera tormentosa y los cielos llenos de nubes son abundantes a lo largo de toda la pieza ("CLAUDIO: *¿Qué? ¿Todavía ensombrecido por las nubes?*" [I.2.66]), y si una cosa y otra nos interesan es en virtud de algo que ya adelantamos y sobre lo que todavía deberemos volver: el hecho de que, dentro de la cosmovisión "isabelina", pre-moderna, de la que *Hamlet* constituye todavía un testimonio (cierto que, sin duda, un testimonio tardío, crítico y problemático), el mundo subjetivo, el mundo político y el mundo cósmico son prolongaciones, manifestaciones y metáforas unos de otros (véase, sobre esto, E. M. W. Tillyard, *The Elizabethan World Picture*, sobre el que volveremos en el último capítulo de este escrito). De modo que el hecho de que el tiempo *–the weather*, el clima– esté "descompuesto" constituye una expresión o un signo del hecho más fundamental de que el tiempo *–the time*, la temporalidad, el mundo, las cosas y los asuntos del Estado– está desarreglado, dislocado, "fuera de quicio".

[14] Henri Bergson, o Gilles Deleuze leyendo a Bergson, podrían ir incluso un poco más lejos, hasta el punto de afirmar que si el presente no es nunca contemporáneo de sí mismo es porque el propio "sí mismo" del presente no es más que la articulación, en la conciencia de un sujeto, de múltiples y divergentes temporalidades. Es sólo porque tendemos a confundir el ser con el ser-presente –escribe Deleuze comentando el pensamiento del autor de *Materia y memoria*– que pensamos que el pasado ya "no es". Si consiguiéramos desprendernos de este vicio percibiríamos que mientras del presente sólo puede ser predicado que es aquello que a cada instante "ya fue", del pasado debe decirse en cambio que no sólo continúa, de pleno derecho, *siendo*, sino que es lo único que, en realidad, *es*. Ese ser-en-sí, entonces, del pasado, coexiste con el presente, adquiere existencia psicológica en el presente de un sujeto, a través de una conciencia que lo actualiza. Primera cuestión. Y segunda: Que la duración de las cosas en el tiempo, para Bergson, no es uniforme, sino múltiple. Que hay en el mundo, para él, una infinidad de flujos diferentes, una multiplicidad de duraciones específicas. El correr del agua de un río, el deslizamiento de un barco sobre esas aguas y el canto de un pájaro que atraviesa el cielo son tres cosas diferentes que responden a temporalidades, a duraciones, a intensidades, a ritmos también distintos. Pero *si yo estoy mirando esa escena*, ha-

ciendo ingresar esas tres duraciones dentro de esa otra que es la de mi propia vida, la escena se vuelve para mí una unidad y su duración, su temporalidad –hasta entonces fragmentada, astillada, "fuera de quicio"– se recompone, más allá de la mía que ahora las contiene, en un todo. La conciencia es entonces (resumo bruscamente) lo que me permite, primero, ser contemporáneo de mi pasado actualizándolo en mi presente, y, segundo, re-situar la duración real del mundo articulando los flujos múltiples que lo componen. Que *el tiempo está fuera de quicio* puede ser leído en el sentido de que no hay nunca *un* Tiempo, sino que el presente está siempre surcado por múltiples duraciones e intensidades diferentes. Y no nos equivocaríamos si afirmáramos que tenemos allí, exactamente, la condición de posibilidad de la política. Hay política, en efecto, porque el tiempo está trastornado, y cuando alguien puede venir (como venía aquel sujeto que miraba los movimientos del agua, del barco y del pájaro y los reinscribía en una temporalidad organizadora que era la suya) a otorgar a las múltiples duraciones e intensidades que lo componen un principio de articulación y de unidad. ¿Y no es verdad que fue exactamente eso lo que descubrió nuestro viejo Maquiavelo: que la política comienza cuando un sujeto (el Príncipe) viene a ocupar el lugar vacío, *pero reclamado por las fuerzas opuestas que actúan en la historia*, a partir del cual esas fuerzas son reinscriptas en una temporalidad mayor que las abarca? El sujeto maquiaveliano, el Príncipe, es, en efecto –podríamos decir en la línea de ciertas consideraciones de Althusser que ya comentamos–, quien puede instalarse en el corazón de un presente dislocado y "fuera de quicio" *para reinventarlo como presente revolucionario*, y ese trabajo es, antes que ninguna otra cosa, un trabajo con el tiempo, con los múltiples tiempos que componen el Tiempo.

[15] Me gustaría insistir en el *"a priori"*. Porque de hecho *sí* podemos, *a posteriori*, tras un examen atento del conjunto de la obra maquiaveliana, saber qué era lo que Maquiavelo pensaba y cuáles eran sus puntos de acuerdo y de desacuerdo con la tradición humanista. Es lo que reconoce el propio Strauss ("Descubrir a partir de sus escritos lo que él consideraba que era la verdad es arduo, pero no imposible" [*Thougts...*, p. 36]), y lo que demuestran admirablemente John Pocock o Quentin Skinner, que consiguieron discernir con absoluta precisión cuáles son las deudas de Maquiavelo con la tradición del humanismo cívico y cuáles los puntos en los que el autor de *El Príncipe* sa aparta de ella. Pero eso no nos interesa aquí tanto como destacar el carácter paradigmáticamene "hobbesiano" del tipo de crítica desarrollada por Strauss, a la cual no le falta, para interesar a nuestro argumento, ni siquiera la reconociblemente "hobbesiana" insistencia en los peligros de la "infección" y la "corrupción" de los espíritus. Así, Strauss afirma que los estudiosos de la obra maquiaveliana que se niegan a encontrarla "inmoral e irreligiosa" no consiguen ver "el carácter demoníaco de su pensamiento porque ellos son los herederos de la tradición de Maquiavelo; porque ellos, o los olvidados maestros de sus maestros, han sido *corrompidos* por Maquiavelo" (p. 12), y agrega más adelante que "la disimulación, tal como la practica Maquiavelo, es un instrumento de sutil *corrupción* o *seducción*. Maquiavelo *fascina* a su lector..." (p. 50, todos los subrayados son míos).

[16] La calificación del pensamiento maquiaveliano como un "materialismo" merecería tal vez dos breves comentarios. El primero se refiere al hecho de que esta palabra ha sido utilizada en relación a la obra del secretario florentino en sentidos no siempre coincidentes, aunque siempre con el propósito de contraponer su pensamiento, como nosotros estamos haciendo aquí, a las (también diferentes) formas de "idealismo" que él intentaba rechazar. Así, por ejemplo, el sentido en que Althusser, en su escrito sobre Maquiavelo, afirma que el autor de *El Príncipe* es un autor "materialista" es algo diferen-

te –aunque, me parece, complementario– al que aquí estamos dando a la misma expresión, ya que tiene (ahí: en Althusser) la connotación, más bien epistemológica, de destacar la vocación maquiaveliana por "*andare diritto alla verità effettuale della cosa*" en vez de permanecer presos de las representaciones "imaginarias" que los "idealistas" se hacen del mundo. Por su parte, en la línea abierta por el artículo de Merleau-Ponty que también vimos, sería posible dar a ese "materialismo" de Maquiavelo una entonación mucho más "moral": se trataría, en este caso, de oponer el "humanismo abstracto" (idealista) de los "bienpensantes" al "*verdadero* humanismo" de nuestro autor. Aquí, en el contexto en el que ahora estamos trabajando, la palabra "materialismo" vale simplemente por "realismo", o "realismo *popular*", en el sentido que le da a esta última expresión Claude Lefort (cf. su bello "La política y lo real", en *Las formas...*, pp. 143-165), o incluso –aún más simplemente– por "conflictivismo", palabra que de hecho utilizo indistintamente como su sinónimo. El segundo comentario que quería hacer es el siguiente: Aquí estamos contraponiendo el pensamiento de Maquiavelo, *por un lado*, a esos diversos tipos de "idealismo", y, *por otro lado*, al pensamiento de Hobbes. Pero de ahí no debe derivarse, de manera alguna, la impresión de que pudiéramos confundir a éste último con un idealista. *Por el contrario:* ya hemos indicado que es exactamente el hecho de que Hobbes *no es* nada parecido a un "idealista", de que él *no cree* en la armonía natural de las cosas ni en la existencia de los "universales" (de hecho, la crítica de Hobbes a los universales, formulada en nombre de su nominalismo filosófico, es un núcleo fundamental de su pensamiento), lo que da a su empresa teórica todo su interés. (Apenas como una indicación muy general, y sólo para no dejar demasiado rápido este problema: Sería interesante hacer la historia de la famosa "cuestión de los universales" *desde los años de las grandes polémicas medievales entre realistas y nominalistas hasta los del propio Hobbes*, y preguntarnos si no es posible encontrar un antecedente de la preocupación de este último [de la preocupación, entonces, por resolver, *a pesar de la imposibilidad teórica de postular la existencia de los universales –y precisamente porque* esa postulación se había vuelto imposible–, el problema *político* de la necesidad de que las palabras tuvieran significados únicos y universalmente aceptados] en la preocupación de Pedro Abelardo [1079-1142] por salvar la legitimidad del uso de los universales a pesar del carácter insanablemente individual de las cosas del mundo. De hecho, Abelardo parecía anticiparse a Hobbes cuando postulaba, novedosamente, el carácter *construido* de los universales: "el universal, en efecto, es un recurso fabricado por la inteligencia mediante un acto expreso de voluntad humana" [Bertelloni, p. 54]. En otras palabras: Que, de Abelardo a Hobbes, los universales "existen" o *deben* existir [en Abelardo existen, de hecho, *y es necesario dar cuenta de este hecho*; en Hobbes *deben* existir, de derecho, para que la paz política se imponga sobre el caos], pero al mismo tiempo no pueden ser más que "*palabras, palabras, palabras*"...)

[17] Ya sugerimos la posibilidad de pensar la historia del pensamiento político moderno como la contraposición entre un "momento maquiaveliano" y lo que podríamos bautizar, simétricamente, como un "momento hobbesiano", y más adelante retomaremos esta idea. Ahora estamos apuntando que la primera de esas dos historias puede ser considerada como habiendo comenzado, antes incluso de Maquiavelo, por aquellos humanistas cívicos que lo precedieron y, en cierto sentido, le prepararon el camino. Análogamente, sería posible sugerir la posibilidad de encontrar en el pensamiento del parlamentario y jurista francés Jean Bodin (que en muchos sentidos también prepara y anticipa el de Hobbes) un "momento", un "eslabón" pre-hobbesiano, o proto-hobbesiano,

de la historia –paralela y contrapuesta a la del "momento maquiaveliano"– *del "momento hobbesiano"* de la filosofía política moderna. Son muchos los rasgos del pensamiento de Bodin y de las circunstancias en que éste se forjó que permiten esta comparación. En efecto: Como Hobbes, Bodin escribe en el contexto de las grandes y graves luchas religiosas que habían dividido a las naciones europeas, y que en Francia enfrentaban especialmente –estamos en los años 1570– a católicos y hugonotes, convirtiendo la unidad y la armonía en valores especialmente apreciados. En este sentido es justo decir, como lo hace George H. Sabine, que la obra de Bodin (especialmente su obra mayor: los *Seis libros de la República*) representa "una defensa de la política frente a los partidos" (Sabine, p. 313) y que su principal preocupación era asegurar la unidad, la paz y el orden del reino. ¿Cómo? A través de una definición de la "soberanía" (categoría central, por cierto, del sistema bodiniano, donde es definida como *el más supremo poder del soberano sobre todos los ciudadanos y súbditos del reino: el poder de darles leyes sin su consentimiento*) que revela, como dice Quentin Skinner, el gran horror de Bodin "frente al hecho de que los súbditos 'se armen contra sus príncipes', de que se produzcan abiertamente escritos sediciosos 'como antorchas para incendiar las comunidades' y de que el pueblo esté gritando que 'los príncipes enviados a los hombres por la Providencia deben ser arrojados de sus reinos, so pretexto de tiranía" (Skinner, *The foundations...*, vol. II, p. 285). Como el propio Bodin dice, "su principal intención al escribir es responder a estos 'hombres peligrosos' que, bajo el pretexto de la libertad popular, están intentando 'inducir a los súbditos a rebelarse contra sus príncipes naturales, abriendo la puerta a una anarquía licenciosa, que es peor que la más dura tiranía del mundo'" (*id.*). Enfrentando las teorías hugonotas sobre el derecho a la resistencia, Bodin afirma "que ningún acto público de resistencia realizado por un súbdito contra un soberano legítimo puede ser justificado jamás" (*id.*). Sin duda. ¿Quién diría lo contrario? El problema es aquí, evidentemente, quién es un soberano "legítimo", o cuándo tenemos derecho a afirmar que un soberano legítimo ha dejado de serlo. Ante eso, Bodin indica que, "puesto que el propósito fundamental del gobierno debe ser asegurar el 'orden' más que la libertad, todo acto de resistencia de un súbdito contra su gobernante debe ser totalmente prohibido en nombre de la conservación de la frágil estructura de la república (...) Aclara después que al caracterizar al soberano como 'absoluto' lo que tiene en mente es que, aun si sus órdenes no fueran nunca 'justas y honradas', no sería lícito para el súbdito 'quebrantar las leyes de su príncipe u oponérsele de ninguna otra manera..." (p. 287) El soberano, así, es simplemente "inmune por definición a toda resistencia legítima", como concluye Skinner, que agrega (y ese agregado es fundamental para nosotros): "Ya están aquí echadas las bases para la posterior construcción hobbesiana de 'ese gran Leviatán' como un 'Dios mortal' a quien 'debemos, bajo el Dios inmortal, nuestra paz y defensa'." (*id.*) En efecto: Bodin "no sólo considera a la doctrina de la no resistencia como una consecuencia analítica de la soberanía, sino que considera a la idea de soberanía absoluta como una consecuencia analítica del concepto del Estado" (*id.*), y no hay duda de que Hobbes es el gran heredero de ese movimiento.

Ahora: conviene, sin embargo, no quedarnos con una idea demasiado estrecha sobre las consecuencias eventualmente más antipáticas o más antiliberales de esta obsesión de Bodin y de Hobbes por el orden. De hecho, una cuestión que vale la pena destacar aquí (incluso porque ella sugeriría una segunda línea de continuidad entre las preocupaciones de los dos filósofos) es la circunstancia de que Bodin fue, *al mismo tiempo* que un defensor muy enfático de la soberanía del Estado frente a las particularidades que amenazaban su unidad y frente a las posibilidades de sedición o de anarquía, un firme defensor de políticas de *tolerancia* en materia de ideas y de religión. Por eso subrayábamos más arriba la importancia de la idea bodiniana (en realidad, una idea fuerte de todo el grupo de los *politiques* del que Bodin formaba parte) de la *armonía (harmonie)*, que no significa apenas *unidad*, sino unidad pacífica y amistosa en el seno de un Estado *tolerante* [cf. Mayer, p. 98]. Los *politiques*, en efecto, como observa Sabine, "figuran entre los primeros que entrevieron la posibilidad de tolerar diversas religiones dentro de un mismo Estado. Aunque la mayor parte de ellos eran católicos, también y ante todo eran nacionalistas, y estaban dispuestos a enfrentarse en sus reflexiones políticas con el más firme de los hechos políticos de su época, a saber: que la división de la cristiandad era irreparable y que ninguna de las sectas podía ser capaz de convencer o coaccionar a las demás. Por lo tanto, defendían la política de salvar del naufragio lo que se pudiera salvar; permitir las diferencias religiosas que no podían deshacerse y mantener unida la nacionalidad francesa..." (Sabine, p. 313). Tal vez menos un bien en sí misma que un "mal necesario" o menor, la tolerancia hacia las creencias divergentes (es claro: en cuanto éstas siguieran siendo eso: *creencias*, y no se volvieran argumentos para la subversión política) es estimada así como un auxiliar –y no como una enemiga– de la unidad nacional: "No hay criterio sobre la verdadera religión (...) La tarea del Estado consiste en proteger y tolerar cualquier religión" –escribe Mayer (p. 98) glosando a Bodin. Que ésta es también la idea de Hobbes es algo que, por otro lado, ya habíamos dejado insinuado un poco más arriba, cuando comentábamos el interesante planteo de Leiser Madanes según el cual el soberano hobbesiano debe ser concebido como "un árbitro cuyo arbitraje no aspira a determinar la verdad sino a lograr la paz" (Madanes, p. 95), lo que "no implica expedirse acerca de la verdad o falsedad de las distintas posiciones" (*ibid.*, p. 65) y abre el camino, en consecuencia, para una política estatal de tolerancia religiosa. En primer lugar, y como es obvio, de tolerancia con relación a los pensamientos íntimos de los sujetos. En efecto: Hobbes, sabemos, "distingue pensamientos, por un lado, y expresiones y acciones, por otro. La ley, es decir el poder de coacción, no alcanza a los pensamientos..." (p. 99), lo que puede ser indicado también diciendo que el soberano puede determinar lo que los súbditos expresen, no lo que ellos piensen. Ni Dios nos condena ni el Estado tiene motivo para castigarnos "por nuestras creencias equivocadas acerca de cuestiones teológicas, sino por desobedecer al soberano civil" (p. 101). Pero en segundo lugar, y como tal vez sea menos obvio, de tolerancia en relación con las propias *expresiones públicas* de esos sujetos, que el Estado puede y hasta debe tolerar *en la medida en que ellas no atenten contra la fortaleza de su soberanía.* He ahí lo que Madanes llama "la paradoja de la tolerancia" en Hobbes, que puede ser resumida en las siguientes palabras: "La consigna de Hobbes es que la soberanía sea lo suficientemente fuerte como para que nadie se atreva a alzarse en armas a fin de defender o introducir una opinión. Éste es el criterio explícito que propone Hobbes. Si se cumple, puede permitirse una casi irrestricta libertad de expresión. En la medida en que no se cumpla, el soberano se verá obligado a restringir esa libertad a fin de garantizar la paz pública. Cuanto más absoluto, en sentido hobbesiano, es el soberano, tanto mayor será la libertad de expresión." (p. 77). Es claro que tanto la idea de soberanía cuanto la de poder *absoluto* difieren fuertemente de Bodin a Hobbes. Pero esa "paradoja de la tolerancia" que Madanes destaca en el pensamiento del segundo, y que nosotros acabábamos de señalar en el centro de las preocupaciones del primero, establece un paralelo más, entonces, entre esos dos "eslabones" del *momento hobbesiano*, como aquí lo hemos bautizado, del pensamiento político moderno. Esto es: de la historia de las interrogaciones que ese pensamiento se formuló pensando la política desde la perspectiva del orden, las instituciones y la soberanía.

[18] Althusser: "... desde Spinoza (...) a Gramsci, pasando por Montesquieu, Hegel, Marx..." ("Machiavel...", p. 45). Véanse también, de Antonio Negri, *El poder constituyente* y *La anomalía salvaje*, y, de Miguel Abensour, *La democracia contra el Estado*.

[19] El tema había sido abordado por Gargarella en un texto anterior: su excelente *Nos, los representantes*, donde la representación era examinada menos como un lazo que unía a los ciudadanos con sus gobernantes que como un mecanismo defensivo y temeroso de *separación* de estos últimos en relación con esa "multitud desordenada y peligrosa" que constituían los primeros, separación cuyo resultado sólo podía ser la erosión del componente democrático de la república. Aquí, en el artículo de Gargarella que consideramos en el texto, el mismo argumento vuelve de la mano de las críticas anti-federalistas a algunos "supuestos muy discutibles" que sostenían el edificio teórico de los constitucionalistas norteamericanos, como el de la superioridad intelectual o moral de los representantes sobre los ciudadanos, o el de la imposibilidad de una deliberación colectiva racional. Contra estas ideas, y contra las consecuencias "aristocratizantes" que se derivaban de ellas, los críticos más radicales del pensamiento federalista habían lenvantado en su momento una serie de argumentos y de propuestas institucionales tendientes a "fortalecer los lazos entre electores y elegidos", argumentos y propuestas por los que Gargarella no oculta su simpatía, y que constituye sin duda un desafío para el pensamiento democrático volver a poner, como se dice, "en la agenda" de las discusiones.

[20] Y otras influencias más específicas podrían todavía, claro, ser apuntadas. Marilena Chauí observa, por ejemplo, la identidad entre el argumento maquiaveliano sobre la utilidad de la religión para imponer costumbres nuevas y desconocidas a un pueblo indócil y feroz (que Maquiavelo desarrolla, en los *Discorsi*, a propósito de la obra fundadora de Numa) y el modo en que Spinoza describe, en el *Tratado Teológico-Político*, la fundación hebraica por Moisés. (cf. Chauí, *A nervura...*, p. 49, n.)

[21] Cf. Chauí, *A nervura...*, p. 38, y "Spinoza: poder...", p. 127.

[22] Se trataría, según Abensour, de "una dimensión escondida, oculta, de la obra de Marx –una interrogación filosófica sobre la política, sobre la esencia de la política–, muy fuertemente acentuada en 1842-1844, pero que no parece impregnar menos la totalidad de su obra y que reaparece en el intervalo que representan sus escritos políticos" (Abensour, p. 4). *Muy fuertemente acentuada en 1842-1844*. Hay pues *una cierta* dimensión cronológica en la idea de "*momento* maquiaveliano" utilizada aquí por Abensour: 1842-1844 son los años en los que Marx, habiéndose desprendido *ya* de una idea de la política subordinada a la centralidad del Estado, hegelianamente concebido como la realización de la razón y como la realidad de la idea ética (idea positiva, sin duda, en la medida en que permitía luchar "contra los partidarios del Estado cristiano" y "considerar al Estado con ojos humanos" [*ibid.*, pp. 23s], pero, como notaría Marx, insuficiente), *todavía* no había, sin embargo, disuelto esa recién descubierta autonomía de la política en el mundo de lo social-productivo. Como si ese momento en que tan intensamente Marx se preguntó por la naturaleza de la política y de la democracia pudiera demarcarse entre dos grandes "revoluciones copernicanas": la que descubrió que el "centro de gravedad" del Estado no residía ya en el mundo celeste, sino en sí mismo (he ahí el descubrimiento de Hegel, tan influyente entre los jóvenes jacobinos de la generación de Marx), y la que desplazó ese "centro de gravedad" del Estado hacia el mundo de las relaciones sociales de producción –he ahí el descubrimiento del Marx "maduro", por así decir, que suplanta la *civitas* por la *societas* y el *zoon politikon* por el

animal socialis, perdiendo en el camino lo mismo que había descubierto poco antes: la centralidad de la actividad del *demos*, y la correspondiente importancia de una *teoría de la acción política*. Contra Hegel y la idea del Estado como absoluto filosófico, Marx, "'entusiasta de la política' (son sus propios términos), embriagado, transportado por la entonación religiosa de su entusiasmo" (p. 33), había levantado la idea de la política como absoluto práctico. Más tarde, contra ese mismo descubrimiento, el propio Marx levantaría el descubrimiento "científico" de que son las relaciones que se engendran en el mundo de la producción, en la "sociedad civil", las que *determinan* el ser político del hombre. Entre una y otra de esas dos inflexiones, el pensamiento de Marx conoció ese "momento maquiaveliano" que aquí nos interesa destacar. Momento aristotélico-maquiaveliano-spinoziano, sería tal vez mejor decir, caracterizado por una fuerte entonación democrática y republicana y por la presencia del viejo tema republicano del *vivere civile*, y que se plasma especialmente en la *Crítica del Derecho del Estado de Hegel*, de 1843. Pero que no se extingue por completo, en la propia evolución del pensamiento de Marx, después de ese quiebre, "sino que persistió, como una dimensión escondida latente de la obra, lista para resurgir, suceptible de ser despertada bajo el choque del acontecimiento" (p. 96). ¿Qué acontecimiento? La Comuna, por ejemplo. Cuya lección, para Marx, "es que la emancipación social de los trabajadores, del trabajo, contra la dominación del capital, no puede producirse sino por la mediación de una forma política que Marx llama en numerosas oportunidades 'la Constitución comunal'. Forma política singular –es necesario insistir en ello– y destinada por eso a escapar a la autonomización de las formas; no sólo porque los miembros de la Comuna son responsables y revocables en todo momento, sino sobre todo porque esta forma se constituye, accede a su particularidad y se reconstituye desplegándose *contra* el poder del Estado, en una insurrección permanente contra el Estado-aparato, sabiendo de algún modo que toda recaída bajo el imperio del poder del Estado, sea cual fuera su nombre y su tendencia, significaría inmediatamente su sentencia de muerte. Tal es la característica distintiva de la Constitución comunal en tanto que forma política. Es en esta posición *contra* el Estado que esta constitución accede a su existencia, se manifiesta y persevera en su ser." (pp. 99s). Es obvio que ni Maquiavelo ni Spinoza están ausentes del contenido, del espíritu y del tono de ese análisis marxiano reseñado por Abensour.

[23] Dicho lo cual es necesario indicar la decisiva *ruptura* que Hobbes establece con esa tradición (que es la tradición jusnaturalista) *anterior* a él, así como su originalidad con respecto a los autores que, *después* de él, continuarían alimentándola. Esa ruptura, esa originalidad, consiste en que allí donde tanto los autores que integraban la corriente jusnaturalista *pre-moderna* como aquellos que, a partir de Locke, se sumarían a las filas del contractualismo *liberal* –ya decididamente "moderno"– subrayan la fundamental *continuidad* entre el "estado de naturaleza" y la "sociedad civil" (sea porque una legalidad última, divina, gobierna en última instancia ambas escenas, sea porque la segunda se concibe como el medio para preservar un conjunto de "derechos naturales" existentes pero no garantizados en la primera), Hobbes destaca la *ruptura* y la *discontinuidad* entre ambos estados. Como ya dijimos, y como insistiremos enseguida en el texto, la sociedad civil y política se levanta, en Hobbes, sobre la *negación* del "estado de naturaleza". Sobre esta cuestión, véase Bobbio, *Thomas Hobbes* (esp. Cap. V, "Hobbes y el jusnaturalismo", pp. 129-145).

[24] Como destaca Renato Janine Ribeiro, esa insistencia en el hecho de que el orden político es una construcción, un *constructo*, un artificio, implica la ruptura con dos

modelos anteriores. Por un lado, con la idea aristotélica de la existencia de relaciones políticas *naturales* entre los hombres: negando que el hombre sea un *zoon politikon*, Hobbes hace derivar la sociabilidad del artificio y de la convención, esto es, del mundo cultural de las prácticas humanas. Por otro lado, con la idea medieval de una dominación sustentada "naturalmente" por lazos entre el rey y los súbditos que, tales como los lazos de familia, eran pensados como relaciones de *amor*. En estas concepciones, en efecto, el rey, que hereda la corona como un *hijo* hereda su fortuna, ejerce el dominio sobre su reino y sobre sus súbditos como un *padre* que ama a sus hijos o como un *esposo* que proteje a su mujer. En cualquier caso, el poder es concebido como tutela y el súbdito como menor o como incapaz. Hobbes desarma esas relaciones *naturales:* ni Estado-Padre ni Rey-Esposo ni Heredero-Hijo, sino *creación responsable de un Estado guiada por la voluntad de vivir de los sujetos*. La idea hobbesiana del contrato, capítulo fundamental de su vasta empresa de secularización del pensamiento político occidental, es la idea de una acción enérgica de *ruptura* con la naturaleza humana: de un acto de la *voluntad* humana (cf. Janine Ribeiro, *Ao leitor...*, cap. 5).

Capítulo 4

(HOBBES: GUERRA Y CONTRATO)

"La cuestión fundamental de la doctrina hobbesiana es la de la *obediencia:* ¿a quién debo obedecer en conciencia?"
PIERRE MANENT

1. El estado de naturaleza, o el antagonismo como lo real de la política

En el capítulo que dedica a Hobbes en su valioso *Política y perspectiva* –que ya revisamos a propósito de más de una cuestión–, Sheldon Wolin observa que la noción de "estado de naturaleza" no puede ser pensada, en la obra del autor del *Leviatán*, ni como el nombre puesto a una situación histórica perteneciente a algún tiempo remoto y superado ni tampoco como un recurso puramente lógico, separado de la historia y de sus determinaciones, destinado a demostrar la necesidad de una soberanía absoluta. El estado de naturaleza hobbesiano, en efecto, no puede pensarse como un punto lejano del pasado, como una condición *cronológicamente anterior* a la sociedad civil, porque su carácter es más bien –como muchos otros comentaristas de la obra de Hobbes han señalado también– "el de una posibilidad siempre presente, inherente a toda sociedad política organizada" (Wolin, p. 282), el de "una ubicua amenaza que, como macabro acompañante, seguía a la sociedad en cada etapa de su trayecto" (*id.*), el de un continuo recordatorio de la fragilidad de los órdenes políticos y del riesgo permanente de una recaída, un retroceso, una reversión a aquella situación de la que el contrato (la otra gran figura –ya lo dijimos, y volveremos sobre ello– de la construcción teórica hobbesiana) pretendía mantener a los hombres alejados. Pero tampoco es una hipótesis *meramente* lógica, venida de ninguna parte y concebida apenas como un paso necesario en una demostración puramente racional. Quiero decir: no que no se trate, en un sentido fundamental, de una hipótesis de trabajo o de un ejercicio imaginario –cosas que sin duda es–, sino que esa hipótesis de trabajo, esa verdadera "idea a priori de la razón", como podríamos decir si quisiéramos incurrir en un deliberado (pero no injustificado) anacronismo, le viene "dictada" a Hobbes por el contexto de crisis, de caos social, religioso y político en el que el filósofo inglés vive y escribe. Y *contra* el cual escribe. En efecto: una de las hipótesis centrales del libro de Wolin –del que precisamente por esto el capítulo consagrado a Hobbes es uno de los fundamentales– es la hipótesis, la *doble* hipótesis, en realidad, de que –primero– "los grandes enunciados de la filosofía política han sido propuestos en épocas de crisis" (*ibid.*, p. 17) y de que –segundo, y como ya tuvimos ocasión de anticipar en nuestro primer contacto con el libro de Wolin, en la "Introducción" de este trabajo– esos grandes enunciados de la filosofía política han sido propuestos a fin de "definir las condiciones necesarias para un orden político estable" (p. 30). De otro modo: Que la filosofía política es siempre *un pensamiento sobre el orden*, que por eso mismo encuentra su inspiración, su materia y su justificación *en las situaciones de desorden* sobre las cuales *y contra las cuales* se levanta. En la Inglaterra del tiempo de Hobbes, ese desorden había conocido la forma de una revolución política, un conflicto religioso y una guerra civil de tal intensidad que habían arrastrado a toda la sociedad –dice Wolin– "al borde de la nada" (p. 261), y es exactamente esta situación, esta *condición* –"la condición de la nada política" (*id.*)–, la que procura conceptualizar la ficción teórica del "estado de naturaleza". Que es entonces una ficción sí, pero una ficción que "comunicaba a los hombres del siglo XVII un significado vivido y nada ficticio" (*id.*). Si se me permitiera ponerlo con una fórmula simple, diría que el estado de naturaleza es en Hobbes la conceptualización –quizás también la *estilización:* una conceptualización curada de rarezas, despojada de historia "concreta" y llevada a las últimas consecuencias lógicas– de la guerra civil.

Así, el "experimento mental" –como lo llama Luiz Eduardo Soares– a través del cual Hobbes configura, inspirado en la situación de desquicio social y político de la Inglaterra de su tiempo, la hipótesis teórica del "estado de naturaleza", consiste en preguntarse qué sería de los hombres si ocurriera algo *que de hecho había ocurrido* en esa Inglaterra desquiciada que (contra la que) Hobbes trataba de pensar. Qué sería de los hombres "si sustrajéramos de su convivencia todo lo que resulta de la presencia organizada de la sociedad y si extrajéramos de ellos todas las marcas de esa presencia" (Soares, p. 214), es decir: qué ocurriría si se produjera exactamente esa situación de "'ruptura' en la existencia social" (Wolin, p. 283) que es una guerra civil. ¿Cómo actuarían los hombres si, por ejemplo, desaparecieran las "leyes delimitando propiedades, determinando obligaciones, distribuyendo responsabilidades y definiendo derechos, en nombre de un poder supremo capaz de despertar confianza y temor? ¿Cómo actuarían los hombres si, en ausencia de legislación y, consecuentemente, en la imposibilidad de definir lo justo y lo injusto, apenas dispusieran de sus pasiones para distinguir el bien y el mal? ¿Qué tipo de convivencia resultaría de la inexistencia de parámetros institucionales ampliamente reconocidos y apoyados en la obediencia común a un poder superior? (Soares, p. 213) Conocemos, por supuesto, la respuesta a esta pregunta: *ninguna* convivencia entre esos hombres "naturales" en los que piensa Hobbes sería posible (que es otro modo de decir lo que dice Wolin: que esa ficción teórica que es el "estado de naturaleza" representa en Hobbes la condición de la más perfecta *nada* política, y esto porque los hombres, librados a una situación como la que esa hipótesis postula (y como la que la guerra civil –insistamos– materializa), simplemente "se matarían unos a otros, como lobos, sin piedad, moderación ni pudor" (*ibid.*, p. 214). Lo que nos obliga a formularnos una pregunta fundamental –fundamental para nosotros, fundamental en la interpretación general del pensamiento del autor del *Leviatán*–, una pregunta que, por cierto, no ha dejado de plantearse a generaciones y generaciones de lectores y de críticos de Hobbes, y que es la siguiente: *¿por qué?* Quiero decir: ¿Por qué es que se matarían unos a otros, o que podrían llegar a matarse unos a otros, "como lobos", esos hombres "naturales" en los que piensa Hobbes? ¿Por qué es que luchan entre sí, o que están dispuestos a luchar entre sí, y eventualmente a matar y a morir en esa lucha, esos hombres "naturales", esos hombres fuera del tiempo, esos hombres a los que por hipótesis debemos suponer no sometidos al poder coactivo de ningún Estado, librados a sus propias fuerzas en la intemperie hostil del "estado de naturaleza"?

Esta pregunta, fundamental, ha recibido a lo largo de los siglos muy distintas respuestas, y no hay duda de que el propio Hobbes tiene alguna responsabilidad en esto. En efecto: en el famoso capítulo 13 del *Leviatán*, que trata "De la condición natural del género humano, en lo que concierne a su felicidad y su miseria", leemos que las principales causas de lucha entre los hombres son el deseo de ganancia, el de seguridad y el de reputación, lo que no nos da un motivo para la guerra, sino tres. En la naturaleza humana, escribe Hobbes, "hallamos tres causas principales de discordia. Primera, la competencia; segunda, la desconfianza; tercera, la gloria. La primera causa impulsa a los hombres a atacarse para lograr un beneficio; la segunda, para lograr seguridad; la tercera, para ganar reputación" (Hobbes, *Leviathan* [en adelante, *L*], Cap. 13, p. 64). De estas tres causas de conflicto, la primera, evidentemente, presenta a los hombres "naturales" como portadores de valores a los que podríamos llamar "burgueses", o proto-burgueses (el espíritu de competencia, la búsqueda de ganancia), y al estado de naturaleza como una estilización de la sociedad civil moderna. La tercera, en cambio, los hace portadores de valores que correspondería designar como "aristocráticos" o pre-modernos (la gloria y la reputación), y muestra al conflicto y a la guerra como resultado de la incapacidad de los hombres para dejar atrás esos valores "incivilizados", bárbaros, y para abrazar el valor moderno, racional, secular, desencantado (en suma: burgués) de la paz. La segunda –la desconfianza– presenta por su parte la imagen de una sospecha extendida, de un conflicto generalizado y de una relación entre los hombres caracterizada por la permanente inquietud de cada uno sobre la propensión de los otros a amenazar su vida. Ahora bien, apenas es necesario detenernos un poco sobre estas tres causas de la guerra que considera Hobbes para advertir no sólo que las mismas: a) son –lo que es obvio– muy distintas entre sí, y b) *no* son –lo que es igualmente obvio– mutuamente excluyentes, sino que además c) se ubican en niveles, por así decir, distintos, que tienen *estatutos* diferentes, y que no hay entre ellas ninguna simetría. Y esto en dos sentidos diferentes. En primer lugar, en el sentido de que una de ellas –la segunda: la *desconfianza*– alude a un rasgo que define lo que podríamos llamar la *forma general* de las relaciones entre los hombres, mientras que las otras dos –el deseo de ganancia y el de reputación– designan lo que propongo llamar los *contenidos sociológicos específicos* de esas relaciones. En efecto: la desconfianza es la forma general de las relaciones entre los hombres en el estado de naturaleza hobbesiano, porque en ese estado de naturaleza el hombre, según Hobbes, actúa (no puede no actuar, debido a la inexistencia de parámetros y autoridad externos) "en función de la expectativa de la agresión preventiva ajena, la que supuestamente respondería, por anticipación, al movimiento reactivo del primero a la hipótesis plausible, incluso cuando no probable, de la iniciativa defensiva y anticipatoria del otro, que, por su parte, se adelantaría defensivamente, ante la inminencia del ataque preventivo" (Soares, p. 215), y así *ad infinitum*, independientemente de la circunstancia de que yo desconfíe del otro (o desconfíe de que el otro pueda desconfiar de mí...) porque piense que él constituye un obstáculo (o que él puede pensar que yo lo constituyo para él, o que él pueda pensar que yo tal vez piense...) en mi búsqueda de ganancia o en mi búsqueda de reputación *o de lo que fuera*. Es en este sentido que afirmaba que si el deseo de bienes y el afán de gloria constituyen *contenidos sociológicos específicos* –volveré sobre esto– de las relaciones entre los hombres "naturales" en los que piensa Hobbes, la desconfianza es la *forma general*, e independiente de ellos, que asumen en cualquier caso estas relaciones. Esto, entonces, por un lado.

Por otro lado, la segunda de las tres razones apuntadas por Hobbes se distingue también de las otras dos por el hecho de que mientras éstas –la búsqueda de beneficios y el ansia de reputación– involucran al universo "irracional" de las pasiones y del deseo (de bienes o de gloria, pero siempre *deseo*), la otra –la que aquí estamos distinguiendo: *la desconfianza*– se inscribe dentro de la esfera de los comportamientos y de las actitudes dictadas por la *razón*, por la *racional* propensión humana a la autoconservación. Lo cual tiene una consecuencia fundamental. Que es que, en la medida en que es esta propensión racional la que dicta la actitud de prudente desconfianza que constituye –como decíamos hace un momento– *la forma general* de las relaciones entre los hombres en el estado de naturaleza hobbesiano, *no es necesario, para comprender esa hipótesis hobbesiana del estado de naturaleza, suponer a esos hombres "naturales" esclavos de sus deseos irracionales o de sus pasiones desbocadas*, como tampoco es necesario malinterpretar la alegoría del *homo homini lupus* y cargarlos de las más reporbables cualidades psicológicas, antropológicas o morales. En efecto: Como Soares explica muy bien, "para que la máquina de guerra natural sea activada no es preciso que los hombres sean egoístas en extremo, perversos, cobardes, corruptibles, desleales, manipudores, inmoderadamente pasionales, puramente interesados o atados a ambiciones desenfrenadas. Basta que sean básicamente iguales, concientes de esta igualdad –vale decir, del carácter universal de su razón natural–, racionales e inspirados por el deseo de autoconservarse" (*ibid.*, p. 16). Es cosa más o menos sabida, en efecto, que, contra la caricatura escolar que insiste en hacer de Hobbes un retratista de las peores miserias de la condición humana, no hay por qué atribuir al hombre natural hobbesiano ningún rasgo moral especialmente repudiable. Lo que ahora podemos agregar es que hasta es posible suponer que todos y cada uno de los hombres que se encuentran en ese estado de naturaleza que Hobbes imaginó sean "razonablemente generosos, celosos de sus compromisos y de la honorabilidad de sus palabras, preocupados por la suerte ajena y sinceramente interesandos en cooperar" (*id.*). El problema es que, en el estado de naturaleza –esto es, repitamos, *en la hipotética ausencia de un garante externo de la paz*–, ninguno de los agentes puede *excluir racionalmente* la hipótesis de que otro pueda querer alcanzar sus propósitos (no importa cuáles sean éstos: si los bienes, la gloria o algún otro) eliminándolo violentamente. Dicho de otro modo: que no es necesario, para promover en un sujeto la actitud de prudencia y desconfianza que estamos considerando, que ese sujeto pueda identificar a otro como un asesino frío, deshumano y cruel; basta con que no pueda descartar racionalmente la hipótesis de que, *tal vez*, ese otro pueda pretender conseguir sus fines de un modo que amenace su propia vida. Más: ni siquiera es preciso que ese "otro" sea un otro señalable e identificable. Al contrario: es precisamente la dificultad o imposibilidad para identificar a aquel cuyas estrategias eventualmente podrían amenazar mi vida lo que contribuye a aumentar mi *incertidumbre* (que es un rasgo fundamental del estado de naturaleza hobbesiano) y a ponerme en guardia. Y, puesto en guardia y alertado por mi prudencia y mi razón sobre el peligro que corro o que puedo correr (un peligro que se multiplica, además, si pienso que el otro, o que cualquiera de los otros –que son iguales a mí mismo– tienen también todos los motivos para sospechar de mí y para ponerse, por su parte, en guardia, y para pensar esto mismo que yo ahora estoy pensando), no hay ningún motivo para que *yo mismo* no tome la iniciativa (más: sería imprudente e irracional que no lo hiciera) y me ponga a eliminar a todos aquellos cuya mera existencia constituye una amenaza potencial para mi seguridad y para mi propia vida.[1] Obsérvese que no hay aquí –como subraya Soares con toda razón–, ningún imperio desordenado de las pasiones, sino la "realización racional de previsión y de actos que las confirman." (p. 219) El estado de naturaleza es el infierno de la guerra de todos contra todos porque la ausencia de garantías externas de la paz precipita la situación, inexorablemente, hacia la verificación de las peores hipótesis que los agentes podían forjar, pero *es la razón* (el "tempestuoso delirio de la razón", para usar la feliz fórmula del propio Soares), y no la pasión o el deseo irracional, la que preside ese desbarrancamiento.[2]

Querría detenerme un momento a considerar este problema de la *inexorabilidad* del desenlace fatal de esta situación "natural" en la que todos los agentes, movidos por su razón, contribuyen a acercar el escenario que quieren alejar. Se trata de la conocida situación de la "profecía autocumplida": del pronóstico que se vuelve verdadero a partir de las conductas –paradójicamente tendientes a conjurarlo– que él mismo inspira; del *destino trágico* que, "previsto como hipótesis plausible, se concreta como fortuna inexorable, ante la cual toda virtud es fundamentalmente impotente, porque simplemente reedita el círculo destructivo" (Soares, p. 215). No deberíamos pasar por alto la aparición, en esta frase del filósofo carioca, de las ideas de *fortuna* y de *virtud* (de fortuna "inexorable" y de virtud "fundamentalmente impotente"), que ya hemos tenido ocasión de examinar en las primeras páginas de este escrito, y que pertenecen al universo –ya lo dijimos, y ahora lo vemos confirmado: *trágico*– de las teorías de la acción.[3] Universo trágico *contra el cual*, para *conjurar* el cual –ya lo dijimos también–, levanta Hobbes su edificio teórico. Lo que este rápido vistazo sobre la categoría hobbesiana del "estado de naturaleza" nos ha permitido conocer es la *estructura lógica* de esa situación trágica contra la cual Hobbes intenta pensar. Recapitulando, podemos decir que se trata de una situación en la que, dada una cierta premisa, un cierto "horizonte de riesgo", los agentes nada pueden hacer para evitar que ese horizonte se materialice como una realidad, y corren, enloquecidos de razón, al encuentro de aquello de lo que huyen. Así, "la previsión produce la realidad que anticipa y comprueba su propia exactitud" (*id.*). La profecía, así, se autocumple: "La virtualidad de la guerra de todos contra todos, siendo el horizonte de riesgo, es ya, inmediatamente, su realización" (*id.*). Como anticipando de modo "irónicamente perverso" el famoso *dictum* hegeliano, el estado de naturaleza hobbesiano hace coincidir así lo real y lo racional (cf. *ibid.*, p. 219). Más: tal vez sea exactamente éste el mejor modo de caracterizarlo. ¿No podríamos *definir* el estado de naturaleza, en efecto, como ese estado en el que, inexorablemente, "toda potencia se actualiza, toda realidad se resume en el cumplimiento de su propio destino trágico" (p. 215), "todo acto se justifica y cumple el pronóstico de sí mismo" (p. 221)? Y, levantado contra la inexorabilidad del cumplimiento de ese destino trágico, ¿no podríamos caracterizar el intento de Hobbes como el de restablecer, entre la potencia y el acto –entre el pronóstico y el diagnóstico, entre el destino y la realidad, entre el sueño y la pesadilla–, la distancia, las *mediaciones*, que hagan posible que el compromiso autoconservador de la razón no asuma la forma autodestructiva que no puede sino asumir fuera del mundo pacificador de las instituciones? Ésa será, en efecto –nos dice Soares– la función del contrato: "establecer distancias, discontinuidades, autonomías, mediaciones, lagunas, desfasajes" (p. 223). La lógica del contrato hobbesiano es la lógica de la *separación* (contra la que una larga tradición de pensadores modernos, de Rousseau a, digamos, Guy Debord[4], no ha dejado de levantar la voz), porque sólo la separación garantiza, según Hobbes, las condiciones para la vida.

La desconfianza generalizada es entonces el signo general –la *forma*, decíamos, general– que asumen las relaciones entre los hombres en el "estado de naturaleza" imaginado por Hobbes (es decir: en ausencia de un poder soberano común). Pero hemos indicado ya que el propio Hobbes agrega a la lista de razones por las que los hombres naturales luchan o lucharían entre sí *otras dos causas*, otras dos motivaciones, bastante menos generales y más precisas. Dos motivaciones que, si lo que sugeríamos un poco más arriba fuera cierto, nos permitirían, en la medida en que aluden a algunos *contenidos* específicos de esas relaciones, intentar una suerte de "sociología" del pensamiento de Hobbes. En efecto: Estas otras dos interpretaciones de las tres que ese famoso pasaje de Hobbes autorizaría (la que hace a los hombres "naturales" portadores de valores "burgueses" como la búsqueda de ganancia o el espíritu de competencia, y la que los hace portadores de valores "aristocráticos" como el honor o el ansia de gloria) tienen en común el permitirnos pensar la obra de Hobbes como una racionalización o una expresión –no necesariamente conciente, desde luego– de cierto momento en la historia de las luchas sociales inglesas o europeas entre la aristocracia en decadencia y la burguesía en ascenso. Así, la interpretación que hace de la búsqueda aristocrática de la gloria la principal causa de los conflictos y de las guerras nos revelaría un Hobbes "burgués" o "pro-burgués" cuyo propósito, al forjar esta ficción teórica que estamos considerando, parecería ser el de mostrar cómo la adscripción a un sistema de valores correspondiente a una etapa anterior del desarrollo económico y a las costumbres de una clase social que por todas partes empezaba a resultar anacrónica no podía sino llevar a la guerra y a la destrucción recíproca, y el de llamar a los hombres de su tiempo, en consecuencia, a abrazar valores más civilizados –valores modernos, valores "burgueses"–, más adecuados al sueño de una convivencia política pacífica. Por su parte, la interpretación que imagina el estado de naturaleza como una estilización de las luchas por la propiedad entre individuos que son ya, ellos mismos, propietarios de su propia persona y de sus capacidades (esto es: que son, ya, "burgueses") nos mostraría un Hobbes cuyo retrato de esas luchas parecería procurar enfrentar a la burguesía –de la que el filósofo de Malmesbury aparecería así como una suerte de "ideólogo" especialmente sagaz: un "Marx de la burguesía", como lo ha llamado Antonio Negri– al espejo temible del futuro que le esperaba *si ella no era capaz de crear las instituciones políticas, el Estado político, que su misma superviviencia –como el tratamiento hobbesiano de ese estado de naturaleza parecía "probar"– reclamaba*. La primera de esas dos interpretaciones es la que se desprende de un libro clásico y notable de Leo Strauss, *The political philosophy of Hobbes*; la segunda, la que surge del vigoroso y también muy influyente *La teoría política del individualismo posesivo,* de C. B. Macpherson. Veámoslas un poco más de cerca.

La tesis principal del libro de Strauss sobre Hobbes es la que afirma que la filosofía política del autor del *Leviatán* constituye una definitiva ruptura con las tradiciones políticas e intelectuales anteriores, pero que, al mismo tiempo, las fuentes o las bases de ese ejercicio de ruptura con la tradición no deben buscarse tanto en el compromiso de Hobbes con la gran aventura racionalista de la ciencia moderna, sino en lo que Strauss llama su *actitud moral:* La crítica de Hobbes a las tradiciones debería ser concebida sobre todo, según Strauss, como una crítica a los *valores morales* tradicionales, en contra de los cuales el propio sistema filosófico-político hobbesiano se levantaría, por su parte, no en nombre de una cierta forma ("científica") del saber, sino en nombre de un conjunto de *valores morales* diferentes, más humanos y más dignos. Es en esta clave que Strauss retoma, en su libro, la fórmula hobbesiana de los "dos postulados certísimos de la naturaleza humana", que son –como puede leerse a cierta altura de la epístola dedicatoria del *De Cive*– la "codicia natural" y la "razón natural", mostrando que la causa y el origen del primero es "el deseo humano de gloriarse considerando su propia superioridad" (Strauss, *The Political Philosophy...*, p. 12), es decir, la *vanidad* humana, y que la causa u origen de la segunda es "la pasión del miedo a la muerte" (*ibid.*, p. 15). Entendemos, naturalmente: no a la "muerte en sí misma [sino a la] muerte violenta a manos de otro hombre" [pp. 16s]). Se ve claramente la íntima relación entre estos dos postulados de la naturaleza humana: Por un lado, la vanidad de los hombres lleva a cada uno a enfrentarse con los otros y, de ahí, a la guerra de todos contra todos; por el otro, el temor a la muerte violenta en esa guerra modera en cada uno el deseo de triunfar y lo prepara a aceptar las condiciones que le permitan salvar su propia vida. Puesto de este modo, es fácil ver que esa íntima relación entre los dos postulados de la naturaleza humana es una relación de perfecta y nítida *oposición:* Si la *vanidad* conduce inexorablemente a los hombres a un combate mortal, y en ese sentido es un principio –inmoral– de destrucción, el temor a la muerte violenta, que es lo único que puede conjurarla, se erige como principio –moral– de sociabilidad: "El Estado artificial, que es como tal más perfecto, aparece cuando los dos oponentes, sobrecogidos de miedo por sus vidas, superan su vanidad y la vergüenza de confesar su miedo y reconocen como su enemigo real no al otro, sino a 'ese terrible enemigo de la naturaleza, la muerte', que, como su enemigo común, los fuerza al entendimiento mutuo, a la confianza y a la unión..." (p. 22).

Es fácil ver entonces en qué consiste la operación de Strauss: al remitir cada uno de los dos grandes postulados de la naturaleza humana de los que hablaba Hobbes (la codicia natural y la razón natural) a sus fuentes últimas (la vanidad y el miedo a la muerte violenta), lo que hace Strauss es rescribir *en clave moral* la oposición que la tradicional lectura de Hobbes como un autor racionalista pensaba en clave científica o naturalista: "Así, la base de la filosofía política de Hobbes no es la antítesis naturalista entre un apetito natural moralmente indiferente (o una moralmente indiferente lucha humana por el poder) por un lado, y una moralmente indiferente lucha por la auto-preservación por el otro, *sino la antítesis moral y humanista entre la vanidad, fundamentalmente injuta, y el miedo a la muerte violenta, fundamentalmente justo*" (pp. 27s). Ahora: lo que está haciendo Hobbes –sigue Strauss– al formular esa oposición entre la "vanidad" entendida como un valor "fundamentalmente injusto" y el miedo a la muerte violenta concebido como un valor "fundamentalmente justo" es auspiciar una fuerte ruptura con el pasado y con las tradiciones, en la medida en que la "vanidad" es identificada por él con el universo del "honor" y de la "virtud heroica", del coraje militar, la guerra y los hechos de armas propios del mundo –pre-moderno, pre-burgués– de la aristocracia, y el miedo a la muerte violenta, con sus corolarios de justicia y caridad, es presentado como el núcleo duro de una "nueva actitud moral" (p. 108) que parte de la crítica de esa virtud aristocrática (identificada ahora con "la virtud de la época bárbara, en la que 'la rapiña era un modo de vida'" [p. 114], o, simplemente, reducida "a la virtud del estado de naturaleza" [p. 115])[5] en nombre "de reglas burguesas de vida" (p. 121). Porque la moral hobbesiana –insiste Strauss– "es la moral del mundo burgués. Incluso su aguda crítica de la burgesía no tiene, finalmente, otro objetivo que recordarle la condición de posibilidad de su existencia. Esta condición no es el trabajo ni el ahorro, ni las tareas propias de la actividad industrial, sino la seguridad del cuerpo y el alma" (*id.*), una seguridad que, como agrega de inmediato Strauss (y como el análisis de Hobbes se ocupa muy bien, según hemos visto, de hacernos notar) "la burguesía no es capaz de garantizar por sí misma." (*id.*)

Vale la pena llamar la atención sobre el hecho de que este objetivo final que, según la interpretación de Strauss, perseguiría Hobbes (resumiendo, entonces: revelar a los burgueses de su tiempo algunos de sus verdaderos problemas, peligros e intereses), coincide con el que también le atribuye un análisis tan distinto de su obra como el que propone C. B. Macpherson, aunque este último análisis parta de una respuesta a la pregunta que nos habíamos formulado más arriba (¿por qué es que los hombres naturales en los que piensa Hobbes están dispuestos a pelearse y a matarse unos a otros?) radicalmente diferente a la que ofrece Strauss. Porque si éste, como vimos, responde a esa pregunta apelando a la tercera de las causas "naturales" de conflicto que apuntaba el propio Hobbes (la búsqueda, típicamente aristocrática, de la gloria), Macpherson lo hace atribuyendo a esos hombres naturales las características (típicamente burguesas) que justifican *la primera* de esas causas de conflicto: la búsqueda de la ganancia y el espíritu de competencia. Que eran los rasgos centrales –asegura Macpherson– que guiaban los comportamientos de los hombres en la sociedad "posesiva de mercado" *efectivamente existente en la Inglaterra de la época de Hobbes*. Y a partir de la cual Hobbes –y éste es uno de los puntos centrales de la argumentación de Macpherson– había construido la "hipótesis lógica" del estado de naturaleza. Que es entonces una "hipótesis lógica", sí, una deducción conjetural. Pero una deducción conjetural *forjada sobre la base de las características históricamente adquiridas, de "la naturaleza históricamente adquirida"* (Macpherson, p. 33) de los hombres que le interesaban a Hobbes, que eran sus contemporáneos. El estado de naturaleza imaginado por Hobbes, sostiene Macpherson, "es una afirmación sobre el comportamiento al que serían llevados los individuos (*como son ahora*, individuos que viven en sociedades civilizadas y que tienen deseos de hombres civilizados) *si fuera suspendida la obligación de cumplir todas las leyes y contratos.*" (*id.*, subr. míos) Es decir que, para construir su hipótesis del estado de naturaleza, "Hobbes dejó de lado la ley, pero no el comportamiento y los deseos humanos socialmente adquiridos" (*id.*), comportamiento y deseos que constituyen, por el contrario, la base de esa construcción hipotética.[6] Lo que significa que el "estado de naturaleza" no es algo que esté *afuera* de los hombres o *entre* ellos, sino "algo que está *dentro* de los hombres", y que sería incluso mejor, para evitar equívocos, nombrar con alguna otra expresión menos confusa, tal como "la condición natural de la humanidad" (*ibid.*, p. 36). Donde Hobbes escribe "estado de naturaleza", observa pues Macpherson, nosotros debemos leer "naturaleza del hombre", o de los hombres. Y esa "naturaleza" de los hombres no sería otra cosa que el conjunto de "disposiciones 'naturales' de los hombres" (*id.*), que son las disposiciones naturales *de los hombres que conoce Hobbes*, es decir, disposiciones naturales *adquiridas en la sociedad civil*, y que, en ausencia (ésta sí: hipotética) del miedo "a las consecuencias desagradables o fatales" (p. 39) de violar la ley, conduciría inexorablemente a la penosa situación de guerra de todos contra todos.

Esta indicación de Macpherson acerca de que el estado de naturaleza no está fuera de los hombres sino dentro de ellos es fundamental, y lo es por dos motivos. En primer lugar, porque sólo suponiendo que las disposiciones naturales de los hombres se encuentran *dentro* de ellos podía Hobbes apelar, como fuente fundamental de legitimación de sus argumentos, a ese ejercicio que Renato Janine Ribeiro denominó (y éste es un punto sobre el que deberemos volver) "introspección". Para persuadir a sus lectores de la necesidad de un soberano, el método de Hobbes consistía, en efecto –y en sus propias palabras–, en "recordar simplemente a los hombres aquello que ya saben, o pueden saber por experiencia propia" (*Elements*, i.1.2, cit. en Macpherson, p. 80), y en derivar, precisamente de esa "experiencia propia" de sus lectores, la necesidad de sus conclusiones. En otras palabras: Que la teoría de Hobbes no está en el aire, sino que se sostiene sobre la experiencia, *y que esa experiencia es la experiencia subjetiva de sus lectores*, que cada uno de ellos puede alcanzar por la vía del autoanálisis, de la introspección. En segundo lugar, la indicación de Macpherson acerca de que el estado de naturaleza no está fuera de los hombres sino dentro de ellos es fundamental para comprender su tesis acerca de que el corolario que hacía derivar Hobbes de esa figura del "estado de naturaleza" (a saber: la necesidad de los hombres de reconocer un soberano capaz de protegerlos de su miedo recíproco) no integraba un programa teórico reconstructivo de los orígenes (ni históricos, como ya sabemos, *ni tampoco lógicos*) del Estado, *sino un programa teórico-político dirigido al corazón de su presente histórico*. En efecto: Si Macpherson tiene razón, Hobbes no hablaba de hombres hipotéticos o pasados, sino que hablaba de (mejor: *a*) hombres de su tiempo. A burgueses, diríamos mejor, de su tiempo, cuyas "disposiciones naturales", forjadas en la historia de sus relaciones, él conocía o pretendía conocer mejor que ellos, y cuyas propias pasiones y necesidades quería ayudarles a ellos mismos a entender. Hobbes hablaba a burgueses de su tiempo para decirles que estaba de su lado, para advertirles acerca de los riesgos a los que su estrechez de miras (vinculada a esas mismas "disposiciones naturales" que él venía a revelarles) podía conducirlos y para indicarles (mejor: para llevarlos a descubrir, guiándolos en el descubrimiento de sí mismos) la condición para el ejercicio de una dominación de clase estable y duradera.

Janine Ribeiro ha discutido en más de una ocasión[7] la pertinencia y el interés de este tipo de interpretaciones, que en su opinión confieren demasiada importancia a un aspecto del pensamiento del filósofo inglés (su aspecto, digamos, "clasista") que difícilmente él mismo habría considerado tan fundamental, y dejan de lado, en cambio, los problemas y las preocupaciones que sí fueron los suyos. Porque la preocupación de Hobbes –dice Janine Ribeiro, y no nos cuesta trabajo compartir esta impresión– *no era sentar las bases de la modernidad ni las del capitalismo, sino las de la paz*. Es decir: encontrar el modo de superar el estado de discordia y de disolución de todos los lazos sociales al que había conducido la guerra civil en su país. Hobbes escribe entonces *contra la guerra civil, y a esa guerra civil*, afirma Janine Ribeiro, *le da el nombre de "estado de naturaleza"*. Lo cual va *bastante más allá* –observemos de pasada– que afirmar (como ya hicimos varias veces más arriba, y como tanto Strauss como Macpherson suscribirían, como vimos, sin problemas) que la guerra civil inglesa es el "contexto" sobre el fondo del cual escribe Hobbes, y también va *un poco más allá* que afirmar, como igualmente hicimos, que el "estado de naturaleza" constituye una "*estilización*" –una representación, un símbolo– de esa guerra civil. No: Para Janine Ribeiro, insisto, el estado de naturaleza, la famosa "guerra de todos contra todos", *es, sin más,* la guerra civil. ("La guerra de todos contra todos es en realidad la guerra civil", "Thomas Hobbes...", p. 27). De donde se deriva una conclusión fundamental, cual es que para conocer la naturaleza y las causas de ese "estado de naturaleza" (que era el punto en el que estábamos, el punto que, decíamos, el célebre capítulo XIII del *Leviatán* no resuelve de modo concluyente, y alrededor del cual tantas interpretaciones diferentes se han ensayado) debemos examinar cuáles habían sido, para Hobbes, la naturaleza y las causas *de la guerra civil.* Y no de la guerra civil *en general,* sino *de la guerra civil inglesa en particular:* de la guerra civil que había sacudido a Inglaterra durante años, y que Hobbes quería dejar definitivamente sepultada en el pasado. Dicho de otro modo: que para saber qué es y cómo se origina el "estado de naturaleza" *debemos desplazarnos del terreno de la filosofía especulativa al de la historia.*[8]

Y bien: ése es exactamente el desplazamiento que se opera en la obra de Hobbes con la aparición del libro que nuestro filósofo dedica al estudio de la guerra civil inglesa, el *Behemoth,* "libro de menor pretensión teórica" –como dice Janine Ribeiro– que el *Leviatán,* el *De Corpore Politico* y el *De Cive,* pero "que muestra con precisión *cómo* y *por qué* se produce la condición de guerra" (*ibid.*, p. 28). Interesante movimiento –notemos–, éste que propone el texto de Janine Ribeiro: El *Behemoth* es un libro de menor pretensión teórica que el *Leviatán* y que los demás, porque no es un libro de teoría, sino de historia. Pero, dado que la categoría teórica del "estado de naturaleza" no es más que otro nombre para el acontecimiento histórico de la guerra civil, es ahí, al libro de historia, adonde debemos recurrir para comprender su significación.[9] Y bien: ¿Qué dice entonces, sobre la guerra de todos contra todos, el libro de historia? ¿Cuál es la tesis del *Behemoth?* Ésta: que "la guerra de todos contra todos no es simple desorden, no es mera carencia de orden. Es producida por la existencia de un partido al interior del Estado. [...] Es consecuencia de la acción de un contra-poder que se mueve en las sombras" (p. 29). Y ese contrapoder, responsable, causante y beneficiario de esa situación de guerra, es para Hobbes *el clero. La palabra,* desmedida y descontrolada, seductora y sediciosa (sediciosa *porque* seductora), del clero o de los diversos cleros, que pretenden detentar las llaves del acceso a lo absoluto, monopolizar los pasaporte a la satisfacción o al dolor eternos, colonizar a través del miedo al Más Allá las conciencias y los corazones de los hombres y erosionar así –sembrando entre ellos devastadoras doctrinas y opiniones– la legitimidad de los poderes establecidos del Estado. La sistemática voluntad subversiva del clero ocupa así en el pensamiento de Hobbes, sugiere Janine Ribeiro (y la comparación es interesante), "el lugar que correspondería al genio maligno o al gran embustero en la filosofía de Descartes" (p. 20), sólo que el "error" que esa voluntad subversiva promueve entre los súbditos del Estado no tiene la forma de una suma mal hecha o de un razonamiento equivocado, sino la de una falla moral y política cuyo resultado es la destrucción de la sociedad, no sólo ni principalmente como objeto de conocimiento, sino sobre todo como espacio de convivencia posible entre los hombres.

Se ve ahora por qué impugnaba Janine Ribeiro las interpretaciones de la figura hobbesiana del "estado de naturaleza" como las que veníamos nosotros de considerar: porque el problema crucial de Hobbes "en relación a los actores políticos y sociales de su tiempo no residía en los capitalistas, sino en los eclesiásticos. El clero, y no el capital, es el gran actor contra el que trabaja Hobbes" (p. 29). Cierto que, por supuesto, cualquiera podría objetar que el punto de vista de Hobbes sobre su época y sobre su obra no tiene por qué ser el único prisma posible desde el cual juzgar a ninguna de las dos, e incluso que cierto voluntario "anacronismo" bien puede considerarse menos un obstáculo que la condición misma para un pensamiento crítico sobre un autor o sobre una obra, de modo que juzgar la obra de Hobbes a partir del modo en que él mismo la juzgaba tampoco nos otorga, *a priori*, todas las garantías. Pero hay algo que esta opción sí, indudablemente, nos otorga (y éste es un primer mérito, me parece, o –digamos– un primer interés, para nosotros, del enfoque propuesto por Janine Ribeiro), que es la posibilidad de pensar la obra del autor del *Leviatán* en una clave mucho más *política* (más *inmediatamente* política, quiero decir) que la que se desprendía de las otras dos interpretaciones. En otras palabras: pensar la obra de Hobbes como la de alguien que estaba combatiendo (en medio de, o recién terminada, la guerra civil que había ensangrentado a su país) la hegemonía cultural, ideológica, de un grupo político determinado (ya lo dijimos: el clero, la casta sacerdotal), e intentando construir, en su lugar, una hegemonía alternativa. Más: Que concebía la construcción de esa hegemonía alternativa (levantada sobre un eje que no debía ser ya la Iglesia, sino el Estado) como la condición misma de posibilidad de la paz. El Leviatán que surge así de esta lectura es un Leviatán menos abstracto y más histórico, más –digamos así– "gramscianamente" histórico (no es por azar que hayamos usado la palabra "hegemonía" unas líneas más arriba: volveremos sobre ella) que el que resulta de una lectura menos "situada" de la obra de Hobbes. Lo que está en juego en la época –y en la obra– de Hobbes es, podríamos decir, la lucha entre sistemas hegemónicos (uno asociado al clero y a la fe, el otro, a la razón y a la ciencia) enfrentados.

Pero hay más. Hay un segundo motivo por el que nos interesa pensar el estado de naturaleza, según propone Janine Ribeiro, como una alegoría de la guerra civil, y la guerra civil como la consecuencia de la acción sediciosa de un grupo político específico (el clero), y es que esta interpretación nos permite volver con nuevas armas sobre la pregunta que la descripción hobbesiana de ese "estado de naturaleza" nos planteaba, y con la cual estamos aquí, desde hace unas cuantas páginas, tratando de lidiar: ¿Por qué es que los hombres, nos preguntábamos, en ese "estado de naturaleza" que nos describe Hobbes, pelean –o están dispuestos a pelear– entre sí? La interpretación de Janine Ribeiro arroja una nueva luz sobre esta vieja pregunta porque nos permite pensar que hay *por lo menos algunos* hombres (y son, ya lo hemos dicho, hombres importantes: los curas) que luchan *por el poder*. El poder aparece entonces, en esta interpretación, como un motivo muy importante, como un motivo decisivo, incluso, de la discordia entre los hombres. ¿Diremos que se trata de una "cuarta causa" de guerra, que vendría así a sumarse a las tres que nos describía el propio Hobbes ("Primera, la competencia; segunda, la desconfianza; tercera, la gloria")? No: no parece necesario ir tan lejos. Más adecuado parece sugerir que el *poder* aparece aquí como un objeto de deseo y de disputa en relación al cual se articulan, de maneras específicas que sin duda deberán ser consideradas caso por caso, esas tres "causas" establecidas por Hobbes, y cuyo análisis nos ofrece en consecuencia una sintonía más fina, digamos así, para la comprensión de la dinámica y de la naturaleza de los conflictos entre los hombres. No se trata entonces de que el poder sea "una causa más" de las luchas entre las personas y entre los grupos, sino de que su introducción en el análisis de estas luchas nos ayuda a complejizar el simple esquema "tripartito" propuesto por la enumeración hobbesiana de las razones de la guerra de todos contra todos. Es, por ejemplo, lo que se puede leer en el clásico y muy útil libro de Norberto Bobbio sobre Hobbes: Bobbio subraya la insistencia del filósofo en la importancia de la vanagloria entre las pasiones generadoras de disputas, pero sólo para agregar inmediatamente que eso se debe al hecho de que Hobbes la considera "como la manifestación más visible del deseo de poder" (Bobbio, *Thomas Hobbes*, p. 45)[10].

Pero las posibilidades de responder a la pregunta por las razones por las que los hombres naturales en los que piensa Hobbes estarían dispuestos a entrar en combate unos con otros no terminan aquí. Así, por ejemplo, Claudia Hilb ha sugerido la posibilidad de "sospechar que lo que los hombres hobbesianos se disputan, bastante freudianamente, son *las mujeres*" (Hilb, "La violencia...", p. 19), interpretación que, aparentemente menos evidente, no deja sin embargo de encontrar algún sustento en la frase en la que Hobbes, especificando su idea de la competencia como causa de lucha entre los hombres ("*Primera, la competencia...*"), indica que los hombres suelen competir violentamente "para convertirse en dueños de las personas, mujeres, niños y ganados de otros hombres" (*L*, XIII, p. 64), y es muy posible que otras interpretaciones pudieran todavía agregarse a todas éstas.[11] Lo que nos obliga a hacer por lo menos un par de puntualizaciones. En primer lugar, es preciso advertir que todas estas respuestas posibles a la pregunta por las causas por las que los hombres naturales en los que piensa Hobbes estarían dispuestos a pelearse y destruirse *no parecen ser* (tal como habíamos anticipado comentando las tres respuetas *que el propio Hobbes* ofrecía a esta pregunta) *mutuamente excluyentes*. En segundo lugar, y en un sentido, tal vez, un poco más profundo, lo que querría sugerir, lo que estoy tratando, a fuerza de anotar interpretaciones diferentes sobre este punto, de insinuar, es que *quizás no sea tan importante* saber cuál es el motivo –suponiendo que exista algo así como un motivo único o al menos principal– por el que los hombres hobbesianos mantienen entre sí las relaciones de antagonismo que caracterizan sus vínculos "naturales". Que quizás no sea necesario "fijar" ese antagonismo a un tipo específico de conflicto más o menos identificable, porque quizás lo que interese sea el descubrimiento hobbesiano de la lógica del antagonismo *como tal*.[12] Es posible que los hombres, en Hobbes, se peleen por las mujeres, o por el prestigio, o por el poder. Pero es posible también que podamos pensar a "las mujeres", "el prestigio" y "el poder" menos como un conjunto de entidades más o menos identificables que como el nombre que le damos a un objeto de deseo que es siempre, como nos recuerda Hilb siguiendo en esto a René Girard, deseo mimético, "deseo del objeto deseado por el otro". Más: Si Luiz Eduardo Soares, en el libro que ya hemos utilizado, está en lo cierto, "un objeto del deseo que se presente, no como falta, sino como sustancia ontológica, tangible, manipulable y apropiable, representa una contradicción en términos" (Soares, p. 223).

Lo que estoy sugiriendo, entonces, es que tal vez lo interesante de Hobbes no sea tanto su descubrimiento de que tal o cual conflicto particular (el conflicto por los bienes, el poder, el prestigio, las mujeres[13]) organiza las relaciones de los hombres como su descubrimiento de que la *lógica* del antagonismo es la que preside esa escena abismal de la política a la que dio ese nombre de "estado de naturaleza" y cuyo significado estamos tratando aquí de aclarar. Que tal vez lo que interese de Hobbes no sea tanto su identificación de *un determinado* antagonismo como poseedor de algún tipo de "prioridad ontológica" por sobre todos los demás como su reconocimiento de la constitutiva imposibilidad del cierre del campo social, imposibilidad derivada de la existencia de un núcleo duro e irreductible de conflicto, de una hendidura original, de un trauma primordial e ineliminable, de un principio de desacuerdo organizando siempre la relación que los hombres sostienen entre sí, y que se ubica en el campo de lo que podemos llamar –para usar la terminología que tres siglos más tarde que

Hobbes introduciría Jacques Lacan, y que en los últimos años se han dedicado a trasladar al estudio de los fenómenos de la política autores como el argentino Ernesto Laclau o el esloveno Slavoj Zizek– "lo real" de la política. Que no es otra cosa, en efecto –como el propio Zizek explica muy bien–, que esa especie de "núcleo duro" que resiste a la simbolización, que no se deja atrapar por las redes de lo simbólico, que persiste en su lugar y siempre vuelve a él. Y respecto al cual, naturalmente (y como hemos señalado insistentemente en relación con la figura hobbesiana del "estado de naturaleza"), no importa saber si ha "tenido lugar", si "realmente" ha ocurrido, ni mucho menos investigar cuándo o dónde es que ha ocurrido. Más: Que, en realidad (en *la* realidad), "no existe". Que en (la) realidad *nunca ha ocurrido*. Pero que, a pesar de eso, "tiene una serie de propiedades, ejerce una causalidad estructural, puede producir efectos en la realidad simbólica de los sujetos" (Zizek, *El sublime...*, p. 213). Ésa –la de, digamos, "no existir", pero sin embargo producir efectos: efectos de estructuración de los sujetos, efectos de organización de la realidad, efectos en la producción de los discursos– es la rara paradoja de lo real lacaniano. Estoy tratando de sugerir que la figura hobbesiana del "estado de naturaleza" nos brinda una temprana y anticipatoria ocasión para examinar esa paradoja, no menos interesante que las que nos proveen las dos otras célebres figuras que Zizek nos ofrece como ejemplos de entidades o traumas "reales" en este sentido tematizado por el autor de los célebres *Seminarios* en el período más maduro de su producción. Veamos cuáles son esas otras dos figuras.

La primera es la del enfrentamiento entre el amo y el esclavo tal como es presentado en las páginas de la *Fenomenología del Espíritu* de Hegel. Es evidente que, como dice Zizek, en este caso "no tiene sentido tratar de determinar cuándo este acontecimiento pudo haber tenido lugar; se trata precisamente de que se ha de presuponer, de que constituye un argumento de fantasía implícito en el hecho mismo de que la gente trabaja" (*id.*). Lo real, como vemos, "es una entidad que se ha de construir con posterioridad para que podamos explicar las deformaciones de la estructura simbólica" (*ibid.*, p. 212 –para el caso: el hecho de que la gente trabaje estableciendo relaciones instrumentales con los otros), "una causa que en sí no existe, que está presente sólo en una serie de efectos" (p. 214). Y bien: ¿Ocurre otra cosa con el estado de naturaleza-guerra conceptualizado por Hobbes? ¿No puede ese estado de naturaleza-guerra hobbesiano definirse exactamente como una entidad con estas características: como algo "que se ha de presuponer", casi como una (proto-kantiana) "idea pura de la razón", como "un argumento de fantasía" implícito en el hecho mismo de que la gente obedece (volveré, en el próximo apartado, sobre esta cuestión fundamental de la obediencia)? Más aún: ¿no es acaso la imagen hobbesiana del estado de naturaleza-guerra la forma misma de eso que Zizek caracteriza como "un cierto límite que en sí no es nada" (p. 214), un punto traumático que impide el cierre del campo social y que se manifiesta sólo en sus efectos: en el hecho de que todo intento de totalizar ese campo social está condenado al fracaso? El segundo ejemplo de una entidad real que ofrece Zizek es el ejemplo freudiano del parricidio primordial. También aquí, obviamente, sería insensato buscar, en algún punto de la realidad histórica o prehistórica, el "lugar" de ese parricidio primordial, aunque ciertamente no lo es buscar sus marcas, sus efectos o sus "huellas" (las huellas de ese hecho *que nunca ocurrió*, pero que nos quedan y –como se dice– nos "constituyen", y que constituyen lo que llamamos la cultura), y aunque inexorablemente debemos presuponer ese acto de violencia originaria "si queremos explicar el actual estado de cosas" (p. 213). De nuevo: ¿Es otro el caso de esa categoría central del autor del *Leviatán* que es el "estado de naturaleza"? Lo que estoy proponiendo, entonces, y para resumir, es que el primer tratamiento sistemático de la idea del antagonismo como lo real de la política corre por cuenta de quien con más energía intentaría después levantar las más altas murallas contra la amenaza terrible que ese antagonismo siempre renovado plantea al mundo social, de quien con mayor lucidez y decisión trataría después de trazar las coordenadas de un modo de pensarse la política (ése del que todavía estamos presos, ése que todavía nos gobierna) que permitiera concebir a ésta siempre como un "más acá" de ese exterior temible, de esa intemperie desoladora y amenazante. Esa tensión –ya lo dijimos– es la tragedia de ese pensador militantemente anti-trágico en su proyecto teórico y político, aunque profundamente trágico en su concepción última de las cosas y en la comprensión de la inutilidad final de todos los esfuerzos por alejar el fantasma del desorden, que fue Hobbes, quizás el primero en comprender la pavorosa verdad (el "secreto último de la política", si quisiéramos parafrasear a Jacques Rancière [p. 32]) de que –para usar la paráfrasis lacaniana de Ernesto Laclau– "la sociedad no existe"[14], no *puede* existir.

Y, para Hobbes, era necesario que la sociedad existiera. El fantasma de la desagregación de todos los lazos sociales, de la pérdida de las referencias comunes, de la lucha de todos contra todos, es, como ya ha sido dicho tantas veces (como nosotros mismos hemos dicho tantas veces a lo largo de estas páginas), el telón de fondo sobre el cual Hobbes construye su teoría y la forma de aquello de lo que es necesario huir, la forma de aquello que es necesario conjurar. Para eso, Hobbes se propone volver a fundar, contra la diseminación de los sentidos, contra los usos metafóricos y figurativos del lenguaje, un *Logos* obligatorio y universal, única garantía de la paz y el orden. Ahora bien: Ya dijimos que, al mismo tiempo, nadie estuvo más conciente que Hobbes respecto a la fragilidad y precariedad de ese orden, que, por lo demás, él ya no podía suponer natural, sino producto del arte y de las convenciones de los hombres. Que Hobbes sabía muy bien que ese cierre del sentido que procuraba, que esa cancelación de la existencia de las valencias plurales para las palabras, que esa eliminación del fantasma del desorden, que ese alejamiento definitivo del espacio pre-político de la guerra y del desentendimiento recíproco, no podría ser alcanzado ya apelando a la existencia de algún orden previo, de algún significado verdadero de las palabras alojado en quién sabe qué sustrato profundo de la realidad, de alguna esencia verdadera de la comunidad que sería la tarea de la política realizar. Dicho de otro modo: Que Hobbes sabe mejor que nadie que el mundo está –siempre, constitutivamente– fuera de quicio, *"out of joint"*, pero que sabe también que es necesario proveerle algún tipo de orden para que la convivencia entre los hombres sea posible, para que la vida en común de las personas pueda comenzar. Ahora: siendo ese orden que es necesario construir precisamente eso: una construcción, un *constructo*, un artificio, su viabilidad no puede depender sino de la existencia de un poder político estatal que lo garantice y que lo sostenga. De lo que se desprende la centralidad del problema de la obediencia en el pensamiento hobbesiano. En efecto: *En la medida en que el Leviatán es, para Hobbes, la garantía de la soberanía del Logos, y ésta la condición de posibilidad para la convivencia pacífica entre las personas, asegurar la obediencia al Leviatán se vuelve para él una y la misma cosa que asegurar la posibilidad misma de la vida civil.* Lo que nos lleva a la siguiente cuestión: ¿Cómo es posible garantizar, para Hobbes, esa indispensable obediencia? En otras palabras: ¿Por qué razón, según Hobbes, estarían los ciudadanos obligados a obedecer al poder político estatal? Sabemos que sólo una cosa puede obligarlos a eso: la propia voluntad, libremente expresada a través del *contrato*. He ahí entonces la otra pieza clave del sistema hobbesiano, el contrato, que es hora ya de examinar con algún cuidado.

2. *De te fabula narratur.* Introspección, contrato y obediencia

Sobre todo porque resulta indispensable, a esta altura de nuestro argumento, desprendernos de la frecuente pero inexacta versión de la teoría hobbesiana del pacto que consiste en presentar la relación entre éste y el estado de naturaleza cuya lógica venimos de examinar –y respecto al cual el contrato, como ya dijimos, nos permite establecer una distancia, una separación, un corte radical–, en términos *secuenciales*. Como si el contrato fuera algo que llegara, "después" del estado de naturaleza que viene a suprimir, para inaugurar el espacio de la vida civil y hacer posible la convivencia entre los hombres. Si –y sólo si– lo que Hobbes quiso decir con su idea sobre el contrato hubiera sido esto (que el contrato es un compromiso que los hombres naturales suscriben entre sí para salir de ese estado miserable, que el contrato es ese instrumento que, permitiendo a los hombres superar el estado "natural" de dispersión de los significados, hace posible la comunicación y, con ella, la misma vida social), entonces sería válido el conjunto de objeciones lógicas y formales que tantos críticos de Hobbes han planteado a su tesis acerca del contrato, y que pueden resumirse en la forma de dos o tres preguntas aparentemente demoledoras y definitivas. La primera, obvia, puede formularse así: ¿en qué lenguaje, anterior al contrato, podrían los hombres llegar a un acuerdo sobre, precisamente, el lenguaje común que debería presidir sus relaciones recíprocas en el futuro? La segunda pregunta –que, bien vistas las cosas, es una "variación sobre el mismo tema" de la anterior– se impone cuando leemos, en el propio texto de Hobbes, que las señales a través de las cuales una persona decide aceptar los términos del contrato que funda la soberanía y la obliga, a partir de ese momento, a la obediencia, pueden ser *expresas* o *implícitas*. Esta última posibilidad, evidentemente, implica la necesaria existencia de un *intérprete*, de un *árbitro* en condiciones de "leer" esas señales, esos actos, o simplemente esas omisiones, esa renuncia a actuar, *como* señales de consentimiento, de aceptación de la relación de sumisión que el acuerdo inaugura. Ahora bien: es obvio que la propia existencia de un árbitro o de un intérprete requiere un acuerdo previo acerca de quién estaría autorizado a ejercer esa función. ¿Cómo resolver la paradoja de la necesidad de un árbitro que sólo puede existir sobre la base de un acuerdo, que a su vez sólo puede existir por la mediación del intérprete? Para resumir el problema, o el conjunto de problemas, que plantea esta lectura "secuencialista" de la hipótesis hobbesiana del contrato en los términos en los que lo ha planteado James Buchanan y retomado, en el libro que ya hemos abierto, Luiz Eduardo Soares, digamos que "la celebración del pacto exigiría, para consumarse, condiciones de orden y estabilidad de expectativas sólo realizables bajo la vigencia del estado de sociedad, el que resultaría, a su vez y paradójicamente, del propio pacto" (Soares, p. 244). Si el objetivo de Hobbes hubiera sido el de explicar, a través de la hipótesis del contrato, el pasaje del estado de naturaleza a la sociedad civil, su resultado sería por lo menos muy problemático, y todas estas críticas que hemos esbozado tendrían sentido.

Pero es que el objetivo de Hobbes nunca fue ése. Como ha indicado Norberto Bobbio con toda razón, "la obra de Hobbes no es tanto [aunque mejor sería decir, simplemente: *no es*] una investigación histórica de la sociedad preocupada por determinar en períodos aunque sea aproximativos la evolución social del hombre como una demostración, que pretende ser rigurosa, de la naturaleza del Estado, con la que trata de persuadir a sus contemporáneos de que sigan el camino que cree justo y abandonen el equivocado" (Bobbio, *Thomas Hobbes*, p. 84), es decir: de que sigan el camino de la obediencia y abandonen el de la sedición. Porque ése es el punto. Como Janine Ribeiro mostró convincentemente en su *Ao leitor...*, el problema de Hobbes *no es* explicar ese pasaje del hombre natural al hombre civil, del hombre en estado de naturaleza al hombre sometido por el pacto al poder político estatal. El problema de Hobbes no es, en fin, explicar cómo fue que los hombres "pasaron" un buen día de un estado natural de salvajismo a una vida política reglada, *sino inducir a sus lectores a reconocer al Estado, al Leviatán, como creación suya, a reconocerse como autores de ese Leviatán, y consecuentemente como ciudadanos obligados a obedecerle.* Que es lo que indicábamos nosotros más arriba: que Hobbes escribe su obra de filósofo político a fin de demostrar la conveniencia, la necesidad y la obligación de la obediencia al Leviatán, porque asegurar la obediencia al Leviatán es para él asegurar la posibilidad misma de la vida en sociedad. Como indica Soares, "la obra de Hobbes no pretende divulgar o promover la idea de un pacto fundador (...) sino demostrar, a todo y cualquier hombre, las ventajas (...) de la obediencia al poder" (Soares, p. 244) ¿A algún poder en particular? No: a cualquier poder "que se demuestre, en la práctica, capaz de obtener la paz y de producir estabilización de las expectativas, esto es: orden[15]. El pacto es, en verdad, el artificio de la razón para generar el orden político, no porque lo instituya, sino porque colabora, en cuanto idea determinante de actitudes propias a súbditos reverentes, con su preservación o reproducción" (*ibid.*, pp. 244s). Por eso es fundamental el *reconocimiento* del lector –reconocimiento que se verifica por vía de un ejercicio honesto de *introspección* intelectual– en la figura del "hombre natural" trazada por Hobbes; por eso insistíamos más arriba en que cuando Hobbes describe las características de ese hombre natural está describiendo las características que cualquiera de sus lectores puede (y, si es honesto, *debe*) reconocer como propias. Al mostrarles a esos lectores ese retrato despiadado de sí mismos, y al demostrarles enseguida que sus impulsos naturales los conducirían inevitablemente a la guerra y a la destrucción recíproca si no existiera un poder soberano capaz de mandar sobre ellos, Hobbes les revela la irracionalidad de cualquier opción política distinta de la de obedecer a ese poder soberano, que afortunadamente no hay que "inventar", porque ya existe en la realidad histórica objetiva en la que Hobbes y sus lectores viven.

Hay así algo de cartesiano en el argumento de Hobbes acerca del contrato y del Estado, aunque las "certezas" que buscaba el filósofo inglés eran de distinto tipo que las que obsesionaban a su contemporáneo galo. Como quiera que sea, ambos comienzan por pulverizar –a título de hipótesis o, como se ha dicho también, de "coartada"– aquello que buscan apuntalar: Descartes, como sabemos, hace añicos la realidad sensible, sobre la que busca tener un conocimiento más seguro que el que la mera evidencia de sus sentidos puede proveerle. Comienza así un camino que lo conducirá al interior de su *ego* pensante, a la certeza absoluta e irrebatible del *cogito*, a partir de la cual *reconstruirá* paso a paso, pero provisto ahora del conjunto de seguridades que ese viaje al interior del yo le ha permitido conquistar, aquella misma realidad que había comenzado por poner entre paréntesis, y que ahora, "de vuelta", por así decir, de todo el recorrido, adquiere un estatuto diferente, una naturaleza distinta. Análogamente, Hobbes comienza, él también, por "pulverizar", por disolver, en su argumento –y a título de hipótesis, *de una hipótesis sobre cuyas tremendas consecuencias quiere ilustrar a su lector*–, ese Estado "efectivamente existente" cuya legitimidad se propone demostrar. Como Descartes, Hobbes opera así una demolición profunda y radical, que lo lleva a esa situación abismal, a ese "grado cero" de la sociabilidad humana que postula en su hipótesis del estado de naturaleza. "De vuelta" del cual, entonces, y por mediación de ese ejercicio de "introspección" que solicita a su lector –quien protagoniza así en su propio razonamiento ese *descenso a los infiernos* en que consiste el ejercicio intelectual de Hobbes, y sale *por sus propios medios, aunque de la mano de Hobbes*, de esa morada infernal cuya atrocidad es llevado a comprender–, reencontrará, *por la vía de la hipótesis del contrato* (que de ese modo se revela, como indica Janine Ribeiro, como "la condición para la certeza en la ciencia política" [*Ao leitor...*, p. 22]), a ese Estado cuya vigencia había comenzado, a título de hipótesis, por suspender. Pero ese Estado –igual que la realidad empírica "redescubierta" por el sujeto cartesiano de vuelta de su viaje introspectivo al corazón de su yo pensante– *ya nunca volverá a ser el mismo:* ya no será un mero dato, sino una necesidad moral; ya no será impuesto, sino construido; ya no será trascendente, sino resultado de un acto de voluntad y de creación; ya no reclamará del lector de Hobbes su obediencia de hecho, sino de derecho.

Porque, en efecto –y como ya anticipamos–, no se trata apenas de que Hobbes nos muestre, a través de su argumento, que "nos conviene" obedecer a los poderes establecidos. Se trata, mucho más decisivamente, de que Hobbes nos muestra que *estamos obligados* a hacerlo. ¿Por qué? Porque al descubrir "las buenas razones que justifican la adhesión al orden", el lector hobbesiano está reproduciendo, replicando exactamente, el movimiento por el cual el "hombre natural" hobbesiano descubre, según el argumento que el propio Hobbes desarrolla en las páginas de su texto, "las buenas razones que justifican" la creación del Leviatán. Mejor: Está *encarnando*, él mismo y en ese exacto momento –*en el exacto momento de su lectura honesta y racional de esas páginas de Hobbes*–, la figura de ese hombre natural *que él se descubre siendo* (en la medida en que él reconoce como suyas, en el trabajo introspectivo que le solicita el texto de Hobbes, ese manojo de disposiciones agresivas que constituyen su "naturaleza"), y que, en realidad –ahora podemos verlo–, *nunca existió en ningún otro lugar*. Está pues, él mismo, ahí mismo, y con esas "buenas razones" que él descubre *en la lectura del texto de Hobbes*, construyendo, inventando, *creando (suscribiendo el contrato que crea) el Leviatán* y prometiéndole a ese Leviatán así forjado –porque esta promesa es inseparable de aquella creación– su obediencia. Para Hobbes, en efecto –y en esto consiste uno de sus fundamentales aportes a la modernización y secularización del pensamiento político del siglo XVII–, los súbditos deben obediencia al Leviatán no en virtud de ningún lazo "natural" (como ocurría, por ejemplo, dentro de una concepción "patriarcalista" como la de Robert Filmer, o de una teoría del poder divino de los reyes como la del rey Jacobo), *sino porque lo crearon*. No en virtud de la naturaleza, en fin, sino del artificio. Pero ese artificio, esa "creación", no se produce en ningún otro lugar que *en la lectura honesta y racional del libro de Hobbes*. El instante fundamental de creación de la ciudadanía y de la obligación de obedecer no se produce pues en ningún momento situado en el pasado ni se proyecta hacia ningún escenario imaginado en el futuro, *sino que ocurre en el preciso momento en que el lector se reconoce a sí mismo en la lectura del texto de Hobbes y en que acepta el rigor lógico de su argumento*. Por eso es que, concluyendo, Hobbes no nos "cuenta" cómo fue que un día se fundó el Estado, y tampoco nos "pide" ni nos invita a que lo fundemos nosotros. Sino que nos reclama que, reconociéndonos en su descripción del hombre natural y comprendiendo el inescapable rigor de su argumento, reconozcamos que somos, *ya, siempre-ya* (que sería irracional no declararnos como siendo ya, siempre-ya), sus autores. Y que, en consecuencia, lo obedezcamos. *De te fabula narratur:* haciendo al lector reconocerse en su texto, convenciéndolo con su argumentación, Hobbes lo convierte en autor, o en co-autor. En co-autor de su propio texto, por cierto, y en coautor del Estado, al que a partir de ahora, *por lo tanto* (este "por lo tanto" es fundamental), debe obediencia.[16]

Permítaseme repasar las dos grandes características del razonamiento de Hobbes que estamos intentando acompañar. Al hacerlo estaremos subrayando al mismo tiempo los dos grandes aportes de Hobbes a la modernización del pensamiento político occidental, o, si se prefiere ponerlo de este modo, las dos grandes razones por las que es posible calificar a Hobbes como un filósofo político decididamente moderno. En primer lugar, debemos destacar algo sobre lo que ya hemos llamado la atención: el *carácter construido*, el carácter de *constructo*, que tiene el Estado para Hobbes. Éste es un punto fundamental de su teoría, que –como ya indicamos– se aleja decididamente, no sólo, desde luego, de las teorías del derecho divino de los reyes, sino también de las que, no menos "pre-modernas" que las anteriores, y muchas veces superpuestas con ellas, concebían al cuerpo político según el modelo de la organización (natural) de la familia y a la figura del soberano como una derivación de la del padre que ama a sus hijos o el esposo que protege a su mujer. En cualquier caso, como la de alguien que, por la ley de la naturaleza e impulsado por su amor a los seres que le están *naturalmente* subordinados, ejerce sobre ellos un derecho de tutela y una obligación de protección. Nada más lejos, desde luego, de la idea que Hobbes tenía sobre la política, que pertenece al mundo de las convenciones y de los artificios y que se levanta por lo tanto *contra* la naturaleza, y no sostenida sobre ella. Por eso, "si Hobbes mantiene la imagen del Estado como cuerpo político, descarta el modelo de la familia: ésta es un caso de la política, no su principio. El soberano no deriva ya su poder del padre, sino al revés", y, sobre todo, "actúa en nombre de los súbditos, no por amor a ellos" (Janine Ribeiro, *Ao leitor...*, p. 36). En efecto: Hobbes "no funda en afectos los lazos políticos; el origen de éstos, como su continuidad, es contractual: el soberano *representa* a los súbditos" (*ibid.*, p. 150). Y esta *representación* –idea perfectamente secular y moderna– resulta del hecho de que esos súbditos *han creado* al soberano, de que ese soberano es, él mismo, producto de una voluntad humana. La inversión respecto a la vieja imagen medieval y naturalizadora del soberano-padre no podría ser más completa: Si en el marco de aquella tradición los súbditos nacían del soberano y le debían obediencia porque habían sido creados por él, en el marco de la teoría de Hobbes, en cambio, es el soberano el que nace (no natural sino artificialmente, no por la sangre sino *por el arte*) de la *voluntad* de los ciudadanos, *y éstos le deben obediencia exactamente porque lo han creado*. Por eso es que, como acabábamos de ver, Hobbes debe convencernos de nuestra condición de creadores del Leviatán para demostrarnos que estamos obligados a obedecer a ese Leviatán que hemos creado. Que hemos creado, insistamos, *en el momento mismo en que aceptamos el rigor del argumento hobbesiano acerca de lo desastroso que sería no contar con él.* Lo que aquí querría ahora subrayar –y ésta es la segunda característica del razonamiento de Hobbes sobre este problema del contrato que estamos considerando– es el hecho de que ese argumento de Hobbes (ese argumento de Hobbes que nos convence de la necesidad de declararnos creadores del Estado y de la correlativa obligación de prestarle obediencia) es un argumento estrictamente *racional.*

Se trata también, este segundo rasgo del razonamiento de Hobbes que estamos estudiando, de un rasgo típicamente moderno de su pensamiento y de su estilo. No sólo el Estado es artificial, en efecto, sino que *el argumento* que nos conduce a ese conocimiento es un argumento que no debe apelar, para convencernos (y nuevamente estamos tentados de trazar un paralelo con ese notorio contemporáneo de nuestro autor que es Descartes), a ninguna otra cosa distinta de la pura y cristalina razón. De modo muy particular, el pensamiento de Hobbes reivindica la legitimidad de la razón frente a los usos del discurso retórico y sus estrategias de *seducción,* que están para él –como ya vimos bastante más arriba– en la base de la *sedición* política y de la desestabilización de los poderes establecidos. Seducción y sedición: peligrosa vecindad fonética y semántica. Seducción y sedición: libre juego de los signos y amenaza a la estabilidad de las instituciones. Por eso Hobbes despreciaba tan especialmente las artes retóricas, seductoras, de los líderes parlamentarios, los políticos democráticos y especialmente los predicadores religiosos, que endulzaban y corrompían los oídos "femeninos" de sus oyentes con el hechizo de sus palabras engañosas, conduciendo a esos oyentes a la desobediencia a los poderes del Estado[17]. Así, el pensamiento teórico político de Hobbes se levanta para conjurar ese peligro de los usos retóricos del lenguaje y para sostener, frente a ellos, la legitimidad del discurso racional, argumentativo, geometrizante, de la ciencia, y no hay duda de que una de las herencias más fuertes que nos deja la obra de Hobbes es exactamente ésta que se desprende de este movimiento racionalizador. Sin embargo, quizás no sea ocioso señalar que una característica interesante de la obra de nuestro autor es la de que este rasgo "racionalista", esta vocación científica y anti-retórica, este desprecio por los usos figurativos de las palabras y el correlativo apego a una prosa limpia y blanca, no lo acompaña con el mismo énfasis, como Quentin Skinner ha demostrado en un libro notable, a lo largo de los distintos momentos de su dilatada producción.

En efecto: En su magnífico *Reason and Rhetoric in the Philosophy of Hobbes,* Skinner distingue tres momentos en la evolución teórica de Thomas Hobbes. En primer lugar, apunta Skinner un período de humanismo juvenil asociado a las características de su propia formación en tiempos en que los saberes humanísticos se vinculaban en Inglaterra al estudio del griego y del latín, de la gramática y de la retórica, y sobre todo de los teóricos clásicos de la elocuencia y la persuasión, especialmente de Cicerón. Esta forma típicamente renacentista de comprensión de su faena de humanista se expresa en los textos más tempranos de Hobbes, especialmente en sus traducciones de la *Guerra del Peloponeso* de Tucídides y de la *Retórica* de Aristóteles, en ciertos hexámetros latinos escritos hacia 1627 y, en general, en toda su obra anterior a la década del 40 (cf. Skinner, *Reason...*, pp. 215-249). El descubrimiento que llevaría a Hobbes a rechazar este mundo humanístico y retórico en su obra posterior tuvo lugar sin embargo un poco antes: Parece que fue hacia 1629 que nuestro autor entró en contacto por vez primera con el método geométrico de Euclides, que lo maravilló y que decidió aceptar, según sus propias palabras, "como una guía para el arte de razonar" (*ibid.*, p. 250). Así, durante todos los años 30, según indica Skinner, "Hobbes no sólo se despidió de los *studia humanitatis;* sino que también se predispuso en contra de las disciplinas humanísticas, y sobre todo en contra de la idea de un arte de la elocuencia" (p. 256). Y será muy especialmente en los *Elements of Law*, de 1640, y en el *De Cive*, de 1642, donde "Hobbes aclara plenamente su rechazo y su recelo de las artes retóricas, y más en general de la cultura retórica del humanismo renacentista. No sería exagerado decir que uno de sus principales propósitos en estos dos trabajos es desafiar y tirar abajo los principios centrales del *ars rhetorica*" (p. 257). Estos dos libros señalan entonces el momento más alto del segundo período de los tres que habíamos anunciado: Hobbes rechaza la retórica (cuyo sistema de "ornamentar la verdad" encuentra "irrelevante e incluso hostil a la construcción de una ciencia genuina de la vida civil" [p. 271]) y junto con ella la historia y la poesía –todas ellas fuentes de conocimientos de lo particular y lo contingente– en nombre de una ciencia filosófica de lo universal y lo necesario. Más: la retórica –la persuasión, la elocuencia– no constituyen para él sólo un saber inferior y degradado, sino sobre todo –dada su capacidad de introducir deliberadas ambigüedades y de *seducir*, como hemos dicho ya tantas veces, los oídos de los oyentes– una técnica "peligrosa" y *sediciosa*. En síntesis: Que si los defensores de la retórica habían subrayado el poder de ésta para encantar y excitar a las personas, Hobbes se ocupa de indicar que esa "excitación" acarrea un serio riesgo para la estabilidad de los Estados, que si los primeros habían generalizado la figura de la lengua humana como una "trompeta", Hobbes indica que se trata de "una trompeta de sedición y guerra" (p. 291) y que, en fin, si aquellos "habían visto la figura del orador poderoso como un benefactor de las ciudades y un medio para preservalas, Hobbes profesa encontrar una conexión intrínseca entre la práctica de la elocuencia y la destrucción de la vida civil" (p. 290). Así, el rechazo hobbesiano de la retórica no se produce apenas por razones, digamos, epistemológicas, sino que es un rechazo *esencialmente político*. Correlativamente, la *ciencia* de la política, tal como él la concibe, no sería solamente un modo mejor de *conocer*, sino una salvaguarda más sólida de la estabilidad política de los estados, en la medida en que era un tipo de conocimiento capaz de revelar verdades inoblejables, "libres de controversias y disputa" (p. 299), y visibles para cualquiera. Porque éste es el supuesto fundamental sobre el que se sostiene el optimismo cientificista de Hobbes: "que la *ratio* posee un poder intrínseco para persuadir y convencer" (p. 302), que la razón "es suficiente para insertar opiniones en las mentes de los hombres" (*id.*)[18], sin necesidad de ninguna técnica de persuasión "asociada al arte de la elocuencia" (*id.*), y que nadie sin mala voluntad puede dejar de ser sensible a los dictados de esa razón inapelable.

Pues bien: Es exactamente esta confianza de Hobbes la que, a partir de cierto momento (y por razones sobre las que no es el caso conjeturar acá), comenzará a resquebrajarse, resquebrajamiento que pondrá fin a esta segunda etapa que estamos analizando e inaugurará otra, la tercera, a la que pertenece su libro más famoso. En efecto: Si a comienzos de la década de 1640 Hobbes había insistido en que "la *ratio* tiene una inherente capacidad para persuadir" (p. 347), siendo capaz, "como había establecido el *De Cive*, de obligarnos a aceptar todas las verdades que descubriera" (*id.*), ya hacia fines de esa misma década "Hobbes había perdido casi enteramente esa confianza. La primera indicación de este nuevo escepticismo puede encontrarse en una de las anotaciones a la edición del *De Cive* de 1647. Describiendo qué podemos esperar descubrir a la luz de la razón natural, Hobbes pone ahora un sombrío énfasis en el hecho de que la mayor parte de las personas 'están o bien desacostumbradas a, o bien incapacitadas para, o bien desinteresadas en razonar adecuadamente'" (*id.*)[19], por lo que "incluso las más claras demostraciones científicas pueden ser insuficientes para convencer" (p. 348). Lo que planteaba para nuestro autor un verdadero problema. En efecto: "Si los descubrimientos de la ciencia civil no tienen ningún poder inherente para convencer, ¿cómo podemos esperar darles autoridad? ¿Cómo podemos esperar obtener atención y consentimiento, especialmente de aquellos cuyas pasiones e ignorancia tienden a hacerlos repudiar incluso las más claras pruebas científicas?" (p. 351) Por esta vía, por cierto, Hobbes no hacía más que replantearse "exactamente las mismas cuestiones que los teóricos clásicos y renacentistas de la elocuencia se habían planteado siempre" (*id.*), y que responderla de un modo que, contra todo lo o Hobbes había escrito contra esos retóricos algunos años antes, ctamente el centro del argumento que éstos, de Cicerón en adesostenido. Que no era, naturalmente, que la razón debiera ser en su importancia ni que no fuera la herramienta idónea para acceder a la verdad, sino que "si esperamos que los dictados de la *ratio* y, de ahí, de la *sapience* tengan algún efecto, ellos necesitarán ser autorizados por el *vis* o la fuerza conmovedora de la *eloquentia*" (*id.*), o, más en general, por "las técnicas de persuasión asociadas con el arte de la retórica" (p. 376). Estas técnicas –ornamentación de la verdad, ridiculización del adversario, metáforas y figuras diversas– son las que Hobbes no sólo defiende *sino que practica*, él mismo –como Skinner muestra pormenorizadamente–, en el *Leviatán*, que de ese modo se convierte en "una tardía pero magnífica contribución al arte renacentista de la elocuencia", "un tratado en el que las técnicas de persuasión de la clásica *ars rhetorica* son utilizadas sistemáticamente para amplificar y subrayar los descubrimientos de la razón y de la ciencia" (p. 4). Mencionemos al pasar, y apenas como un ejemplo (entre muchísimos otros que podrían citarse), aquella famosa frase que ya recordamos a propósito de otra cuestión: "*Covenants without the sword are but words*" ("Los pactos, sin la espada, no son más que palabras" [*L*, XVII, p. 87]), que involucra un ¡casi hamletiano! "juego de palabras" con *"words"* y *"sword"* que es imposible imaginar que se hubiera permitido el Hobbes "geometrizante" y anti-retórico de 1642. En fin: Que la elocuencia es, para el Hobbes maduro que escribe el *Leviatán*, un instrumento al servicio de la razón, pero un instrumento indispensable.

Pero hay más. Porque este desencanto que sufre Hobbes en relación con el idealizado modelo de lector racional, cartesiano, que había organizado la redacción de sus libros anteriores[20], lo lleva en realidad, en el *Leviatán*, al descubrimiento de *dos* –y no sólo de una– nuevas figuras de su filosofía política. Porque si por un lado Hobbes incorpora como un dato fundamental acerca del público de lectores-ciudadanos para el que escribe la existencia de muchos hombres de esos que, no teniendo costumbre o posibilidad o interés en raciocinar rectamente, son en cambio presa fácil de los oradores que se proponen hechizarlos, y para los cuales, en consecuencia, reserva nuestro autor el recurso de *su* propia retórica, rectamente dirigida por la sana razón, por otro lado su texto nos presenta ahora –estamos a la altura del capítulo XV del *Leviatán*– a un segundo personaje, todavía más díscolo y preocupante, para lidiar con el cual no bastan todos los ornamentos retóricos con los que Hobbes podría adornar la verdad que quiere transmitir. Se trata del "necio", del *fool*, de aquel que "tiene la convicción íntima de que no existe esa cosa llamada Justicia, y a veces lo expresa también con sus palabras" (*L*, XV, pp. 74 y s.), y que, en consecuencia, "hacer o no hacer, observar o no observar los pactos, no implica proceder contra la razón cuando conduce al beneficio propio" (*ibid.*, p. 75). Para Hobbes, "este caprichoso razonamiento es falso" (*id.*), lo que no impide que efectivamente funcione en la cabeza de este hombre, el necio, el insensato, el *fool* (la palabra es interesante, y no se deja traducir simplemente por "tonto", porque designa una incapacidad o una falla que es al mismo tiempo intelectual *y moral)*[21], cuya mera existencia plantea entonces un problema que es fundamental para Hobbes: el problema de que ningún pacto puede considerarse válido "sino con la constitución de un poder civil suficiente para compeler a los hombres a observarlos". (*L*, XV, p. 74). Ahora bien: es posible llamar la atención aquí sobre un hecho que revela la enorme importancia que tiene, en el conjunto del argumento del *Leviatán*, la aparición de esta figura del *fool*. Me refiero a la circunstancia de que, antes de esa aparición, la idea de un "poder civil levantado sobre las partes contratantes" (*L*, XV, p. 75) no se desprendía como una necesidad lógica de lo que Hobbes venía diciendo. En efecto: si todos los hombres fueran perfectamente racionales y pudieran ser convencidos de su obligación de obedecer al Leviatán a través de una demostración científica realizada –como quería el Hobbes "euclideano" del *De Cive– more geometrico*, cada uno de ellos prestaría esa obediencia debida al Estado sin necesidad de ser externamente coaccionados a hacerlo. Si, en una hipótesis menos optimista, estos hombres no tuvieran el hábito o la capacidad o el interés de entender estos argumentos por una vía meramente intelectual, pero no fueran insensibles a la comprensión de sus obligaciones una vez que su necesidad se impusiera por alguna vía más efectista a sus conciencias, bastaría con que Hobbes ornamentara con las artes de la retórica las verdades que su razón lo había llevado a comprender para que la sumisión de los ciudadanos-lectores de su obra pudiera darse por garantizada. *Es sólo la existencia de estos hombres "necios" que no pueden o no quieren entender su obligación de respetar los pactos más allá del provecho inmediato que puedan o crean poder sacar de ellos*[22] *lo que obliga a esos pactos a procurarse la garantía adicional, complementaria (pero necesaria, y por eso, como ya dijimos, constitutiva de su propia validez) de un poder civil coactivo.* Así, el Leviatán hobbesiano debe ser, sí (como ha acentuado hasta la caricatura la vulgata escolar sobre el pensamiento de nuestro autor), un aparato de coacción. Pero reparemos en que esa coacción aparece, por así decir, *al final* de todo el argumento, como una garantía "externa" para el cumplimiento de un conjunto de pactos cuya obligatoriedad la mayor parte de las personas podría y puede seguramente comprender (y no hay duda de que Hobbes espera que efectivamente comprenda: de ahí su interés porque la "sana doctrina" contenida en sus libros sea enseñada en las universidades de Inglaterra) sin que la aplicación de esa violencia institucional se haga efectiva.

Lo que no es más que otra forma de decir (*contra* aquella caricatura escolar que aquí estamos tratando de poner en cuestión) que Hobbes pertenece de pleno derecho a la gran tradición del pensamiento occidental que, de Platón a Hegel y más acá, ha militado siempre a favor de la idea "de una autoridad que sea capaz de conseguir que todos los órdenes sociales y todos los ciudadanos, sin coerción alguna, acepten la norma" (Lebrun, *O avesso...*, p. 81). A favor de la idea, en otras palabras, de una exclusión –idealmente plena– de la coerción de la *politeia*, y de un poder libremente aceptado por sus súbditos y capaz de prescindir –en el límite: totalmente– de la coacción y de la fuerza. De un poder, en fin, cuyos detentores sean capaces de exhibir *razones*, *argumentos*, y un "derecho", en consecuencia (un derecho que se derive *de algún otro lugar distinto de la pura facticidad de la fuerza:* el conocimiento de la verdad en Platón, el consentimiento de los súbditos en Hobbes, el consenso activo de los ciudadanos en Rousseau...), a mandar sobre el resto de los hombres (cf. *ibid.*, pp. 81ss). Claro que eso no quiere decir que pueda el Estado (ni en Platón ni en Rousseau ni en Hegel, ni ciertamente tampoco en Hobbes) *prescindir* del momento represivo de la *fuerza*, de la coacción, que permanece siempre –para decirlo de este modo– como un "último argumento", como una *ultima ratio* del derecho de ese Estado a mandar sobre las personas. Así pues, sería tal vez posible resumir cuanto hemos venido diciendo en estas últimas páginas afirmando que todo el argumento con el que Hobbes busca garantizar la obediencia de sus lectores al Leviatán (ése es, ya lo dijimos, su objetivo fundamental: la teoría de Hobbes es antes que nada una teoría de la obediencia, una teoría sobre la obligación de obedecer) se despliega, por así decir, en varios niveles: *En un primer nivel,* Hobbes mostraría a los lectores *justos* (aquellos, minoritarios, con cuya buena disposición de razonadores libres y desprejuiciados puede contar) su deber de obedecer al Leviatán. *En un segundo nivel,* Hobbes ayudaría a los lectores *sensuales* (aquellos, acaso la mayoría, por la conquista de cuya alma disputa Hobbes con los predicadores y con los demagogos) a comprender su obligación de obedecer al Leviatán por medio del auxilio, artificioso pero necesario, de la retórica. Y *en un tercer nivel,* Hobbes revelaría a los lectores *necios* (pero, *¿cuántos son* estos lectores?: *Hobbes tiene la prudencia de no decirlo nunca*) el rostro represivo, coactivo, del Estado, advirtiéndoles de ese modo –pero sólo a ellos, sólo a estos insensatos con quienes todos los otros argumentos han fallado– que no tienen opción.[23]

De todos modos, nuestra sugerencia de que la violencia estatal, la fuerza coactiva del Estado, funciona en Hobbes *como un momento –el último– de la propia argumentación*, como una razón –la última– de la *legitimidad* del Leviatán, no debe llevarnos a desatender la circunstancia evidente de que ese "último argumento" que es el argumento de la fuerza tiene una naturaleza, por supuesto, radicalmente distinta de la de los argumentos anteriores. Que la *ultima ratio* del poder es de naturaleza, contradictoriamente, *no* racional. En efecto: Hay una ostensible y radical heterogeneidad entre el último de los "argumentos" del poder del Leviatán y *los otros* argumentos con los que el autor del *Leviatán* busca sostenerlo. Y Hobbes lo sabe, por supuesto, y en ese saber –me gustaría sugerir– radica parte importante del interés y (también aquí) del carácter sorprendentemente anticipatorio de su pensamiento. Porque, podríamos preguntarnos a esta altura de nuestro recorrido, ¿qué está haciendo acaso Hobbes, al admitir que el Estado no puede prescindir (siquiera como "última razón", siquiera como "último argumento") de la amenaza del uso de la fuerza sobre cualquiera que, por la razón que fuera, osara incumplir el pacto que lo funda y desobedecerlo, sino anticipándose a la constatación –que se volvería, mucho más tarde, el núcleo fundamental del pensamiento "realista crítico" que se tiende, como actitud teórica de fondo y más allá de los matices, de Friedrich Nietzsche a Carl Schmitt, de Sigmund Freud a Walter Benjamin o de Max Weber a Michel Foucault– de que "la violencia es constitutiva de la práctica política, porque es fundadora de la juridicidad estatal", y de que, en consecuencia, toda "razón" es, en el fondo, una "racionalización"?[24] Resumamos, entonces, señalando *la tensión*, en Hobbes, entre la vocación "racionalista" que lo llevaría a querer poder pensar al "argumento" de la fuerza apenas como *el último* de los argumentos del poder y la comprensión –para mantener la terminología que hemos introducido: "realista crítica"– de que ese último argumento es también, y al mismo tiempo, un fundamento *primero*, *originario* e inerradicable, que por lo mismo tiñe incluso de sospechas a la presunta pureza de esa razón argumental.

Pero demos todavía un paso más y preguntémonos, ahora, si esa "tensión" que acabamos de observar es en realidad una tensión *propia del pensamiento de Hobbes* (que, por así decir, "habría querido" poder *dar razones* para la legitimidad de todos los poderes, pero "sabía demasiado bien" que el poder tiene razones que la razón no comprende) o si es una tensión *en los propios modos en los que el poder, en la práctica, se ejerce*. Creo que es posible afirmar esto último. Sugerir que la tensión que acabamos de comprobar en el argumento de Hobbes –teórico de la obediencia, dijimos, teórico *de la obligación* de obedecer– reproduce o expresa la tensión entre las diferentes estrategias a través de las cuales el poder –como un siglo y medio antes que Hobbes, por cierto, habían analizado Maquiavelo y sus contemporáneos– consigue ser obedecido. Simplifiquemos: las estrategias de producción de consensos y las estrategias de aplicación de la coacción. Y quizás ni siquiera sería necesario, si fueran así las cosas, hablar de ninguna "tensión" entre unas y otras, sino más bien de una complementariedad o hasta de un "equilibrio": lo que estoy proponiendo es que el modo en que se despliega el argumento de Hobbes revelaría la comprensión de nuestro filósofo respecto a que un sistema político estable sólo puede sostenerse, como escribiría Antonio Gramsci tres siglos después que él, a través de una "combinación equilibrada" entre los términos de los pares de opuestos en los que el autor de los *Cuadernos de la Cárcel* tradujo, para ponerlo con sus propias palabras, la vieja "afirmación de Guicciardini de que para la vida de un Estado son absolutamente necesarias dos cosas: las armas y la religión" (Gramsci, *Notas...*, p. 147). "Armas" y "religión", entonces. O, en las "traducciones" gramscianas: fuerza y consenso, coerción y persuasión, sociedad política y sociedad civil, política y moral, tribunales y escuela (*cf. id.* y tb. *ibid.*, p. 154). Si el modo en que se ejerce el poder en una sociedad privilegia los primeros términos de estos pares, estamos en el terreno de lo que Gramsci llamaba *dictadura;* si privilegia en cambios los *segundos* términos, estamos en el campo de lo que llamó *hegemonía.* Es claro que, para Gramsci, esta contraposición lo es apenas entre dos "tipos ideales" necesariamente combinados en la historia: "la hegemonía y la dictadura no están totalmente separadas (...); la hegemonía jamás es total y un mismo grupo puede ser simultáneamente dirigente y dominante" (Portelli, p. 75). En efecto: ninguna forma de ejercicio del poder de un grupo sobre una sociedad puede prescindir –advierte Gramsci, *como había advertido Hobbes*– de *una cierta cuota* de coerción, pero cualquier poder político será tanto más eficaz, más estable y más duradero cuanto más pequeña o marginal pueda volverla, cuanto más pueda relegarla al lugar de un puro reaseguro extremo del orden y cuanto más pueda recostarse, en cambio, sobre una dirección cultural e ideológica en el seno de la sociedad civil. De nuevo: *igual que en Hobbes*, a quien ya hemos tenido ocasión de ver preocupado porque los sanos principios de su teoría, destinada a resguardar la paz política en Inglaterra, fueran enseñados en las escuelas y universidades de su país. En otras palabras, y para decirlo de una vez, estoy sugiriendo pensar que la categoría de *hegemonía* es lo que le permite a Gramsci convertir el imperativo hobbesiano de una necesaria soldadura, de una íntima fusión entre la verdad y el poder, en una hipótesis sociológica, empírica, sobre el modo en que, de hecho, funcionan las sociedades en la historia. Historizar, pues, poniéndolo sobre el suelo de una mitología iluminista del progreso, de una concepción dialéctica del tiempo y de una teoría marxista de la lucha de clases, el mandato hobbesiano –que hemos comentado ya tantas veces– acerca de la necesidad de establecer significados únicos para las palabras, los signos y las narraciones. Eso que faltaba en *Hamlet;* eso que procuraba el *Leviatán.*

Notas

[1] Ya hemos sugerido más arriba la posibilidad de pensar el desarrollo de *Hamlet* como una estilización *avant la lettre* de esta figura hobbesiana del "estado de naturaleza" que aquí estamos considerando, y ahora podemos recordar aquel

Hay algo en su alma
Que su melancolía está incubando,
Y temo que lo que se revele al romperse el cascarón
Sea peligroso [III.I.158-161],

o aquel otro

No me gusta el modo en que está actuando, ni nos resulta seguro
Dar rienda suelta a su locura [III.3.1-2],

con los que Claudio explicita, primero ante Polonio y más tarde ante Rosencrantz y Guildenstern, su desconfianza y su recelo en relación con el comportamiento de su sobrino. Podríamos igualmente recordar aquella otra frase –que mencionamos ya, bastante más arriba, a propósito de otra cuestión– en la que Hamlet, hablando con su madre, se refiere a los dos enviados del rey como

mis dos compañeros de estudios,
En quienes confiaré como en serpientes venenosas [III.4.203-4],

y tendríamos el cuadro completo de una situación de recíproca desconfianza entre los principales antagonistas del duelo cuyo desarrollo sostiene toda la pieza, desconfianza que lleva a ambos a multiplicar las prevenciones frente al otro y a espiarse mutuamente, uno tratando de conocer los secretos del alma del otro a partir de los movimientos de su rostro, el otro tratando de averiguar las intenciones del primero espiándolo detrás de los tapices o escudriñándolo a través de sus espías. Así, la propia lógica de la desconfianza recíproca y la necesidad de cada uno de tratar todo el tiempo de anticipar el próximo movimiento del rival y sorprenderlo conducen *inexorablemente* –como en un *crescendo* que ninguno de los dos podría, incluso si quisiera, detener– al enfrentamiento final entre los dos antagonistas, con los resultados catastróficos (*pero inscriptos en la lógica misma del conflicto que los había enfrentado a lo largo de toda la pieza*) que conocemos. Es exactamente el modelo de la "profecía autocumplida" del que nos habla –como veremos inmediatamente en el texto– Soares; es el infierno de ese estado "natural" en el que ningún conflicto puede esperar tener un desenlace diferente del peor.

[2] Nótese que es posible establecer aquí, en este punto, una diferencia fundamental

entre el pensamiento de Hobbes y el de Spinoza, cuyo optimismo racionalista se revela mucho más inequívoco y entusiasta. En una nota agregada al margen de su *Tratado Teológico Político*, en efecto, Spinoza apunta: "En cualquier ciudad en que el hombre viva, puede ser libre. Es cierto, en efecto, que el hombre sólo es libre en la medida en que es guiado por la razón. Ahora bien (adviértase que Hobbes es de otra opinión), la razón aconseja plenamente la paz (...)" (cit. en Madanes, p. 14). *"Adviértase que Hobbes es de otra opinión"*, escribe Spinoza. Cierto. Para el autor del *Leviatán*, como estamos viendo, la razón *no* "aconseja plenamente la paz", y hasta es posible sugerir –como estamos haciendo aquí– que la razón es, *no mediando ningún poder capaz de ofrecerle ciertas garantías*, el más rápido camino hacia la guerra. Ahora bien: esta constatación no deja de resultar problemática. Sobre todo porque (al poner a la razón "del lado", por así decir, del estado de naturaleza y de la destrucción recíproca, *y no* "del lado" de la sociedad civil y de la paz) parece contradecir en un punto fundamental el espíritu de una frase celebérrima de Hobbes, que por cierto ya citamos nosotros más arriba: aquella con la que se cerraba el primer parágrafo del Capítulo X del *De Cive*, y que afirmaba que "fuera del Estado está el reino *de las pasiones*, la guerra, el miedo... (y) en el Estado el reino *de la razón*, la paz, la seguridad..." (subr. míos), lo que dejaba a la razón en la misma vereda que el Estado, y no en el campo de las fuerzas que amenazan destruirlo. ¿Habrá que concluir que existe una inconsistencia, en torno a esta importante cuestión, en el pensamiento de Hobbes, o tal vez que el pensamiento de Hobbes sobre este problema de la razón, sus poderes y su capacidad para procurarles a los hombres la paz, sufrió algún cambio, alguna evolución, algún giro decisivo, en los nueve años que separan la publicación del *De Cive* (1642) de la del *Leviatán* (1651)? Trataremos de responder a esta pregunta –que por ahora me limito a dejar planteada– en el curso de este mismo capítulo.

[3] Universo trágico que es también, claro, el de *Hamlet*, cuyo texto está abundantemente poblado de referencias a esta ("maquiaveliana") oposición entre los caprichos e insultos de la Fortuna y la viril determinación (cuya falta el héroe de la pieza no cesa de reprocharse) para domarla por medio de la acción. Ya hemos insinuado que la famosa pregunta de Hamlet,

¿Es más noble soportar con ánimo templado
Los golpes y dardos de la insultante fortuna
O levantarse en armas contra un mar de adversidades,
Y enfrentándolas ponerles fin? [III.1.57-60]

constituye una variación (cierto que en una clave más moralista: Hamlet no habla de *virtù*, sino de "nobleza") sobre el mismo tema que obsesionaba a Maquiavelo, que era el tema de las posibilidades de la acción humana (de una acción sin garantías en un mundo fundamentalmente incierto) de lidiar con las contingencias de la historia. Es verdad que, *en el momento del monólogo de Hamlet* (se trata, por supuesto, del famoso monólogo del "Ser o no ser") *en que son pronunciadas estas líneas*, la expresión "*levantarse en armas contra un mar de adversidades, / Y enfrantándolas ponerles fin*" significa, simplemente, suicidarse y terminar así con todo: "La alternativa a la paciente resistencia es usar la única arma que puede derrotar a un mar de adversidades –el suicidio" (Edwards, p. 146, n.), una alternativa que ciertamente no figuraba ni podría figurar en el stock de recomendaciones del secretario florentino. Sin embargo, esas líneas pueden ser leídas como una meditación más general acerca de la relación entre la acción y la conciencia reflexiva en la medida en que, después de descubrir, en el curso de ese mismo y célebre monólogo, que es el pensamiento acerca de los sueños que pueden sobrevenirnos en el sueño de la muerte lo que nos inhibe de "tomar las armas" contra nosotros mismos, Hamlet *generaliza* esa conclusión hasta convertirla en un axioma de validez universal:

La conciencia, así, nos acobarda a todos,
Y así también el ímpetu natural de la resolución
Se desvanece bajo nuestras pálidas meditaciones [III.1.83-85],

e incluso en una reflexión –que retoma la de su segundo monólogo: "*¿Soy un cobarde?*" [II.2.523], y anticipa la del séptimo:

Ahora: yo no sé
Por qué vivo todavía diciendo, sea por un bestial olvido
O por algún cobarde escrúpulo que me hace considerar
Con excesiva atención las consecuencias –un pensamiento
Que, dividido en cuatro partes, no tiene más que una de prudencia
Y otras tres de pusilanimidad–, "esto ha de hacerse",
Cuando tengo una causa, y voluntad, y fuerza y medios
Para hacerlo [IV.4.39-46]–

sobre su propia incapacidad para "actuar". Como resume Edwards, "pensar demasiado sobre lo correcto o incorrecto del suicidio inhibe el impulso a acabar con uno mismo; pensar demasiado sobre lo correcto o incorrecto en general inhibe *toda* acción, incluyendo aquella en la que se supone que está comprometido." (p. 147, n). No en vano recomendaba Maquiavelo a su Príncipe –que debía ser un hombre determinado, un hombre *de acción*– no pasar demasiado tiempo "pensando demasiado sobre lo correcto o incorrecto".

[4] Pienso, desde luego, en la crítica rousseauniana a la *separación* entre ciudadanos y soberanía que resulta del "falso contrato social" cuya "locura" se denuncia en el *Discurso sobre los orígenes de la desigualdad*, en el sueño, desplegado en las páginas del *Contrato Social*, de que los hombres pudieran ser, "al mismo tiempo, miembros del poder y miembros del estado", y en el modo en que Rousseau prolongaba su reflexión sobre el contrapunto entre estas dos formas de organización política presentándolo bajo la forma de una contraposición (desarrollada especialmente en su bella *Carta a D'Alembert*) entre dos modelos espectaculares opuestos: el del teatro, sostenido sobre –de nuevo– la *separación* entre actores y espectadores, y el de la fiesta, participativo, igualador y comunitario. Enriqueciendo estos viejos tópicos de la temprana condena a las formas de despliegue de las fuerzas de la modernidad política y cultural con una revisión de algunos desarrollos de la filosofía crítica de los últimos dos siglos, desde las clásicas formulaciones marxianas sobre el fetichismo de la mercancía hasta la teoría de la cosificación de György Lukács, Guy Debord realizó, hacia 1967, una fuerte crítica a lo que llamó "la sociedad del espectáculo", expresión con la que se refería a un tipo de sociedad caracterizada tanto por el desarrollo de matrices productivas que estimulaban el distanciamiento de los hombres entre sí y respecto a su producto como el despliegue de formas de organización social sostenidas sobre la separación entre las burocracias dirigentes y una ciudadanía reducida a la condición de una *platea* pasiva y muda (cf. Debord, *passim*).

[5] "El mundo de la honra, así, está siempre en guerra", apunta Renato Janine Ribeiro (*Ao leitor...*, p. 56), y agrega, en nota: "Se entiende entonces su importancia en el estado

de naturaleza hobbesiano –porque la honra es la ley de la guerra" (*ibid.*, p. 73). ¿Es necesario señalar hasta qué punto es la honra, en efecto, "la ley de la guerra" que se despliega en sordina a lo largo de todo el desarrollo de *Hamlet* y se desata con ferocidad en la última de sus escenas, la "ley de la guerra" de este hobbesiano "estado de naturaleza-guerra" del que *Hamlet*, según hemos sugerido ya tantas veces, ofrece una representación o una alegoría tan anticipada como eficaz? Para no abundar sobre algo que ya hemos destacado, a saber: la disconformidad y el permanente autorreproche de Hamlet por no estar a la altura de las exigencias de esa ética del honor y de la gloria que, sin embargo –como la fuerza de esos mismos reproches lo revela–, *sigue siendo la suya* ("*En verdad, ser grande / No es negarse a entrar en acción sin una causa poderosa, / Sino más bien encontrar motivo de disputa en una nadería / Cuando el honor está en juego*" [IV.4.53-56]), recordemos apenas dos pasajes de la pieza que muestran con suficiente claridad que los enfrentamientos que tienen lugar en su transcurso responden, en efecto, al fuerte arraigo de los valores "caballerescos" del honor y de la gloria en el espíritu de casi todos sus protagonistas fundamentales.

El primero es aquel en que, recién vuelto de Francia con la noticia de la muerte de su padre, Laertes (sin duda el más inequívoca y casi ingenuamente "pre-moderno" de los personajes de *Hamlet*) enfrenta con violencia al Rey. Llamado a la calma por Gertrudis, he aquí lo que responde:

> *Una sola gota de mi sangre en calma me proclamaría bastardo,*
> *Llamaría cornudo a mi padre y grabaría el estigma de ramera*
> *En medio de la frente casta y pura*
> *De mi virtuosa madre* [IV.5.117-120],

para agregar enseguida que

> *Pase lo que pase, sólo quiero la más cabal venganza*
> *Por la muerte de mi padre* [135-136].

Difícil encontrar una manifestación más acabada de la inscripción plena y sin fisuras de un personaje shakespeareano en el universo moral gobernado por el principio del honor. El mismo cuya fuerza sobre la conciencia de Laertes conseguirá el astuto Claudio instrumentalizar al servicio de *sus* propios planes torciendo la furia vengativa del hijo de su viejo consejero en dirección a Hamlet: "*Hamlet está volviendo; ¿qué estarías dispuesto a hacer / Para mostraros el hijo de vuestro padre con hechos / Más que con palabras?*" [IV.7.123-125]

El segundo pasaje que quería recordar es aquel en el que, en la última escena de la obra, Osric despliega ante Hamlet, para seducirlo y tentarlo a aceptar el desafío lanzado por Laertes, la exhibición verbal –hecha, como destaca Lacan, con un lenguaje "de coleccionista" (Lacan, p. 97)– del conjunto de los objetos que Claudio y Laertes han puesto en juego. Son objetos refinados, preciosos, brillantes ("*como todo lo que se juega en el mundo del deseo humano*", apunta Lacan [*id.*]): caballos berberiscos, espadas y dagas, cinturones, colgantes y empuñaduras. Toda una panoplia destinada a estimular la *vanidad* de Hamlet (la vanidad: el núcleo moral, según Strauss, del mundo "pre-moderno" contra el cual se levantaría la alternativa de la filosofía política hobbesiana) y hacerlo aceptar el reto a participar de esa práctica tan característicamente tributaria del mundo del honor y de la vanagloria que es el duelo al que se lo convida.

Y que, como sabemos bien, se convierte enseguida en el prólogo fatal de la verdadera "batalla campal" que dejará en el piso del palacio el tendal de cadáveres con el que irá a encontrarse Fortimbrás. No es posible pues no advertir la conexión entre ese despliegue de argumentos destinados a exaltar la vanidad de Hamlet, el duelo en el que éste enseguida se traba con Laertes, y la muerte y destrucción generales en las que toda esa situación termina por desembocar. Y si no hay duda de que Shakespeare –y Hamlet– tenían una alta estima por las virtudes premodernas asociadas al mundo del honor y de la gloria, tampoco la hay de que esta escena final de *Hamlet* señala con mucha precisión los riesgos que ellas implicaban. Más: no sería exagerado afirmar que toda la obra de Shakespeare (y, por cierto, no sólo *esta* obra en particular) puede ser leída como una discusión sobre este punto. Como una celebración, llena de nostalgia, de ese mundo honorífico de virtudes aristocráticas, caballerescas, por el que el poeta de Stratford se sentía sin duda fascinado, pero al mismo tiempo como *una crítica* de esa moral de la gloria y el honor, de los duelos y los torneos, de la guerra y la venganza, de esa moral "bárbara" que en los días de Shakespeare comenzaba ya a considerarse inadecuada. Es que el propio tiempo histórico en el cual, y sobre el cual, escribió Shakespeare, es un tiempo "fuera de quicio", y no nos equivocaríamos si afirmáramos que toda la obra del autor de *Hamlet* constituye una aguda reflexión sobre los cambios espirituales y culturales que acompañaron estas transformaciones. Así, cuando Ofelia recuerda, nostálgica, al noble joven que había sido Hamlet antes de caer en su delirio, lo hace pintando el perfecto retrato del caballero medieval: cortés, valiente y gallardo, y no hay duda de que por la boca de la desdichada niña es también Shakespeare el que habla. Como Patrick Cruttwell ha mostrado en un libro sobre el que volveremos, los valores pertenecientes a los "*good old days*" de la caballería medieval ejercían sobre nuestro poeta un encanto que, especialmente visible en los célebres *Sonetos*, no deja de invadir también su obra dramática posterior (cf. Cruttwell, pp. 33ss.). Pero esos mismos valores se ven desmentidos cuando, por ejemplo, Falstaff –el gran héroe "moderno" de *Enrique IV*, por cuya boca *también* habla, evidentemente, su creador– se pregunta "¿Qué es el honor?" y se responde: una palabra, aire, nada. ¿Perder una pierna o un brazo por él, ganar una herida por su causa?: "*A trim reckoning!*" (¡lindo cómputo, linda cuenta, lindo *negocio*!), como le hace decir Shakespeare eligiendo sagazmente –como ha observado George Steiner– las palabras. Y bien: En cierto sentido, la tragedia de Hamlet no es otra que ésta: Por un lado, él no puede dejar de cumplir el mandato de su padre de vengar su muerte, porque la "ética de la venganza", la "moral de la honra" que anima ese mandato es también, es –digamos– "todavía", la suya propia, porque él mismo pertenece a un mundo regido por esa moral. Pero al mismo tiempo tampoco puede cumplir esa orden atroz, que lo haría idéntico a aquello que debe destruir. Cincuenta años después, en Hobbes, toda ambivalencia habrá desaparecido: La interpretación de Strauss que estamos examinando en el texto permite pensar al autor del *Leviatán* como un perfecto teórico de las virtudes modernas y burguesas *frente* a una moral –aristocrática, arcaica– de la que sólo cabe esperar desgracias para todos.

[6] Es decir que el estado de naturaleza de Hobbes sería, según el rousseauniano-marxista Macpherson, una estilización del modo efectivo de funcionamiento de la sociedad civil burguesa. Lo que nos permite precisar un poco mejor la medida de la cercanía pero también de la distancia entre esta interpretación de Macpherson y la que acabábamos de ver en Leo Strauss. Porque si ambos coincidirían, como ya señalamos, en calificar a Hobbes como un filósofo "burgués", los significados que uno y otro otorgarían a esa palabra –"burgués"– son muy distintos. En efecto: como Janine Ribeiro destacó en su *Ao leitor...*, para Strauss la palabra "burgués" (por lo menos, en el sentido

en que esa palabra puede calificar al pensamiento de Hobbes) remite a la idea de *Burger*, de "ciudadano": Strauss, como ya vimos, nos presenta un Hobbes "burgués" en el sentido de un Hobbes que defiende un sistema de valores sostenido sobre principios modernos, urbanos, racionales, laicos, de vida, por oposición a la vieja moral –anti-urbana, anti-burguesa, pre-moderna– de la caballería medieval. Para Macpherson, en cambio, la palabra "burgués", aplicada al pensamiento del autor del *Leviatán*, alude a la noción de *burgeois*, en el sentido económico que Marx daría, a mediados del siglo XIX, a la misma voz. De ahí que, a pesar de la coincidencia ya señalada entre las comunes percepciones de Strauss y de Macpherson acerca del carácter "burgués" del pensamiento de Hobbes, las argumentaciones de uno y otro –y el lugar que uno y otro otorgan al "estado de naturaleza" en las mismas– sean distintas, y hasta contrapuestas. Porque si, en la interpretación de Strauss, Hobbes, para defender una "moral burguesa" (esto es: moderna), construye la imagen de un estado de naturaleza presidido por la moral "pre-moderna", "pre-burguesa", del pundonor y de la vanagloria, en la interpretación de Macpherson, en cambio, Hobbes, para defender una "moral burguesa" (esto es: capitalista), construye la imagen de un estado de naturaleza que sería la estilización del modo en que esa misma sociedad civil burguesa funcionaría *si no existiera ningún actor capaz de mediar las relaciones entre los agentes y de establecer un freno a los impulsos agonísticos que ese modo de funcionamiento estimularía*. De otro modo: Que si, según Strauss, Hobbes les estaría hablando a los hombres de su tiempo para invitarlos a abandonar un sistema de valores cuya vigencia conduciría al conjunto de desastres que la figura del "estado de naturaleza" serviría para ilustrar, según Macpherson, en cambio, Hobbes les estaría hablando a *los burgueses* (*burgeoises*) de su tiempo para, mostrándoles a través de la figura del "estado de naturaleza" el retrato temible del futuro que les esperaba si no advertían la necesidad de establecer ciertos parámetros y ciertas limitaciones para sus luchas recíprocas, ayudarlos a ver, mejor incluso que lo que ellos mismos podían hacerlo, cuáles eran sus verdaderos intereses de clase.

[7] Cf. su *Ao leitor...*, *passim*, y tb. su "Thomas Hobbes..."

[8] No, por cierto, al de la historia factual, "objetiva" o extra-textual, al de la historia entendida como "contexto" capaz de "explicar" el texto y volverlo inteligible, sino, por el contrario, al de la historia que puede ser inferida *a partir del propio texto* y que es *él*, el texto, el que puede explicar. Janine Ribeiro es especialmente enfático sobre el hecho de que la "realidad contextual" no es *exterior* al texto, sino que constituye uno de sus "campos de eficacia" ("A filosofia...", p. 347).

[9] Véase, sobre la relación entre el *Behemoth*, "libro histórico", y las obras de Hobbes "consideradas 'filosóficas' (el *De Corpore Politico*, el *De Cive* y el *Leviatán*)", el ya citado artículo de Eunice Ostrensky, "La obra..."

[10] Véase también, en el mismo sentido, lo que dice Pierre Manent: lo que convierte a los hombres en enemigos es lo que ellos tienen en común, y lo que ellos tienen en común es su pasión fundamental, "la pasión fundamental de todos los hombres, (que es) el deseo de poder, de poseer cada vez más poder, un deseo que sólo cesa con la muerte; los individuos sólo difieren por la intensidad mayor o menor de ese deseo. Porque están impulsados por ese deseo se encuentran perpetuamente en estado de guerra, latente o declarada." (Manent, p. 76)

[11] Hemos indicado ya la importancia del hecho de que, en *Hamlet*, al menos *uno* de los motivos (porque, también aquí, no hay una causa de las luchas, sino muchas, o una

combinación de muchas) del asesinato del viejo rey Hamlet por su hermano haya sido *una mujer*, Gertrudis, lo que da a esa disputa entre los dos hermanos-enemigos, como ya dijimos, toda su fuerza "mítica", pero también otorga a la posibilidad de leer *Hamlet* como una estilización *avant la lettre* de la figura hobbesiana del "estado de naturaleza" una nueva causa de interés. Asesinado por Claudio mientras dormía, el viejo Hamlet fue privado al mismo tiempo, según él mismo le cuenta a su hijo, "*de mi vida, de mi corona y de mi reina*" [I.5.75]. Compárese esta preciosa frase que aquella otra, que ya comentamos, en la que el asesino, Claudio, observa para sí que el perdón divino está fuera de su alcanza, ya que él todavía está en posesión "*De aquellos bienes por los que asesiné: / Mi corona, mis propias ambiciones y mi reina*" [III.3.54-5]. La consideración conjunta de las dos frases nos confronta con una situación que no podría ser más interesante, ni, ciertamente, más hobbesiana. No sólo la importancia de la reina (aludida en las dos enumeraciones en ese lugar postrero para el que parece regir la lógica del "*last, but nos least...*") entre los motivos del crimen de uno y de los lamentos del otro, sino las referencias, junto con esa, a la vida, al poder y a la ambición, terminan de componer un cuadro perfectamente coherente con cuanto venimos diciendo. ¿Cuál es la causa entonces, al final, de las luchas y de la guerra entre los hombres? Anticipemos lo que sigue en el texto: no ningún objeto *en particular*, sino el hecho de que los hombres *siempre desean de más*. ¿Por qué luchan los hombres, en Shakespeare o en Hobbes? *Por naturaleza*. Es decir: por su simple, problemática y humana naturaleza de seres deseantes.

[12] Que es otro modo de decir lo que dice Arnoldo Siperman: Que al conflicto "hay que entenderlo como una realidad inescapable, polimorfa, ambigua, cuya vertiente trágica es refractaria a las tentativas de aprehensión por parte de las ciencias sociales empíricas" (Siperman, p. 202).

[13] En su conocida carta a Albert Einstein, de setiembre de 1932, sobre el porqué de la guerra (estamos, bien se ve, ante el mismo tema que nos propone Hobbes), Sigmund Freud llama la atención sobre el hecho de que rarísima vez las acciones de los hombres son obra de una única moción pulsional, y observa que "en general confluyen para posibilitar la acción *varios motivos*" (Freud, "¿Por qué la guerra? [Einstein y Freud]", en *OC*, vol. XXII, p. 193, subr. mío). Inmediatamente, cita Freud un pasaje del físico y psicólogo del siglo XVIII George Christoph Lichtenberg que nos interesa especialmente: "Los móviles por los que uno hace algo podrían ordenarse, pues, como los 32 rumbos de la Rosa de los Vientos, y sus nombres, formarse de modo semejante; por ejemplo, 'pan-panfama' o 'fama-famapan'" (*id.*). Pan y fama: ¿no estamos acaso en el corazón de la teoría hobbesiana sobre los motivos que conducen a los hombres a enfrentarse con los otros? Así parece, y la impresión se refuerza cuando leemos la conclusión que enseguida estampa Freud, en perfecta consonancia con la interpretación del pensamiento de Hobbes que aquí hemos propuesto: "Entonces, cuando los hombres son exhortados a la guerra, puede que en ellos responda afirmativamente a ese llamado *toda una serie de motivos...*" (*id.*, subr. mío).

En el mismo sentido podemos citar también las consideraciones de Pierre Manent sobre los motivos de la guerra en Hobbes (o, mejor, sobre la poca importancia que tiene interrogarse por esos motivos): "A partir del momento en que el miedo engendra miedo, en que la guerra se nutre de sí misma, *la cuestión de los 'orígenes' de la guerra parece, en efecto, secundaria*. Sin embargo, hay que responder a esta cuestión y Hobbes sugiere *dos* orígenes: en primer lugar, la rivalidad por la posesión de 'bienes' (rivalidad fundada en la 'escasez' de bienes, rivalidad 'económica') y luego la rivalidad pura, si es lícito decirlo así, rivalidad fundada en el deseo *de poder, de prestigio, de reputación* (origen moral o político o espiritual). *En el estado de naturaleza, estos dos tipos de rivalidad no se distinguen* puesto que ambos poseen los mismos efectos: si me adueño del rebaño de mi vecino tal vez lo haga para alimentarme, pero tal vez también para poseer un rebaño más grande. [...] Y es tal la ambigüedad moral de la visión hobbesiana que es lo que la hace tan atractiva: hombres definidos explícitamente como 'aristócratas' (en lucha por el poder, el honor o el prestigio) se conducen en el momento decisivo como 'burgueses' (ante todo quieren ver garantizada su seguridad)." (Manent, pp. 99s, subr. míos.)

[14] Cf. "La imposibilidad de la sociedad", en *Nuevas reflexiones sobre la revolución de nuestro tiempo*, pp. 103-106.

[15] Que es lo que subraya, también, Laclau: que "si el estado de naturaleza es concebido como dislocación pura y simple, y como ausencia de todo orden en la lucha generalizada de todos contra todos, en tal caso lo que se opone a él no es un orden con un contenido específico sino la noción de 'orden' a secas, la forma misma del orden al margen de todo contenido." Y también: "Puesto que el estado inicial es definido como un estado de naturaleza que hace imposible *toda* organización de la comunidad, su antítesis (el principio mismo del orden) se identificará con la voluntad del soberano, *cualquiera sea el contenido de esta voluntad*" (*Nuevas reflexiones...*, p. 86)

[16] Cf., sobre esta centralidad de las figuras del lector *y de la lectura* en la obra de Hobbes, y en especial en el argumento de Hobbes a favor de la obediencia debida por los ciudadanos al Estado, Janine Ribeiro, *Ao leitor...*

[17] Ya hemos considerado esta cuestión de la fuerza del sentido "femenino" del oído (del oído de Hamlet, "envenenado" por la voz de un espectro proveniente del Mas Allá, del oído de Laertes, "infectado" por las habladurías del pueblo) en la definición de las actitudes de insubordinación política contra los poderes constituidos del Estado. Quizás valdría la pena destacar, sin embargo, que, a diferencia de lo que ocurría en la Inglaterra de Hobbes, en esta versión anticipada, estilizada y simplificada del estado de naturaleza (esto es: de la guerra civil) que es *Hamlet* no hay sacerdotes ni políticos parlamentarios que hablen *en nombre* de las fuerzas que alientan la sedición: el Más Allá y el Pueblo hablan *directamente* a los oídos de los jóvenes insurrectos.

[18] "*To insert opinions in the minds of men*": Hobbes, evidentemente, no concebía las luchas ideológicas de la Inglaterra de su tiempo como combates entre especialistas ni entre filósofos de gabinete, sino como enfrentamientos político-culturales por la conquista de los espíritus de las personas en las iglesias, las escuelas y las universidades. Así, la preocupación de Hobbes por el modo en que los demagogos, los eruditos seducidos por los modelos políticos de la Antigüedad y los predicadores religiosos desestabilizan el Estado "predicando doctrinas compatibles con opiniones desleales *a los adolescentes en las escuelas y al conjunto de la población en las Iglesias*" (en Skinner, *Reason and Rhetoric...*, p. 288, subr. míos) tiene como contrapartida un programa que, centrado en el conocimiento racional y científico de los principios de la vida social, tenía como último objetivo alcanzar los espíritus de aquellos hombres que solían ser presa fácil de las artes retóricas de los oradores: "Si los verdaderos principios de la ciencia civil fueran enseñados *en las universidades*, debería ocurrir que pronto 'los jóvenes, que están más allá de los prejuicios y cuyas mentes son todavía como un papel en blanco', los adoptaran de buena gana *y los transmitieran por su parte a la generalidad del pueblo*" (en *ibid.*, p. 30, subr. míos). Hay en Hobbes una temprana y muy sagaz percepción (que no es exagera-

do afirmar que anticipa, como ya insinuamos, algunas conocidas enseñanzas de Weber y especialmente de Gramsci) de que no hay orden político estable sin el convencimiento de esa "generalidad del pueblo" acerca de su legitimidad.

[19] "*qui recte ratiocinari non solent, vel non valent, vel non curant*". Skinner llama la atención sobre el tercero de estos motivos por los que la mayoría de los hombres ("*the greatest part of Mankind*": definitivamente, el optimismo de Hobbes se ha hecho pedazos) no puede seguir un argumento racional: no la falta de *hábito* o de *capacidad*, sino *los intereses privados* que, interfiriendo con los públicos, les impiden a los hombres reconocer los mandatos y dictados de la recta razón. Se abre aquí una interesante vía –que no es nuestro propósito recorrer acá– para pensar en una especie de proto-teoría de la ideología, en un sentido muy moderno de la palabra (sentido en el que esa palabra debe necesariamente incluir una referencia a la relación entre cierto tipo de discurso y los *intereses* particulares, eventualmente "[auto-]distorsionadores", de ciertos grupos sociales específicos [cf. Terry Eagleton, especialmente caps. 1 y 7]), en este pensamiento del Hobbes tardío. Imposible ingresar aquí en esta cuestión, sobre la que me limito a remitir al libro clásico de Albert Hirschman, *Las pasiones y los intereses*, que nos permite apreciar la medida de la originalidad de este planteo hobbesiano sobre el lugar de los intereses en relación con la razón: Hirschman dedica buena parte de su libro a mostrar, en efecto, que en el siglo al que Hobbes pertenece, e incluso en el siguiente, los intereses no sólo no eran concebidos, en general, como algo negativo o condenable, sino que tendían a ser apreciados (como nosotros mismos hemos tenido ocasión de indicar en nuestras muy rápidas referencias al pensamiento de Mandeville y al de los filósofos y economistas de la escuela escocesa) como un correctivo frente a la fuerza destructora de las pasiones y a la ineficacia de la razón desinteresada.

[20] Quizás ahora podamos volver sobre la insinuación que dejábamos planteada al final de la segunda nota de este capítulo, cuando observábamos que la razón, que en cierta famosa frase del *De Cive* de 1642 aparecía como compañera de la paz y la seguridad características de la vida civil bajo un Estado, se había transformado, en el *Leviatán* de 1651 (como el argumento de Luiz Eduardo Soares sobre la estructura de "dilema del prisionero" del famoso "estado de naturaleza" mostraba muy bien), en nada menos que una *amenaza* –en ausencia de balizamientos institucionales adecuados– a esa paz y esa seguridad. Sean cuales hayan sido las razones del cambio de opinión de Hobbes acerca de las bondades intrínsecas de la razón (sobre esto, véase la *"Conclusion: Why did Hobbes change his mind?"* [pp. 426-437] del libro de Skinner que hemos estado consultando), lo cierto es que ese cambio de opinión parece expresarse, en la obra madura de nuestro autor, en una creciente desconfianza *tanto* respecto al modelo del "hombre racional" como un hombre pacífico y sociable *cuanto* respecto al modelo del "lector racional" como algo más que una rara excepción.

[21] El *fool* de Hobbes no sólo no cree en la obligatoriedad de las leyes y las obligaciones civiles, sino que no cree en la obligatoriedad de *ninguna ley ni obligación*. Más: no cree en la obligatoriedad de las leyes y obligaciones civiles, como indica Jorge Dotti acompañando la interpretación de Hobbes realizada por Carl Schmitt, *porque* no cree en la obligatoriedad de ninguna ley ni obligación. *El fool de Hobbes*, en otras palabras, *es el ateo*. No cree en Dios ("el necio tiene la íntima convicción de que Dios no existe" [*L*, XV, p. 75]), no cree en ninguna forma de la justicia, y *por lo tanto* "niega el derecho y reduce toda relación interhumana, aun –o sobre todo– aquéllas que se desenvuelven bajo leyes civiles, a relaciones naturales, en el sentido hobbesiano del término" (Dotti,

p. 867). Ahora: esto nos conduce a un problema enorme, que aquí apenas puedo presentar, pero que escapa absolutamente a las pretensiones y al tema de este trabajo. Me refiero al problema de la relación, en el pensamiento de Hobbes, entre la creencia en la obligación de obedecer a las leyes de Dios y la creencia en la obligación de obedecer a las leyes civiles, y, de un modo todavía más general, al lugar de Dios en el sistema teórico-político hobbesiano. Sobre la primera cuestión, ya hemos apuntado la opinión de Dotti: nadie que no crea en la obligación de obedecer las leyes divinas tiene motivos fuertes para creer en la obligación de obedecer las leyes civiles, y *de ahí* que el problema que plantea la figura del *fool* –insistamos: del ateo– sea un problema político de primer orden: "la cuestión del ateísmo en Hobbes está, entonces, estrechamente ligada al problema esencial para la constitución de la *polis* justa, que es la obediencia al soberano, es decir, la renuncia a la libertad natural indiscriminada –y peligrosa– de la que todo hombre goza por naturaleza" (*id.*). Ahora bien: esa convicción está asociada, en Dotti, a la convicción previa acerca de la centralidad de la figura de Dios en la filosofía política hobbesiana. Más específicamente: acerca de la centralidad de la figura de Dios en la explicación hobbesiana sobre la constitución del Estado. Sabemos que esa constitución del Estado requiere que todos los hombres depongan su actitud de hostilidad hacia los otros. Dicho esto, lo que Dotti apunta es algo que hemos señalado nosotros también: que la pura razón es incapaz de promover en los hombres esa actitud, "porque ante la incertidumbre de que los otros hagan lo mismo, ella enseña a no pactar, sino a persistir en la 'natural' actitud desconfiada y belicosa. El ser humano *sabe* que le conviene la paz, pero su misma razón le enseña a desconfiar de los signos con que los otros hombres –sus enemigos en el estado de naturaleza– manifiestan sus presuntas intenciones pacíficas." (p. 868) ¿Cómo sale Dotti de este atolladero, al que ya nos hemos enfrentado nosotros también? Pues asegurando que "Hobbes no puede encontrar la condición a priori de la transición efectiva desde el estado de naturaleza a la sociedad civil más que en el *miedo a Dios*. Ésta es la apertura a la trascendencia, constitutiva del modelo hobbesiano en su propia base..." (*id.* Es evidente, entonces –aunque no vamos a extendernos aquí sobre el asunto– la diferencia entre el modo en que Dotti resuelve la cuestión y el modo en que lo habíamos hecho nosotros: De lo que dijimos más arriba se desprende nuestra opinión de que Hobbes no necesita apelar a ninguna "apertura a la trascendencia" para explicar la "transición efectiva" desde el estado de naturaleza a la sociedad civil *por la simple razón de que explicar semejante cosa no forma parte de su cometido*.) Se ve entonces que el lugar que Dotti otorga a Dios en su reconstrucción del itinerario hobbesiano es fundamental: "Dios es el juez absoluto, infalible e inapelable, la única representación capaz de infundir un miedo total, de generar la pasión también absoluta, capaz de obligar a los hombres a deponer sus armas y sus derechos naturales. Más concretamente: que puede obligarlos a abandonar su *hybris*, ese orgullo que, de mantenerse, hace imposible vivir en una polis. El miedo a Dios permite superar el miedo a los hombres, pactar y dar origen al soberano legítimo, garante de la paz y la equidad" (*id.*). Así, en síntesis, la figura de Dios cumple en el modelo hobbesiano, para Dotti, la "función sistemática" de constituir "el apriori o correlato trascendental de la renuncia *efectiva* a la violencia y de la conexa autoimposición *real* de la obligación de obedecer" (p. 869).

Una interpretación muy diferente sobre esta cuestión puede encontrarse en cambio en el libro de Leiser Madanes que ya hemos tenido, en este mismo trabajo, más de una ocasión de comentar. A diferencia de Dotti –y, ciertamente, a diferencia también de Schmitt–, Madanes asegura "que la filosofía política de Hobbes no requiere a Dios como fundamento" (Madanes, p. 71, n.), y reconstruye el camino –"un tanto avieso", dice (p. 69)– que recorre Hobbes para, en la práctica, sacar a Dios, elegantemente, de la escena. Es verdad: El Leviatán es un dios mortal bajo el Dios inmortal al que está subordinado, y sus súbditos deben, por supuesto, obediencia a los mandatos divinos y a las enseñanzas de la Biblia. *Pero ocurre que esos mandatos y esas enseñanzas se reducen, en lo fundamental, a la obligación de obedecer al soberano civil.* "En definitiva, para Hobbes, a esto y únicamente a esto se reduce todo el contenido del Antiguo y del Nuevo Testamento: a la mera indicación de que hay que obedecer al soberano. (...) Por lo demás, cada uno puede creer o dejar de creer como le venga en gana. Hobbes no se opone a ningún otro dogma o creencia. Pero el único que le resulta relevante para su filosofía política es éste de la obediencia al soberano. Hobbes expone estas ideas con suficiente claridad en el capítulo 43 del *Leviatán:* 'Todo cuanto es necesario para la salvación se contiene en dos virtudes: fe en Cristo y obediencia a las leyes. Esto último, en caso de ser perfecto, nos bastaría.'" (*id.*) Por supuesto, los hombres, para Hobbes, deben obediencia a las leyes de Dios. Pero esas leyes –nos recuerda Madanes– no los obligan más que *in foro interno*, y sólo lo hacen *in foro externo* "en la medida en que son leyes del soberano civil" (p. 70). Así, resume el autor, "Dios y sus leyes se evaporan dando lugar al soberano y a las leyes civiles" (*id.*): "Si el soberano civil establece que los preceptos de la Biblia serán también leyes civiles, entonces hay que obedecerlas. Pero si el soberano civil no se expide acerca de los preceptos bíblicos, entonces cada individuo los obedecerá o no, 'asumiendo su propio riesgo'" (*id.*) Lo que nos permite volver sobre el personaje que había motivado esta digresión: el necio, el insensato, el *fool*, el ateo, cuya significación y cuya peligrosidad podemos ahora apreciar en su justa medida. En efecto: Si este personaje es un personaje *políticamente* significativo y peligroso para Hobbes no lo es porque desobedezca el mayor o menor conjunto de leyes divinas que apenas obligan, a aquellos que creen en ellas, *in foro interno*, sino porque, no creyendo en Dios ni en Sus dictados, desobedece *el único de ellos que importa al argumento de Hobbes y al mantenimiento del orden político:* el que manda obedecer al soberano civil.

[22] Que no pueden o no quieren –dicho de otro modo– comprender lo que Hobbes llama "la tercera ley de la naturaleza", que se deriva *("followeth")* de la segunda (la que obliga a los hombres a transferir a otro los derechos que, retenidos, amenazarían la paz de la humanidad), y "que es ésta: *Que los hombres cumplan los pactos que han celebrado,* sin lo cual los pactos son vanos, simples palabras vacías" (*L*, XV, p. 74).

[23] En el texto citado más arriba y acompañado aquí en largos pasajes de este capítulo, Renato Janine Ribeiro destacaba la existencia, en Hobbes (en la representación que Hobbes se hacía sobre sus lectores potenciales o reales), de *dos* tipos distintos de lectores, que son también dos tipos distintos *de ciudadanos*: el hombre justo –moderado, generoso e introspectivo–, que puede acompañar el movimiento del texto hobbesiano, "asume como suyos los enunciados del *Leviatán*, y se reconoce autor de la República" (*Ao leitor...*, p. 223), y el hombre sensual, seductor y seducible, a quien "Hobbes advierte que ganará más sometiéndose que libre" (*ibid.*, p. 222). Lo que aquí estoy proponiendo es incluir dentro de este cuadro un *tercer tipo* de lector/ciudadano –el *fool*, el necio–, que es el lector que se caracteriza por la paradoja de que *nada cambia en él como consecuencia de la lectura*, el "lector que no lee" (si quisiéramos jugar un poco parafraseando al viejo Macedonio Fernández), o que lee, sí, pero sin que eso produzca ningún efecto, *porque escoge no entender* eso que lee. De ahí que no sólo el *Leviatán* deba amenazarlo, digamos, "pedagógicamente", con el uso de la violencia, sino que también el Leviatán (ahora sin bastardillas) deba lidiar con él, *en la práctica*, a través de esa fuerza represiva.

[24] Tomo esta formulación tan precisa y contundente, así como la designación de "realismo crítico" para aludir al conjunto de autores que la suscribirían, de *Las formas de la espada*, de Eduardo Grüner (p. 31), donde se despliega con mayor extensión que la que podemos darle acá el análisis de las tesis acerca del carácter constitutivo de la violencia y acerca de la política como (re)negación de esa violencia original.

Capítulo 5

(MOMENTO MAQUIAVELIANO, MOMENTO HOBBESIANO Y MOMENTO SHAKESPEAREANO)

1. La paradoja de la política, de Hobbes a Hegel y de Gramsci a Laclau

"Llegué a la conclusión de que hay sólo una cosa en el mundo que es real (...): el movimiento, por lo que todo el que desee comprender la física debe estudiar en primer lugar las leyes del movimiento."
THOMAS HOBBES

Pero, entonces: ¿Deberemos concluir que Gramsci no es otra cosa que un Hobbes más historicista y más pragmático? ¿Una especie de Hobbes "pasado por Hegel", digamos así, y por Benedetto Croce y por William James? Pues bien: No hay duda de que, en un sentido importante, sí es exactamente eso, aunque la expresión que hemos elegido, "un Hobbes *pasado por* Hegel" corre el riesgo de relativizar la enorme importancia de un "pasaje" que, por el contrario, constituye uno de los capítulos fundamentales de la historia de la filosofía política moderna. ¿En qué consiste, desde el punto de vista de los problemas que aquí estamos considerando, este "pasaje"? Pues en el desplazamiento, como podríamos decir si quisiéramos apelar a la terminología utilizada a este respecto por Norberto Bobbio, de una "dialéctica diádica", constituida simplemente por un momento afirmativo y otro negativo "en perpetua contraposición" (Bobbio, *Estudos sobre...*, p. 51), y por lo tanto incapaz de dar cuenta del progreso de las sociedades en la historia, a una "dialéctica triádica" y progresiva, que sí permite, a diferencia de aquélla, pensar el movimiento y el cambio en esas sociedades, sólo que imprimiéndoles a ese movimiento y a ese cambio, ahora, un sentido de la *necesidad* que los vuelve mucho más tranquilizadores que lo que lo eran para el atormentado autor del *Leviatán*. De una dialéctica "diádica", pues (dialéctica trunca, en consecuencia, dialéctica mocha: puramente "negativa" y ciertamente *trágica)*, a una dialéctica "triádica", reconfortantemente plena, tranquilizadoramente consumada. Vimos ya, en efecto, que Hobbes concebía la historia como la permanente lucha, el eterno péndulo o vaivén entre "dos momentos: el momento del estado de naturaleza –que era el momento, siempre amenazador dentro del Estado, de la guerra civil y del retorno a la anarquía (...)– y el momento del estado civilizado, que era el momento de la unidad y de la paz" (*ibid.*, p. 51), y vimos también que su imposibilidad de encontrar para ese movimiento interminable un principio de resolución definitiva y duradera era lo que hacía de su pensamiento un pensamiento *trágico*. Pues bien: *es esa tragedia la que se ve por fin ahora, en el pensamiento dialéctico de Hegel, aniquilada, disuelta, neutralizada* (nada nuevo: la dialéctica es *siempre*, dijimos, un pensamiento de la neutralización de la tragedia), por la aparición en escena de una nueva dimensión, o quizás incluso de un nuevo personaje. Se trata de la Historia. De la Historia entendida como progreso, desarrollo, innovación permanente[1], de la Historia entendida, entonces, no ya como una colección de presentes atrapados, cada uno, en la fatídica contraposición entre dos impulsos antagónicos e irreconciliables, sino como una fuerza que va construyendo su sentido "devorando" en su marcha –esto es: consumiendo, aniquilando y superando en su propio desenvolvimiento– los contenidos finitos de los distintos momentos particulares que la integran.

Así pues, la historia tal como la concibe Hegel va "construyendo su sentido", decimos, en su propio movimiento, en su propia marcha. Ahora bien: aquí debemos ser cuidadosos. Porque, como ha observado Gérard Lebrun en su notable libro sobre Hegel, ese sentido que la historia construye de sí misma es un sentido que sólo puede revelarse, a los protagonistas o a los intérpretes de esa historia, *ex post facto*, "una vez que el tumulto se acalló, se hizo pasado, una vez que lo ocurrido (lo que advino) se convirtió en concebido" (Lebrun, *O avesso...*, p. 35). En efecto: si la historia, en la concepción dialéctica de Hegel, progresa, es sólo –observa Lebrun– "para quien mira para atrás: si es progresión de una línea de sentido, es por retrospección" (*id.*). Lo que va revelándonos el verdadero papel que el movimiento real de las cosas en el tiempo tiene dentro de esta concepción dialéctica de la historia. En efecto: Contra lo que parece a veces a primera vista, la dialéctica, escribe Lebrun, "no es, en absoluto, el reconocimiento de la fuerza irresistible del 'devenir' (ni) la epopeya del flujo que arrastra todo. Dialectizar no es retomar el viejo tema de la inconstistencia de las cosas finitas. No: lo que la inestabilidad de lo finito, su *Vergänglichkeit*, demuestra, de manera mucho más radical, es que el ser que le atribuíamos no pasaba de ilusión" (pp. 231s). ¡No pasaba de ilusión! El trastrocamiento que estas frases de Lebrun producen sobre la primera impresión que suelen provocarnos las vivas imágenes hegelianas del movimiento de las cosas en la historia no podría ser más completo. Destaquemos por ahora la siguiente sugestiva paradoja: que si Hobbes, queriendo conjurar el peligro del movimiento, el conflicto y el acaso de la historia, no hacía otra cosa que volver una y otra vez, obsesivamente, sobre ellos, sobre su peligro, sobre su (trágica) inevitabilidad y sobre la incapacidad de los hombres y de los Estados para controlarlos todo lo que él, sin duda, *habría querido que pudieran hacerlo*, Hegel, en cambio, cuyo pensamiento no cesa de cantar loas al conflicto, a las guerras y a las revoluciones, no hace por su parte sino construir un enorme mecanismo de *neutralización* del movimiento y de la propia historia. No hay que dejarse engañar, indica Lebrun, "por las palabras mágicas *devenir, proceso, desarrollo...*" (p. 46): Si se miran mejor las cosas, se advierte que la función de la historia dialéctica –"que es como una historia escrita por el clan de los vencedores" (p. 208)– consiste exactamente en *repudiar* el movimiento y el devenir, en "desrealizarlos", en revelar que ellos no pasan de ser una vana "ilusión" cuyo verdadero sentido sólo puede venirles *después* y *desde fuera*. Desde el *orden*, posterior, que contribuyeron –sin saberlo, porque el movimiento y el devenir no saben nada de sí mismos– a instaurar. Es que, en síntesis, del mismo modo en que el pensamiento de Hobbes, quien se afligía a cada mínima perturbación de las cosas y veía en cada agitación política la antesala del infierno, es en el fondo un pensamiento sobre el movimiento[2], así también, simétricamente, *la dialéctica, que se alimenta del movimiento y del desorden de la historia, es en el fondo, siempre, un pensamiento del orden*.

Lo que no quiere decir, por supuesto, que sea un pensamiento *ordenancista* o un pensamiento *conservador*. Ni Hegel (que no era un conservador, sino un progresista) ni por supuesto Gramsci (que no era sólo un progresista, sino también un revolucionario: no sólo "un Hobbes pasado por Hegel", sino también "un Hegel pasado por Marx") merecerían títulos semejantes. Pero es que no se trata de *oponer* la idea del orden a la idea del progreso. Al contrario: quizás podría afirmarse que la dialéctica es precisamente el tipo de pensamiento que permite pensar al orden y al progreso como las dos caras de un mismo movimiento, el tipo de pensamiento en el marco del cual el progreso sólo puede ser pensado bajo el signo del orden y toda teoría del progreso debe ser también una teoría del orden. Así pues, si decimos aquí que la dialéctica, pensamiento del progreso, es también, al mismo tiempo y sin contradicción, un pensamiento del orden, lo hacemos en el triple sentido de que: a) es sólo desde el *orden* que la historia ha alcanzado en cierto momento –como decía Lebrun: "una vez que el tumulto se acalló, una vez que lo ocurrido se convirtió en concebido"– que la humanidad puede, como mirando por detrás de su propio hombro, *dar sentido* (dar *el sentido de un progreso*) a esos desórdenes, a esas transformaciones, a esos espasmos que han conducido hacia él; b) es sólo bajo la forma del *orden* (de un orden interno que por supuesto no carece de tensiones –que por el contrario son su misma carne, y la razón de su carácter transitorio, transicional–, pero que tiene sus leyes y sus exigencias: su *estructura*) que puede pensarse *cada uno de los sucesivos cuadros*, de las sucesivas "figuras" en cuyo eslabonamiento consiste ese progreso de la humanidad en la historia, y c) si todo esto es cierto, es sólo *ordenadamente*, es sólo "en orden" (esto es: paso a paso, cuadro a cuadro, figura a figura: de modo necesario y sin ningún lugar para la contingencia o el acaso), que puede verificarse ese movimiento progresivo de la humanidad. ¿Acaso no era exactamente eso lo que quería decir Marx cuando, hegeliano, afirmaba (en una frase que de hecho preparaba tantas otras, de las que la historia del marxismo está colmada, sobre "enfermedades infantiles" y "fases superiores") que "la humanidad nunca se propone tareas que no está preparada para realizar"? Y recordamos aquí esta conocida fórmula, "grabada en mármol en el panteón del historicismo", como escribe Horacio González en *La ética picaresca* (p. 99), porque, si el propio González tiene razón, *toda la obra de Gramsci puede ser leída como una larga y angustiada reflexión sobre esa fórmula*, sobre la idea de la historia contenida en esa fórmula.

En efecto: Gramsci, que en la línea abierta por el autor de la *Fenomenología del Espíritu* concebía una humanidad en desarrollo, en progreso, una "humanidad orgánica" cuya historia iría cumpliendo paso a paso, cuadro a cuadro –decíamos: "en orden"–, una programación que anunciaría en su última etapa la escena final de una realización universal, "dio vueltas como un desesperado", escribe González (*id.*), a lo largo de toda su vida y de toda su obra, alrededor de esa frase "historicista" del viejo Marx. Que Gramsci, como veremos, se resistía a aceptar *plenamente*, pero frente a la cual *tampoco estaba dispuesto a aceptar* los "buenos argumentos" que "no es difícil pensar" contra ella. ¿Cuáles son esos buenos argumentos? Ya los conocemos: que, si esa frase fuera cierta, "la humanidad quedaría apresada en una lógica de desarrollo"; que "se cerraría la posibilidad de que ocurrieran hechos sin interpretación, sin coherencia, sin orden" (*id.*). Que se cerraría la posibilidad, en fin, de que pudiéramos *no saberlo todo* (ni tener modo de saberlo todo alguna vez) sobre esos hechos de la historia, como habíamos dicho bastante más arriba cuando presentábamos lo que llamamos la "tragedia de la acción" en Maquiavelo (o en

Hamlet). Pero como podría haber dicho también –nos advierte González– ese contemporáneo de Gramsci que era Georg Luckács cuando se refería, por su parte, a otra vieja figura que Luckács, al igual que Gramsci, había tomado del maestro Hegel: la *ironía*. Que es, en efecto, como escribe Luckács, "una *docta ignorantia* frente al sentido, un mostrar la accción bondadosa y malvada del demonio, la renuncia a comprender algo más que el hecho de esa acción, y la profunda certeza, sólo expresable en la dación de forma, de que en ese no querer y no poder saber se ha descubierto en verdad, se ha visto y se ha captado lo último, la verdadera sustancia, el dios presente e inexistente" (Luckács, p. 357). Luckács, hegeliano más tortuoso y más díscolo que Gramsci, no reprueba esa forma de la *inadecuación* que es la ironía, a la que por el contrario considera "la libertad suma posible en un mundo sin dios" (*ibid.*, p. 359). Gramsci, en cambio, *condena la ironía*, y concibe al hombre irónico (esto es, al hombre vanidoso, inesencial y despreciativo que encuentra su placer "en negar los fines que expresan el carácter social de las cosas" [González, *La ética...*, p. 99]) como una figura desgraciada, frente a la cual levanta en cambio la efigie del hombre *apasionado:* "El hombre gramsciano es un hombre apasionado porque está siempre en tensión, esperando realizar las obras que surgen de preguntas que –en un momento dado– se habilitaron para la humanidad." (p. 100). Nada de ironía, pues. Pasión. Nada de contingencia: necesidad. Nada de destiempos (nada de *tragedia*, que supone siempre alguna forma de destiempo, de *desquicio* del tiempo): todo "a su tiempo" y cada uno "a la altura", digamos así, de lo que "los tiempos" le reclaman.

Este último problema es motivo del análisis de Gramsci en un texto al que vamos a dedicar ahora nuestra consideración. Se trata del recorrido *Los intelectuales y la organización de la cultura*, cuyo tema y cuyas preocupaciones es imposible que no nos recuerden los temas y las preocupaciones que sobre lo que podemos llamar "la cuestión intelectual", o "la cuestión *de los intelectuales"* habíamos identificado en el pensamiento del viejo Thomas Hobbes. Recordemos aquí, muy rápidamente, la preocupación de Hobbes por que los profesores de las universidades y los maestros de las escuelas fueran vías de transmisión de las doctrinas que afirmaban el deber de la obediencia de los ciudadanos al Estado (y con ello la paz política del reino), así como su condena de las actividades de ciertos grupos intelectuales específicos: en primer lugar, como ya vimos, de los *clérigos*, pero enseguida también de los estudiosos de las *humanidades* en general y de la *retórica* en particular, así como de los lectores de los clásicos que, *seducidos* por sus lecturas, pueden verse inclinados, o inclinar a otros, a la *sedición* política. *Seducción y sedición* –habíamos dicho. Es cierto que, como señalaba Leiser Madanes, la función del estado hobbesiano no era establecer la verdad sino garantizar la paz, y que su naturaleza, en consecuencia (a diferencia, como podría observarse, de la del estado gramsciano), no es educativa, sino ordenadora. *Pero es que es precisamente por eso* –como ya indicamos también–, es precisamente porque, como señala Madanes con toda razón, el soberano hobbesiano *no puede* "determina(r) la verdad y falsedad de los juicios" (Madanes, p. 59), que el problema de "la organización de la cultura" *es un problema* –problema práctico, problema *político*– para él. Y es precisamente por eso –porque el soberano no tiene el poder de fijar de una vez y para siempre el significado de las palabras, los signos y las narraciones, *pero al mismo tiempo porque sin significados únicos para las palabras, los signos y las narraciones la vida en sociedad es imposible*– que para ese soberano *es una tarea* hacer "corresponder" esos significados a las necesidades del mantenimiento de la paz que él tiene por función garantizar. Y que no cesa de oponerse –he ahí el núcleo de aquella "dialéctica diádica" con la que Bobbio identificaba el pensamiento de Hobbes– al Desorden de la guerra civil, de la descomposición de todos los lazos sociales, del estado de naturaleza que permanentemente lo amenazan. Los significados de las palabras, de los signos y de las narraciones deben *corresponder*, entonces, para Hobbes, a las necesidades de ese Orden en perpetuo combate con el Desorden que no cesa de hostigarlo, y de ahí que Hobbes condene a los intelectuales que, jugando con la inevitable vacilación de esos significados, privilegiando las connotaciones sobre la denotación "clara y precisa" de las palabras y revelando, en ese mismo juego, el carácter finalmente arbitrario de todas las significaciones socialmente establecidas y la precariedad de ese Orden que él procura defender, amenazan con hacer precipitar ese Orden en su opuesto.

El paralelo entre estas prevenciones hobbesianas y las que se expresan en la condena de Gramsci a la vanidad del "hombre irónico" es evidente, aunque enseguida debemos advertir que es preciso relativizarla con dos observaciones complementarias. La primera es que, si también aquí, en Gramsci, lo que los intelectuales dicen tiene cierta obligación de "correspondencia", esa "correspondencia" (en el marco de una dialéctica ahora *triádica* donde ya ha hecho su aparición esa dimensión, ausente en Hobbes, de la historia, de la *historicidad*) no es la correspondencia de lo que los intelectuales dicen con las necesidades del Orden, en abstracto, sino la correspondencia de lo que los intelectuales dicen con las necesidades *de la historia*. Mejor: de tal o cual *momento* (de tal o cual "cuadro", de tal o cual "figura": la dialéctica es un pensamiento que piensa por *figuras)* de la historia. En efecto: los intelectuales en los que piensa Gramsci deben "corresponder", más que al Orden, a *un cierto* orden, que no se opone al Desorden como dos polos de una contraposición eterna y sin superación, sino que encuentra su lugar en el desarrollo de una historia evolutiva: de la historia orgánica de la humanidad. Así, escribe Gramsci que "el tipo tradicional y vulgarizado del intelectual" (esto es: el tipo de intelectual que corresponde a una etapa anterior del desarrollo histórico) "es el del literato, el filósofo, el artista" (Gramsci, *Literatura y...*, p. 29). Pero ocurre que este tipo de intelectual *ya no se adecua* a las necesidades del mundo moderno, capitalista, fabril. En este mundo moderno, "la educación técnica, estrechamente ligada al trabajo industrial (...), debe constituir el fundamento del nuevo tipo de intelectual" (*id.*). Así, hay "tipos" de intelectual que *corresponden* a cada una de las diferentes etapas del desarrollo histórico de la humanidad. Pero si esta diferencia entre la idea hobbesiana del intelectual "que corresponde a las necesidades del Orden" y la idea gramsciana del intelectual "que corresponde a las necesidades de la Historia" es suficientemente clara, no lo es menos la sorprendente cercanía –que, sobre el telón de fondo de esa diferencia, sobresale con fuerza aún mayor– entre los "tipos" de intelectuales en los que uno y otro están pensando, como lo advertimos cuando leemos en el texto de Gramsci, inmediatamente después de las frases que dejamos anotadas, que "el modo de ser del nuevo intelectual" en el que nuestro autor está pensando "*no puede consistir en la elocuencia,* expresión exterior y momentánea de los afectos y las pasiones, sino en la participación activa en la vida práctica, como constructor, como organizador" (*id.*). El intelectual debe ser pues, para Gramsci, un organizador de la vida práctica de las sociedades, y esa tarea no requiere los vanos –los *inadecuados*– preciosismos del literato, sino los saberes técnicos del científico. ¿Cuál es la diferencia entre Gramsci y Hobbes? Ésta: que el historicismo de Gramsci le permite advertir que la necesidad de estos intelectuales por los que aboga, y la inadecuación de aquellos a los que condena, están asociadas a las necesidades de un cierto momento del desarrollo de la humanidad, y no a la naturaleza intrínseca del Orden en cuanto tal. Durante los siglos del medioevo, por ejemplo, los intelectuales "orgánicos" que *correspondían* a las necesidades de *ese* orden eran los clérigos, y por cierto que éstos hacían muy bien el trabajo que *entonces* debían hacer. Señalada esta diferencia fundamental, sin embargo, vuelven a sobresalir las evidentes semejanzas entre estas observaciones de Gramsci y las tesis de Hobbes sobre la inconveniencia de oradores, humanistas y retóricos: Como Hobbes, en efecto, Gramsci no quiere oradores, profetas ni predicadores: quiere escritores de diccionarios que expliquen a las masas, claramente, los significados de las palabras complicadas (cf. *ibid*, p. 77), quiere reseñistas de los libros científicos que la mayoría de las personas no pueden entender (p. 78), quiere técnicos eficaces y periodistas objetivos.

Y sin embargo[3] –y ésta es la segunda de las puntualizaciones que habíamos anunciado– queda algo, en Gramsci, que no se ajusta a esta caracterización. Y es el modo en que toda su reflexión se inscribe en la herencia, evidente desde el título de sus "notas" más famosas, de la obra *contra la cual* (no sería exagerado resumir así buena parte de lo que hemos venido diciendo) se levantó en su momento todo el edificio de la filosofía política hobbesiana: de la obra –ya lo dijimos muchas veces– de nuestro viejo Maquiavelo, con su insistencia sobre el conflicto como motor perpetuo de los cambios y sobre el carácter radicalmente abierto y contingente de los procesos históricos. Porque, en efecto, esta fuente maquiaveliana de la que *también* bebe Gramsci, aun relativizada en su radicalidad política por su inscripción dentro de esa más tranquilizadora filosofía de la historia cuya presencia en su pensamiento acabamos de verificar, no deja sin embargo de inspirar todo el tiempo la imagen gramsciana de la sociedad como el campo de una batalla sorda e incesante, *que no cesa* sólo porque una clase, llamada por la fuerza de la historia a ocupar en cierto momento el timón de mando de los procesos sociales, haya conseguido conquistar la hegemonía ideológica y cultural sobre el resto de la sociedad. Ya que, incluso cuando esto ocurre, sigue ocurriendo también que "por debajo", en ese tejido infinitamente complejo y resistente que es la sociedad civil, incontables vectores de resistencia, múltiples formas de impugnación al poder (de impugnación, es decir: de pensamientos y acciones forjados en la pugna, en el conflicto, en la lucha) continúan actuando, como en sordina, "de abajo a arriba" (como podríamos decir si quisiéramos apelar a un recurrido eslogan más o menos foucaultiano), contra el cierre de la historia y el congelamiento del sentido. Si en el pensamiento del viejo Maquiavelo las luchas permanentes, los tumultos de la plebe, la guerra incesante entre el pueblo y los *grandes* constituían una catarata torrencial de novedades que todo el tiempo abrían la historia en sentidos imprevisibles e incontrolables, ahora, en Gramsci, ese torrente –encauzado por los macizos diques de contención de las filosofías modernas de la historia– se prolonga sin embargo, tal vez difuminado, multiplicado, en una infinidad de pequeños puntos de conflicto que erosionan aquí y allá, que fisuran constantemente y por todas partes, las sólo aparentemente sólidas construcciones del poder. En un pensamiento gobernado por la certeza –típicamente moderna– acerca del rumbo de la historia (mejor: acerca de que la historia *tiene* un rumbo), Gramsci puede todavía introducir, de este modo, y como de contrabando, el encantador veneno de la contingencia.

¿Alcanza esto para definir a Gramsci como un autor "maquiaveliano"? No más, evidentemente, de lo que alcanzaban sus ideas sobre el "bloque histórico", la "sociedad regulada" y los "intelectuales orgánicos" para definirlo como un autor "hobbesiano". Quizás lo más adecuado sería decir que lo que hay en el pensamiento de Gramsci es un cierto *aliento*, una cierta *herencia*, una cierta *dimensión* maquiaveliana, que haríamos bien en no dejar sepultada bajo esas figuras y metáforas tan contundentes e intimidatorias. Que lo que hay en el pensamiento Gramsci, de otro modo, es un cierto "momento maquiaveliano", o –lo que es apenas otro modo de decirlo– que Gramsci pertenece a la historia del despliegue del "momento maquiaveliano" del pensamiento político del occidente moderno, sin que eso implique que no pertenezca *también, al mismo tiempo*, a la historia de lo que ya nos hemos atrevido a llamar, más arriba, el "momento hobbesiano" de ese mismo pensamiento. Y es sin duda esta doble pertenencia, esta dualidad, esta ambivalencia, esta tensión, que por cierto recorre toda la obra de nuestro autor, lo que hace de ésta una valiosa fuente de inspiración para cualquier pensamiento que quiera pensar (para tantos pensamientos que, de hecho, se han dedicado a lo largo de las últimas décadas a pensar) lo que podríamos llamar, quizás, "la paradoja de la cultura". O –simplemente– de la sociedad. "Paradoja" que puede definirse –como lo ha hecho Eduardo Grüner recordando a Paul Ricoeur– por el hecho de que una cultura (o una sociedad) sólo puede mantenerse viva en el desorden fértil del conflicto de interpretaciones, pero al mismo tiempo sólo merece el nombre de cultura –o de sociedad– cuando una de esas interpretaciones se ha vuelto hegemónica (cf. Grüner, *Un género...*, p. 50). *Análogamente, me gustaría postular que es esta misma tensión la que hace del pensamiento de Gramsci una herramienta extremadamente útil para pensar lo que, para mantener el paralelismo, y volviendo sobre un tema que ya hemos presentado varias veces y de varias maneras, podríamos llamar "la paradoja de la política"*. Que consiste en el hecho de que no es posible hablar de "política" a menos que una cierta forma de organización simbólica e institucional de la sociedad se haya logrado imponer sobre las demás, que ciertos relatos sobre el pasado, ciertos significados de las palabras y ciertos criterios acerca de la legitimidad de las dominaciones hayan conseguido triunfar sobre los otros, pero que al mismo tiempo sólo puede hablarse propiamente de política cuando nos enfrentamos a una práctica que consigue por lo menos sacudir, conmover, poner en cuestión o en tela de juicio esos mismos relatos, significados o criterios de legitimidad.

Es lo que hemos venido sugiriendo reiteradamente a lo largo de este trabajo. En efecto: ¿de qué hablábamos si no de esta "paradoja de la política" cuando diferenciábamos –como otras tantas manifestaciones de la contraposición entre el "momento hobbesiano" y el "momento maquiaveliano" del pensamiento político moderno– el *poder* del *conflicto*, las *instituciones políticas* de la *acción política*, la política "en sentido débil" de la política "en sentido fuerte", la política "como sistema" de la política "como revolución", y cuando, a pesar de señalar la antítesis entre los términos de estos pares de opuestos, sosteníamos que el espacio de lo que correspondía llamar "política" sólo quedaba definido en el punto de siempre conflictivo (des)encuentro entre ellos, que la política (palabra cuya propia polivalencia, dijimos, expresa o sintomatiza este conflicto que está en la base de lo que ella busca designar) sólo podía pensarse en un sentido, digamos, interesante, en la medida en que la buscáramos *en la tensión* entre las dimensiones contrapuestas a las que los términos de esos pares aluden? Por eso nos interesa aquí el pensamiento de Gramsci, punto de encuentro, de cruce o de tensión entre las historias –antagónicas– de esos dos "momentos", el "maquiaveliano" y el "hobbesiano", del pensamiento político moderno: porque en él *conviven* –resumamos– *una cierta dimensión "maquiaveliana"* que lo conecta con las grandes teorías de la acción y del conflicto *y una no menos evidente dimensión "hobbesiana"* que la anuda a las grandes tradiciones que intentaron pensar los mecanismos institucionales y simbólicos a través de los cuales las sociedades consiguen superar, dialectizar, funcionalizar los conflictos que siempre las animan, *suturar* las heridas que esos conflictos producen, y generar *un orden* por encima o a pesar de ellos. Utilizo con toda intención esta palabra, *suturar*, de la que tan sugerentemente suele valerse en sus trabajos el filósofo argentino Ernesto Laclau, apenas para aludir de esa manera a una de las obras que de modo más original se han inspirado en la lectura de los escritos del pensador italiano (y especialmente de su teoría de la hegemonía) con el fin de construir un sistema teórico capaz de dar cuenta de las complejas "articulaciones hegemónicas" de las que está hecha la vida política de nuestras sociedades contemporáneas. Este sistema teórico construido por Laclau reúne, en efecto: a) la gran enseñanza maquiaveliana de que la historia es un siempre renovado conflicto (de resultado, en consecuencia, siempre contingente) entre fuerzas enfrentadas, b) la idea hobbesiana de que no hay convivencia posible entre los hombres sin un cierto movimiento de cierre del sentido que garantice la paz y el orden, pero que al mismo tiempo cualquier cierre del sentido está amenazado desde dentro por su propia precariedad (idea que sin embargo Laclau prefiere plantear en términos lacanianos), y c) la sospecha gramsciana (que, como ya hemos indicado, no es más que una variación sobre el mismo tema, una reformulación del mismo tópico dentro del marco de una filosofía hegeliana de la historia y de una teoría marxista de la lucha de clases) de que ninguna hegemonía es tan sólida como desearía. De que todo orden hegemónico es, para usar una tortuosa inflexión que le gusta utilizar a Laclau, "necesariamente contingente", y de que el cierre de lo social que cualquier orden hegemónico procura es un cierre imposible.[4]

Por eso, exactamente por eso, es que existe la política. Existe la política, en efecto, porque ningún orden hegemónico puede exhibir un fundamento universal, *pero ninguno puede dejar de intentarlo:* "La imposibilidad de un fundamento universal no elimina su necesidad: tan sólo transforma a este fundamento en un lugar vacío que puede ser colmado por una variedad de formas discursivas", escribe Laclau, quien agrega que "las estrategias que implica esta operación de colmar son lo que constituye la política" (*Emancipación...*, p. 108). Hay política, entonces, porque todo orden necesariamente falla en lo que sin embargo no puede dejar de procurar: un fundamento universal que garantice su legitimidad *y en función del cual se organicen también –podemos agregar nosotros– los lugares, las funciones y las jerarquías que hacen posible la existencia misma de una sociedad.* Cierto es que este lenguaje no es ya el de Laclau: aquí estamos más cerca de la (brevísima) presentación que habíamos hecho, en las primeras páginas de este escrito, del pensamiento de Jacques Rancière. Pero es que ambas perspectivas son perfectamente complementarias: un orden social no requiere solamente, para funcionar, un fundamento universal, sino también *–necesariamente asociada a ese fundamento–* una cierta distribución de sus participantes, un cierto orden de sus cuerpos, una cierta jerarquía de sus voces. Para usar un lenguaje típico de Rancière: una cierta "cuenta" de las partes que componen ese orden, que es también una cierta cuenta de sus palabras, es decir, una cierta regla que determine cuáles de esas palabras deben ser, precisamente, "tenidas en cuenta". Cuáles de esas palabras deben ser "contadas", contadas *como palabras*, en la cuenta (insistamos: *siempre fallada)* del poder. Hay política –digamos, intentando sintetizar entonces ambas perspectivas– precisamente porque esa cuenta del poder está siempre, *necesariamente,* fallada. Hay política porque todo orden requiere para funcionar cierto sistema de organización –de clasificación, de jerarquización– de las personas y de las palabras, *pero ninguno puede evitar que esos sistemas de clasificación y jerarquización estén jaqueados todo el tiempo por el propio movimiento de la vida social.* Que esos sistemas estén "fallados", y que entre sus fallas no deje de aparecer, permanentemente, la posibilidad de una actividad que los impugne, que deshaga la naturalidad de las divisiones sobre las que se sostiene. Veamos ahora si conseguimos apreciar esto a través de un ejemplo tomado del texto de *Hamlet,* sobre el que ya es hora de volver.

2. La política como cuestión de palabras: locura, subjetividad y decisión

"Basta de hechos, queremos palabras"
En los muros de París, mayo de 1968

"¿Cómo no recordar aquí la famosa afirmación lacaniana de que un loco que cree que es rey no está más loco que un rey que cree que es rey?"
SLAVOJ ZIZEK

Estamos ahora en el cementerio. Han transcurrido cuatro actos de *Hamlet*. A lo largo de esos cuatro actos hemos asistido a una tragedia familiar y a un drama político estatal. Conocemos el argumento de la historia. Tras la muerte de Polonio, Hamlet fue despachado a Inglaterra, de donde no formaba parte de los planes de su tío que volviera vivo. El príncipe, sin embargo, sospechando el ardid, consigue evitar el destino que le había sido reservado y volver secretamente a su país. Está cambiado. Durante su diálogo con el sepulturero (sin duda uno de los más ingeniosos y agudos intercambios verbales de toda la pieza), el joven príncipe se ve vivaz y hasta divertido, y sus cavilaciones ante su amigo Horacio sobre lo efímero de las cosas y sobre el sentido de la vida y de la muerte no son las del melancólico que cuatro actos atrás encontraba "*viciadas, mortecinas e infructuosas*" [I.2.133] todas las cosas de este mundo, sino las de un hombre sabio y prudente. Es precisamente mientras los dos jóvenes se encuentran dedicados a estas reflexiones cuando oyen un ruido, y Hamlet urge a su amigo ("*Pero silencio, ¡silencio! Apartémonos*" [V.1.184]) a esconderse a un costado de la escena. Desde allí ven llegar un cortejo fúnebre ("*Aquí viene el rey, / La reina, los cortesanos*" [V.1.184-5]) solemne aunque raleado, lo que indica, como advierte Hamlet, que "*el muerto al que siguen destruyó su propia vida / Con mano desesperada*" [V.1.187-8]. Oyen entonces a Laertes ("*Ése es Laertes, un joven sumamente noble. Observad*" [V.1.191]) protestar por la falta de ritos sagrados sobre el cuerpo muerto, y no tardan en saber lo que nosotros ya sabíamos o imaginábamos: que la tumba que el sepulturero había estado cavando estaba destinada al cuerpo de la bella Ofelia. "*¿Qué? ¡La bella Ofelia!*" [V.1.209], exclama entonces el príncipe, quien sin embargo logra contener su sorpresa y su dolor y no salir de su escondite. Pero si esa tremenda revelación lo ha estremecido, el espectáculo que ahora debe contemplar termina de alterarlo: Laertes, en medio de estertóreas demostraciones de consternación, se arroja dentro del sepulcro para abrazar a su hermana y llorar sobre su cuerpo muerto.

A Hamlet le resultan insultantes y grotescas estas exhibiciones. Le había dicho al Primer Actor, dos actos atrás, que "*me ofende en el alma oír a un robusto actor empelucado hacer jirones una pasión, convertirla en verdaderos harapos, desagarrar los oídos...*" [III.1.7-9], y es exactamente eso lo que ahora debe soportar que ocurra en el túmulo donde yace la mujer a la que amaba. Entonces, fuera de sí, Hamlet da un paso al frente y pregunta:

> *¿Quién es ése cuyo desconsuelo*
> *Se exhibe con tal énfasis, cuya expresión de pesar*
> *Conjura a los astros errantes y los hace detener su curso*
> *Para oírlo llenos de estupor?* [V.1.221-4],

agregando de inmediato, como un desafío sobre cuya importancia tendremos tiempo de insistir:

> *Soy yo,*
> *Hamlet el Danés* [V.1.224-5],

lo que da lugar a la violenta reacción de Laertes, que salta fuera de la tumba y entre gritos e insultos comienza a forcejear con Hamlet. Cuando los asistentes de la pareja real consiguen finalmente separarlos oímos el siguiente intercambio de palabras:

> *HAMLET* Yo amaba a Ofelia; cuarenta mil hermanos
> No podrían, con toda la fuerza de su amor,
> Alcanzar el mío. ¿Qué harás por ella?
> *CLAUDIO* ¡Oh! Está loco, Laertes.
> *GERTRUDIS* Por amor de Dios, sed indulgente con él.
> *HAMLET* Por la sangre de Dios, dime qué quieres hacer.
> ¿Quiéres llorar, luchar, ayunar, quieres desgarrarte?
> ¿Quieres comer vinagre, comerte un cocodrilo?
> Yo haré lo mismo. ¿Vienes aquí a lloriquear,
> A provocarme con saltos en su tumba?
> Hazte enterrar vivo con ella, y yo haré lo mismo. *[V.1.236-46]*

Hamlet está decididamente furioso, y no podemos evitar la sensación de que está siendo injusto con Laertes. Es cierto que resulta algo fastidiosa la obsesión de este muchacho –obsesión que ya había tenido ocasión de manifestarse en su diálogo con el rey acerca de la falta de rituales por la muerte de su padre– por las ceremonias y las honras póstumas. Pero también lo es que Hamlet, responsable directo de la muerte de Polonio e indirecto de la locura (y de la muerte) de Ofelia, es la persona menos indicada para sermonearlo. Como quiera que sea, el príncipe, fuera de sí, sigue desafiando a Laertes, asegurándole poder exhibirse tan dolorido como él. "*Y si quieres gritar*" –remata–,

Yo rugiré tanto como tú.
GERTRUDIS *Esto es simple locura.* [V.1.251]

"Yo rugiré tanto como tú", dice Hamlet. "Yo puedo rugir tan bien como tú". *I'll rant as well as thou.* Es el verbo, evidentemente (*to rant:* "rugir", "bramar", y también, en un sentido figurado, "parlotear", "divagar", "hablar sin sentido") lo que nos interesa. Y ese verbo *to rant* nos interesa porque nos sitúa ante uno de los más viejos problemas de la filosofía política y de las filosofías del lenguaje y de la palabra (y acá estamos dando vueltas sobre esta *doble* cuestión: la de la palabra como cuestión política *y la de la política como cuestión de palabras)*, cual es el problema de la diferencia –mejor: de la *oposición–* entre la *palabra (logos)* y la mera *voz (phoné).* Problema fundamental, por cierto, que, como indica Rancière, nos remite a Aristóteles e incluso, un poco más atrás, a Platón. Porque es en Platón, en efecto, en el antidemocratismo resuelto y declarado de Platón, en su decidido odio a esa masa revuelta, indistinta y bestial que era, para decirlo con palabras argentinas, *la gran masa del pueblo* (en cuya *voz,* efectivamente, Platón no estaba dispuesto a oír mucho más que un mugido, o un rugido, carente de sentido, de razón y de orden), donde el problema aparece planteado con la mayor nitidez. Platón arroja del lado de la más pura animalidad a esa masa de seres hablantes sin atributos que componen el pueblo, y lo que la sorprendente transparencia con la que lo hace nos dice sobre este problema que aquí estamos presentando es algo muy simple, pero fundamental: que el *logos* –como dice Rancière– "nunca es meramente la palabra (sino que) es indisolublemente la *cuenta* en que se tiene esa palabra" (Rancière, p. 37), la cuenta que la hace valer *como* palabra. Platón, como sabemos, no "tiene en cuenta" *como palabra* a las meras *voces* de los hombres materiales y concretos que viven en el mundo del movimiento, de la opinión y de la *actividad* política, y frente a ese mundo levanta un *saber racional* de la política como un saber del Bien, de lo Inmutable y del Orden. Aquí estamos tratando de pensar, en cambio, y como ya hemos dicho muchas veces, que no hay propiamente política sino cuando ese carácter presuntamente inmutable y necesario del Orden es desnaturalizado, conmovido, puesto en cuestión, y lo que se desprende de ello, si es que, como estamos proponiendo, todo orden de la ciudad implica un cierto orden de la palabra (un cierto orden que hace que tal palabra sea entendida –sea *contada– como* palabra, como discurso, como *logos,* y tal otra como mero ruido), es que la política es siempre una lucha por la palabra. Por la definición de las palabras, desde luego, pero –incluso antes que eso– *por la definición misma de qué cosa deba ser entendida como una palabra.*

La actividad política –escribe aproximadamente Rancière– es la que hace escuchar un discurso donde antes sólo escuchábamos un ruido; la que hace escuchar *como* un discurso lo que antes sólo escuchábamos *como* ruido (cf. *ibid.*, p. 45).

Rancière ofrece un ejemplo muy interesante, tomado de la historia de la antigua Roma. Terminada la guerra contra los volscos, los plebeyos romanos se habían retirado hacia el monte Aventino, en rebeldía. Lo cual planteaba a los patricios, naturalmente, el problema de decidir qué cosa hacer con ellos. La posición de los más intransigentes, dice Rancière, "era simple: no había motivo para discutir con los plebeyos, por la simple razón de que éstos no hablaban. Y no hablaban porque eran seres sin nombre, privados de *logos*, es decir, de inscripción simbólica en la ciudad." (*ibid.*, p. 38). La situación, así planteada, era perfectamente clara: "Entre el lenguaje de quienes tienen un nombre y el mugido de los seres sin nombre, no hay situación de intercambio lingüístico que pueda constituirse, y tampoco reglas ni código para la discusión" (*id.*). Y habría que agregar que, más que la maldad, la arrogancia o la ceguera de los dominadores, lo que este veredicto expresaba era simplemente el orden de lo sensible que estructuraba esa dominación, y que sencillamente no podía *tener en cuenta* a este conjunto desarticulado de seres sin palabra, sin *logos*, cuya existencia como mero montón de cuerpos era tenida como un dato natural de la vida de la ciudad, y que ahora sólo habían comenzado a llamar la atención por la circunstancia de haberse retirado de ella. Pero la rebeldía de los plebeyos se prolongaba, y el Senado decidió que era mejor hacer algo al respecto, y envió a Menenio Agripa como embajador, para hablar con los plebeyos. Y allí fue el embajador Menenio Agripa. Y lo que éste les dijo a los plebeyos era algo que a él le parecía perfectamente natural: que tenían que comprender la *diferencia fundamental* que había entre los patricios y ellos mismos, plebeyos; que tenían que comprender que la sociedad no podía sostenerse sin esa diferencia entre quienes mandaban y quienes ejecutaban, y que en consecuencia tenían que deponer su actitud y volver a la ciudad. Pero –observa Rancière– *al mismo tiempo* que el buen Menenio les decía a los plebeyos eso (eso: que ellos eran diferentes), estaba, *también* (sin quererlo, pero inevitablemente), diciéndoles *otra cosa:* estaba también diciéndoles que ellos *podían entender* eso que él les decía; es decir, que ellos eran, en un sentido más profundo y fundamental, *iguales*. Y los plebeyos le *tomaron la palabra* a Menenio. Le tomaron la palabra (me permito remitir aquí al bello ensayo de Michel de Certeau sobre "la toma de la palabra" en el Mayo francés)[5] en el doble sentido de que, primero, *se tomaron en serio esa igualdad*, y de que, segundo, *se pusieron a hablar*. ¡Se pusieron a hablar! Pero entonces –habrá pensado Menenio– ... ¡hablan! Sí: hablaban. Y hablaron, para sorpresa de Menenio, *con* Menenio, y al hacerlo, y por el sólo hecho de hacerlo, instituyeron "otro orden, otra división de lo sensible" (p. 39), constituyéndose "como seres parlantes que comparten las mismas propiedades que aquellos que se las niegan" (*id.*). *Se convirtieron en hombres* (de Certeau: "la toma de la palabra consiste en decir: 'No soy una cosa. Existo'" [*La toma...*, p. 40]), es decir, dice Rancière, en "seres que inscriben en palabras su destino colectivo. Se convirtieron en seres susceptibles de hacer promesas y firmar contratos" (Rancière, p. 39). De hecho, fue eso –suscribir un tratado– lo que le sugirieron al embajador después de escuchar amablemente lo que éste había ido a decirles. Firmado ese tratado, los plebeyos volvieron al orden. *Sólo que ese orden jamás volvería a ser el mismo:* cierto modo de relación entre los ricos y los pobres de la vieja Roma había terminado.

Casi no es necesario subrayar el obvio paralelismo entre la historia de los plebeyos romanos en el Aventino y la del príncipe danés en el cementerio. En ambos casos, un sujeto que no lo es, mejor: *que no es* (Rancière: "vuestra desgracia es no ser, dice un patricio a los plebeyos, y esa desgracia es ineluctable" [p. 41]), un sujeto que no es sujeto *ni es nada* (GERTRUDIS: *"Esto es simple locura"*), se inventa una identidad, se da una voz y un nombre, se construye a sí mismo como sujeto (y trastoca, al hacerlo, las propias coordenadas del orden que lo hacía no-ser) en el acto mismo de *tomar la palabra*, de ponerse a hablar y de obligar a los otros a oírlo y a *tenerlo en cuenta*. Sin embargo, sobre el telón de fondo de esta similitud fundamental, sobresale entre la historia de los plebeyos y la de nuestro buen príncipe Hamlet una diferencia decisiva: Que es que si los primeros le *tomaron la palabra* al poder en el sentido más elemental e inmediatamente político de que aprovecharon la interlocución que ese poder no tenía más remedio que reconocerles para, asumiéndose como sujetos capaces de escuchar, de hablar, de entender y ser a su vez entendidos y de, sobre la base de esa igualdad profunda con sus interlocutores, *negociar* y ganar posiciones respecto a la situación en la que se encontraban, Hamlet, en cambio, le *toma la palabra* al poder contra el que se enfrenta (el del rey, la reina y los nobles del reino) en el sentido, mucho más tortuoso, mucho más sutilmente político, de que *asume plenamente el lugar que el discurso descalificador de ese poder le dirige:* se asume plenamente como un loco, capaz de "rugir", "bramar" o "decir tonterías" tan bien *("as well")* como cualquiera, *y a pesar de eso decide tomar la palabra en un sentido en el que no les está permitido a los locos hacerlo:* decide tomar la palabra para hablarle muy en serio al poder, y para amenazarlo.

En este sentido, es una vez más la historia inglesa (pero no la historia inglesa *anterior* a Shakespeare, sino, de nuevo, *la posterior* a él: "la imaginación de los isabelinos" –recordamos que nos decía, bastante más arriba, Patrick Cruttwell– "*anticipó* la realidad de la guerra civil que sufrieron sus nietos") la que nos ofrece un inesperado punto de referencia para apreciar el interés de este verbo, *to rant*, en el pasaje de *Hamlet* que estamos considerando. Me refiero a la breve pero intensa historia de los *ranters* (literalmente, "vociferadores, energúmenos"), uno de los grupos políticos y religiosos más radicales de los que actuaron en la franja "izquierda" de las luchas que hacia mitad del siglo XVII encontrarían su punto culminante en el derrocamiento y la ejecución de Carlos I, entre los que se contaban también los *levellers* (de *to lever:* nivelar), que debían ese nombre a su vocación igualitaria, los *diggers* (de *to dig:* excavar), que en 1648 se habían puesto a cavar por su cuenta, desafiando a los poderes públicos, algunas parcelas de tierra que decidieron –en lo que de hecho constituyó una suerte de espontánea reforma agraria– ponerse a cultivar, los *seekers* (de *to seek:* buscar), que buscaban la verdad de Dios, y los *quakers* (de *to quake:* temblar), que temblaban ante Su presencia.[6] Pues bien: los *ranters*, practicantes de una especie de comunitarismo orgiástico y dionisiaco que suponía, entre otras cosas, una interpretación particularmente irreverente y blasfema de la idea cristiana de la *comunión*, eran acusados por sus contemporáneos de tener un espíritu "divagador" (*ranting*), de ser tortuosos y ampararse en el uso de palabras de doble sentido (¡cuántas veces hemos visto a Hamlet hacer exactamente eso!), de cantar "canciones obscenas", de mostrarse "livianos y relajados" y de *hablar de más*. Es eso –mucho más que la real importancia doctrinaria y práctica de los *ranters* en la Inglaterra del siglo XVII– lo que nos interesa aquí. Seguramente menos influyentes, en efecto, que los *levellers* o los *diggers*, los *ranters* nos interesan a nosotros *en la medida en que llevan inscripto en su nombre, en el nombre que, al mismo tiempo, los designa y los condena, el núcleo de la censura que a lo largo de los siglos la filosofía política de Occidente (la filosofía política –debemos decirlo una vez más– racionalista, "socrática") ha dirigido a los pensamientos que no puede pensar:* la de no ser *verdaderos* pensamientos, la de carecer de orden (GUILDENSTERN: "*Mi buen Señor, poned un poco de orden en vuestras palabras*" [III.2.279]), la de no estar formulados en la forma de verdaderas *palabras*, de palabras capaces de portar un *sentido* inteligible y razonable (POLONIO: "*¿Qué quiere decir con eso?*" [II.2.184], CLAUDIO: "*Esa respuesta no me dice nada, Hamlet*" [III.2.85]). En efecto: junto con lo que acaso podríamos llamar su fase o su dimensión "constructiva", que consiste en definir las reglas dentro de las cuales la palabra política puede expresarse, circular y hacerse oír, esta tarea "negativa" de *desalojar del espacio definido como político a las voces "ilegítimas" que éste no puede contener*, constituye una tarea fundamental de la política, digamos así, "institucional". Por eso, la frase que la reina dirige a Laertes después de escuchar horrorizada el discurso de su hijo *("Esto es simple locura")*, frase que, de hecho, apenas repite la que su esposo el Rey –que tiene muy buenas razones para desear que la palabra de Hamlet no sea *tenida en cuenta* en el plano político– había pronunciado unas pocas líneas más arriba *("¡Oh! Está loco, Laertes")*, es extremadamente reveladora: El Rey y la Reina hacen con el *ranter* Hamlet lo mismo que el discurso oficial de la Inglaterra de mediados del siglo XVII hará con *los otros* ranters, con los que, con *sus* "locuras", "habladurías" y "blasfemias", vendrían a trastocar el espacio simbólico y político de su tiempo.

Vamos, entonces, por partes. Por un lado, la frase de Gertrudis, "*Esto es simple locura*", quiere decir algo tan elemental como *esto no es política.* Estas palabras que enuncia este muchacho, *que está loco,* no deben ser "tenidas en cuenta" *como palabras políticas,* ya que pertenecen a otro espacio, a otro orden, a otra dimensión. De acuerdo. Pero si este breve pasaje de *Hamlet* que estamos comentando sólo dijera eso, si este breve pasaje sólo fuera un ejemplo del modo en que el poder consigue expulsar ciertas voces fuera del espacio de lo que debe ser oído, si sólo fuera un ejemplo del modo en que el discurso del Poder o de la Ley, como podrían decir, por ejemplo, un Michel Foucault o un Pierre Legendre, disuelve en las nomenclaturas y en las rigurosas categorías de la exclusión ("pecador", "loco") la capacidad impugnadora de los discursos de aquellos que lo rechazan, su significación sería mucho menor de lo que en realidad es. Porque lo que este pasaje de *Hamlet* nos ofrece no es sólo un ejemplo de esa operación que hace (siempre) el discurso del poder, de esta típica operación de –como la llamábamos recién– "política institucional", sino también el punto de partida para pensar, coherentemente con lo que hemos venido tratando de hacer a lo largo de todo este trabajo, en *otra idea sobre la política.* Una idea sobre la política que no la haga consistir apenas en el conjunto de operaciones de administración o de mantenimiento de cierto orden (operaciones entre las cuales encuentran su lugar las que procuran, a través del uso de categorías como las que acabamos de apuntar, la expulsión, fuera del terreno de lo legítimo o aun de lo pensable, de aquello que ese orden no tolera), sino que la piense como esa *conmoción* que se produce cuando esas formas establecidas del orden, de la experiencia o de la organización de los discursos se ven interrumpidas por un movimiento de contestación. Ese movimiento de contestación se verifica, en la escena de *Hamlet* que estamos discutiendo, en dos frases del príncipe que ya hemos citado. De la primera, *"I'll rant as well as thou"*, "Yo rugiré tanto como tú", digamos para resumir que su interés radica en el raro hecho de que el que la pronuncia asume como un atributo, como un atributo que reivindica y del que parece enorgullecerse, el de poder hacer, "tan bien" como el otro (como Laertes, también fuera de sí a causa del dolor), algo que es considerado por el discurso "sano", por el discurso del buen sentido y de la "normalidad", como lo que conviene *no* hacer, como un signo de insanía o de debilidad o de falta de temple o de autocontrol o de disciplina. Asumir como un atributo lo que es disparado por los otros, por el poder, como una condena: he ahí una manera de impugnar ese sistema de clasificaciones sobre el cual ese poder se sostiene. Una manera, en fin, de *hacer política*, de actuar *políticamente*, frente a ese poder.[7]

Pero la fuerza de esta impugnación no termina de apreciarse, ni el sentido general de la escena que consideramos acaba de iluminarse, hasta que no ponemos esa frase del príncipe Hamlet en relación con *otra* frase, que oímos un minuto antes, y que es la frase con la que Hamlet, sacudido por el descubrimiento de la muerte de Ofelia, sale con Horacio de su escondite y, tras cargar de improperios al pobre Laertes, se presenta ante los miembros del cortejo fúnebre anunciando *"This is I, / Hamlet the Dane"*: "Soy yo, / Hamlet el Danés". La frase es sin duda bastante sorprendente, y es necesario que intentemos comprender lo que quiere decir. Jacques Lacan, cuya interpretación general de la pieza que nos ocupa es –como ya hemos tenido ocasión de comprobar– de una enorme perspicacia, no parece sin embargo acertar en su comentario de este pasaje, sobre el que se limita a anotar que a Hamlet "jamás se le escuchó decir que era danés" (Lacan, p. 42), que "los daneses le dan náuseas" (*id.*) y que "de pronto está todo revolucionado" (*id.*). Igual que Gertrudis, Lacan parece pensar que es sólo el estado de fuerte perturbación en el que se encuentra el espíritu de Hamlet lo que lo lleva a decir algo tan "asombroso" e irrelevante como que él es un danés. Pero ocurre que Hamlet no está diciendo que él es *un* danés, sino que (como sin duda comprendió Claudio, que a esa altura de las cosas, por otro lado, ya había comprendido casi todo, y que, a diferencia de Gertrudis y de Lacan, sí escuchó lo que el príncipe estaba diciendo) él es *el* Danés. *"Soy yo, / Hamlet* el *Danés"*, dice, en efecto, Hamlet, y la frase puede ser puesta en comunicación, por ejemplo, con la del centinela Marcelo, en el inicio mismo de la pieza ("FRANCISCO: *Stand ho! Who is there? /* HORATIO: *Friends to this ground.* MARCELLUS: *And liegemen to the Dane"* [I.1.15]: "y súbditos reales del rey de Dinamarca"), o con la del propio rey, en la segunda escena de ese mismo Primer Acto (*"You cannot speak of reason to the Dane / And lose your voice"* [I.2.44-5]: "No gastarés en vano la voz con vuestro Rey / Si se trata de algo razonable"), porque, igual que en esas dos frases, *the Dane*, el Danés, indica, obviamente, *una dignidad real:* la posesión de la corona[8] *o el derecho que permite aspirar a ella.* Lo que Hamlet está enunciado, entonces, al vociferar *"Soy yo, / Hamlet el Danés"* es nada menos que *la legitimidad de sus títulos.* Lo que Hamlet está diciendo es que ha vuelto de Inglaterra para luchar por aquello que le corresponde. Hamlet está loco de dolor y además reivindica su locura y su capacidad para decir las mayores tonterías. Sin embargo, como el desafortunado Polonio había diagnosticado con razón (*"A pesar de que esto sea locura, hay método en ella"* [II.2.200-1]), no deja de haber sistema en esas tonterías: *Hamlet está perfectamente conciente de lo que quiere decir cuando dice "Soy yo, Hamlet el Danés".*

Y Claudio también –repito– está perfectamente conciente de lo que Hamlet quiere decir, y de lo que Hamlet quiere. Por eso, *exactamente por eso,* se apresura a recordar a todos que "está loco" (*"¡Oh! Está loco, Laertes"),* expulsando –volviendo a expulsar– a Hamlet al espacio extrapolítico, pre-político, no-político, de la sinrazón, de la falta de *logos.* Ya hemos dicho que esta operación de expulsión es una forma característica del mantenimiento del orden. Y lo que ahora debemos agregar es que, por supuesto, no se trata de negar que, en un sentido importante (mejor: en *dos* sentidos importantes), *Claudio tiene razón.* En primer lugar, en el sentido de que, independientemente de que nosotros sepamos bien que Hamlet no está *exactamente* "loco", y que por lo menos en un sentido su locura es *fingida,* lo cierto es que Hamlet –y no sólo porque Claudio y Gertrudis lo hayan decretado, *sino porque él mismo ha elegido esta estrategia*– cumple el *papel social* del loco, juega "de loco" el juego de la vida de la corte. En segundo lugar, Claudio tiene razón en el sentido de que su frase ("*Está loco*") describe con bastante exactitud el estado del alma de Hamlet *en el momento que estamos considerando.* En efecto: Aunque Lacan se equivoque al suponer que la frase fundamental en la que Hamlet declara su aspiración al trono es simple producto de su conmoción de ese momento, lo cierto es que *esa conmoción existe,* que Hamlet está sin duda fuertemente sacudido por el descubrimiento de la muerte de Ofelia, que está ostensiblemente loco de dolor, y que no está –aquí, en el cementerio, en el entierro de la mujer a la que amaba– *actuando* su locura. Lo que aquí nos interesa, precisamente, es que Hamlet está diciendo lo que está diciendo ("Soy yo, Hamlet el Danés") *precisamente en el momento de la pieza, o en uno de los momentos de la pieza, en que su conmoción es más sincera, en que su "locura" –para conceder a esta palabra, que sólo dice una parte, cierto, pero una parte verdadera, del estado de su alma– es menos fingida,* en que, en fin, está sin duda, también y al mismo tiempo, *ranting,* balbuceando, diciendo cualquier cosa[9]. Y si aquí nos interesa esto es porque es precisamente esto lo que viene a revelar la insuficiencia, a mostrar los límites de la operación "ordenadora" de los discursos que veníamos nosotros de describir, lo que viene a señalar el fracaso de la tarea de desalojar del espacio de la política institucional a las voces ilegítimas que esa política institucional no puede escuchar. Aquí es un loco, en efecto (alguien que, resumiendo: a] decidió actuar el papel de loco, b] está sancionado socialmente como loco, y c] está ahora, de hecho, un poco loco), un loco que se precia de poder rugir, bramar y decir tonterías *tan bien* como cualquiera, el que, *al mismo tiempo*, está diciendo muy en serio que ha vuelto a Dinamarca para arrancarle el trono al impostor que lo ha usurpado.[10]

Así, *la toma de la palabra* que vemos protagonizar a Hamlet en esta escena del cementerio se revela *como la forma misma de toda acción política*, de toda acción política –entendámonos, repitámonos–, *no* en el sentido "débil" en que la política es concebida "como un 'subsistema' regional con funciones específicas y limitadas" (De Ípola, *Metáforas...*, p. 76), *sino* en el sentido "fuerte" que permite pensarla "como la dimensión de contingencia inherente a lo social, dimensión de apertura que hace posible, en particular, el cuestionamiento del principio estructurante de una sociedad, de su pacto social fundamental" (*id.*). Ya hemos presentado varias veces, a lo largo de este escrito, esta contraposición entre dos formas diferentes de concebirse la política, y hemos señalado también, en el inicio mismo de nuestro recorrido, que mientras la acción política entendida en un sentido débil *presupone*, además de un cierto orden en el interior del cual debe desarrollarse, un cierto *sujeto* encargado de llevarla a cabo, la acción política entendida en un sentido fuerte es *partera* de una identidad nueva, de una identidad que no la preexiste sino que es su resultado. Lo que podría enunciarse, en el tipo de lenguaje "post-estructuralista" que suele habitar los libros de Laclau o de Zizek, diciendo –como se ha dicho tantas veces– que el sujeto no es otra cosa que el nombre de la distancia entre la estructura (indecidible) y la decisión. ¿No estamos acaso ante el corazón temático de *Hamlet*, cuyo "problema" era que –como dice el comienzo de la clásica versión cinematográfica de Laurence Olivier– "no podía decidirse" *("could not make up his mind")?* Hamlet, en efecto, "no podía decidirse", y hemos visto que esa imposibilidad constituye el corazón dramático de su historia. Sólo aquí (ahora: en el cementerio, *enloquecido de dolor)*, Hamlet, finalmente, "se decide". Por cierto, que este "momento de la decisión" sea un momento de "locura" es una circunstancia altamente sugestiva, que nos ofrece una magnífica ilustración del célebre *dictum* kierkegaardiano, retomado últimamente por Derrida –y, en la misma sintonía, por los propios Laclau y Zizek–, según el cual la instancia de la decisión es *siempre* una instancia de locura, y que nos revela uno de los núcleos de irreductible tragicidad que tiene siempre la práctica política. Donde no hay, nunca (donde *no puede* haber), "decisiones racionales". Y esto simplemente porque sólo hay decisión –como escribe Gerardo Aboy Carlés comentando este aspecto decididamente "decisionista" del pensamiento de Laclau– "cuando ésta *no* es racional" (Aboy Carlés, p. 61). La expresión "decisión racional", o *rational choice,* es simplemente contradictoria. De modo que si, como decíamos, el problema de Hamlet era que "no podía decidirse", lo que ahora podemos agregar es que no podía hacerlo *no porque estuviera loco, sino exactamente porque no lo estaba lo bastante. "La conciencia, así, nos acobarda a todos"* [III.1.83], le habíamos oído decir en el curso de su monólogo más célebre. Era esa conciencia la que había que *abolir*, que *suspender* (como se suspende de hecho ahora, como consecuencia del dolor), para que Hamlet, finalmente, "se decidiera". "Se decidiera": tomara la palabra, desafiara al rey, se presentara *como lo que hasta entonces no era* y subvirtiera en los hechos, con sus palabras, todo el orden simbólico y político del reino.

3. El orden trastornado

"l'expression d'un monde disloqué"
MAURICE MERLEAU-PONTY

Cuando presentamos el concepto de "momento maquiaveliano", introducido en el debate filosófico-político, hace ya casi tres décadas, por John Pocock, dijimos que su riqueza radicaba en el hecho de que el mismo podía leerse en dos sentidos distintos, aunque, por cierto, complementarios. Por un lado, en efecto, la expresión "momento maquiaveliano" designa el momento histórico en el que desarrolló su obra Nicolás Maquiavelo; por el otro, la historia de cierta tradición del pensamiento político moderno. Considerar la idea de "momento maquiaveliano" desde el primero de esos dos puntos de vista implica revisar las características de ese particular momento de la historia florentina en el que vivió y escribió el autor de *El Príncipe:* entender cuáles eran los problemas de los que su obra intentaba dar cuenta, conocer el bagaje de lecturas y de discusiones –y de discusiones con esas lecturas– a partir del cual él y sus contemporáneos intentaban enfrentar esos problemas. Considerar la idea de "momento maquiaveliano" desde el segundo de esos dos puntos de vista, en cambio, implica tomar nota de la continuidad o de la perseverancia de cierta *perspectiva teórica* asociada a los núcleos más duros del pensamiento de Maquiavelo (en especial, a *uno* de esos "núcleos duros": el elogio del conflicto, el desorden y las luchas como garantes y no como enemigos de la salud de la república[11]) en las obras de una serie de autores que, a veces separados de él por varios siglos, intentaban pensar (en) ciertas coyunturas que compartían con aquella en la que él había vivido un conjunto de rasgos fundamentales: el deterioro de las teleologías y los "grandes relatos" establecidos, la intensificación de la participación política y el compromiso público, y el renacimiento del espíritu republicano.[12] Así, los dos sentidos –el "sincrónico" y el "diacrónico"– de la expresión "momento maquiaveliano" se entrelazan: la historia del *momento maquiaveliano* del pensamiento político moderno es la historia del eslabonamiento de una serie de pensamientos que, producidos en circunstancias históricas –en "momentos" históricos– que compartían algunas características con *aquel otro momento* en el que había vivido el viejo Maquiavelo, pudieron inspirarse productivamente en su pensamiento.

Análogamente, el concepto de "momento hobbesiano", que hemos sugerido pensar en paralelo y en contraposición al de "momento maquiaveliano", debería ser considerado también en esa doble perspectiva: Por un lado, en efecto, no es posible entender el pensamiento de Thomas Hobbes sin tomar en cuenta el contexto histórico e intelectual –esto es, también aquí: el contexto de las luchas, de las lecturas *y de las luchas contra esas lecturas*– en el que Hobbes pensó y escribió su obra[13], y un primer sentido de la expresión "momento hobbesiano" sería el que nos permitiría designar con ella al conjunto de circunstancias que definen ese contexto. Para lo que importa acá, digamos que ese conjunto de circunstancias hacía que para Hobbes, y con toda probabilidad para muchos de sus contemporáneos, el orden (no *un* orden en particular, sino *el* orden como tal [cf. Laclau, *Nuevas reflexiones...*, pp. 86s, y *Emancipación...*, pp. 85s y 113]) apareciera investido de un intrínseco valor positivo, como negación y conjuro de la posibilidad de disolución de todos los lazos sociales representada por lo que él llamó "estado de naturaleza". De ahí que Hobbes consagrara todos sus esfuerzos teóricos a establecer las condiciones que permitieran garantizar, en ese momento histórico que a él le tocaba vivir, la convivencia pacífica entre las personas. *Por otro lado*, desde una perspectiva no ya sincrónica sino ahora diacrónica, el concepto de "momento hobbesiano" nos viene sirviendo en este escrito para identificar al conjunto, la serie, la secuencia o la tradición de autores y de obras que, todo a lo largo de la historia de la filosofía política moderna, han compartido con el autor del *Leviatán* (independientemente de que su inspiración en esa obra sea más o menos entusiasta, más o menos explícita, o incluso más o menos conciente) esta opción por el orden frente al desorden, por la paz frente a las luchas, por la seguridad frente al caos. Así, la historia del pensamiento político moderno podría presentarse como la historia de la contraposición entre dos desarrollos paralelos y antagónicos, aunque no exentos, por supuesto, de puntos de cruce, de diálogo y de eventual –y siempre tenso– encuentro: el de un "momento maquiaveliano" asociado a la celebración del conflicto y de la apertura de la historia, y el de un "momento hobbesiano" asociado a la preferencia por la estabilidad y a la búsqueda de los modos de *encuadrar* el inevitable desorden de las cosas.

Es claro, sin embargo, que entre estas dos historias no hay ninguna simetría: hemos visto que el "momento hobbesiano" de la filosofía política moderna ocupa, como una mancha de aceite densa y vasta, casi toda la extensión de esa misma filosofía, mientras que el "momento maquiaveliano" sólo hace su aparición ("aparece", dijimos: *como un espectro)* aquí y allá, circunstancial y esporádicamente, en autores cuyo número se cuenta –como suele decirse– "con los dedos de una mano", para volver después a desaparecer bajo la tierra y reaparecer acá o allá ("excelente zapador, viejo topo") tal vez mucho más tarde. La historia del momento hobbesiano es una historia lineal, continua y progresiva; la del momento maquiaveliano, una historia espasmódica, hecha de apariciones y desapariciones, de sobresaltos y de agitaciones del tiempo. Es necesario preguntarnos por las razones de esta asimetría, y para ello lo primero que debemos hacer es evitar la presentación de esta idea sobre la historia "paralela" de estos dos "momentos" del pensamiento político moderno en los torpes términos de un objetivismo elemental, que nos llevaría a imaginar la contraposición, en la historia política de las sociedades, entre una serie de *momentos históricos,* digamos, "objetivamente" maquiavelianos, que inducirían inspiraciones maquiavelianas y producirían en consecuencia pensamientos también maquiavelianos, y otra serie, paralela, de *momentos históricos* "objetivamente" hobbesianos, que estimularían inspiraciones hobbesianas y promoverían pensamientos hobbesianos. *¡Como si la caracterización misma de los rasgos de un momento histórico, o de los problemas que ese momento presenta a sus protagonistas o a sus intérpretes, no dependiera, ella misma, de la perspectiva teórica con la que ese momento y esos problemas son considerados!* En efecto: Es por supuesto obvio que en situaciones históricas caracterizadas por el auge de las luchas políticas o por el aumento de la participación ciudadana en los asuntos públicos muchos teóricos pueden sentirse impulsados a desempolvar de sus bibliotecas los libros provenientes de la tradición maquiaveliana, y que situaciones políticas de caos o de debilitamiento de todos los lazos sociales pueden estimular la relectura de las teorías de las instituciones y del orden, *pero es igualmente* *obvio que la ubicación misma de una determinada situación en uno u otro de esos casilleros depende de los supuestos teóricos con los que esa situación sea examinada.* Suele ser el caso, en efecto –y podrían darse muchísimos ejemplos de ello–, que un mismo hecho o conjunto de hechos sea considerado *por algunos* de sus protagonistas o de sus intérpretes como una auspiciosa verificación del aumento del compromiso público o de la participación democrática de los ciudadanos y tenido en cambio *por otros* actores o comentaristas como el peligroso síntoma de una anarquía que reclama la vuelta al Orden a cualquier costo. Frente a hechos de ese tipo estamos siempre en el terreno de las luchas de interpretaciones; es decir, de la lucha política.

Lo que nos permite rescribir en términos quizás un poco menos esquemáticos lo que empezábamos a indicar. Dijimos, en efecto, que las historias paralelas del "momento hobbesiano" y del "momento maquiaveliano" de la filosofía política moderna no son historias simétricas, y que la primera de ellas es más continua, menos accidentada y definitivamente más exitosa que la otra: es la historia de la línea mayor, ampliamente dominante, de la filosofía política moderna. Lo que ahora podemos agregar es que esto no se debe a que en la historia política de los tiempos a los que solemos llamar "modernos" haya habido, "objetivamente", más "momentos" hobbesianos que "momentos" maquiavelianos, *sino a la mucho más simple razón de que en la historia de la filosofía política, como ya hemos dicho insistentemente, la preocupación por el orden, por la estabilidad y por la paz ha sido siempre dominante respecto a la celebración del conflicto, el desorden y las luchas.* Dicho en otras palabras: que la contraposición entre el momento maquiaveliano y el momento hobbesiano del pensamiento político moderno *no es una contraposición entre hechos, sino entre perspectivas teóricas.* Que esa contraposición, en efecto, es la contraposición entre dos paradigmas de interpretación distintos y enfrentados. *Y que si en la lucha que esos dos paradigmas vienen sosteniendo entre sí a lo largo de los siglos uno de ellos ha resultado largamente dominante es por la simple razón de que también son largamente dominantes los supuestos (digámoslo una vez más: la búsqueda del orden, de la paz, de la estabilidad, de la armonía, del equilibrio) sobre los que ese paradigma se sostiene.*

Estas consideraciones nos dejan a las puertas de un último problema que me gustaría plantear, y que nos permitirá sistematizar algunas de las ideas que hemos presentado a lo largo de este trabajo. Propongo hacerlo alrededor de una categoría que podemos designar, por analogía con los "momentos" maquiaveliano y hobbesiano que hemos estado considerando, como "momento shakespeareano"[14], expresión para la que me gustaría reivindicar la misma propiedad que ya observamos en esas otras dos: la de permitirnos aludir, al mismo tiempo, *tanto* a las peculiaridades de *cierto "momento" del devenir histórico* (el momento que "les tocó vivir" a William Shakespeare y a sus contemporáneos: el "momento", en fin, del gran teatro isabelino) *como* a *cierto tipo de inspiración teórica* (llamémosla "trágica") para la comprensión de los fenómenos políticos. Lo primero que deberíamos hacer, entonces, es preguntarnos qué rasgos, qué específica peculiaridad de ese momento de la historia de la cultura inglesa es el que hizo posible el despliegue de la "sensibilidad trágica" sobre la cual –y sólo sobre la cual– pudo sostenerse el formidable desarrollo (sólo comparable, como ya dijimos, al que se verificó durante otro período igualmente breve e igualmente intenso de la historia de las formaciones culturales de Occidente: el que corresponde a la generación de Sófocles en la antigua Atenas) del teatro trágico. Desarrollo que debe medirse no sólo por la cantidad y calidad de piezas escritas y representadas en el período, sino también por la centralidad que esa manifestación estética alcanzó entre el conjunto de expresiones culturales de la época. La cultura isabelina, en efecto, *se define* por su teatro trágico, que la expresa acabadamente, y lo que debemos preguntarnos, entonces, es *qué circunstancias hicieron que esa cultura desarrollara esa "sensibilidad trágica" que ese "teatro trágico" –cuya manifestación más alta es sin duda el de Shakespeare– expresa.*

En ese sentido, podemos empezar por recordar la idea central del texto de George Steiner que consultamos al comienzo de este trabajo: La tesis de Steiner era, recordemos, que la tragedia había sido un género dominante en la cultura occidental *antes* del triunfo "del racionalismo y la metafísica secular", y nosotros habíamos insistido, acompañando esta hipótesis, en que la existencia, "en el cielo y en la tierra", de más cosas que las que la razón puede comprender es la condición de posibilidad de la tragedia. Hay tragedia, en efecto, cuando (y sólo cuando) los hombres deben actuar (como el príncipe de Maquiavelo) o no actuar (como el príncipe Hamlet) *en un mundo acerca del cual no lo saben todo, ni pueden ni pretenden saberlo todo.* De ahí que "la muerte de la tragedia", para utilizar la expresión que da título al libro de Steiner, la extinción de la tragedia como género dominante y expresivo de una cierta cultura, coincida en el tiempo con el momento de aparición de las más importantes obras, de los textos mayores del pensamiento racionalista de mediados del siglo XVII: con el momento de aparición de los grandes trabajos de Descartes y de Newton, y también, claro, en el terreno de la filosofía política, de los de Hobbes y de los de Spinoza. Después de los cuales, efectivamente, la *cosmovisión* trágica en el marco de la cual la tragedia como expresión estética particular había podido ocupar un lugar de privilegio fue herida de muerte y finalmente derrocada.

De acuerdo. Pero esto explica por qué no hubo, por lo menos de manera dominante, una concepción trágica de las cosas en la Europa *posterior a los años centrales del siglo XVII*. Pero *no* explica *por qué tampoco hubo una concepción semejante en la Europa anterior a los años postreros del siglo XVI*. Explica por qué no existieron (grandes) tragedias, o por qué la tragedia no constituyó un género central o representativo e la cultura europea *después de 1640*, pero no por qué tampoco hubo tragedias considerables, ni mucho menos puede hablarse de una "cultura trágica", en Europa, *antes de 1590*. Es necesario pues corregir, o por lo menos completar, la tesis de Steiner, y vamos a hacerlo afirmando que no sólo la tragedia pudo funcionar como visión general del mundo y –de ahí– como género mayor de la literatura *solamente antes* de haberse consolidado en Europa el triunfo de la cosmovisión racionalista que se expresa en los grandes cuerpos de la filosofía de mediados del siglo XVII, sino que esa concepción trágica de las cosas y ese género literario sólo pudieron encontrar su lugar cuando la cosmovisión anterior, la cosmovisión que organizaba el mundo de los hombres "pre-modernos", ya comenzaba a dar señales de agotamiento, a descubrir sus fisuras, a revelarse insuficiente. Que la tragedia pudo tener el lugar que tuvo en el mundo de finales del siglo XVI y comienzos del XVII no sólo porque la nueva "síntesis científico-política" (como podríamos decir abusando apenas de una categoría propuesta por Luis Salazar Carrión) *todavía* no había conseguido instalarse, sino porque la vieja "síntesis *teológico*-política" *ya* no daba respuestas a los hombres de la generación de Shakespeare y sus contemporáneos. La tragedia es tan refractaria a la ciencia como a la religión, tan antagónica a la idea de un orden que puede aprehenderse a través de la luz de la razón como a la idea de una justicia providencial que, aun incomprensible para los mortales, da al mundo un sentido y a los hombres la esperanza de que el Bien, finalmente, triunfará. Y si es verdad que sólo hubo tragedia, en la Inglaterra de 1590 a 1640, porque todavía no se había instalado allí la cosmovisión racionalista que dominaría el pensamiento occidental una generación más tarde, también lo es que esa tragedia sólo pudo tener el lugar que tuvo porque el viejo orden simbólico, el viejo mundo de las certezas, creencias y valores que organizaba las percepciones y las vidas de los hombres de la generación anterior, ya no tenía la consistencia que había tenido. La ya tantas veces mencionada frase de Hamlet, *"The time is out of joint"*, que puede querer decir y que de hecho dice tantas cosas diferentes y complementarias, puede leerse también en este sentido: el mundo *simbólico* está fuera de quicio, los esquemas de interpretación del mundo están desestructurados. Una vieja cosmovisión, una vieja "episteme" comienza a volverse obsoleta pero no termina, todavía, de ser reemplazada por la que se prepara para sucederla. Lo viejo (el viejo orden pre-moderno, cristiano, de las significaciones) no termina de morir y lo nuevo (la nueva visión, moderna, del mundo) no acaba de nacer, si quisiéramos parafrasear por enésima vez la conocida caracterización gramsciana de las situaciones de "crisis". Ese dislocamiento, ese estar "fuera de quicio" del mundo (ahora, entonces, simbólico) es la condición de posibilidad de la tragedia.

Sin embargo, esta presentación de nuestro "momento shakespeareano" como un momento "encerrado", digamos así, entre ese *ya* y ese *todavía*, entre el demorado final de un cierto modo de organización simbólica del mundo y los incipientes destellos del que vendría a sucederlo, corre el riesgo de resultar algo esquemática, y de perder, debido al espíritu fácilmente "etapista" que la anima, la propia complejidad del "momento" histórico que busca retratar. Quizás convenga entonces tratar de precisar un poco nuestra descripción de ese "momento". Acerca de cuyas características fundamentales es posible, me parece, identificar tres grandes líneas de análisis. La primera encuentra una expresión muy sistemática en un clásico texto de E. M. W. Tillyard, *The Elizabethan World Picture*, escrito en 1943 en contra de cierta interpretación de la cultura isabelina que Tillyard considera fundamentalmente equivocada: la que piensa esa cultura como la de un período humanístico y secular, empeñado en afirmar "la dignidad del hombre frente al ascetismo de la misantropía medieval" (Tillyard, p. 11). Por el contrario, la tesis central de Tillyard es que la cosmovisión de los ingleses del período isabelino se sostenía sobre los pilares de dos ideas perfectamente medievales: la de un orden jerárquico del universo y la de la caída por el pecado. *Primero*, entonces, la idea "un *universo ordenado* organizado alrededor de *un sistema fijo de jerarquías*" (Tillyard, p. 13, subr. míos), idea fundamental, asegura Tillyard, en el modo en que los hombres de la época de Shakespeare organizaban su experiencia, y que se expresaba en una serie de figuras entre las cuales la más notoria, sin duda, es la vieja imagen de "la cadena del ser"[15]. Esta metáfora servía, como escribe Tillyard, "para expresar la inimaginable plenitud de la cración de Dios, su orden inquebrantable y su unidad última. La cadena se extendía desde el pie del trono de Dios al más insignificante de los objetos inanimados. Cada átomo de la creación constituía un eslabón en la cadena, en la *aurea catena* que mantenía unida a toda la Creación, y cada eslabón, excepto los que estaban ubicados en una y otra extremidad, era simultáneamente más alto y más bajo que otro: no podía haber ningún hiato" (*ibid*, pp. 33s). Desde Dios hasta la última porción de naturaleza inanimada, entonces, pasando, en escrupuloso orden, por los ángeles, los hombres y las bestias[16]: es así como se organiza, de modo rigurosamente jerárquico, el orden natural del mundo. *En segundo lugar*, la idea del pecado, cuyo principal efecto es la alteración de ese orden divino, de ese sistema fijo de jerarquías. Pues bien: la tesis central del libro de Tillyard es que la cosmovisión sostenida sobre esas dos ideas era todavía ampliamente dominante en los días en que Shakespeare escribió su obra, y que esa obra es el mejor testimonio de ello. Recordemos por ejemplo, en ese sentido, la dolorida protesta de Hamlet, que ya ha llamado nuestra atención a propósito de otra cuestión, por el culpable "apresuramiento" de su madre, quien no esperó a que se cumplieran los plazos dictados por la costumbre y el decoro para correr, tras la muerte de su primer marido, al lecho de su antiguo cuñado:

> *¡Oh, Dios! Una bestia carente de razón*
> *Lo habría llorado por más tiempo* [I.2.150-151],

exclama Hamlet. Es el viejo tema del conflicto entre la pasión y la razón, por supuesto. Pero lo que podemos leer en esta frase de Hamlet es algo más: Gertrudis, una mujer, un miembro de la raza –de la "clase"– de los hombres, del "eslabón" humano de la gran *cadena del ser*, se ha comportado como no lo habría hecho "una bestia carente de razón", *que está por debajo de ese eslabón en la cadena del ser*, por debajo de esa clase en la jerarquía natural de la Creación. Y que está por debajo de la clase de los hombres *precisamente porque* "carece de razón". A semejanza de los ángeles, que son sus "superiores", los hombres tienen razón, pero a diferencia de ellos (y por eso son inferiores) no son eternos; a imagen de los animales, que son sus "inferiores", los hombres son mortales, pero a diferencia de ellos (y por eso son superiores) *tienen razón*. Así, al actuar *peor aún que lo que lo habría hecho* "una bestia carente de razón", Gertrudis ha cometido un pecado que, como indica Tillyard, "no es apenas un pecado contra la decencia humana, sino contra toda la escala del ser" (p. 84). Toda la cadena del ser, todo el orden cósmico de la Creación se ha visto alterado por la falta de la reina, que es una falta, entonces, más que contra ninguna otra cosa, contra las jerarquías naturales, contra la misma organización jerárquica del mundo, contra el Cielo ("*¡Oh, Dios!*").

En síntesis: la tesis de Tillyard es que en los días de Shakespeare estaba plenamente vigente, en Inglaterra, una cosmovisión sostenida sobre la idea fundamental de la existencia de un orden jerárquico natural del cosmos. Ahora bien: nada hay menos trágico, ni más opuesto al espíritu mismo de la tragedia, que esta idea de una armonía natural del universo. ¿Cómo es que esta época se convirtió entonces en uno de los grandes momentos del desarrollo del teatro trágico? Pues por lo que ya dijimos: porque junto con ese orden natural del cosmos existe también el *pecado* de los hombres, que deja al mundo "fuera de quicio", a las jerarquías invertidas, a los tiempos alterados. *Hay tragedia porque el orden natural del cosmos fue perturbado por el pecado de los hombres, o de algún hombre.* Lo que aquí querría subrayar (porque es una cuestión fundamental en el argumento de Tillyard) es que esa perturbación, ese "desequilibrio", ese (culpable) "desquicio" del mundo o de los tiempos, se produce *sobre el telón de fondo incontestado de aquel orden jerárquico natural* al que nos referíamos. De aquel orden superior *que se trata entonces* –después del pecado, después de la caída– *de reponer, de restituir:*

> *The time is out of joint: O cursèd spite,*
> *That ever I was born so set it right* [I.5.189-90]

("El mundo está fuera de quicio. ¡Oh, suerte maldita / Que haya debido nacer yo para ponerlo en orden"), dice Hamlet. Ésa es la tarea, entonces, del héroe trágico: *to set it* ("it", *the time:* los tiempos, las cosas, el mundo) *right*; volver a poner el mundo en orden, volver a poner las cosas sobre sus pies. *Restablecer las jerarquías.* El supuesto de un orden cósmico ofendido, de un orden cósmico *circunstancial* y *culpablemente* trastocado, *y la consiguiente promesa de un orden a restituir*, constituiría pues el núcleo fundamental del universo trágico. Pero sigamos leyendo. Hamlet, como sabemos, no tiene reproches sólo para su madre, sino también, y sobre todo, para sí mismo. Es así que en otro de sus monólogos (el que sigue a su encuentro con el Primer Actor), lo oímos protestar contra su culpable indeterminación en estos términos:

> *¿Pero qué? ¡Qué asno soy! ¡Qué gran proeza!*
> *¡Que yo, el hijo de la víctima querida,*
> *Impulsado por el cielo y el infierno a mi venganza,*
> *Deba desahogar mi corazón, como una puta, con palabras,*
> *Y maldecirme como el más bajo de los seres,*
> *Como una fregona de cocina!* [II.2.535-40]

¡Un príncipe en el lugar de una fregona! Nuevamente las jerarquías se encuentran invertidas. No en este caso las jerarquías naturales que ordenan la relación entre Dios, los hombres y las bestias, sino las jerarquías *–ciertamente también "naturales"–* que organizan el mundo *social.*[17] Del mismo modo que la incontinencia o la prisa de Gertrudis no son sólo una falta contra la memoria de su esposo, sino un pecado contra toda la Creación, así también la cobardía o la indecisión de Hamlet no son sólo una afrenta a la memoria de su padre, sino un ultraje contra su propia dignidad de príncipe, y, por extensión, contra todo el orden jerárquico asociado a esa dignidad. Tillyard parece pues tener razón: el supuesto del orden y de la naturalidad y la justicia de ese orden funciona como uno de los "presupuestos básicos" (p. 11) de la obra que consideramos. Es porque Hamlet *cree* en la naturalidad y la justicia del orden jerárquico del cosmos que le reprocha a su madre haberlo trastocado; es porque Hamlet *cree* en la naturalidad y la justicia del orden jerárquico de la sociedad que *se* reprocha estar actuando de un modo que en los hechos lo subvierte. Para Hamlet, en otras palabras, las viudas *deberían* actuar como viudas, los príncipes, como príncipes, y las fregonas, como fregonas. *Cada cosa en su* lugar[18]. Lloriqueando como una fregona, Hamlet desafía el orden natural de las cosas. Reprochándose actuar de esa manera, "reintegra" su falta al orden teocéntrico del medioevo designándola *como* falta, responsabilizándose a sí mismo por no estar a la altura de las exigencias del rol que ese orden le reserva.

Debemos presentar ahora la segunda gran línea de interpretación –de las tres que habíamos anunciado– del universo cultural de los días de Shakespeare. Como introducción a ella podemos sin embargo aprovechar antes nuestro "descenso" desde el plano del gran orden cósmico al terreno más mundano del orden *social* para observar que, en *Hamlet*, ese orden social (las jerarquías sobre las que se sostiene ese orden social) ya no parece ser lo que era, y que, por cierto, como el propio Hamlet no deja de advertir, *no es sólo su culpable indecisión la que lo amenaza*. Así, por ejemplo, comentando con Horacio las insolencias del sepulturero con el que ha estado conversando, nuestro buen príncipe observa que

> *"the age is grown so picked, that the toe of the peasant comes so near the heel of the courtier, he galls his kibe"* [V.1.117-8]

(*"esta época se ha vuelto tan curiosa que la punta del zapato del campesino viene pisando tan de cerca el talón del cortesano que le roza los sabañones"*) ¡La punta del zapato del campesino rozando los sabañones del talón del cortesano! Una vez más las jerarquías (las jerarquías –insistamos– *naturales* que gobiernan el mundo social) se ven amenazadas, pero en este caso no parece que ese trastrocamiento del orden natural de las cosas deba atribuirse a ningún pecado ni a ningún pecador en particular, sino al carácter mismo de *the age*, de la época. *The age is grown so picked...*: "*esta época* se ha vuelto tan curiosa..." Y recordamos entonces a André Gide y a su traducción del "*The time*" de "*The time is out of joint*", que ya comentamos bastante más arriba. *The time* (traduce Gide): "*Cette époque*", "esta época". *Así, decir "The age is grown so picked" es otro modo de decir "The time is out of joint"*, y este desquicio de las cosas, este desorden del mundo, esa subversión de las jerarquías en las que ese mundo se organiza, es más difícil de reintegrar al orden teológico que el desquicio producido por la lujuria de Gertrudis o por las vacilaciones de Hamlet, porque no hay aquí un pecador individual que se ha perdido por culpa de su falta, sino *una época* que lo ha trastocado todo. "*As this world goes...*" [II.2.176], dice Hamlet en cierto momento de uno de sus diálogos con Polonio: "*como marcha este mundo...*". Más tarde, comentando con Horacio la insustancial frivolidad de Osric, dice:

> "*Éste le hacía reverencias a la teta antes de mamarla. Y así, igual que muchos otros de su misma especie, por los que sé que esta época impura ['the drossy age'] está loca de amor, sólo ha captado el tono de su tiempo y las maneras superficiales de la cortesía, una suerte de mescolanza frívola que los lleva a mariposear entre una y otra de las más triviales y volátiles opiniones*" [V.2.165-9].

"*The time...*", "*the age...*", "*as this world goes...*", "*the drossy age...*": la idea de que hay algo en el orden de lo que el viejo Maquiavelo llamaba "los tiempos" que está trastocado, subvertido, "*out of joint*", es una idea fuerte de *Hamlet*, y quizás no sería inadecuado sugerir que el hecho de que lo sea es una indicación de la clara conciencia que tenía *Shakespeare* sobre el profundo trastrocamiento de las cosas que *en su propio tiempo* se estaba produciendo.

Porque no hay duda de que Shakespeare, en efecto, tenía esa clara conciencia, esa nítida percepción de los fuertes cambios que se estaban operando en sus días, en esos "*curious daies*", como escribe, muy sugestivamente, en uno de sus Sonetos ("*If my slight muse doe please these curious daies*" [38.13]), y que toda su obra puede ser leída como una reflexión sobre esas transformaciones. Ésta es entonces la segunda de las tesis que nos habíamos propuesto examinar, y que puede encontrarse desarrollada muy convincentemente en un libro de Patrick Cruttwell que ya hemos mencionado más arriba. Es cierto que la investigación reciente –admite Cruttwell, escribiendo en 1960– "ha revelado concluyentemente cuán profundamente medieval, en todas las esferas de la vida, eran todavía los isabelinos; pero nos equivocaríamos si supusiéramos que *ellos* se veían a sí mismos de ese modo. *Ellos* pensaban que eran muy diferentes a los hombres de la Edad Media: pensaban eso, y lo lamentaban" (Cruttwell, p. 33). Interesante constatación: no es que Tillyard se haya equivocado al advertir la profunda continuidad del pensamiento medieval en la cosmovisión isabelina, la profunda (y *retrospectivamente* evidente) pertenencia de esa cosmovisión al mundo pre-moderno, sino que, en su esfuerzo por desacreditar las interpretaciones de la cultura isabelina como una expresión del humanismo renacentista, no alcanzó a descubrir que *los propios protagonistas de ese período sí percibían una distancia* (que no necesariamente celebraban: la tesis de Cruttwell, como acabamos de leer, es que más bien la lamentaban) *respecto a ese pasado medieval*, y que esa percepción se expresaba de múltiples modos en sus obras. Nada que no hayamos dicho ya: Hemos destacado, en efecto, que uno de los temas fundamentales de *Hamlet* es la contraposición entre dos sistemas morales (uno medieval, pre-moderno, propio del mundo honorífico de la caballería, el otro racional, laico, moderno) que se disputan la propia conciencia del héroe de la pieza. Una contraposición que tiene a la propia conciencia del príncipe como "campo de batalla", como podríamos decir apelando a una figura frecuente en Shakespeare. Y en *Hamlet*, donde abundan, en efecto, las metáforas de batallas, guerras y –como ya vimos– duelos. Ya hemos oído al príncipe, por ejemplo, confesar a su amigo Horacio "*Señor, en mi corazón había una suerte de lucha*" [V.2.4]. Y todavía podemos citarlo explicándole por qué las muertes de Rosencrantz y Guildenstern no pesan sobre su conciencia: Esos entrometidos, dice Hamlet, deberían haber sabido que

> *Es peligroso cuando el débil anda entre los golpes*
> *Y las feroces puntas encolerizadas de las lanzas*
> *De dos poderosos adversarios* [V.2.60-2],

y los ejemplos en el mismo sentido podrían multiplicarse. Así, para citar sólo uno más, cuando el rey entra a la recámara de su esposa preguntando, después de la entrevista que ésta tuvo con su hijo, cómo está Hamlet, la reina le responde que el joven está

> *Loco como el mar y el viento, cuando disputan*
> *Cuál de los dos es más potente* [IV.1.6-7],

lo que nos ofrece la imagen de un violento enfrentamiento entre fuerzas contrapuestas. Pues bien: esa imagen, esta idea de un mundo atravesado por las oposiciones, los antagonismos y las luchas, es –asegura Cruttwell– la que distingue el espíritu del "momento shakespeareano". Un "momento", entonces, caracterizado por "una anarquía de la personalidad y un caos de todas las percepciones" (Cruttwell, p. 25)[19], y que se expresa en consecuencia, en la obra de sus poetas en general, y del mayor de ellos en particular, en la abundancia de personalidades múltiples o divididas, de personajes que no saben en qué creer o qué objetivos perseguir y de luchas entre sistemas de valores enfrentados, o entre posiciones enfrentadas respecto a los valores, posiciones *entre las que el propio Shakespeare no da la impresión, nunca, de estar enteramente decidido*[20]. Estamos lejos, como se ve, de la posición de Tillyard. No se trata, por supuesto, de que éste "no haya visto" el lugar central del conflicto, las oposiciones y las guerras en las obras de Shakespeare y de sus contemporáneos: esos conflictos, oposiciones y guerras son *la materia misma* de esas obras. De lo que se trata es de que Tillyard asegura que el cuadro de guerra y de desorden que esas obras presentaban "no tenía sentido fuera del *background* de orden en relación con el cual juzgarlo" (Tillyard, p. 7). *Eso es lo que discute Cruttwell;* eso es lo que está en cuestión. Para Tillyard, el desorden sólo puede ser pensado, en el marco de la cosmovisión todavía medieval que todos los poetas ingleses del 1600 habrían compartido, como un "accidente", como una desviación transitoria, debida al tropiezo de un alma pecadora, respecto a una norma que no estaba en discusión, a un orden que se trataba en consecuencia, después de la falta, de restituir. Para Cruttwell, en cambio, *el desorden es la nota decisiva de la experiencia histórica que esos poetas vivían y del modo en que ellos mismos percibían el mundo* –un mundo que notaban cambiado, trastocado, "fuera de quicio"–, *y por eso* se convertía también en la materia de sus textos literarios. Para Tillyard, en resumen, Shakespeare fue un poeta del orden y de las jerarquías; para Cruttwell, un poeta del caos, la confusión y el desconcierto.

Una tercera posición es la que puede encontrarse en un libro bastante más reciente –y también bastante más matizado– que estos dos cuyas tesis centrales acabamos de presentar. Se trata de *Shakespeare's tragic cosmos,* escrito en 1991 por Thomas McAlindon. McAlindon coincide con Tillyard en afirmar que la visión del mundo que tenía Shakespeare era "fundamentalmente tradicional" (McAlindon, p. 4), pero no coincide con el modo unilateral en que Tillyard caracteriza esa tradición. Y coincide con Cruttwell en que el problema de las piezas de Shakespeare es el del desorden y el conflicto, pero disiente con él en que la centralidad de ese problema sea el producto de la crisis de la cosmovisión medieval. Porque esa cosmovisión, sostiene McAlindon, es mucho más compleja que lo que la monolítica versión de Tillyard (y de Cruttwell) permitía pensar. En efecto: la tesis de McAlindon es que "la tradición cosmológica premoderna ofrecía *dos modelos del mundo*, cada uno de los cuales inspiraba o sancionaba diferentes sentimientos sobre la situación humana, y distintos hábitos de pensamiento" (p. 7, subr. mío). Uno de esos dos modelos es el que ya conocemos: el modelo del universo entendido como un sistema jerárquico "donde todo tiene su lugar e identidad precisos" (*id.*). Ese modelo, indica McAlindon, "sugiere una fundamental estabilidad y racionalidad en las cosas" (*id.*), e induce un modo de pensar el mundo coherente con esa imagen general. Pero *junto* con este primer modelo convivía, en el seno de esa cosmovisión medieval –sugiere McAlindon–, *un modelo contrario:* el que presentaba al universo "como un tenso sistema de opuestos interactuando, interdependientes" (*id.*), recordándonos "que todo patrón de orden armónico, que toda estructura de identidad, es por su propia naturaleza susceptible de transformación violenta" (*id.*)[21]. Es este "segundo modelo" de pensamiento, observa nuestro autor, el que "impulsa a tantos autores renacentistas a referirse a la guerra como a una forma necesaria de sangría para los estados enfermos" (*id.*) y el que "sostiene la notable observación de Maquiavelo –que desafiaba toda la teoría política conocida– de que el desacuerdo y la violencia pueden fortalecer al Estado" (*id.*). Este "segundo modelo", en suma, "implica insistentemente que el desorden, el egoísmo agresivo y la pasión ciega no son apenas tachas en la naturaleza causadas por el pecado y la Caída, sino que son tan naturales como el orden, el altruismo y la razón" (p. 8). El modelo jerárquico, entonces, consideraba al Orden como natural y al desorden como un accidente, debido al pecado, que debía ser considerado por referencia a ese orden natural. El otro modelo, antagónico a ése, consideraba naturales a los antagonismos, los conflictos y las luchas, y al Orden un resultado siempre frágil del enfrentamiento entre fuerzas contrapuestas.

Claro que señalar la existencia de estos dos modelos contrapuestos en el seno de un mismo tipo de comprensión "pre-moderna" de las cosas no implica sugerir que ambos hayan corrido la misma suerte. De hecho, tanto durante la Edad Media como durante el Renacimiento, dice McAlindon, los exponentes del "*status quo* político y religioso" sostuvieron e impulsaron el modelo jerárquico del universo, lo que era muy obviamente (como ya tuvimos ocasión de observar) "una conveniente manera de naturalizar la estructura de la sociedad feudal" (p. 8), relegando *al otro* modelo a un lugar marginal, menor, "maldito", del que sólo muy esporádicamente podía emerger en construcciones teóricas necesariamente marginales o rápidamente repudiadas. El esquema –no necesitamos ni siquiera destacarlo– nos resulta familiar. ¿No estamos acaso, en efecto, frente a una versión, apenas diferente de la que hemos venido presentando hasta acá, de la idea según la cual sería posible contraponer, todo a lo largo de la historia del pensamiento político occidental moderno, un "momento hobbesiano" (dominante, mayor, lineal, progresivo) asociado al festejo del orden y de la estabilidad, y un "momento maquiavaliano" (subordinado, menor y discontinuo) asociado a la celebración del conflicto, el desorden y la apertura de la historia? Pues bien: sí y no. *Sí* en el sentido más elemental de que, en efecto, estos dos "modelos" de los que nos habla McAlindon comparten con los dos "momentos" de los que hablábamos nosotros (de los que casi parecerían constituir la prehistoria, o un capítulo temprano de la historia, o con los que incluso dan a veces la impresión de venir a coincidir perfectamente) la característica más general de estar vinculados, respectivamente, uno a la idea de orden y el otro a la idea de conflicto. Diríase incluso que, de los dos modelos o paradigmas que nos presenta McAlindon, el que podríamos llamar "antagonista", o "conflictivista", *es*, simplemente –como tiende a confirmarlo, por lo demás, la expresa mención del nombre del autor de *El príncipe* en la presentación de McAlindon–, nuestro transitado "momento maquiaveliano". En cambio, identificar el modelo jerárquico medieval del que nos habla McAlindon con nuestro "momento hobbesiano" es bastante más difícil. Porque si, en efecto, uno y otro comparten lo que podríamos llamar, de modo muy general, una "opción" por el Orden, una "preferencia" por la estabilidad, el modelo jerárquico medieval supone que ese Orden es la forma natural de organización de las cosas, mientras que el interés y la tragedia de Hobbes, como ya dijimos muchas veces, consiste en que su apuesta a favor del orden se sostiene sobre un diagnóstico "conflictivista", "antagonista", acerca del modo de organización "natural" del mundo. El Orden político por el que milita Hobbes, en efecto, no es –a diferencia de aquel por el que podían militar, digamos, un Jacobo I, o un Filmer– un orden político que descanse sobre un orden natural en el que Hobbes, definitivamente, no cree, sino un Orden que debe levantarse *contra* el desorden natural de las cosas en general y de las cosas humanas en particular. Por eso, desde el punto de vista de la distribución de los grandes cuerpos del pensamiento renacentista entre las filas de los dos grandes "modelos" que identifica McAlindon, Hobbes queda –observemos– *del mismo lado* que Maquiavelo (cf. McAlindon, pp. 8s). El interés y la tragedia de Hobbes, precisamente, consisten en que él, *compartiendo con Maquiavelo y los demás autores "realistas", "materialistas" o "pesimistas" que sería posible identificar en este grupo una concepción conflictivista acerca de la naturaleza de los hombres y de las relaciones entre ellos*, se propone fundar las condiciones para que, *sobreponiéndose a esa naturaleza*, el Orden pueda triunfar. De otro modo: Que el interés y la tragedia de Hobbes consisten en que él cree posible y necesario sostener una teoría política del Orden no apoyada sobre una metafísica del Orden. El orden de Hobbes es artificial; el que postulaba el modelo jerárquico medieval, natural, y esa diferencia entre ambas ideas es definitiva.

Pero no estábamos hablando de Hobbes, que no llegaría a ocupar su lugar en esta historia sino cincuenta años después del punto en el que ahora nos encontramos. La pregunta que nos corresponde formularnos ahora, en cambio, es cuál de estos dos modelos descriptos por McAlindon –el del orden jerárquico o el del conflicto entre opuestos– era el que suscribía Shakespeare y el que organizaba su pensamiento y su producción. Y bien: la respuesta que ofrece McAlindon a esta pregunta, y que nos permite a nosotros formular de otra manera la caracterización que estamos intentando hacer del "momento shakespeareano", es que Shakespeare logró construir "un modelo del mundo imaginativamente liberador y comprensivo que incorporaba *ambas* perspectivas" (McAlindon, p. 9, subr. mío), sea como sea que quiera llamárselas: "vieja y nueva, religiosa y secular, optimista y pesimista, idealista y realista, hookeriana y maquiaveliana (o hobbesiana)..." (*id.*). En efecto: Es obvio que, como con toda razón señalaba Tillyard, Shakespeare comparte con muchos pensadores de la Edad Media y el Renacimiento el supuesto de una organización jerárquica del orden cósmico y del mundo de los hombres. Hemos visto, en el texto de la obra de la que aquí nos ocupamos, varios ejemplos de ello, y podríamos encontrar muchos otros en muchas otras de sus piezas. Al mismo tiempo, sin embargo, como observaba en cambio Cruttwell y como *también* hemos comprobado, es igualmente notorio que Shakespeare tenía una fina comprensión de la dimensión de *conflicto, antagonismo y guerra* que habita al mundo, a las sociedades y a los individuos, y que consideraba a las situaciones de desorden como algo más que meras alteraciones circunstanciales de aquel orden. La tesis de McAlindon es que la originalidad de Shakespeare radica en haber forjado una cosmovisión, un "modelo" teórico de comprensión del mundo en el que podían convivir, simultánea aunque contradictoriamente, *ambas* visiones. Que Shakespeare descubrió, como antes que él lo habían hecho Chaucer, Kyd y Marlowe[22], "que la radicalmente paradójica noción de la naturaleza como un sistema de discordia concordante, o de 'armoniosa contradicción', movida incesantemente por las fuerzas del amor y de la guerra, respondía a los hechos de la experiencia más verosímilmente" (p. 8.) que cualquiera de los dos modelos "puros" o "extremos" que se le ofrecían. Shakespeare pudo así –sostiene McAlindon–, a partir de una especial sensibilidad para percibir el conflicto *y* el orden, el conflicto *dentro* del orden, *contra* el orden, *en tensión permanente con* el orden[23], construir "un modelo inherentemene paradójico que le permitía interrelacionar y explorar sin evasiones ni reduccionismos lo que consideraba las más fundamentales contradicciones en la humanidad y en nuestra experiencia del mundo en general" (p. 9).

Un carácter "inherentemente paradójico" identifica pues a la cosmovisión propia del "momento shakespeareano", al paradigma dentro del cual concibió Shakespeare sus grandes tragedias, al universo –llamémoslo así– de lo trágico shakespeareano. No hay tragedia –ha observado Eric Bentley– sin "la experiencia del caos" (cit. en McAlindon, p. 2), pero no hay *experiencia* del caos (sino, si pudiéramos decirlo así, "caos" puro y simple, por definición imposible de pensar) sin una noción del orden en términos de la cual juzgarlo. El orden actuaría así, en esta cosmovisión, como un "telón de fondo" de los cambios, como un "complemento gestáltico" del desorden. Utilizo con toda intención esta última expresión, "complemento gestáltico", que había hecho su primera aparición en estas páginas cuando presentábamos, en la "Introducción", la idea de Emilio de Ípola acerca de la existencia de dos grandes "metáforas" de la política (la del *sistema*, que es como decir el Orden, la de la *revolución*, que es como decir el Caos), y junto con ella la advertencia de que ninguna de esas dos grandes metáforas podía servir, sin el "complemento gestáltico" de la otra, para pensar la política, y que no podía hacerlo *por la simple razón de que la política no encuentra su lugar sino en el itinerario, lleno de tensiones, que se tiende entre estas dos figuras.* En efecto: no consigue pensar la política –decíamos– un pensamiento sobre el orden social que no preste atención al conjunto de prácticas que todo el tiempo lo inquietan o lo desestabilizan, pero tampoco consigue pensar la política un pensamiento sobre la revolución que no considere la forma en la que funciona ese orden que se trata de revolucionar. Lo que aquí estoy tratando de sugerir, entonces, lo que quizás resuma buena parte de lo que he intentado decir a lo largo de estas páginas, es que un pensamiento que quiera *pensar la política* haría bien en buscar inspiración en las fuentes trágicas asociadas a este "momento shakespeareano" que acá estamos estudiando. Que el tipo de pensamiento que es posible extraer de ese "momento shakespeareano" constituye un tipo de pensamiento útil para pensar la política *porque es un tipo de pensamiento que se instala en el seno de la contradictoria relación entre el orden y su disolución, entre el sistema y su contrario.* ¿No era acaso esa "contradictoria complementariedad" lo que estaba en la base del interés de la escena del cementerio que consideramos en el apartado anterior, en la que la fuerza de la "ruptura simbólica" introducida por las palabras del príncipe sólo podía percibirse si se consideraba el conjunto del *Orden* simbólico en el interior del cual esas palabras eran pronunciadas, y en relación con el cual la pronunciación de esas palabras, la *toma de la palabra* llevada a cabo por el príncipe, asumía la forma de una intervención, dijimos, emblemáticamente *política*? No hay pensamiento sobre la política si no hay una reflexión sobre esta relación contradictoria entre el orden y la ruptura de ese orden, y esa relación es la materia misma de lo trágico.

4. Política y pensamiento trágico

"... pensar al mismo tiempo dialéctica
y no dialécticamente."
THEODOR W. ADORNO

Y es obvio que cuando hablamos aquí de "lo trágico", o de un modo "trágico" de entender las cosas, nos estamos desplazando ya, como habíamos anunciado que íbamos a hacer, desde una idea del "momento shakespeareano" entendido ("sincrónicamente", dijimos: como también *podían* entenderse sincrónicamente los "momentos" maquiaveliano y hobbesiano que examinamos más arriba) como el contexto cultural en el que Shakespeare escribió su obra, hacia una idea del "momento shakespeareano" que puede servirnos ("diacrónicamente") para designar *una cierta tradición de pensamiento, una cierta inspiración teórica* que sobrevive largamente a su impulso original. El propio McAlindon lo sugiere: el modelo con el que Shakespeare pensaba el mundo "no sólo alentó ambivalentes, paradójicas y subversivas respuestas a muchas de las preguntas de su propio tiempo, sino que también lo liga muy concretamente con el pensamiento de los siglos XIX y XX. La noción de la realidad –de la naturaleza, la historia, la sociedad o el yo– como un sistema dinámico de opuestos interdependientes adquirió una vida enteramente nueva en este período" (p. 10). Que por cierto es el período, también, del fuerte desarrollo de *la otra* gran estrategia teórica y narrativa para dar cuenta de este mismo problema del carácter intrínsecamente contradictorio de todo orden. Me refiero, claro (y retornamos así, ya sobre el final de nuestro recorrido, al problema por el que habíamos comenzado) a la *dialéctica*. Es que el problema de la tragedia y el problema de la dialéctica es el mismo, aunque las estrategias de una y otra para lidiar con él sean contrapuestas, y de ahí que tragedia y dialéctica no hayan cesado de dialogar a lo largo de la historia. Más: que sus historias *sean* la historia de ese largo diálogo, diálogo que eventualmente puede producirse *en el interior mismo de una cierta obra*, como es ostensiblemente el caso de las obras de Hegel o de Marx. Por eso no debe sorprendernos la aparición de estos dos notorios filósofos en la "lista de nombres" que nos propone McAlindon como ejemplos de la vigencia de este "modelo shakespeareano" en el pensamiento de los últimos dos siglos, y que incluye a "Hegel, Nietzsche y Marx; Blake, Yeats y Lawrence; Jung, Freud y Lévi-Strauss" (*id.*): Aunque sin duda Hegel *no es un filósofo trágico* (por el contrario, hemos sostenido que es un filósofo *militantemente anti-trágico*), sí es un filósofo *que recoge del mundo de lo trágico una inspiración fundamental* (un *problema* fundamental: un problema *contra cuya solución "trágica", si pudiéramos decirlo así, todo su sistema dialéctico se levanta)*, y, por supuesto, sería absolutamente injusto no admitir que Marx es un autor definitivamente shakespeareano, cuyo "shakespearenismo", cuya concepción trágica de la vida y de la historia, como *también* vimos, convive en tensión permanente, en el seno de su propio pensamiento, con su "hegelianismo" igualmente poderoso.

Es que si es cierto que, como hemos dicho ya muchas veces, la dialéctica y la tragedia se oponen, lo que ahora debemos agregar es que el modo en que lo hacen no es el de un rechazo puro y simple. No: dialéctica y tragedia no se niegan sin más, sino que cada una de ellas intenta *pensar a la otra* e incorporarla como un "momento" de su propia reflexión, al mismo tiempo que se convierte, ella misma, en un momento de la reflexión de la otra. La tragedia es así un *momento* del pensamiento dialéctico; la dialéctica, un *momento* del pensamiento trágico. Detengámonos aquí un instante. La tragedia, decimos, es un *momento* de la dialéctica. Que es otro modo de decir que la dialéctica no debe ser confundida con ningún progresismo banal, con ningún optimismo ingenuo, con ninguna renegación pura y simple de lo que la historia tiene de negatividad, de pérdida, de sufrimiento. Gérard Lebrun es especialmente enfático en este punto: No pensemos –escribe– "que la dialéctica disipa *demasiado rápido* el Mal, que ella *escamotea lo negativo*" (*O avesso...*, p. 198). Al contrario: toda su fuerza, toda su eficacia y todo su indudable mérito como forma de narración de la historia radica en que "ella revela, en su más alto grado, lo que es la categoría filosófica de lo 'negativo'" (*id.*). Se comprende pues que la dialéctica tenga con el mundo de lo trágico, en el que la capacidad destructiva de ese momento de lo negativo se expresa con toda su fuerza, un diálogo privilegiado. Pero ese diálogo es un diálogo que transforma profundamente eso con lo que la dialéctica dialoga –la tragedia–, y la tragedia no saldrá intacta de él. No sólo no saldrá intacta de él: saldrá convertida en otra cosa, recuperada, *reintegrada* al movimiento ascendente del pensamiento que la piensa. Así, *la dialéctica es, podríamos decir, la tragedia más un "pero"*. Es verdad –admitirá el filósofo dialéctico–: Al final de *Antígona*, varias vidas se perdieron, la de Creonte se ha arruinado para siempre, y nadie puede tener un buen consuelo para tanta desgracia. *"Pero..."* ¿Pero qué? *Pero la humanidad ha aprendido una lección.* Para la dialéctica, las tragedias de la historia "dejan una lección" a los hombres, y en eso radica su sentido trascendente. La idea de "enseñanza", la idea de que el dolor de la historia puede de algún modo "recuperarse" en un momento superior del conocimiento de la humanidad, del autodesarrollo del espíritu, es el signo distintivo de la comprensión dialéctica de las cosas. Así, el momento ("trágico") de lo negativo es asimilado por el movimiento ("dialéctico") que lo hace parte de una positividad más plena; el mal –como resume Lebrun– está siempre al servicio de un bien mayor.

Pero la dialéctica, inversamente, es también un momento de la tragedia. En efecto: del mismo modo que para el pensamiento dialéctico, que piensa la historia "pedagógicamente", la tragedia sólo puede ser un momento parcial de su propio desarrollo, así también para el pensamiento trágico, que piensa la historia desde la perspectiva de lo que en la historia queda de *no* recuperable, de *no* reintegrable, de *in*-aprensible, la dialéctica sólo puede decir *una parte* de la verdad de esa historia. Discutiendo la idea según la cual sólo la desaparición del último de los pobres (del último "de los mendigos", dice) permitiría pensar en una humanidad por fin reconciliada, Adorno sugiere, a cierta altura de sus *Minima moralia*, que ese modo de pensar (modo de pensar sólo aparentemente exigente, pero en el fondo, observa Adorno, optimista y tranquilizador) evita hacerse cargo de lo que de ineliminablemente trágico tiene siempre la historia, de las dosis de sufrimiento *irreparable* y no "recuperable" que ésta va dejando como jirones en su marcha. ¿Desde el punto de vista "de los vencidos", como decía Benjamin? Sin duda. Pero también desde el punto de vista de lo que simplemente "no intervino en esa dinámica y quedó al borde del camino", de "los materiales ciegos y los puntos negros que se le escapan a la dialéctica", de "lo que no encaja del todo en las leyes del movimiento histórico" (Adorno, *Minima...*, p. 151). "El punto de vista de los vencidos" es una idea que no termina de escapar de las garras de una concepción dialéctica de la historia, ya que ese punto de vista está contenido como potencialidad en la propia dominación de los vencedores. (Por eso, dicho sea de paso, es interesante acá la figura del "mendigo", más poderosa en este contexto que la del "esclavo o la del "proletario".) El pensamiento trágico sería así el que se obstina en pensar la historia desde el punto de vista del sufrimiento infringido, *y que nunca podrá ser reparado*, de ese "último de los mendigos" por cuya desaparición de la escena de la historia no hacen más que abogar los progresistas y los bienpensantes. Y bien que hacen. "Pero...": *La tragedia, en efecto, es, la dialéctica más un "pero"*. Es verdad –reconocerá el pensador trágico–: Al final de *Romeo y Julieta*, Papá Montesco y Papá Capuleto habrán "aprendido una lección", y hasta es posible que gracias a esa lección (como decíamos nosotros bastante más arriba) muchos otros Romeos y Julietas puedan en el futuro amarse sin sobresaltos en Verona. *"Pero..."* El pensamiento trágico sí que es exigente: no se conforma con los consuelos fáciles, no le basta saber que el sufrimiento es, o puede llegar a ser, cosa del pasado. Será –dice. *Pero nadie ni nada, ni la felicidad de toda la humanidad y del resto de las generaciones, les devolverá la vida a los pobres Romeo y Julieta.* Es lo que decía también el viejo camarada de Adorno, Max Horkheimer, cuando afirmaba que "jamás se podrá indemnizar la injusticia pasada" ("Materialismo y metafísica", cit. por Matos, *Os arcanos...*, p. 13). La idea de que las desgracias de la historia siempre dejan algo de irreductible, de *no recuperable* por el movimiento ascendente del conocimiento de la humanidad (un "residuo irreconciliado, situado fuera del sistema" [Matos, *ibid.*, p. 15]), es la marca del pensamiento trágico.

Dicho lo cual será necesario agregar dos palabras a fin de señalar que la simetría entre el pensamiento dialéctico y el pensamiento trágico se detiene aquí, y a fin también de explicar de algún modo la opción que a lo largo de este trabajo hemos venido haciendo a favor del segundo de ellos. Porque si, como acabamos de ver, cada uno de estos dos tipos de pensamiento intenta hacer del otro un "momento" de su propio movimiento, lo que ahora correspondería advertir es que existe una diferencia fundamental entre los modos en que cada uno de ellos "trata", digamos así, "como momento de sí mismo", al otro. O, de modo más radical: que existe una diferencia fundamental entre los modos en que cada uno de ello "trata", *en general,* a sus momentos, "momentos" cuya oposición, cuyo diálogo, cuyo eslabonamiento, constituye la materia misma de las historias que uno y otro pretenden narrar. ¿Cuál es esa diferencia? Ya la conocemos: Que si la dialéctica es un movimiento que va devorando (negando, asimilando) los distintos momentos particulares que la integran, la tragedia, en cambio, *no* busca disolver en una unidad mayor los extremos de las oposiciones que la constituyen, sino que se define exactamente por su obstinación en preservarlos intactos, irreductibles, inasimilables. Así, "incorporada" por el pensamiento dialéctico a su movimiento devorador, la tragedia queda reducida a una figura efímera, transitoria, fugaz. Que es lo que queríamos decir cuando afirmábamos, como lo hemos hecho tantas veces, que la dialéctica es una gran máquina de "neutralizar" a la tragedia. En cambio, "incorporada" por el pensamiento trágico a su juego de opuestos, la dialéctica persiste incólume en el seno mismo del mundo de lo trágico. Como *una de las posibilidades* de ese mundo de lo trágico. Como *una de las alternativas de lectura* que ese mundo de lo trágico tolera y hasta propone. Porque, en efecto, así como es siempre imposible leer "trágicamente" un texto dialéctico (¿cómo sería, por ejemplo, una "lectura trágica" de *La Fenomenología del Espíritu?*, ¿qué secreta tragedia estaría allí esperando por quien pudiera venir a narrarla?, ¿qué *resto* de la historia habría quedado allí, inasimilado por el movimiento devorador del

Espíritu, para volverse sujeto de esa narración?), *es siempre posible leer "dialécticamente" un texto trágico.* Es lo que hemos hecho, sin ir más lejos, nosotros mismos, que propusimos una clave "dialéctica" de lectura del final de *Hamlet*, del de *Romeo y Julieta*, del de *Otelo*. Una clave "dialéctica" de lectura: es decir, una clave de lectura que supone que siempre hay "una lección" para aprender de las desgracias de la historia y un modo de no repetir, en el futuro, los "errores" del pasado. Es que esas historias (tragedias completas y definitivas, llenas de daños irreparables, de vidas arrancadas en la flor de la edad, de pérdidas que ninguna felicidad futura podrá compensar jamás) *toleran* sin embargo, perfectamente, una lectura semejante. Más: tendrían mucho menos interés si lecturas semejantes no fueran, *también*, posibles.

Así, podemos quizás retocar un poco algo que habíamos dicho hace un momento: La dialéctica, cierto, es la tragedia más un "pero", *pero ese "pero" es un "pero" que no deja en pie nada de aquello contra lo que se levanta.* Es un "pero" después del cual la tragedia, asimilada *plenamente y sin resto* por su contrario, ya no guarda ninguna semejanza con aquello que había sido. La tragedia, en cambio, es la dialéctica más un "pero", *pero ese "pero" es un "pero" que no cancela la especificidad de aquello frente a lo que, más que "levantarse", viene a afirmar, apenas, la existencia de otra posibilidad:* la posibilidad de perseverar en la perspectiva de lo irrecuperable, de la muerte irremediable de las víctimas de la historia, de las humillaciones sufridas por "el último mendigo". Es un "pero" después del cual la dialéctica, intacta, nos sigue dejando escuchar (como aquí hemos tratado de escuchar) *su propio* "pero...". ¿Todavía de otra forma?: Que si la dialéctica es la tragedia más un "pero", la tragedia nos presenta *un juego de "peros"* infinito e insoluble. El "pero" del pensamiento dialéctico es *un "pero" pedagógico, o "metodológico":* un pasaporte con el cual el pensamiento se abre paso a un momento posterior; el "pero" del pensamiento trágico es *un "pero" radical:* la obcecada afirmación de una dualidad irreductible. De ahí que el diálogo entre la tradición trágica y la tradición dialéctica (diálogo que está simplemente vedado al pensamiento dialéctico, que no "dialoga" sino que "devora", que no "dialoga" *sino devorando,* que no piensa las tensiones sino disolviéndolas *como* tensiones) sea un diálogo *interior a la primera de ellas.* La historia del "momento shakespeareano" es la historia de este diálogo. Y es por eso que es una historia que va como eslabonando, según vimos, pensamientos nada simples: el de Hegel –dijimos–, el de Marx. O el de Freud, sobre el que nunca puede terminar de decidirse si le sienta mejor el vestido de "trágico-romántico" que quiere hacerle vestir Albert Béguin o el pulcro guardapolvo de "heredero de la Ilustración" que se empeña en calzarle Jürgen Habermas. O el de Benjamin, cuyo pensamiento no encuentra un "déficit", sino su misma carne y su enorme interés, en la irresuelta tensión entre su dimensión "trágico-místico-poética" y su dimensión "marxista ilustrada". O el de Gramsci, con sus vacilaciones sobre el sentido de la marcha de la humanidad y sobre las picardías con las que los hombres pueden permitirse hacer zigzaguear un poco el recto curso de la historia.

Es hora de redondear nuestra última hipótesis: Querría insistir, entonces, en que este diálogo (este diálogo *interior*, dijimos, a la tradición del pensamiento trágico, este diálogo que recorre la historia de este "momento shakespeareano" cuya inspiración estamos aquí intentando recoger) es el diálogo *en el interior del cual, y sólo en el interior del cual, es posible pensar la política.* Lo hemos dicho, a lo largo de este trabajo, muchas veces y de muchos modos: la política supone siempre una referencia al Orden y un pensamiento sobre el Orden *y también* una referencia a las acciones (revueltas, revoluciones, "tomas de la palabra") a través de las cuales ese Orden es conmovido, revuelto o eventualmente trastrocado. Presentada como una contraposición entre modelos o metáforas de la política (el Orden y la Revolución), entre dimensiones enfrentadas de la realidad política (las instituciones políticas y la acción política), entre principios constitutivos del espacio de la política (el poder y el conflicto), entre énfasis distintos en la descripción que hacemos de esa realidad (el énfasis en la "estructura" y el énfasis en el "sujeto"), entre momentos contrapuestos de una anti-dialéctica del poder (el "poder constituido" y el "poder constituyente") o entre tradiciones del pensamiento político (el "momento hobbesiano" y el "momento maquiaveliano"), esa "doble referencia" propia de la política y del pensamiento sobre la política –del pensamiento que quiera pensar la política sin escamotearle este corazón dual– ha sido el tema del que nos hemos ocupado en estas páginas. Lo que ahora estamos tratando de insinuar es que esa "doble referencia" no debería ser pensada como una artificiosa ligazón *ad hoc* de dos estilos de pensamiento y de dos modos de relato diferentes y antagónicos. Que existe una cierta estrategia epistemológica y narrativa –a la que aquí hemos dado el nombre de "pensamiento trágico"– que hace de la inescapable e irresoluble tensión entre esos dos "puntos de vista" (el punto de vista de la Totalidad Armónica y el punto de vista de la singularidad disidente) su propio tema, su propia materia. Y que además existe una cierta tradición de pensamiento –a la que aquí hemos nombrado, casi jugando con los títulos de un par de libros muy estimulantes, como el "momento shakespeareano" del pensamiento político moderno– en la que un pensamiento que hoy quisiera retomar el desafío de "pensar la política" sin simplificaciones y sin olvidos haría bien en recoger inspiración.

[1] La Revolución Francesa, sostiene Renato Janine Ribeiro en su *La última...* (pp. 59ss), sirve de gran divisoria de aguas entre dos modos diferentes de pensarse la historia. *Hasta entonces*, ésta, asociada a una noción cíclica del tiempo, era concebida apenas como una colección de *exempla* reveladores de las constantes de la naturaleza humana: piénsese en los usos de los ejemplos históricos de los que está llena la obra de Maquiavelo, *pero también la del propio Hobbes*, para quien la historia –como escribe Eunice Ostrensky comentando el interés *político* de la traducción hobbesiana de *La guerra del Peloponeso* de Tucídides– "sólo tiene validez si sugiere que las calamidades pasadas, provocadas por la ferocidad de las pasiones, puede repetirse en el futuro" (Ostrensky, *A política...*, p. 18). El Peloponeso puede volverse así "el espejo de Inglaterra" porque, más allá de los cambios en el tiempo y el espacio, "no hay alteración de la esencia humana" (*ibid.*, p. 17). Desde los años de la Revolución, en cambio, desde los años de esa violenta irrupción de la acción política transformadora de los hombres sobre las condiciones de su vida y sobre su propia subjetividad, la historia puede ser pensada como innovación y cambio permanentes: como progreso, como *desarrollo*. El pensamiento de Hegel es sin duda tributario de esta transformación fundamental.

[2] Marilena Chauí ha destacado el interés de la definición hobbesiana de la línea como "el camino trazado por un cuerpo móvil, cuya cantidad no es considerada en la demostración" (*De principiis et ratiocinatione geometrarum*, cit. en Chauí, *A nervura...*, p. 645) como un "buen ejemplo" de esta centralidad del tema del movimiento no sólo en el pensamiento de nuestro filósofo, sino, más en general, en toda la filosofía del siglo XVII, y comparado los desarrollos hobbesianos sobre esta cuestión con los de Descartes, Savile, Wallis y, por supuesto, Spinoza (cf. *ibid.*, pp. 644s). ¿Sería inadecuado sugerir que el tema del movimiento constituía una de las grandes obsesiones de los filósofos de ese siglo en general, y de Hobbes en particular, *precisamente porque* ese siglo y ese autor no contaban todavía con la "filosofía de la historia" que les permitiría a los filósofos del siglo XIX, como Hegel, "dar cuenta" de él (en el doble sentido de "comprenderlo" y de, ingiriéndolo o asimilándolo, "acabar con él")?

[3] *Y sin embargo...* También González ha señalado, en el texto que estábamos acompañando, que hay un "sim embargo..." a la condena de Gramsci a las excesivas libertades que se toman frente a los designios de la Historia los intelectuales "inorgánicos", y a su repudio de la figura retórica en la que se expresa esa inorganicidad: la ironía. Es que, en realidad –asegura González–, "Gramsci nunca se sintió cómodo en esta condena a la ironía" (*La ética...*, p. 100), y esto por la simple razón de que "nunca estuvo muy convencido de su teoría de la humanidad orgánica" (*id.*). Nunca estuvo muy convencido –en otras palabras– de que no hubiera "errores en la historia", "fisuras en el sistema orgánico de la humanidad apasionada". Errores: imprevisiones, descuidos, estrategias fallidas, *pasiones inútiles*. Gramsci dedicó muchas páginas al estudio de esas distintas formas de expresión de la contingencia histórica. *Y sin embargo...* Sin embargo, escribe González, "Gramsci *tampoco* se presta a quedar convertido en Sartre. Coquetea con el error pero siempre vuelve a su idea de la humanidad que marcha como un *Condottiero*. Vuelve, Gramsci vuelve; pero cuando retorna a la historia como bloque de creencias colectivas y hegemonías sociales, ya no es el mismo" (pp. 100s)". Y "ya no es el mismo" porque en su sistema ha ganado un lugar –tras estas exploraciones de lo imponderable y

lo no-necesario de la historia– una figura de algún modo "intermedia" entre la del intelectual "orgánico" que está *a la altura* de las exigencias de la historia y la del *ironista* que se enorgullece de no experimentar ningún sentimiento de responsabilidad ante ella. Se trata del "hombre sarcástico": del hombre, del intelectual, "del crítico que se encuentra sin saber si la humanidad resolverá los problemas que se ha propuesto" (p. 101). A diferencia del intelectual orgánico, que deja que la humanidad, por así decir, "piense por él", y a diferencia también del ironista, que piensa por su cuenta *contra* el sentido objetivo de la marcha de la humanidad en la historia, *el hombre rebelde* que ha encontrado "la felicidad estoica del sarcasmo" es un hombre dual, dividido, y que piensa "a partir de su propio ser dividido": "Al evitar la ironía del intelectual separado de las condiciones de la historia, el hombre sarcástico encuentra la felicidad de ser plenamente humano y al mismo tiempo sentirse en el aire, teatral, algo clonesco tal vez" (*id.*). *La ironía: forma menor de la tragedia. El sarcasmo: forma menor de la ironía.*

[4] Laclau plantea esta cuestión en los términos del problema –viejo problema del pensamiento político– de la relación entre lo universal y lo particular. Todo orden hegemónico implica, desde luego, un cierto intento de universalización. Ahora: ¿por qué dice Laclau que el "cierre" de lo social que ese intento de universalización procura es, siempre, un cierre imposible? Pues simplemente porque "lo universal no tiene ni un cuerpo ni un contenido necesarios" (Laclau, *Emancipación...*, p. 68), no pudiendo ser otra cosa que un particular que en cierto momento ha pasado a ser dominante. ¿Y cómo es que ha pasado a ser dominante? Sencillamente porque consiguió imponerse en la lucha que distintos grupos particulares mantienen entre sí "para dar a sus particularismos, de modo temporario, una función de representación universal" (*id.*). Así, qué "contenido" particular vaya en cada coyuntura a "llenar" el lugar de lo universal no es algo que pueda saberse *a priori*, sino el resultado de una lucha de resultado siempre abierto. No sólo eso: para Laclau, *es exactamente esa lucha* –esa "operación antagónica" en la que se define qué contenido particular va a significar ese "significante vacío" que es lo universal– *lo que abre la posibilidad de la democracia.* La democracia es posible, en efecto, para Laclau, porque la plenitud social es una plenitud necesariamente vacía, y porque, en ese marco, las distintas identidades particulares pueden lanzarse a la lucha por la definición de los sentidos que habrán, de modo siempre frágil y transitorio, de llenarla.

Imposible no reconocer los méritos de esta construcción teórica que tan rápidamente acabamos de reseñar. Imposible no admitir el modo feliz en que ella nos permite resolver algunos graves problemas del pensamiento político: el de la relación entre lo universal y lo particular, el de la posibilidad de concebir una idea de la democracia no asociada a ningún trascendentalismo más o menos bienintencionado sino a las nociones de contingencia, de apertura de la historia y de *conflicto.* Lo que *no* es imposible, en cambio, es advertir al menos dos cosas. La primera es que el sentido general de las preocupaciones de Laclau está más orientado a la caracterización de esos momentos de *cristalización del sentido*, a la descripción de esas situaciones de *orden hegemónico* –todo lo incompleto y abierto que se quiera–, que al examen de las condiciones y de los momentos de quiebre, de fisura, de ruptura de esas cristalizaciones. Que la preocupación "hobbesiana" por el examen de las condiciones *para que la sociedad pueda existir* prima en Laclau por sobre la constatación (digamos: "lacaniana-zizekiana") de que la sociedad *no puede existir* y por sobre la preocupación "maquiaveliana" por la identificación de los "agujeros negros" por donde el fantasma de esa imposibilidad podría hacer su aparición: el descubrimiento de la imposibilidad de fijar el sentido –decía Laclau en un libro anterior– "no puede ser el fin de la cuestión. Un discurso en el que ningún sentido pudiera ser fijado no es otra cosa que el discurso del psicótico" (*Nuevas reflexiones...*, p. 104). Porque lo social, insiste Laclau, "no es tán sólo el infinito juego de las diferencias. Es también el intento de limitar este juego, de domesticar la infinitud, de abarcarla dentro de la finitud de un orden." (*id.*).

La segunda cuestión que habría que destacar es que, quizás precisamente por eso, quizás precisamente porque la teoría de Laclau se propone menos enfrentar la discusión de esas situaciones de ruptura que la descripción de un conjunto de *órdenes hegemónicos* (de *escenarios* hegemónicos) posibles, Laclau se siente obligado a hacer desembocar su sugestivo descubrimiento de que cualquier orden social es el efecto de una sutura necesariamente contingente en la mucho más banal opción política por *uno* de esos órdenes o escenarios: el definido por las reglas de una democracia moderna, liberal y pluralista –"radical", la llama Laclau– que permitiría, a partir de la multiplicación de los espacios públicos, la expresión de la creciente cantidad de identidades que caracterizan a nuestras sociedades. Apenas es necesario decir que esta opción no tiene nada de intrínsecamente condenable. Sí es preciso advertir, en cambio –como lo hacen María Celia Labandeira y Alejandra Oberti en el que acaso constituya el mejor comentario que el libro de Laclau que estamos discutiendo haya recibido entre nosotros–, que, al realizarla, Laclau está reduciendo el alcance de su propio descubrimiento del carácter contingente y abierto de la acción política al anticiparse "a lo que sólo la práctica hegemónica podría decidir" (Labandeira y Oberti, p. 51) y definir, *él* (y, peor: presentar esa definición "como necesaria derivación lógica" [*id.*] de sus postulados teóricos), cuál sería el nombre del particular concreto que conseguiría nombrar *mejor* (esto es: de modo más consecuente con esos mismos postulados teóricos) la totalidad ausente. Cuál sería –de otro modo– el mejor de los *órdenes* posibles.

Lo cual es, por supuesto, difícil de aceptar: desde el comienzo de este escrito hemos insistido en que es *la práctica política*, y no la *filosofía* política, la encargada de producir (por vías, además –¡es Laclau el que nos lo ha estado diciendo!– impredecibles: "contingentes") ese tipo de definiciones. ¿Por qué extraña razón deberíamos aceptar ahora esta reaparición, bajo amenos ropajes "democrático-radicales", de la vieja figura del filósofo-legislador, *que todo el argumento de Laclau, por otro lado, lleva a rechazar?* Pero debemos ser prudentes, y no tirar al bebé –como se dice– con el agua sucia: del mismo modo que estamos diciendo que del argumento teórico de Laclau no puede derivarse –más que como una pura *apuesta*– su opción política por un orden hegemónico "democrático radicalizado", es necesario que nuestra crítica a esa opción política (con más precisión: a la pretensión de Laclau de que esa opción política sea *algo más* que solamente eso, algo más que una pura *apuesta*) no se extienda injustificadamente a los muy adecuados señalamientos teóricos de Laclau que acabábamos de considerar. Es necesario, en otras palabras, *deconstruir a Laclau*, sin perder, en el movimiento en que le criticamos la innecesaria y empobrecedora deriva política de su pensamiento en dirección a un pluralismo que cuesta a veces distinguir del liberalismo más convencional, el núcleo más duro y resistente de su teoría: una idea de la hegemonía lo bastante aliviada de "filosofía de la historia" como para permitirnos entender la vida social como radicalmente contingente, pero al mismo tiempo lo bastante atenta a los procesos de objetivación y sedimentación de identidades, instituciones y campos de acción que *de hecho* se producen en la historia como para que ese saludable "contingencialismo" no se convierta en un torpe relativismo ni en un "antifundacionalismo" banal. (Para una crítica bastante más dura al pensamiento de Laclau, que en lo sustancial, si se me permite resumirla bruscamente, *no cree* que ese pensamiento logre no convertirse en esas dos cosas, remito a la argumentación desarrollada por Eduardo Grüner en "E.L., o de por qué..." y retomada en su reciente *El fin...*, pp. 119-127.)

[5] La comparación entre las dos situaciones no parece inapropiada: igual que la revuelta de los plebeyos en el Aventino, "el movimiento de Mayo mostró que hay un momento de 'brecha histórica' cuando se disipa la creencia en la ineluctabilidad de las reglas que garantizan el funcionamiento de la sociedad" (Matos, p. 95). En su bellísimo ensayo, De Certeau considera esta conmoción como una "revolución simbólica" en la que *la palabra* (nuestro tema aquí) "ha desempeñado un papel decisivo" (De Certeau, p. 32). La "toma de la palabra" es una experiencia creadora, poética *y política en el sentido más radical.* Porque es una experiencia, una *acción*, que se abre paso precisamente en esa brecha (decíamos: en esa *falla)* que presenta todo orden y que revela su fragilidad. Pero que no es fácil *ver* hasta que una "acción ejemplar", como llama De Certeau a esta acción simbólica de "tomar la palabra" no la *descubre.* La "toma de la palabra" de los plebeyos rebeldes, la "toma de la palabra" en el Mayo francés, *mostraron* esa fragilidad, *descubrieron* lo que permanecía latente, sacaron a la luz, desnaturalizándolos, "los acuerdos silenciosos sobre los que descansan los contratos del lenguaje" (*ibid.*, p. 30) y los volvieron, de ese modo, impugnables. Veremos hasta qué punto es *exactamente esto*, también, lo que hace Hamlet en la escena del cementerio que estamos considerando en el texto.

[6] No podemos ocuparnos acá de las características, la (desigual) importancia y las muy sugerentes doctrinas (que tanto influirían sobre algunos escritores ingleses de la segunda mitad del siglo XVII, como por ejemplo, y en primer lugar, sobre John Milton) de todos estos grupos. Sobre todo ello debe verse el precioso libro de Christopher Hill, *El mundo trastornado*, ya mencionado por nosotros más arriba.

[7] En cambio, la *no* aceptación de ese atributo, el rechazo del *nombre*, inlcuso, a través del cual el poder puede querer asociar a un cierto grupo a un rasgo despreciable, podría ser el camino de una manera de actuar *"impolíticamente"* (como sugiere Diego Tatián utilizando una categoría de Roberto Espósito) frente a ese poder. Según Tatián (y para continuar pensando estos problemas sobre el telón de fondo de las luchas políticas y religiosas de la Inglaterra del siglo XVII), ése habría sido el camino seguido por el grupo de los *quakers*, que, primos hermanos de los *ranters*, pero menos amigos que éstos de las confrontaciones y de la participación política (cf. sobre esto Hill, cap. 10: "*Ranters* y cuáqueros", pp. 219-246), *rechazaban* ese nombre despectivo, se llamaban a sí mismos "Sociedad de los amigos" y llevaban una vida retirada de los espacios públicos y preocupada por la salvación de sus almas. Tatián subraya el interés de esta idea cuáquera de una amistad "apolítica" o "comunitaria" y sugiere, sobre la base de una abundante documentación, la posibilidad de que la misma haya influido sobre el pensamiento de Baruch Spinoza, quien en Amsterdam habría trabado relación, entre 1657 y 1666, con algunos misioneros cuáqueros ingleses, y cuya propia noción de *amistad* –que constituye uno de los núcleos centrales del precioso trabajo de Tatián– parece acusar la familiaridad con el pensamiento cuáquero. No es el caso extendernos aquí sobre esta cuestión (para la que remito a Tatián, *La cautela...*, pp. 40-43). Bástenos indicar apenas que, aplicada por Tatián al pensamiento de Spinoza y a su llamado a la "cautela" como actitud frente a los poderes reales, la categoría de lo "impolítico" no se deja sin embargo pensar como la pura negación o la simple crítica de la vida política, sino quizás como su silenciosa preparación, su amena contracara y su discreto complemento.

[8] Otras veces el rey es designado, simplemente, a través de la sinécdoque que lo

identifica con el nombre del país sobre el que reina, como en "HORATIO: ... *the majesty of buried Denmark*" ("... la majestad de nuestro difunto rey" [I.1.48]), en "GERTRUDE: *And let thine eye look like a friend on Denmark*" ("Y que tus ojos miren al Rey como a un amigo" [I.2.69]), o en "CLAUDIUS: *we have here writ / To Norway*" ("Hemos escrito esto / Al rey de los noruegos" [I.2.27-8]), con el obvio propósito de enfatizar "la interdependencia entre rey y reino" (Edwards, p. 77). Interdependencia, o incluso identidad, que alcanzaría su formulación más emblemática en el célebre *"L'État, c'est moi"* atribuido a Louis XIV, y que, apenas hay que decirlo, constituye un rasgo característicamente premoderno del tipo de monarquía del que aquí se trata. Por supuesto, no es éste el tema de este trabajo, pero podemos aprovechar esta mínima distracción para observar, siguiendo en esto un breve pero notable estudio de Quentin Skinner, que una idea moderna del Estado no terminará de configurarse, en la Europa del siglo XVII, antes de que lleguen a su fin *dos* procesos distintos aunque complementarios. En primer lugar, el que distingue "la autoridad del estado de aquella de los gobernantes o magistrados" (Skiner, "The state", p. 112); en segundo lugar, el que separa esa autoridad del estado "de la de la sociedad o comunidad sobre la cual esos poderes son ejercidos" (*id.*). El primero de esos dos procesos implica un desplazamiento desde una idea del "estado" (*status, stato*) entendido como el estatuto o la condición soberana *del Príncipe* en dirección a una caracterización del Estado como un aparato impersonal de gobierno, y tiene lugar sobre todo en el seno de la tradición republicana florentina, y muy especialmente en la obra de Maquiavelo. Por el segundo de esos movimientos, en cambio, el Estado, independizado ya de la figura del príncipe, es separado también (en clara reacción "contra las ideologías de la soberanía popular desarrolladas en el curso de las guerras religiosas francesas y, después, en la Revolución inglesa del siglo XVII" [*ibid.*, pp. 121s]) de la del pueblo. Por supuesto, la idea sobre el Estado que se deja leer en *Hamlet* (y de la cual esta identificación varias veces sugeridas entre Rey y reino no es más que una expresión especialmente visible) es definitivamente *previa* a la culminación de este doble movimiento.

[9] Ya hemos dicho que el estatuto de la locura de Hamlet es extremadamente equívoco a lo largo de toda la obra, y que –más aún– esa equivocidad constituye sin duda *uno de los temas* de la pieza. Pero no parece haber dudas de que hay por lo menos dos situaciones en la que, efectivamente, Hamlet "*rants*", desvaría, dice cualquier cosa. Una de ellas ya la hemos considerado: tras el encuentro con el espectro de su padre, Hamlet, evidentemente perturbado (¿quién no?), reencuentra a sus amigos Horacio y Marcelo:

MARCELO *¿Cómo está todo, mi noble Señor?*
HORACIO *¿Qué novedades, mi Señor?*
HAMLET *¡Oh, extraordinarias!*
HORACIO *Mi buen Señor, contadnos.*
HAMLET *No, lo revelaríais.*
HORACIO *No yo, mi Señor, por el cielo.*
MARCELO *Ni yo, mi Señor.*
HAMLET *Oiríais lo que ningún corazón humano imaginó jamás.*
¿Pero lo mantendréis en secreto?
HORACIO - MARCELO *Por el cielo, mi Señor.*
HAMLET *No ha vivido jamás, en toda Dinamarca, un villano*
Que no haya sido un pillo consumado. [I.5.117.124]

Hamlet no sabe lo que dice, no sabe cuánto quiere decir y no sabe cuánto sabe. Sagaz, sin embargo, *descubre que no puede controlarse* y decide, como decíamos más arriba, "hacer del defecto virtud". En efecto: si Dover Wilson está en lo cierto, *es exactamente en este punto* que Hamlet decide su estrategia de "hacerse el loco", de "fingir" una locura que de todos modos ya lo ha superado. *Y que vuelve a superarlo ahora, en el cementerio*, bajo el fuerte impacto del descubrimiento de la muerte de Ofelia. "*I forgot myself*", "perdí el control" [V.2.76], lamentará más tarde, conversando con Horacio. Pero veamos todavía unas líneas más:

HAMLET (...) *Y si quieres gritar,*
Yo rugiré tanto como tú.
GERTRUDIS *Esto es simple locura,*
Y el arrebato lo afectará de este modo por un tiempo;
Después, tranquilo como la paloma hembra
Cuando sus pichones dorados se descubren,
Quedará hundido en el silencio.
HAMLET *Oíd, señor,*
¿Cuál es la razón por la que me tratáis así?
Yo siempre os quise... Pero no importa.
Haga el mismo Hércules lo que haga,
El gato maullará, y al perro le legaría su día. Sale
CLAUDIO *Te ruego, buen Horacio, que lo sigas.* [V.1.250-60]

Todo lo que dice Hamlet aquí es delirante, pero sus dos últimas líneas son un verdadero misterio: "¿Quiere Hamlet decir, despreciativamente, que ni siquiera Hércules podría evitar que Laertes tuviera su insignificante victoria?" –se pregunta Philip Edwards. "O el desprecio consiste en considerar a Laertes no un perro, sino un Hércules, como si dijera 'Dejemos que este pequeño Hércule siga: ya llegará mi turno'?" (p. 224) Harold Jenkins, por su parte, quien considera "imposible concordar con Furness, Kittredge y otros en que algo de lo que Hamlet dice puede ser un puro sinsentido" (p. 525), debe aceptar que "esta críptica declaración admite más de una interpretación. (1) No puede impedirse que una criatura actúe conforme a su naturaleza: no se puede callar a un gato ni sujetar a un perro. En consecuencia Hamlet abandona la más que hercúlea tarea de tratar de refrenar a Laertes. Pero la expresión sobre el perro, que era un proverbio familiar, implicaba en general que el perro tendría su día de prosperidad o éxito. Por lo tanto, (2) Hamlet desestima el hercúleo griterío [*rant*] de Laertes y se ufana de su propio triunfo futuro" (p. 393). ¿Qué o cuánto de todo esto es lo que Hamlet quiso decir? Es improbable que el propio Hamlet pudiera responder a esta pregunta. Frente al espectro de su padre primero, y frente al cadáver de su amada después, Hamlet, definitivamente, "*forgets himself*", se descontrola, se pierde: enloquece.

Lo que *no quiere decir*, por supuesto, que sus palabras deban ser leídas como "puro sinsentido". Jenkins tiene razón en observarlo, y en recordarnos lo que también nosotros acabábamos de recordar: que "hay sistema en la locura" de nuestro príncipe, y que incluso sus frases más delirantes nos dicen siempre algo de interés. Y por cierto que no sería una buena crítica a Jenkins la banal observación de que Polonio pronuncia esa célebre frase sobre el "sistema en la locura" en uno de los momentos en que el delirio de Hamlet es más obviamente "fingido" o "controlado": el interés de esa frase (interesantísima frase que no en vano integra el selecto repertorio de citas hamletianas de Sigmund Freud) radica precisamente en que es aplicable a los momentos de la pieza en que la locura del príncipe es *menos* actuada. También en estos momentos, en efecto –como señala Jenkins con razón–, "hay sistema", hay método ("*yet there is method in't*" [II.2.200-

1]) en la locura de Hamlet. Pero una cosa es afirmar que *hay sistema en la locura*, y otra muy distinta (en verdad, *perfectamente opuesta*) es *contraponer*, como hace Jenkins –que en esto *no* tiene razón–, "sistema" a "locura", y suponer, *contra lo que de más sagaz tiene la observación del torpe Polonio*, que si hay sistema no puede haber locura, y viceversa. Que pueda haber sistema *en* la locura (es tentador remitir aquí al tratamiento freudiano de las *Memorias de un enfermo de los nervios*, de Schreber: Freud, Sigmund, "Puntualizaciones psicoanalíticas sobre un caso de paranoia [Dementia paranoides] descrito autobiográficamente", en *OC*, T. XII, pp. 11-73) es por el contrario el significado más profundo y más importante de esa magnífica y famosa frase. Y es también lo que *a nosotros*, aquí, nos interesaba destacar.

[10] Tocamos aquí un punto complicado y crucial: ¿es Claudio, estrictamente hablando, un usurpador? La cuestión es difícil, ciertamente, e involucra previamente una *segunda* pregunta: ¿qué tipo de monarquía es la monarquía de la Dinamarca en la que se desarrolla nuestra historia? Esta segunda pregunta es decisiva por razones obvias: Si estuviéramos en presencia de una monarquía hereditaria, Claudio sería, evidentemente, un usurpador: En una monarquía semejante, en efecto, la corona habría debido recaer, a la muerte del antiguo rey, sobre su hijo. *Pero ocurre que la monarquía danesa que nos retrata Shakespeare no es una monarquía hereditaria, sino electiva*. Así nos lo hace saber el propio Hamlet, cuando observa ante Horacio que Claudio "*Popped in between th'election and my hopes*" ("Se entrometió entre *la elección* y mi esperanza") [V.2.65], y más adelante, ya sobre el final de esa escena y de la obra, cuando predice que *"th'election lights / On Fortinbras"* ("la elección recaerá / Sobre Fortimbrás") [V.2.334-5]. Así, hay una *election*, una "elección", que no es una elección popular, claro, sino una realizada por los nobles del reino, para designar al sucesor al trono. Evidentemente, los nobles del reino han elegido a Claudio como rey. *Claudio es pues rey legalmente*. ¿Cómo entender entonces las airadas protestas de Hamlet, que evidentemente parece suponer que el destinatario natural de la corona de su padre no era sino él mismo? Porque no parece haber dudas, en efecto, de que Hamlet considera a Claudio un usurpador. Cuando, dialogando con su madre, describe al segundo marido de ésta como

Un ratero del imperio y de la ley,
Que robó de un anaquel la preciosa diadema
Y la metió en su bolsillo [III.4.99-101]

Hamlet habla –como observa Carl Schmitt, cuyas reflexiones sobre la pieza de Shakespeare vamos a acompañar aquí– "no sólo como el vengador de su padre, sino también como su legítimo heredero" (Schmitt, p. 48). Volvemos a preguntar, entonces ¿Cómo es esto posible?

Es que –observa Schmitt– la idea de un derecho hereditario al trono no era enteramente ajena al modo de funcionamiento de las "monarquías electivas" de los días de Shakespeare, cuyos mecanismos eran bastante más complejos que lo que sugiere la simple palabra *election*. Es sobre todo necesario entender, indica Schmitt, contra nuestros anacrónicos prejuicios "modernos", que esa elección de los grandes del reino *no era una elección "libre"*, sino que era una elección condicionada por, y sostenida sobre, un par de instituciones complementarias. La primera era la institución de lo que se llamaba la "*dying voice*", el voto agonizante o moribundo, por la cual el sucesor al trono era "nombrado por el rey anterior, es decir, por su predecesor, como expresión de su última voluntad" (*ibid.*, p. 49). Así, el predecesor *designaba* a su sucesor a través de su *dying voice*, y ese "voto" –subraya Schmitt– no era una formalidad prescindible ni una mera recomendación no vinculante, sino que tenía la fuerza de una imposición. Esa *dying voice*, como ya vimos, es la que dará Hamlet a favor de Fortimbrás ("*he has my dying voice. / So tell him*": "él tiene mi voto agonizante. / Díselo"), *y la que en cambio no pudo dar el viejo Hamlet a favor de su hijo ni de nadie,* debido al carácter imprevisto y repentino de su muerte. Esto había dejado a los nobles una libertad de elección mucho mayor, pero había también quitado al elegido, por eso mismo, una poderosa fuente de legitimidad. La segunda institución que acompañaba y condicionaba el derecho electivo de los nobles era el viejo *derecho de sangre*, plenamente vigente en los días de Shakespeare. En efecto: *en principio*, el rey agonizante elegía como heredero *a su hijo*, y los nobles refrendaban esa elección natural. Faltando (como es el caso en *Hamlet)* el voto póstumo del rey muerto, la opción por su hijo era pues sin duda la más natural. De ahí que no carezca de explicación la sensación de Hamlet de que la "elección" de los nobles le había arrebatado una corona que le correspondía. Y de ahí que tampoco carezca de explicación el intento que hace Claudio, al comienzo mismo de la pieza, de llegar a un compromiso con su sobrino, esperando que éste reconozca su precaria legitimidad a cambio de su promesa de designarlo, a su vez, su sucesor: "*porque, que lo sepa todo el mundo, / Vos sois el más inmediato a nuestro trono*" [I.2.108-9]. Es sobre el telón de fondo de estas líneas fundamentales que debe leerse aquel *"Me mantengo del aire"* [III.2.83] con que Hamlet se queja frente al rey por las vacías promesas con las que debe alimentarse, y también, al final de esa misma escena, el siguiente intercambio con Rosencrantz:

> HAMLET *Señor, quiero tener más que lo que tengo.*
> ROSENCRANTZ *¿Cómo es eso posible, cuando tenéis la palabra del propio rey de que habréis de sucederno en el trono?*
> HAMLET *Sí, señor, pero mientras la hierba crece...* [III.2.308-11. Se trata de una referencia a un refrán popular: "Mientras la hierba crece, el caballo se muere de hambre".]

Pero hay algo que todavía no hemos explicado: ¿Con qué argumento pudo Claudio, anteponiéndose a la más natural elección de su sobrino, hacerse merecedor del favor de los grandes del reino, de los nobles a los que se refiere como *"nuestros más sabios amigos"* [IV.1.38] y a los que, en su primera aparición, había dirigido aquel sugestivo *"Por todo, nuestras gracias"* [I.2.16] que ahora estamos, tal vez, en condiciones de entender un poco mejor? Pues con un argumento que esos mismos grandes parecen haber sido los encargados de sugerirle (o al menos eso es lo que Claudio, siempre hábil, desliza: "*No hemos dejado de seguir en esto / Los mejores frutos de vuestra sabiduría, que brotaron espontáneamente / A propósito de este asunto*" [I.2.14-16]), y que podemos comprender recordando las palabras con las que el propio rey resume lo ocurrido:

> *Así, a la que fue un día nuestra hermana, y ahora es nuestra reina,*
> *Compañera y heredera del trono de esta país en armas ["Th'imperial jointress to this warlike state"],*
> *Con una suerte de júbilo frustrado,*
> *Con un ojo esperanzado y el otro sin consuelo,*
> *Con alegría en el funeral y lamentos en la boda,*
> *Equilibrados el deleite y el dolor,*
> *Hemos tomado por esposa.* [I.2.8-14].

Dejemos los magníficos *oximora*, las intencionadas duplicidades y, en resumen, la acabada demostración de maestría retórica que nos ofrece aquí Su Majestad. Lo que nos interesa ahora es algo bien específico: la descripción de la reina como *"imperial jointress to this warlike state"*, "compañera y heredera del trono de este país en armas", que, convirtiendo por un momento a Gertrudis en un engranaje fundamental en el dispositivo jurídico del Estado, persigue el obvio objetivo de legitimar el poder de su segundo marido. Por cierto, *jointress* deriva de *to joint* (anudar, articular), palabra cuya importancia en *Hamlet* ya hemos destacado: el mundo (el tiempo, las cosas) está *"out of joint"*, el Estado, *"disjoint and out of frame"*, etc. Philip Edwards define *jointress* como "una esposa que comparte las propiedades de su marido, y conserva sus derechos sobre ellas tras la muerte de aquél" (p. 83). La "compañera y heredera del trono", así, hace las veces de una ensambladura, una articulación o una bisagra (todos ellos, por cierto, significados del sustantivo *joint)* entre dos momentos, entre dos reinados.

De ahí que a la observación de Edwards de que "no es para nada claro si Claudio", utilizando esa extrañísima palabra, *"jointress"*, "se está refiriendo a la común propiedad de la corona entre Gertrudis y su anterior marido o entre Gertrudis y él mismo" (*id.*) sólo quepa agregar, una vez más, que *es exactamente esa imprecisión la que vuelve a su frase tan interesante y tan fundamental*, porque convierte a Claudio en heredero legítimo del trono (en aspirante legítimo a la *election* que después viene a rubricar esa legitimidad) *por vía* de su unión con quien había compartido la soberanía con el anterior monarca. Lo cual nos ofrece, de paso (y ya para terminar) una explicación de tipo "jurídico" para el de otro modo incomprensible apresuramiento de Claudio por contraer nupcias con su cuñada sin cumplir –para indignación y escándalo de Hamlet– con los plazos y las convenciones del duelo. Lo cual por supuesto no significa que el casamiento de Claudio con Gertrudis sea meramente "instrumental". Al contrario: sabemos (porque es el propio Claudio, cuando está o cree estar solo, tratando de rezar, quien nos lo dice) que la reina es nada menos que uno *"De aquellos bienes por los que asesiné"* (III.3.53), que son –vale la pena recordarlo– *"Mi corona, mis propias ambiciones y mi reina"* (III.3.54). De modo que no es necesario reducir una magnífica alegoría sobre el deseo humano a un torpe argumento policial: el deseo de poder, el deseo de reconocimiento y el deseo erótico son *al mismo título* causas de la acción criminal de Claudio, lo que no impide que las distintas "conquistas" de éste se apoyen y refuercen mutuamente.

[11] Ese "núcleo duro" del pensamiento de Maquiavelo constituye también, sin duda, una de las grandes originalidades de su obra y una de las más fuertes rupturas que la misma establecía en relación con la tradición humanista florentina, "una tradición en la cual la creencia de que todo desacuerdo debía ser proscrito como faccioso, junto con la de que la facción constituye el riesgo más mortal para la libertad cívica, había sido siempre puesta de relieve desde finales del siglo XIII" (Skinner, *Maquiavelo*, pp. 85s). Maquiavelo lo desarrolla especialmente en el Capítulo 4 de los *Discursos...* ("Que la desunión entre la plebe y el senado romano hizo libre y poderosa aquella república"), donde leemos que "los que condenan los tumultos entre los nobles y la plebe atacan lo que fue la causa principal de la libertad de Roma" (Maquiavelo, *Discursos...*, p. 39) y que "todas las leyes que se hacen en pro de la libertad nacen de la desunión" (*id.*).

[12] Retomo aquí los términos de la "Conclusión" de Abensour a su libro sobre la presencia de un "momento maquiaveliano" en la obra de Marx, o –para decirlo de otro modo– sobre la pertenencia de Marx a la historia del momento maquiaveliano del pensamiento político moderno. Retomando el análisis de Pocock, Abensour destaca como las características del ambiente intelectual del "primer" –digamos así– "momento maquiaveliano", del "momento maquiaveliano" *de Maquiavelo:* a) "el énfasis de los humanistas italianos en la *vita activa* y en el *vivere civile"*, b) la contraposición República/ Imperio, y c) "la lucha contra la escatología cristiana, despreocupada por la ciudad

terrestre" (Abensour, p. 102). A lo largo de su libro, Abensour considera las formas que asumen estas características en la escena política europea en la que pensaba Marx entre 1842 y 1871, y sobre el final, intentando responder, y responder afirmativamente, a la pregunta sobre si estamos, *nosotros,* en un "momento maquiaveliano", sugiere que a la primera de ellas correspondería hoy "un redescubrimiento de lo político y de la inteligencia de lo político" (redescubrimiento del que serían testimonio las obras de Hannah Arendt o de Claude Lefort), que a la segunda correspondería la oposición, en el pensamiento contemporáneo, entre "revolución democrática" y "dominación totalitaria", y que a la última correspondería "la crítica de las filosofías de la historia" (*id.*).

[13] C. B. Macpherson, como ya vimos, fue quien más enfáticamente acentuó el hecho de que el pensamiento de Hobbes no podía estudiarse prescindiendo de la historia del proceso de acumulación capitalista, al punto de hacer del pensamiento de nuestro filósofo poco más que una racionalización de los intereses de la ascendente clase burguesa en un cierto momento de ese desarrollo (cf. su *La teoria política...*, caps. 1, 2 y 6). Contra esa pretensión, Renato Janine Ribeiro ha destacado en cambio, en varios de sus trabajos –y como también ya vimos–, a) que la "historia" en relación con la cual hay que pensar la obra de Hobbes no es la historia del modo de producción capitalista, sino la historia de las luchas civiles y religiosas de la Inglaterra de su tiempo (cf. sus *A marca...* y "Thomas Hobbes..."), y b) que esa historia no es una historia "externa" a los textos hobbesianos, que podría explicarlos "desde fuera", sino una historia que los propios textos (que las categorías y la lógica de los propios textos) permiten iluminar. Quentin Skinner, por su parte, ha estudiado admirablemente, más allá del contexto inmediatamente "político" en el que Hobbes escribió su obra, el contexto "intelectual" en el cual y (como sugería en el texto) *contra el cual* el autor del *Leviatán* –hijo rebelde de su formación escolar humanística– pensaba (véase su *Reason and Rhetoric...*).

[14] Tomo la expresión del título de un libro de Patrick Cruttwell, *The Shakespearean Moment*, que ya consultamos y sobre el que volveremos. Es claro sin embargo que me propongo aquí dar a esa expresión un uso algo diferente del que le da Cruttwell.

[15] La referencia clásica sobre este punto es el libro de Arthur Lovejoy, *The Great Chain of Being*, de 1936, donde revisa la historia de esta idea desde sus remotos orígenes platónicos, pasando por el pensamiento medieval, hasta su ingreso –*via* la nueva cosmografía copernicana y el gran racionalismo del siglo XVII– en algunos de los grandes cuerpos de ideas de los siglos siguientes: el iluminismo del XVIII y el romanticismo del XIX. Aquí nos interesa sorprender a esa historia en un cierto momento particular: considerar el modo en que esa idea de la cadena del ser se articula con las grandes líneas de la cosmovisión isabelina.

[16] Por cierto, cada una de estas "clases" reproduce en su interior, hasta la exasperación, las subdivisiones jerárquicas. Especialmente interesante es la organización de la clase angélica, que en su momento, allá por el siglo V, había ocupado al autor de un libro abundantemente leído durante la Edad Media (y de hecho citado y aceptado por Tomás de Aquino y por Dante): *Sobre la jerarquía celeste*, libro que a veces se ha atribuido a Dionisio Areopagita, discípulo de San Pablo, y otras veces a un autor desconocido, con toda probabilidad un neo-platónico (la idea de la cadena jerárquica del ser presupone, como veremos, la teoría de la emanación elaborada por Plotino), identificado generalmente como "pseudo-Dionisio" (cf. Cassirer, p. 157). Allí puede leerse que los seres celestiales se dividen en tres órdenes, "de acuerdo con su capacidad natural para recibir

la indivisa esencia divina" (Tillyard, p. 49), que los miembros de los órdenes inferiores reciben *por mediación* de sus superiores. Cada uno de esos órdenes, a su vez, se divide en otros tres, y es así que tenemos un mundo celestial dividido en Serafines, Querubines y Tronos, Dominaciones, Virtudes y Poderes, y finalmente Principados, Arcángeles y Ángeles. Son estos últimos, a su vez, "los que constituyen el *medium* entre la jerarquía angélica en su conjunto y el hombre" (*id.*). Es claro que menciono esta clasificación de los habitantes del mundo angélico (que por otro lado, según indica Tillyard, había perdido ya algo de su antiguo prestigio en la Inglaterra isabelina) casi como una curiosidad. Más importante para nuestros propósitos es señalar que esta clasificación jerárquica de la Creación se expresa también –se duplica, se reproduce– en la idea (perfectamente "conservadora", diríamos, si la palabra tuviera algún sentido en este contexto) de la existencia de una jerarquía natural *entre los hombres:* entre padres e hijos, entre señores y siervos, entre reyes y súbditos. De hecho, el autor del libro que consideramos, sea quien sea que haya sido, escribió también otro, llamado *Sobre la jerarquía eclesiástica*, donde esa idea jerárquica del ser se desplaza al análisis de las formas verticales de organización de la vida religiosa, "que va desde el Papa, en la cúspide, pasando por los cardenales, arzobispos y obispos, hasta los grados inferiores de la clerecía" (Cassirer, p. 158). Y lo mismo podría decirse de la organización del Estado, donde "el poder más alto se concentra en el Emperador, quien delega este poder a sus inferiores: los príncipes, los duques y todos los demás vasallos..." (*id.*). Lo que nos sitúa una vez más ante el viejo y siempre apasionante tema de la ideología, o de las ideologías, o de los eventuales contenidos ideológicos de los sistemas de pensamiento que dominan una cierta época. Escribe Cassirer que el sistema feudal "es una imagen exacta y una contrapartida del sistema jerárquico general; es una expresión y un símbolo de ese orden cósmico universal que ha sido establecido por Dios y que, por ello mismo, es eterno e inmutable" (*id.*) ¿Debe entonces ser leída la idea de "la cadena jerárquica del ser" *apenas* como la justificación ideológica de una sociedad estamental, jerárquica: feudal? No, seguramente. Aunque no parece inadecuado conjeturar que sólo en una sociedad semejante pudo una tal idea haberse desarrollado y haber alcanzado la centralidad que, como estamos observando, efectivamente alcanzó, y que a los miembros de los estamentos superiores de esa sociedad esa idea les brindaba un fantástico servicio de naturalización de sus propios privilegios.

[17] Porque las jerarquías que organizan el mundo social son en efecto, digámoslo una vez más, *naturales*. La contraposición entre naturaleza y sociedad, y la idea de que el mundo social pertenece al campo de los *artificios* humanos, es una conquista que el pensamiento político inglés sólo conseguirá (y muy especialmente a través de la obra de Hobbes) medio siglo *después* de que Shakespeare escribiera *Hamlet*.

[18] Esto no deja de ser interesante, por cierto: Como hemos visto hace apenas un momento, sobre el final de la pieza Hamlet ya no parece creer que cada uno deba actuar como lo que "es", como lo que *socialmente* es, como se espera que actúe el ocupante del casillero que el orden social, jerárquico y bien estructurado, le ha reservado. Ya no parece creer, en efecto, que los locos deban actuar "como" locos, *y se pone, loco, a actuar como aspirante al trono*. Entonces, dijimos, precisamente cuando la organización jerárquica del mundo es puesta en cuestión, *empieza la política*. Lo que nos permite terminar de redondear una idea sobre la que hemos estado dando vueltas a lo largo de este texto, diciendo que *hay política*, entonces, cuando no actuamos simplemente como lo que socialmente "somos", que hay política cuando nuestra acción no es una simple

auto-afirmación de una identidad previa a esa acción (esto también lo dijimos: la acción política no *supone* un sujeto preexistente, sino que construye una subjetividad como resultado de sí misma). En la acción política, en otras palabras, no hay una "adecuación" de nuestras manifestaciones externas a nuestro "ser", a nuestra identidad, sino una inadecuación productiva, creadora de nuevas situaciones, de nuevas formas de subjetividad y de nuevas formas del orden.

[19] Es interesante comparar (aunque aquí no podamos hacer más que dejar sugerida esta posibilidad) esta idea de "caos de todas las percepciones" (*"chaos of all perceptions"*) que constituia --según habíamos visto ya con Steiner y volvemos a observar ahora de la mano de Cruttwell– la condición misma de posibilidad de la tragedia inglesa durante su período de auge, con el programa de *"dérèglement de tous les sens"* con el cual un muy joven Rimbaud definía –en un siglo XIX caracterizado, por el contrario, por la excesiva cristalización de los sentidos y por el *disciplinamiento* total de las escrituras y de la vida– su proyecto poético: *"Il s'agit d'arriver à l'inconnu par le dérèglement de tous les sens"* (Carta a Georges Izambard, mayo de 1871, en Rimbaud, p. 200). Lo que en un caso era, por así decir, *un dato*, que hacía posible un cierto tipo de creación estética, en el otro era –ante la ausencia de ese dato– un programa literario.

[20] La cuestión del *honor*, por ejemplo, es, como ya indicamos en más de una ocasión, "diseccionada y discutida en términos dramáticos" (Cruttwell, p. 27) en varias de las piezas de Shakespeare. En *Enrique IV*, por ejemplo, las distintas posiciones sobre el particular están nítidamente representadas por Hotspur, Falstaff y el Príncipe, "donde Hotspur encarna un extremo, el de la belicosidad caballeresca y anticuada, Falstaff ocupa el otro, el del cínico realismo naciente, y el Príncipe representa el punto medio, el honor razonable que finalmente se impone sobre la oposición del primero y la tentación del segundo. Las tres perspectivas se ofrecen calma e imparcialmente: cada una tiene su valor. Uno siente que Shakespeare las disfruta y aprecia a todas, sin preocuparse por determinar cuál es la 'correcta'". (p. 28)

[21] Los dos "modelos", efectivamente opuestos, no eran sin embargo independientes, sino que estaban "lógicamente conectados" y eran "comúnmente combinados y tratados como aspectos gemelos del orden universal" (p. 5) en el interior de una misma "cosmología pre-moderna". Construida, escribe Tillyard, "*no sólo* como una estructura jerárquica de planos correspondientes *sino también* como un sistema dinámico de opuestos interactuando interdependientemente" (*id.*, subr. míos). La historia de la contraposición entre esos dos "modelos" es pues la historia de la contraposición entre dos énfasis diferentes *en el complejo interior de una cosmología llena de tensiones.*

[22] Chaucer, Kyd y Marlowe: ¿posibles "peldaños pre-shakespeareanos", entonces, de la *historia* (diacrónica) del "momento shakespeareano", igual que los humanistas florentinos de los siglos XIV y XV eran eslabones pre-maquiavelianos de la historia del "momento shakespeareano", igual que Bodin era una escala pre-hobbesiana de la historia del "momento hobbesiano"?

[23] Volvamos un momento –podemos hacerlo ahora con provecho– sobre la declaración de la reina acerca de que Hamlet estaba *"Loco como el mar y el viento, cuando disputan / Cuál de los dos es más potente"*. Más arriba la habíamos citado como un ejemplo cabal de lo que nos decía Cruttwell: que el mundo de Shakespeare es un mundo de antagonismos, oposiciones y luchas permanentes entre fuerzas enfrentadas. Ahora podemos agregar que esa imagen, efectivamente contenida en esa frase tan poderosa, no

deja de funcionar, sin embargo (y, más aún: que es precisamente por eso que esa frase tiene tanta fuerza), sobre el telón de fondo de la incuestionada vigencia, simultánea y contradictoria con la de este "modelo del conflicto", del *otro* modelo en cuyas fuentes, como estamos sugiriendo, *también* bebía el de Shakespeare: el modelo de un orden natural del cosmos. Que se expresaba, antes que en ninguna otra cosa, en lo que McAlindon considera el rasgo fundamental de esa cosmología: el principio de la "correspondencia del macrocosmos y el microcosmos" (p. 4), el supuesto "de que el microcosmos y el macrocosmos están construidos con las mismas sustancias básicas, operan con idénticos principios y están firmemente interconectados" (p. 3). De ahí la abundancia, en las piezas isabelinas, de las metáforas atmosféricas para aludir a la situación política de los Estados o al ánimo de los protagonistas, como cuando Claudio le pregunta a Hamlet "*¿Qué? ¿Todavía ensombrecido por las nubes?*" [I.2.66], por sólo citar un ejemplo entre muchos otros. Ya habíamos mencionado, en el mismo sentido, la intencionada confusión alrededor de la palabra "globe" en la promesa de Hamlet de recordar el mandato de su padre "*whiles memory holds a seat / In this distracted globe*" ("mientras la memoria tenga un sitio / En este globo trastornado"). La cabeza de Hamlet puede estar *distracted*, enloquecida. El mundo entero puede estar *distracted*, fuera de quicio. Pero el hecho mismo de que cada una de esas dos cosas pueda servir de metáfora a la otra revela que, por detrás, por encima o al lado de ese desorden, de ese desquicio, de esa *distraction*, un orden secreto continúa funcionando. Del mismo modo, Hamlet puede estar loco como el mar y el viento en medio de una tormenta. Pero la misma circunstancia de que la locura de un hombre pueda pensarse por analogía con un desorden de las fuerzas de la naturaleza revela la vigencia, simultánea y contradictoria, de un equilibrio anterior, de un orden más profundo por referencia al cual ese desorden se vuelve significativo.

BIBLIOGRAFÍA

ABENSOUR, Miguel, *La démocratie contre l'État. Marx et le moment machiavélien*, Presses Universitaires de France (PUF), París, 1997 (tr. esp.: *La democracia contra el Estado*, Colihue, Buenos Aires, 1998)

ABOY CARLÉS, Gerardo, *Las dos fronteras de la democracia argentina*, Homo Sapiens, Rosario, 2001

ADORNO, Theodor W., *Minima moralia*, Taurus, Madrid, 1999 [1951]

————, *Dialéctica negativa*, Taurus, Madrid, 1989 [1966]

ALEXANDER, Nigel, *Poison, play, and duel. A study in Hamlet*, Routledge & Kegan Paul, Londres, 1971

ALTHUSSER, Louis, "Maquiavel et nous", en *Écrits philosophiques et politiques*, Stock-Imec, París, 1995, T. II

————, *La revolución teórica de Marx*, Siglo XXI, México, 25ª ed.: 1999 (1ª: 1967)

BAJTIN, Mijail, *La cultura popular en la Edad Media y en el Renacimiento. El contexto de François Rabelais*, Alianza, México, 1990

BALIBAR, Étienne, *Nombres y lugares de la verdad*, Nueva Visión, Buenos Aires, 1995

————, "Sujeción y subjetivación", en Arditti, Benjamín (ed.), *El reverso de la diferencia. Identidad y política*, Nueva Sociedad, Caracas, 2000, pp. 181-195

BARKER, Francis, *Cuerpo y temblor. Un ensayo sobre la sujeción*, Per Abbat, Buenos Aires, 1984

BARRENECHEA, Ana María, *La expresión de la irrealidad en la obra de Borges*, CEAL, Buenos Aires, 1984

BÉGUIN, Albert, *El alma romántica y el sueño*, Fondo de Cultura Económica (FCE), México, 1954

BENJAMIN, Walter, *El origen del drama barroco alemán*, Taurus, Madrid, 1990

————, *La dialéctica en suspenso. Fragmentos sobre la historia*, ARCIS-LOM, Santiago de Chile, 1995

BERLIN, Isaiah, "Dos conceptos sobre la libertad", en *Cuatro ensayos sobre la libertad*, Alianza, Madrid, 1998

————, "La originalidad de Maquiavelo", en *Contra la corriente. Ensayos sobre historia de las ideas*, FCE, México, 1983

BERTELLONI, C. Francisco, "*Pars Construens.* La solución de Abelardo al problema del universal en la 1ª parte de la *Logica 'Ingredientibus'* (1ª Parte)", en *Patristica et Mediaevalia* Nº VIII, Buenos Aires, 1987

BIGNOTTO, Newton, *Maquiavel republicano*, Loyola, San Pablo, 1991

————, "A má fama na filosofia política: James Harrington e Maquiavel", en *Discurso* N° 24, Departamento de Filosofia da USP, San Pablo, 1994, pp. 173-191

BOBBIO, Norberto, *Thomas Hobbes*, FCE, México, 1989

————, *Estudos sobre Hegel. Direito, Sociedade Civil, Estado*, Brasiliense, San Pablo, 1989

————, *A era dos direitos*, Campus, Rio de Janeiro, 1992

BOLT, Sydney, *Hamlet*, Penguin, Londres, 1985

BONNARD, André, *D'Antigone à Socrate*, 10/18, París, 1954

BORGES, Jorge Luis, *Obras Completas*, Emecé, Buenos Aires, 1989

————, "Shakespeare y las unidades", en *Cuadernos Hispanoamericanos*, agosto de 1964, reeditado en *Clarín*, suplemento "Cultura y Nación", 22 de agosto de 1999, p. 16

CARVAJAL CORDÓN, Julián, "Soberanía y libertad de Bodin a Kant", en Carvajal Cordón, Julián (coord.), *Moral, derecho y política en Inmanuel Kant*, Universidad de Castilla-La Mancha, Cuenca, 1999

CASSIRER, Ernst, *El mito del Estado*, FCE, México, 2ª ed.: 1968

CASULLO, Facundo, *Vademecum, vadetecum*, Facultad de Ciencias Sociales, UBA, Buenos Aires, 2001

CHAUÍ, Marilena, *A nervura do real. Imanência e liberdade em Espinosa*, Companhia das Letras, San Pablo, 1999

————, "Spinoza: poder y libertad", en BORON, Atilio A. (comp.), *La filosofía política moderna. De Hobbes a Marx*, CLACSO-EUDEBA, Buenos Aires, 2000

————, "Ética y política en Spinoza", conferencia leída en la Facultad de Ciencias Sociales, Universidad de Buenos Aires, diciembre de 1999

CRUTTWELL, Patrick, *The shakespearean moment*, Random, Nueva York, 1960

DEBORD, Guy, *La sociedad del espectáculo*, edición crítica y prólogo de Christian Ferrer, La Marca, Buenos Aires, 1995

DE CERTEAU, Michel, *La toma de la palabra y otros escritos políticos*, Universidad Iberoamericana – ITESO, México, 1995

DE ÍPOLA, Emilio, *Metáforas de la política*, Homo Sapiens, Rosario, 2001

DELEUZE, Gilles, *El bergsonismo*, Cátedra, Madrid, 1987

DERRIDA, Jacques, *Spectres de Marx. L'État de la dette, le travail du deuil et la nouvelle Internationale*, Galilée, París, 1993 (tr. esp.: *Espectros de Marx. El estado de la deuda, el trabajo del duelo y la nueva Internacional*, Trotta, Madrid, 3ª ed.: 1998)

————, *De la gramatologie*, Minuit, París, 1967 (tr. esp.: *De la gramatología*, Siglo XXI, México, 1971)

DOTTI, Jorge E., *Carl Schmitt en Argentina*, Homo Sapiens, Rosario, 2000

EAGLETON, Terry, *Ideología. Una introducción*, Paidós, Buenos Aires, 1997

EDWARDS, Philip, ver SHAKESPEARE, William, *Hamlet*

ELÍAS, Norbert, *El proceso de la civilización. Investigaciones sociogenéticas y psicogenéticas*, FCE, México, 1994

ESPÓSITO, Roberto, *Confines de lo político. Nueve pensamientos sobre política*, Trotta, Madrid, 1996

FEBVRE, Lucien, *Honeur et Patrie*, Librairie Académique Perrin, París, 1996

FOUCAULT, Michel, *Les mots et les choses. Une archéologie des sciences humaines*, Gallimard, París, 1966 (tr. esp.: *Las palabras y las cosas*, Siglo XXI, México, 1968)

————, *Un diálogo sobre el poder y otras conversaciones*, Alianza, 1981

————, *Vigilar y castigar*, S. XXI, México, 1985

————, *Genealogía del racismo*, Altamira, Buenos Aires, 1992

FREUD, Sigmund, *Obras Completas*, Amorrortu, Buenos Aires, 1982

GADAMER, Hans-Georg, *El giro hermenéutico*, Cátedra, Madrid, 1995

GARGARELLA, Roberto, *Nos, los representantes. Crítica a los fundamentos del sistema representativo*, Miño y Dávila – CIEPP, Buenos Aires, 1995

————, "En nombre de la Constitución. El legado federalista dos siglos después", en BORON, Atilio A. (comp.), *op. cit.*

GIRARD, René, *Los fuegos de la envidia*, Anagrama, Barcelona, 1995

GODDARDD, Harold C., *The meaning of Shakespeare*, University of Chicago Press, Chicago, 1969 [1951]

GONZÁLEZ, Horacio, *Albert Camus: A libertinagem do sol*, Brasiliense, San Pablo, 1982

————, *La ética picaresca*, Altamira-Nordan, Montevideo, 1992

————, *La crisálida. Dialéctica y metamorfosis*, Colihue, Buenos Aires, 2001

GONZÁLEZ, Sabrina T. y DEMIRDJIAN, Liliana A., "La República entre lo antiguo y lo moderno", en BORÓN, Atilio A. (comp.), *op. cit.*

GRAMSCI, Antonio, *Notas sobre Maquiavelo, sobre la política y sobre el Estado moderno*, Nueva Visión, Buenos Aires, 1984

————, *Literatura y cultura popular*, Cuadernos de Cultura Revolucionaria, Buenos Aires, 1974

GRANVILLE-BARKER, Harley, *Preface to Hamlet*, Hill and Wang, Nueva York, 1957

GRÜNER, Eduardo, *Un género culpable. La práctica del ensayo: entredichos, preferencias e intromisiones*, Homo Sapiens, Rosario, 1996

————, *Las formas de la espada*, Colihue, Buenos Aires, 1997

————, "E.L., o de por qué las diferencias no son todas iguales", en *El Ojo Mocho* Nº 9-10, Buenos Aires, 1997, pp. 38-41

————, "La servilleta de Picasso y la sabiduría de Asdrúbal", en *El Ojo Mocho* Nº 12-13, Buenos Aires, 1998, pp. 52-54

————, "La experiencia de la Cosa (política)", en *El Rodaballo* Nº 9, Buenos Aires, 1998-99, pp. 59 a 66

———————, “El Estado: pasión de multitudes”, en Borón, Atilio A. (comp.), *op. cit.*
———————, *El fin de las pequeñas historias. De los estudios culturales al retorno (imposible) de lo trágico*, Paidós, Buenos Aires, 2002
Habermas, Jürgen, *Conocimiento e Interés*, Taurus, Buenos Aires, 1990
Hegel, G. W. F., *Estética* (Tomo 8: “La poesía”), trad.: Alfredo Llanos, Siglo veinte, Buenos Aires, 1985
Hilb, Claudia, “La violencia en la teoría política”, en Fernández, Arturo y Gaveglio, Silvia (comps.), *Globalización, fragmentación social y violencia*, Homo Sapiens, Rosario, 1997
———————, “Maquiavelo, la república y la ‘virtù’”, en Várnagy, Tomás (comp.), *Fortuna y virtù en la república democrática. Ensayos sobre Maquiavelo*, CLACSO, Buenos Aires, 2000
Hill, Christopher, *El mundo trastornado. El ideario popular extremista en la revolución inglesa del siglo XVII*, trad.: María del Carmen Ruiz de Elvira, Siglo XXI, Madrid, 1983
Hirschman, Albert O., *Las pasiones y los intereses*, FCE, México, 1978
Hobbes, Thomas, *Leviathan*, Dent & Sons, Londres, 1959 (en esp.: *Leviatán*, trad.: Manuel Sánchez Sarto, FCE, México, 1940, trad.: Carlos Mellizo, Alianza, Madrid, 1983, y trad.: Antonio Escohotado, Nacional, Madrid, 1979)
———————, *El ciudadano*, edición bilingüe, CSIC/Debate, Madrid, 1993
———————, *Behemoth* (trad. al portugués: Eunice Ostrensky), ed. UFMG, Belo Horizonte, 2001
Jaeger, Werner, *Paideia*, FCE, México, 1993 (1957)
Jameson, Fredric, *Documentos de cultura, documentos de barbarie. La narrativa como acto socialmente simbólico*, Visor, Madrid, 1989
Jaume, Lucien, *El jacobinismo y el Estado moderno*, Espasa-Calpe, Madrid, 1990
Jenkins, Harold, ver Shakespeare, William, *Hamlet*
Jones, Ernest, *Hamlet and Oedipus*, Norton, Nueva York, 1976
Kant, Inmanuel, *La paz perpetua*, Espasa-Calpe, Madrid, 1982
Kiernan, V. G., *El duelo en la historia de Europa. Honor y privilegio de la aristocracia*, Alianza, Madrid, 1992
Knight, Wilson, *The wheel of fire. Interpretations of Shakespearian tragedy*, Routledge, Londres, 1961
Kott, Ian, *Shakespeare, our contemporary*, Routledge, Londres, 1967
Kozicki, Enrique A., “*Hamlet*, el Padre y la Ley”, versión mecanografiada, Buenos Aires, 2001
Labandeira, María Celia e Oberti, Alejandra, “¿Una intervención con pedido de disculpas?”, en *El Rodaballo* N° 6/7, 1997, pp. 47-51
Lacan, Jacques, “Hamlet, un caso clínico”, en *Lacan oral*, Xavier Bóveda, Buenos Aires, 1983

LACLAU, Ernesto, *Nuevas reflexiones sobre la revolución de nuestro tiempo*, Nueva Visión, Buenos Aires, 1993

————, *Emancipación y diferencia*, Airel, Buenos Aires, 1996

———— y MOUFFE, Chantal, *Hegemonía y estrategia socialista. Hacia una democracia radicalizada*, Siglo XXI, Madrid, 1987

LEBRUN, Gérard, *O que é poder*, Brasiliense, San Pablo, 1981

————, *O avesso da dialética. Hegel à luz de Nietzsche*, Companhia das Letras, San Pablo, 1988

LEFORT, Claude, *Le travail de l'oeuvre. Machiavel*, Gallimard, París, 1972

————, *¿Permanece lo teológico-político?*, Hachette, Buenos Aires, 1981

————, *Las formas de la historia. Ensayos de antropología política*, FCE, México, 1988

LOVEJOY, Arthur O., *The great chain of being. A study of the histoy of an idea*, Harper, Nova Iorque, 1960 [1936]

LUKÁCS, Georg, *Teoría de la novela* (junto con *El alma y las formas*), Grijalbo, México, 1985

MACK, Maynard, "The world of 'Hamlet'", en la edición de *Hamlet*, de W. Shakespeare, hecha por Edward Hubler, New American Library, Nueva York, 1963

MCLUHAN, Marshall, *La galaxia Gutemberg*, Planeta-Agostini, Barcelona, 1985

MACPHERSON, C. B., *A teoria política do individualismo possessivo. De Hobbes a Locke*, Paz e Terra, Rio de Janeiro, 1962

MADANES, Leiser, *El árbitro arbitrario. Hobbes, Spinoza y la libertad de expresión*, Eudeba, Buenos Aires, 2001

MANENT, Pierre, *Historia del pensamiento liberal*, Emecé, Buenos Aires, 1990

MAQUIAVELO, Nicolás, *El Príncipe* (tr: Luis Navarro), Marymar, Buenos Aires, 1988

————, *Discursos sobre la primera década de Tito Livio* (tr: Ana Martínez Arancón), Alianza, Madrid, 1996

MASTERS, Roger, *Da Vinci e Maquiavel. Um sonho renascentista*, Jorge Zahar, Río de Janeiro, 1999

MATOS, Olgária C. F., *Paris 1968: As barricadas do desejo*, Brasiliense, San Pablo, 1981

————, *Os arcanos do inteiramente outro. A escola de Frankfurt, a melancolia e a revolução*, Brasiliense, San Pablo, 1989

MAYER, J. P., *Trayectoria del pensamiento político*, FCE, México, 1994 [1941]

MCALINDON, T., *Shakespeare's tragic cosmos*, CUP, Cambridge, 1991

MERLEAU-PONTY, Maurice, "Note sur Machiavel", en *Éloge de la philosophie et autres essais*, Gallimard, París, 1953 (tr. esp.: *Elogio de la filosofía*, Galatea, Buenos Aires, 1953 y Nueva Visión, Buenos Aires, 1957)

————, *Fenomenología de la percepción*, Planeta-De Agostini, Barcelona, 1985

MOORE, Barrington, *Los orígenes sociales de la dictadura y de la democracia*, Península, Barcelona, 2ª. ed: 1976

NEGRI, Antonio, *La anomalía salvaje. Ensayo sobre poder y potencia en B.* Spinoza, Anthropos, México, 1993

————, *El poder constituyente. Ensayo sobre las alternativas de la modernidad*, Libertarias / Prodhufi, Madrid, 1994

NIETZSCHE, Friedrich, *El nacimiento de la tragedia*, Alianza, Madrid, 1985 (1ª ed.: 1973)

OSTRENSKY, Eunice, *A política de Hobbes na revolução inglesa de 1640*. Dissertação de Mestrado, Departamento de Filosofia, FFLCH, USP, San Pablo, 1997

————, "La obra política de Hobbes en la revolución inglesa de 1640", en *Boletín de la Asociación de Estudios Hobbesianos* Nº 21, Buenos Aires, verano de 2000, pp. 1-5

————, "Hobbes: Entre la historia y la guerra", en *Ainda* Nº 3, Buenos Aires, 2000, pp. 19-25

POCOCK, John G. A., *The Machiavellian Moment. Florentine Political Thought and the Atlantic Republican Tradition*, Princeton University Press, Princeton, 1975

PORTELLI, Hugues, *Gramsci y el bloque histórico*, Siglo XXI, 21ª ed, México, 2000 (1ª ed.: 1973)

POULANTZAS, Nicos, *Poder político y clases sociales en el estado capitalista*, Siglo XXI, 28ª ed., México, 1998 (1ª ed.: 1969)

POUSADELA, Inés, "El contractualismo hobbesiano", en BORÓN, Atilio A. (comp.), *op. cit.*

RANCIÈRE, Jacques, *El desacuerdo. Política y filosofía*, Nueva Visión, Buenos Aires, 1996

RIBEIRO, Renato Janine, *A marca do Leviatã (Linguagem e Poder em Hobbes)*, Ática, San Pablo, 1983

————, *Ao leitor sem medo. Hobbes escrevendo contra o seu tempo*, Brasiliense, San Pablo, 1984 (2ª ed. UFMG, Belo Horizonte, 1999, de donde citamos el "Apêndice 2: A filosofia política na história", pp. 341-352)

————, *A última razão dos reis. Ensaios sobre filosofia e política*, Companhia das Letras, San Pablo, 1993 (tr. esp.: *La última razón de los reyes*, Colihue, Buenos Aires, 1998. Cito según esta edición)

————, *A sociedade contra o social*, Companhia das Letras, San Pablo, 2000

————, "Sobre a má fama em filosofia política: Hobbes", en Luis A. De Boni (org.), *Finitude e transcendência: Festschrift em homenagem a Ernildo Stein*, Vozes-EdiPucRs, Petrópolis y Porto Alegre, 1996, pp. 626-641

————, "Thomas Hobbes o la paz contra el clero", en BORON, Atilio (comp.), *op. cit.*

RIMBAUD, Arthur, *Poésis, Une saison en enfer, Illuminations*, Gallimard, París, 2ª ed., 1984

ROIZ, Javier, *El gen democrático*, Trotta, Valladolid, 1996

ROUSSEAU, Jean-Jacques, *Du Contrat Social*, Garnier, París, 1960 (incontables traducciones al español)

SABINE, George H., *Historia de la teoría política*, FCE, México, 1994 [1945]

SCHMITT, Carl, *Hamlet o Hécuba. La irrupción del tiempo en el drama*, Pre-Textos, Valencia, 1993

SHAKESPEARE, William, *Hamlet*, ed. Philip EDWARDS, CUP, Cambridge, 1985. Las citas que se hacen del editor corresponden a sus notas. Utilicé asimismo la magnífica edición Arden, hecha –también con muchas notas que aproveché y a veces se citan en el texto– por Harold JENKINS, Routledge, Londres y Nueva York, 1982. Para las citas en español acompañé, casi siempre, mi propia traducción de *Hamlet* (Talcas, Buenos Aires, 2000). Las otras obras de Shakespeare que son citadas en el texto corresponden a SHAKESPEARE, William, *The Complete Works*, Oxford University Press, Oxford, 1997.

SIMMEL, Georg, *Sobre la aventura. Ensayos filosóficos*, Península, Barcelona, 1988

SIPERMAN, Arnoldo, *Una apuesta por la libertad. Isaiah Berlin y el pensamiento trágico*, de la Flor, Buenos Aires, 2000

SKINNER, Quentin, *The foundations of modern political thought*, CUP, Cambridge, 1978, 2 vols. (tr. esp: *Los fundamentos del pensamiento político moderno*, FCE, México, 1986, 2 vols.)

__________, *Maquiavelo*, Alianza, Madrid, 1984

__________, *Reason and rhetoric in the philosophy of Hobbes*, CUP, Cambridge, 1996

__________, *Liberdade antes do liberalismo*, UNESP/CUP, San Pablo, 1999

__________, "The state", en Terence Ball, James Farr e Russell Hanson (eds.), *Political Innovation and Conceptual Change*, CUP, Cambridge, 1989

__________, "El Estado, un monstruo necesario" (entrevista de Eduardo Rinesi y Eunice Ostrensky), en *Clarín*, Suplemento "Cultura y Nación", Buenos Aires, 8/7/2001, pp. 3-4

SOARES, Luiz Eduardo, *A invenção do sujeito universal. Hobbes e a política como experiência dramática do sentido*, UNICAMP, Campinas, 1995

SPINOZA, Baruj, *Ética* (tr.: Vidal Peña), Editora Nacional, Madrid, 1984

STEINER, George, *La muerte de la tragedia*, Monte Ávila, Caracas, 1991

__________, *Antígonas*, Gedisa, Barcelona, 1996

STRAUSS, Leo, *Thoughts on Machiavelli*, University of Chicago Press, Chicago, 1958

__________, *The political philosophy of Hobbes. Its basis and its genesis*, University of Chicago Press, Chicago, 1963

STONE, Lawrence, *La crisis de la aristocracia, 1558-1641*, Alianza, Madrid, 1985

SZONDI, Peter, *Teoría del drama moderno / Tentativa sobre lo trágico*, Destino, Barcelona, 1994

TATIÁN, Diego, *La cautela del salvaje. Pasiones y política en Spinoza*, Adriana Hidalgo, Buenos Aires, 2001

__________, "Imaginación y política en Spinoza", comunicación leída en la Universidad Nacional de Córdoba, noviembre de 2001

TILLYARD, E. M. W., *The Elizabethan World Picture*, Penguin, 1990 [1943]

TODOROV, Tzvetan, *La conquête de l'Amérique. La question de l'autre,* Éditions du Seuil, París, 1982 (tr. esp.: *La conquista de América. La cuestión del otro*, Siglo XXI, Madrid, 1987)

WILLIAMS, Raymond, *Marxismo y literatura,* Península, Barcelona, 1980

WILSON, Dover, *What happens in Hamlet*, CUP, Cambridge, 3ª ed: 1951 [1935]

WOLIN, Sheldon, *Política y perspectiva. Continuidad y cambio en el pensamiento político Occidental,* Amorrortu, Buenos Aires, 1973

ZIZEK, Slavoj, *El sublime objeto de la ideología,* Siglo XXI, México, 1992

———, *Porque no saben lo que hacen*, Paidós, Buenos Aires, 1998

(ÍNDICE)

Esta edición
de 1000 ejemplares
se terminó de imprimir en
A.B.R.N. Producciones Gráficas S.R.L.,
Wenceslao Villafañe 468,
Buenos Aires, Argentina,
en abril de 2003.